中华人民共和国史长编

第七卷 人物卷

刘国新 贺耀敏 刘晓 武力 主编

HISTORY OF THE PEOPLE'S REPUBLIC OF CHINA

天津人民出版社

图书在版编目（CIP）数据

中华人民共和国史长编. 第7卷，人物卷／刘国新等主编. —天津：天津人民出版社，2010. 2
ISBN 978-7-201-06469-7

Ⅰ. ①中… Ⅱ. ①刘… Ⅲ. ①中国—现代史②人物—列传—中国—现代 Ⅳ. ①K27②K820. 7

中国版本图书馆CIP数据核字(2010)第017617号

天津人民出版社出版

出版人：刘晓津

（天津市西康路35号 邮政编码：300051）

邮购部电话：（022）23332469

网址：http://www.tjrmcbs.com.cn

电子信箱：tjrmcbs@126.com

山东新华印刷厂德州厂印刷 新华书店经销

2010年1月第1版 2010年1月第1次印刷
787×1092毫米 16开本 28.75印张 5插页
字数：517千字
定 价：150.00元

总 编 委 会

人 物 卷

人物卷 编委会

主　编　刘国新
副主编　张　蒙
作　者（按姓氏笔画排序）

马金荣	马耀宗	毛仲伟	王忠禹
王林育	王贵海	母稷样	刘国新
朱文强	许士荣	牟丹渝	何书田
何虎生	何政兵	张　丽	张　蒙
李建辉	杨文利	杨荫予	沈治德
沈雪江	彤新春	里　凡	陈　夕
陈廷煊	陈有翠	陈祖洲	武　力
郑　珺	赵先明	赵克寒	赵学军
赵海松	赵锦章	赵燕华	钟真真
凌　云	袁秉中	郭　伟	顾菊敏
董志凯	韩少常	路瑞平	戴晨京

前　言

《中华人民共和国史长编》在中华人民共和国成立 60 周年之际由天津人民出版社出版，这是作者与编者共同努力的结晶。

写这本书的初衷就是"存史"。至于怎么存？却是有些说道的。

就共和国史而言，以单一的体裁述说历史，有时会显得力不从心。因为人类社会一旦搭上现代化这趟快车，就不太可能是一个直线的轨迹了，社会的整体性和网络化以及与外部世界的关联程度都决定了历史面貌的立体化结构。为了能对此有一个很好的表达，《中华人民共和国史长编》由"总论"、"重大事件"、"文献资料"、"人物"及"大事记"五部分组成。五个部分既是独立的，又能互为补充。

"总论"，顾名思义，是史论，是论说本阶段历史概貌。这部分内容侧重分析历史发展的阶段性，每个阶段有哪些不同的特点。此外，对主要成就的归纳和经验教训的总结，也是"总论"的题中之义。在写作方法上，不是就事论事，而是以事引论。在对成败的判断上虽然不可能用太多的笔墨，但也不是浅尝辄止。读者通过"总论"会得到一个总括性的印象。

"重大事件"就是按照中国传统史学纪事本末体的写法，尽可能完整地揭示重要事件的起因、过程和结局。哪些属于"重大事件"呢？首先是政治运动和社会变革，比如"三反"、"五反"运功，新中国成立初期的"禁毒运动"；接下来是重要的事件、决策和会议，比如抗美援朝战争、国民经济五年计划、全国人大和全国政协会议；再接下来就是治国理念和方略、重要的思想、重要成就，比如"三步走"发展战略、"三个代表"重要思想、科学发展观、中国成功举办奥运会等;还有主要的社会现象、社会思潮、社会习俗、突发公共事件以及重大自然灾害,比如知识青年上山下乡、防治"非典"、抗震救灾等等。大体说来,前30年因为政治运动较多,一个事件基本上就是一次运动,比较容易独立成篇;后30年国家各项工作的重点转到经济建设,不再搞运动,所以,"事件"更多的是表现为某个领域的发展、某项政策的贯彻、某一方略的提出。不管是政治运动也好,还是发展方略也罢,它们都是历史的关节点,点点相连,就组成共和国历史的脉络主线。我们在这部分里面还安排了"港澳台"专题,对于1997年前的香港和1999年前的澳门,为了照顾历史的完整性,也作了简单的引述性记载。在编排上,依照政治、经济、文化、军事、外交几大板块排列,每个板块内按时间的先后为序。

"人物"吸收了传统史学纪传体的长处,简述人物的经历。传主为在共和国创立、建设和改革过程中建功立业的人物,也适当地收录了其他方面的代表人物。这里有两个具体的标准,首先是已经去世的,仍然健在的不收。其次是凡党政军系统人物一般按正部级以上出条,其他方面如教育界、科技界、文艺界、学术界的人物则以其学术成就和社会影响为依据,这里面虽然很难定出一个明确的标准,但从约定俗成或公众认可的角度看,还是能够画出一个杠杠的。人物按姓氏音序排列。

"大事记"是学习传统史学编年史体例,以年、月、日为经,以事件为纬。在遵守通常的编写大事记体例的基础上,本书还有自己的考虑。其一,从史学定位看,本书的"大事记"是中观史学,甚至包括一点点微观事件。因为以全书的互补关系,"重大事件"主要反映宏观史学,那么,"大事记"定位于中观带点微观就是恰如其分的,这充分体现本书各个部分所代表的不同层次。其二,从收录的领域看,"大事记"除了政治、经济、文化、军事、外交以外,还有教育、科技、新闻、出版、学术、卫生、体育、民族、宗教、国土、人口、气象等林林总总的事,它编织的是一幅更为细密的网络。"大事记"有部分内容同"重大事件"相重复,本书的处理办法是,凡"重大事件"已有的,"大事记"一概从简。

"文献资料"包括从中央到地方各级党、政、军、民主党派、人民团体的组织沿革和职官,以及研究成果总目。

本书的九卷分别是"重大事件"六卷:第一卷(1949—1956)、第二卷(1956—1966)、第三卷(1966—1978)、第四卷(1978—1991)、第五卷(1992—2002)、第六卷(2002—2009)。这种分法,不是本书的独创,完全是参照近些年学术界,包括党史学界和国史学界关于阶段的划分法,同时也自觉这六卷的编排无论从其所呈现出来明显的阶段性,还是从国家最高层级的对应上也还说得过去。第七卷为"人物"卷，第八卷和第九卷为"大事记"卷。

粗粗算来，国内对于共和国史研究有近30年了，出版著作百十来部，时间和数量能不能成为一个标志，还很难说，因为绝大多数著作都是教材。我们认为，共和国史若真正成为一门学科，按史书范式写出一批论著是基本条件。本书不敢妄谈水平多高，但宽领域、多视角的记述，多多少少还是做到了存史的目的。把过去发生的事情娓娓道来，写清楚它们的来龙去脉，应了孔子所说的"物有本末，事有始终，知所先后，则近道矣"和刘知几所强调的"良史以实录直书为贵"的要求。如果条件允许，本书每隔10年重新补充修订一次，长此下去，也会成为一个可观的文化建设。

中华人民共和国史长编

（人物卷）

目　录

（按姓氏音序排列）

A

艾思奇 (1910—1966)

哲学家。原名李生萱,云南腾冲人。1930 年到日本就学于福冈高等工业学校采矿专业,后因"九一八"事变爆发,愤而辞学归国,到上海参加反帝大同盟。1934 年在《读书生活》杂志发表《大众哲学》,用通俗形象的语言,深入浅出地宣传马克思主义哲学。1935 年在上海加入中国共产党。1935 年至 1936 年间,担任《读书生活》杂志的编辑,在此期间,出版了《新哲学论集》、《思想方法论》、《哲学与生活》等著作。1937 年去延安,在抗日军政大学、陕北公学、延安马列主义学院任教,并担任中央研究院文化思想研究室主任、中央文委秘书长、《解放日报》副总编辑等。中华人民共和国成立后,主要从事马克思主义哲学研究、宣传和教育工作,先后担任马列学院哲学教员、教研室主任、中央党校党委常委、副

校长,首届政协委员,政务院文教委员会委员,西南军政委员会委员,对外文委常务理事。为第一、二、三届全国人民代表大会代表,并被选为中国科学院哲学社会科学部委员,中国哲学学会副会长。还受聘为北京大学文学院教授。中华人民共和国成立之初,为了提高广大干部以及群众的政治觉悟和马列主义水平,中央决定在全国开展学习社会发展史,他全力投入这项工作。这期间,他应邀到许多单位作报告,出版了《历史唯物论——社会发展史》,并于 1951 年 3 月在中央人民广播电台举办的《社会发展史》讲座进行系统讲授。新中国成立后的十七年中,他在中央党校担负了大量的教学工作,培养了一大批党的领导干部和从事理论工作的人才。1957 年出版了《辩证唯物主义纲要》,该书紧密结合中国革命和建设的具体实际,较好地

阐明了马克思主义哲学的基本原理。并主编了《辩证唯物主义历史唯物主义》，这本书成为建国后第一本比较系统准确地论述马克思主义哲学基本原理的教科书。在他亲自领导下，党校编写了我国第一部比较完整的系统的自然辩证法著作——《自然辩证法提纲》。1964年理论界开展了关于"一分为二"和"合二而一"问题的争论。由于当时党内"左"的错误思想，导致意识形态领域对一些文艺作品、学术观点及其代表人物，都进行了错误的过火的批判。他也参加了这一批判。"论战"后期，他发表的文章，也有上纲过高的错误。但他仍不失为一名杰出的马克思主义哲学家，对我国马克思主义哲学的宣传和教育作出了显著贡献。1966年3月22日因病在北京逝世。有《艾恩奇文集》出版。

爱泼斯坦　（1915—2005）

记者、作家。全名伊斯雷尔·爱泼斯坦，又名艾培，波兰人。1957年加入中国国籍。爱泼斯坦出生在波兰华沙一个信仰马克思主义的犹太人家庭，父亲曾因参加犹太人反抗沙皇的统治被捕入狱和流放。1917年爱泼斯坦两岁时，随父母绕道日本来到中国，先后在哈尔滨、天津等地求学、成长。1931年初中毕业后，在《京津泰晤士报》当英文编辑、记者，开始了新闻工作者的生涯。其间，在北京目睹了"一二·九"学生运动中爆发的爱国热情；结识了美国记者斯诺夫妇，并阅读了《西行漫记》，开始关注中国共产党和中国工农红军，并及时向海外报道中国工农红军的活动。1937年任美

国合众社记者。抗日战争爆发后，父母因不愿留在日本统治下的中国而去了美国。他留了下来，向世界阐明日本侵略中国的根由和事实真相，并奔赴各个抗日战场，真实生动地报道了中国军民在台儿庄等地奋勇杀敌、至死不屈的事实和精神。1939年在香港参加宋庆龄发起组织的保卫中国同盟，负责宣传工作。他还将毛泽东的《论持久战》翻译出版，不仅让世界了解中国共产党的主张，更让世界看到中国人民抗战到底的决心和信心。1944年在重庆，以美国《纽约时报》、《时代》杂志和联合劳动新闻社记者的身份，参加中外记者西北参观团，突破封锁访问了延安。为把解放区的见闻、观感尽快向世界报道，他摆脱国统区的困扰赴美国写作。在美国期间，曾和夫人带领各界人士游行，反对美国干涉中国内政，还把《黄河大合唱》译成英文播唱。中华人民共和国成立后，1951年应周恩来总理、宋庆龄的邀请回到北京，创办《中国建设》（今为《今日中国》）杂志，任执行总编辑。1964年加入中国共产党。随后，他与中国人民一起经历了"文化大革命"和改革开放。《今日中国》现在用多种语言销往一百多个国家和地区，及时、全面地反映了中国的国情。是第六至十届全国政协常务委员。曾担任中国福利会副主席、宋庆龄基金会副主席、中国国际友人研究会名誉会长、中国翻译协会名誉会长、中国工业合作协会国际委员会名誉副主席等职。2005年5月26日因病在北京逝世。他在中国生活了82年，经历了中国现代与当代的历

史变迁和许多重大历史事件。著有《人民之战》、《中国未完成的革命》、《中国劳工状况》、《西藏的转变》、《宋庆龄传记》、《见证中国》等。

爱新觉罗·溥杰 （1907—1993）

满族。清朝末代皇帝爱新觉罗·溥仪的胞弟。生于北京。幼年在醇王府做溥仪伴读。1929 年后，被送往日本东京学习院、日本陆军士官学校学习。1935年回东北后，在伪满洲国任军职，成为日本侵略者的帮凶。1937 年与日本国王亲侯爵嵯峨实胜之女嵯峨浩结婚。1945年抗日战争胜利后，与溥仪一道被苏联红军俘获。中华人民共和国成立后，苏联政府于 1950 年 8 月将其移交中国政府，后被关押接受改造。1960 年 11 月获特赦释放。1962 年 5 月起，担任全国政协文史资料委员会专员、北京市政协委员。1978 年后，当选全国人大第五届代表，第六、七、八届常务委员，第六、七、八届全国人大民族委员会副主任委员。其由封建皇室贵族转变为社会主义中国的公民，进而进入最高立法机关，反映了历史的巨大变迁。他长期致力于中日和平友好事业，为促进中日友好倾注了大量心血。1991 年日本立命馆大学授予他名誉法学博士学位。1994 年 2 月 28 日因病在北京逝世。他还是海内外知名的书法家和诗人，传世有《溥杰诗词选》。

安子介 （1912—2000）

香港爱国实业家、汉语言文字学家。浙江定海人。早年在上海圣芳济学院经济系学习。1938 年就职香港一家进出口商行。1941 年太平洋战争爆发后到重庆。1942 年在中华民国政府中央信托局工作。1949 年返回香港定居。1950 年相继参与创建华南染厂、中南纺织厂、永南纺织厂。1965 年后，历任香港棉纺业同业公会主席、香港大学及理工教育资助委员会副主席。1969 年后历任香港南联实业有限公司董事会主席和香港电视广播有限公司、上海商业银行、邵氏兄弟影业有限公司董事；并曾任和记黄埔有限公司、九龙汽车有限公司、海南发展有限公司、恒隆有限公司、东方海外货柜航运有限公司董事。1970 年后历任香港工业总会主席，香港立法局非官守议员，香港行政局非官守议员，香港训练局主席，香港贸易发展局主席。1976 年后荣获香港中文大学名誉法学博士，北京对外经济贸易大学、清华大学、广州对外贸易学院、江西师范大学名誉教授。1981 年后历任香港中国语文学会名誉会长、北京汉字现代化研究会名誉会长。1988 年任深圳市人民政府高级顾问。1990 年后任香港一国两制经济研究中心理事会主席、名誉主席。是第六、七届全国政协常务委员，第八、九届全国政协副主席。在香港回归祖国的历程中，先后任香港基本法起草委员会副主任委员，香港特别行政区基本法咨询委员会主任委员，香港事务顾问，香港特别行政区筹备委员会预备工作委员会副主任委员，香港特别行政区筹备委员会副主任委员。2000 年 6 月 3 日因病在香港逝世。发明了安子介汉学电脑编码法。著有《解开汉字之谜〈学习汉语〉》、《劈文切字集》、《国际贸易实务》等。

安子文 （1909—1980）

原名安志翰，字浩然，陕西绥德人。米脂高等小学毕业后考入绥德省立第四师范学校，开始接受共产党的影响，加入革命团体共进会。1924 年冬毕业后到保定育德中学读高中。1925 年五卅运动中因散发传单被校方勒令退学，后到北京。6 月加入中国共产主义青年团，并考入京兆高级中学读书。1926 年参加李大钊等领导的三一八游行示威，被北洋军阀政府卫队开枪打伤，并被学校开除学籍，遂奉党组织指派到共青团北京地委工作。1927 年 1 月到西安，任冯玉祥部国民联军第三路军十九师政治处副处长。大革命失败后转至开封，同年 12 月由河南省委决定转为中国共产党党员，任省委交通科科长。1928 年 3 月被国民党当局逮捕，狱中严守党的机密，被判刑 11 个月。出狱后到上海，任党中央交通（员），往返于上海至武汉、宜昌、沙市之间，多次完成重要任务。1930 年 8 月任中共中央北方局交通科科长。1931 年 1 月北方局撤销，改任中共顺直省委秘书长，不久奉调到上海中央特科工作。3 月在天津再次被捕，6 月转押于北平，后关草岚子监狱。1936 年秋经中共中央批准，由北平党组织营救出狱，任中共北平市委组织部长，参与领导北平的抗日救亡运动。1937 年抗日战争爆发后，随北方局转至晋东南，先后任中共晋冀豫省委委员兼统战部部长及太岳工委书记、太岳特委书记、太岳地委书记等职。1940 年 1 月太岳地委扩大为太岳区党委，仍任书记，参与领导创建太岳抗日民主根据地和开展敌后抗日游击战争。1943 年赴延安任中共中央党校第二部副主任。被选为中共七大代表。1945 年 8 月任中共中央组织部副部长，9 月起主持部务工作，曾兼任中共中央党校教育长。1947 年 3 月撤出延安后，到华北任中共中央工作委员会秘书长，参与筹备召开党的全国土地会议。中华人民共和国成立后，历任中共中央组织部副部长兼中央纪律检查委员会副书记，中央人民政府人事部部长和政务院监察委员会委员，中共中央组织部部长，中共中央党校副校长，全国人大常委会法制委员会副主任等职。被选为中共第八届、第十一届中央委员，第二、三、四届全国政协常委，第五届全国人大代表。"文化大革命"中遭受迫害。中共十一届三中全会后得到彻底平反，恢复了名誉。1980 年 6 月 25 日因病在北京逝世。

B

巴　金　(1904—2005)

作家。原名李尧棠，字芾甘，四川成都人。出生在一个封建官僚大地主的大家庭。幼时随母亲读古诗词。1919 年受新文化运动影响，既接受五四科学与民主的思想，也接受了无政府主义思想。1920 年考入成都外国语专门学校学习。1922 年在上海《文学旬刊》上发表新诗《被虐待者的哭声》(7 月)、散文《可爱的人》(11 月) 等。1923 年 5 月到上海，入南洋中学、东南大学附属中学学习。1925 年夏毕业后报考北京大学，因查出肺病未入考场，返回上海养病，参加宣传无政府主义的活动。在南京经历了五卅运动。翻译了克鲁泡特金《面包略取》等无政府主义思想领袖的作品。1927 年 2 月赴法国留学，在那里广泛接触各种社会思潮，在政治上与国内归顺国民党的无政府主义者决裂。1929 年在郑振铎主办的《小说月报》上用笔名"巴金"发表《灭亡》，引起强烈反响，是其文学创作的正式开始。1930—1933 年间，创作了《死去的太阳》、《新生》、"爱情的三部曲"(《雾》、《雨》、《电》) 等中篇小说，以及代表作长篇小说《家》，因此成名。他先后任《文学季刊》编委，《水星》、《文季月刊》主编之一，文化生活出版社总编辑等职。编选并出版了鲁迅、茅盾、郑振铎、曹禺等作家的文学作品，并为培养文学新生力量作出了很大的努力。1937 年抗日战争爆发后，任上海文化界救亡协会机关报《救亡日报》编委，积极宣传抗日救国思想。1938 年当选中华全国文艺界抗敌协会理事。后辗转于各地，仍笔耕不辍，完成小说"火"三部曲 (又名"抗战三部曲")，长篇小说《春》、《秋》是《家》的续篇，合称"激流三部曲"，长篇小说《寒夜》等作品。1946 年开始的解放战争时期,创作了中篇小说《憩园》、《第四病房》等作品。中华人民共和国成立后,他两次赴抗美援朝战争前线体验生活,创作出通讯报告集《生活在英雄们的中间》和小说集《英雄的故事》,刻画了志愿军从司令员到战士的生动形象,倾吐着自己最深的情感。历任全国文学艺术界联合会副主席,中国作家协会副主席,《文艺月报》、《收获》、《上海文学》主编等职。《巴金文集》14卷,由人民文学出版社于1962年出齐。"文化大革命"中无作品发表,但重译了屠格涅夫的《处女地》。1978年3月当选第五届全国人大常务委员会委员。1980年《随想录》(第一集)出版;年底,首倡建立中国现代文学馆,并陆续捐献珍藏的书刊、手稿、照片等三千余件和钱款若干。1981年《随想录》(第二集)出版。1982年成为第一位荣获但丁国际奖的东方作家。《创作回忆录》和《巴金选集》(10卷,四川人民出版社)等作品出版。1983年6月当选第六届全国政协副主席。1988年4月当选第七届全国政协副主席。1993年3月当选第八届全国政协副主席。1998年3月当选第九届全国政协副主席。1984—2005年担任中国作家协会主席、中国笔会中心主席等职。1998年获上海市人民政府颁发的文学艺术最高奖项——杰出贡献奖。2003年11月25日百岁生日之际,被国务院授予"人民作家"称号。2005年10月17日因病在上海逝世。他还是散文家,20世纪20年代末有《海行杂记》、《旅途随笔》、《生之忏悔》等散文集;三四十年代有《控诉》、《梦与醉》、《静

夜的悲剧》等散文集;50年代的散文有《我们伟大的祖国》、《忆个旧》、《一场挽救生命的战斗》、《从镰仓带回的照片》等。其散文时代感强,并形成了将叙事、抒情、议论融为一体,从容自在的风格。

白　杨　(1920—1996)

电影表演艺术家。女。原名杨成芳,湖南汨罗人。生在北京,幼时随奶妈在农村生活。1931年母亲病故后,为自谋生路考入联华影业公司北平五分厂的演员养成所,成为该所年龄最小的学员。五分厂解散后,加入左翼戏剧家联合会领导的苞莉芭剧团,参加了《战友》等宣传抗日救亡的话剧演出。1934年参加中国旅行剧团,主演了话剧《梅萝香》、《少奶奶的扇子》等,显露出才华。1935年赴南京参加中国舞台协会,演出《回春之曲》、《黎明之前》等话剧,在《早餐之前》中有出色的表演。1936年经洪深推荐,加入上海明星影片公司二厂,主演了颇具影响的《十字街头》等四部电影。1937年抗日战争爆发后,与陈白尘、沈浮等人组成影人剧团,经武汉到四川一路演出《卢沟桥之战》、《流民三千万》等宣传抗日内容的话剧。在重庆期间,除在中央电影摄影场出演了《中华儿女》、《长空万里》、《青年中国》三部电影外,还主演了许多中外话剧并产生重大影响,如《屈原》、《天国春秋》、《日出》、《法西斯细菌》、《复活》、《罗密欧与朱丽叶》等,塑造了不同时代不同形象的女性,誉满山城。1945年抗日战争胜利后回到上海,在昆仑影业公司先后主演了电影《八千里路云和月》、《一江春水向东流》、《还乡

日记》、《新闻怨》等。《一江春水向东流》不仅成为中国经典电影,且创造了当时的票房纪录,并确立了她的中国电影女明星的地位。中华人民共和国成立后,在上海电影制片厂当演员。先后主演了《团结起来到明天》、《为了和平》、《祝福》(获第10届卡罗维发利国际电影节特别奖)、《春满人间》、《金玉姬》和《冬梅》等影片。1958年加入中国共产党。"文化大革命"中无作品。1989年在电视剧《洒向人间都是爱》中塑造的宋庆龄形象,是她唯一的电视剧作品,也是她塑造的最后一个人物形象。曾担任中国电影家协会副主席、上海电影制片厂演员剧团团长。1996年9月18日因病在上海逝世。著有《电影表演探索》、《电影表演技艺漫笔》专著和诗文集《落入满天霞》。

白崇禧 （1893—1966）

回族。字健生,广西临桂人。保定陆军军官学校第三期毕业。1924年与李宗仁等击败其他军阀,控制广西。1926年春,桂军改编为国民革命军第七军,任参谋长兼第二旅旅长。北伐战争开始后,任国民革命军副总参谋长、东路军前敌总指挥。1927年3月,趁上海工人举行第三次武装起义之机,进驻上海。4月12日,奉蒋介石之命派军队袭击了工人纠察队,屠杀共产党人和革命群众。8月,与李宗仁、何应钦等实力派军阀,逼迫蒋介石辞职下野,并由他们三人担任军事委员会常务委员。1929年3月,蒋桂战争爆发,被撤职,并被开除出国民党。失败后和李宗仁等逃回广西,在南宁建立"护党救国军"。1931年"九一

八"事变后,南京国民政府迫于形势与粤、桂合流。其后参与对中央苏区的围剿。1937年抗日战争爆发后,他到南京任国民党军事委员会副总参谋长和航空委员会委员,曾参与台儿庄决战。同时,还参加和组织了伊斯兰教救国同盟,任该同盟主席。1940年参与制造了"剿灭"新四军的皖南事变。1946年6月,任国民政府国防部部长。1948年6月,任华中"剿匪"总司令和华中军政长官。1949年1月蒋介石下野,李宗仁代总统后,李、白曾计划在长江设防,企图阻止解放军进军江南。后来,他指挥的主力部队在湖北、湖南和江西被中国人民解放军击败,他又退回广西。10月至12月,第四野战军和第二野战军一部发动广西战役,全歼其残余部队共17万多人。他只身逃往海南岛,后再飞往台湾。到台湾后,任"总统府战略顾问委员会副主任委员"。在1954年2月的国民大会首届二次会议上,他受到弹劾,罪名是克扣汉口中央银行金银巨款、防守华中失职。1966年12月2日病逝于台北住所。

白寿彝 （1909—2000）

历史学家。回族。字肇伦,教名哲玛鲁丁,河南开封人。出生在一个商人家庭。从小跟随姑母诵习阿拉伯文和《古兰经》。青少年时就读于开封市后安德烈学校、上海文治大学、河南中明大学。1929年考入燕京大学国学研究所,攻读中国哲学史,后任禹贡学会和国立北平研究院历史研究所编辑。1937年参加顾颉刚组织的考察团,到绥远、宁夏、甘肃等省进行民族、宗教、农田水利等方面的考察。抗日

战争爆发后,历任桂林成达师范教师,云南大学、中央大学教授。1949 年到北京大学历史系任教。中华人民共和国成立后,历任北京师范大学历史系教授、系主任,史学研究所所长。学术研究涉及中国交通史、中国伊斯兰教史、中国民族史、中国思想史、中国史学史、中国通史和史学理论等领域。1950 年加入中国民主同盟。1956 年加入中国共产党。“文化大革命”中受到冲击。1971 年主持《二十四史》的点校工作。1978 年 2 月当选第五届全国人大常务委员、民族事务委员会副主任委员、法制委员会委员。1983 年在北京师范大学创办古籍研究所,并任所长;6 月当选第六届全国人大常务委员、民族事务委员会委员。曾担任国务院学位委员会委员,国务院古籍整理规划小组成员,国家教育委员会全国高校古籍整理研究工作指导委员会副主任委员,中国史学会常务理事,中国教育学会历史分会会长、名誉会长,中国民族史学会会长,中国少数民族“五套丛书”编辑委员会副主任,《中国大百科全书·中国历史》卷(1978 年版)编辑委员会副主任,北京市历史学会会长、顾问等职。2000 年 3 月 21 日因病在北京逝世。主编和著作的有《中国交通史》《中国史学史》《中国通史纲要》、《史学概论》《历史教育和史学遗产》《回民起义》《回回民族的历史和现状》《中国伊斯兰史存稿》《中国通史》(12 卷)等。

柏　杨　(1920—2008)

作家。原名郭定生,河南辉县人。父亲曾任河南通县县长,母亲早逝。1931 年入省立第四小学学习。1933 年因不见容于继母,被父亲送到辉县县立小学学习。1936 年考取高中,回到开封学习。加入中国国民党的预备队三民主义青年团。1937 年抗日战争爆发,投考河南省军事政治干部训练班,在南阳县受训 3 个月,结业后被保送进入战干团,在武昌左旗营房受训 6 个月。1938 年加入中国国民党。后伪造证件考上内迁至四川的东北大学学习,1946 年于政治系毕业。1947 年因校方查出使用假学历证件,被教育部永远开除学籍。至此,他中学未毕业,大学也未获得文凭。后在沈阳私立辽宁文法学院政治系任副教授,同时创办反共的《大东日报》。1948 年沈阳解放前夕到北平,1949 年到上海,后又到台湾。1950 年因为“收听匪区广播”被判刑 6 个月。出狱后在成功中学、省立成功大学、国立艺专等校任教。后进入蒋经国培养自己干部的救国团,负责文艺工作。1960 年 5 月起,以笔名柏杨在《自立晚报》撰写专栏。1966 年任平原出版社社长。1968 年 3 月,因在《中华日报》翻译美国漫画的文字时获“侮辱元首”、“通匪”等罪名被捕。经 4 个月审讯,被迫承认曾被中国人民解放军俘虏,并来台湾当“匪谍”,以“叛乱”罪被判处 12 年徒刑,是为震惊台湾的“大力水手事件”。1977 年 4 月获释,在狱中 9 年完成《中国人史纲》《中国历代帝王皇后亲王公主世系》《中国历史年表》3 部著作。出狱后在《中国时报》开辟“柏杨专栏”,立传著书。2006 年将 56 箱计 11745 件文献、文物捐赠位于北京的中国现代文学馆;9 月宣布封笔。2008 年 4

月 29 日因病在台北逝世。一生虽无高等教育学历,但靠着天资聪颖勤奋阅读,最终著作等身,包括小说、杂文、随笔、历史等诸方面。代表著作有《丑陋的中国人》《柏杨版资治通鉴》(72 册)等。

班禅额尔德尼·确吉坚赞
(1938—1989)

藏族。原名贡布慈丹,青海循化人。班禅是西藏喇嘛教"格鲁派"(即黄教)的领袖之一。1937 年九世班禅逝世后,1941 年班禅堪布会议厅按照宗教手续,选定出生于藏族农民家庭、年仅三岁的贡布慈丹为九世班禅的转世灵童,迎往青海塔尔寺供养。1949 年 6 月 3 日,经当时的国民党政府批准为第十世班禅额尔德尼。同年 10 月 1 日,班禅致电毛泽东主席和朱德总司令,祝贺中华人民共和国成立,表示拥护中央人民政府,希望早日解放西藏。1951 年 4 月到北京,积极支持和推动西藏地方政府代表同中央人民政府代表就和平解放西藏问题进行谈判。1952 年经青海返回西藏。他热烈拥护《关于和平解放西藏办法的协议》,对祖国统一、民族团结和西藏内部团结以及协商达成成立西藏自治区筹备委员会的决议等起了重要作用。1956 年 11 月应邀去印度参加释迦牟尼涅槃 2500 周年纪念活动。1959 年 3 月西藏上层反动集团发动分裂西藏的武装叛乱时,他正气凛然地站在祖国和人民的一边,同叛乱分子进行了坚决的斗争。先后被选为第一届全国人大常委,西藏自治区筹备委员会第一副主任委员、代理主任委员,第二、五、六、七届全国人大常委会副委员长,第二、五届全国政协副主席,中国佛教协会名誉会长,中国藏语系高级佛学院院长等。曾率领全国人大代表团出访尼泊尔、澳大利亚、巴西、乌拉圭等国,并经常会见外宾,积极促进中国人民同各国人民的友谊。作为藏传佛教的杰出领袖,他积极协助党和政府贯彻宗教信仰自由政策,维护寺庙和僧尼的合法权益,同时顺应社会发展,为藏传佛教逐步适应我国社会主义制度做了许多有益的工作。1987 年至 1988 年,他针对极少数西藏分裂分子与外国分裂势力相勾结在拉萨制造的几次骚乱事件,多次发表讲话表示坚决维护祖国统一,严厉谴责分裂祖国的行径。他十分关心《民族区域自治法》的贯彻执行和西藏的经济文化建设,倡议成立西藏发展基金会,并兼任主任委员。1989 年 1 月,在主持日喀则市扎什伦布寺第五世至第九世班禅遗体合葬灵塔祀殿——班禅东陵扎什捷开光典礼后,因操劳过度,心脏病突发,抢救无效,于 1 月 28 日逝世。

包达三 (1888—1957)

民族资本家,社会活动家。字楚,浙江镇海人。少年时读过三年私塾。16 岁到上海一家纸行当学徒,三年期满后留店当学徒。利用业余时间发愤读书,于 1906 年考取官费留学日本,在此期间加入同盟会。1911 年辛亥革命武昌起义前夕,奉陈其美之令,与拜把兄弟蒋介石、张群等回国,准备革命。辛亥革命上海起义期间,率领起义军攻打江南制造局。上海光复后,又马不停蹄地赶赴杭州,参加攻占巡抚官署的战斗。1913 年

7月参加反袁世凯的"二次革命"。失败后避往日本。1914年在明治大学商科毕业。后弃政从商，先在河南等地开办蛋厂，获利丰厚。1920年在上海与虞洽卿等人参与上海证券物品交易所的筹建。1927年投资营建上海江湾跑马厅，任董事长。此时也投资地产，成为上海著名的房地产资本家。他还曾涉足过水产、医药、化工等行业。抗日战争期间，严词拒绝担任汪伪政府实业部部长之职，并改名避居，依靠变卖家产、文物度日，保持了民族气节。抗日战争胜利后，常与中国共产党接触。1946年6月与马叙伦、雷洁琼等组成和平请愿团到南京呼吁和平，在南京下关火车站遭国民党特务殴打。此后，积极支持中国共产党并为其工作。他对国民党的认识，始于1912年蒋介石组织对陶成章的暗杀，和1928年南京国民党政府成立后，蒋介石派人敲诈勒索银元10万元，几使其濒临破产。中华人民共和国成立后，当选为第一届全国人民代表大会代表，曾任全国政协委员、中国民主建国会委员、全国工商联常务委员和浙江省副省长。1952年将所有财产捐献给国家。1957年4月6日因病在杭州逝世。

包尔汉 （1894—1989）

维吾尔族。全称包尔汉·沙赫德拉，新疆温宿人。生于俄国喀山特铁什，1914年恢复中国国籍。少年时入喀山穆罕默德亚学校读书。1909年到书店当学徒。1912年9月随俄商到中国新疆迪化（今乌鲁木齐）俄国天兴银行当店员，从事边境贸易。1921年任新疆省财政厅关税稽查委员。1922年任省政府马厂管理委员，秘密出版进步刊物《新生活》。1925年任新疆汽车公司委员兼司机学校校长。1929年9月被派赴德国购买压路机，完成留德学习。1930年夏考入柏林大学。1933年初回到迪化。3月再次去苏联，经苏共党员帮助和介绍，参加秘密革命工作。6月初回到迪化，被新疆政府派为阿山宣慰使，领导平息阿山叛乱。1934年夏任新疆裕新土产品公司（官办）经理，兼省政府设计委员会委员、财政委员会委员，参加新疆民众反帝联合会。任执行委员兼民众部副部长，并当选新疆民众联合会执行委员，曾代理委员长。1935年与中共党员俞秀松（时任反帝联合会会长）建立起密切联系。1937年3月任中国驻苏联斋桑领事馆领事。1938年春回国被当局逮捕，关押于迪化监狱，被加以"勾结德、日势力"的莫须有罪名。在狱中完成孙中山《三民主义》维文译稿。1944年11月获释。1945年1月任新疆省警务处翻译室主任，不久任新疆省政府民政厅副厅长，旋改任迪化专员公署专员。1946年初参加三区革命，秘密支持和帮助革命组织。6月担任由新疆国民党当局与三区革命政府合组的新疆省政府副主席。1947年5月改任中华民国政府委员。1948年5月改任总统府顾问。12月任新疆省政府主席。1949年后积极准备争取和平解放，9月响应中共的号召与陶峙岳通电宣布起义，使新疆得以和平解放。12月加入中国共产党。中华人民共和国成立后，历任西北军政委员会委员，中共中央新疆分局常委,新疆省人民政府主席,新疆省政协第二、三届委员会副主席,中国伊斯兰教协会主席,人大常委会民族事务委员会副主任委员,中国科学院民族研究所所长,中国政治法律协会副会长,第四、五届全国政协常委,第五、六届全国政协副主席等职。1989 年 8 月 27 日因病在北京逝世。

包惠僧 (1894—1979)

湖北黄冈人。1917 年毕业于湖北省立第一师范,在武昌教书半年。后任《汉口新闻报》、《大汉报》、《公论日报》、《中西日报》等报记者。1919 年于北京大学中文系肄业,同年参加五四运动,奔走于北京、上海、广州各地。1920 年在武昌组织中国共产党临时支部,任支部书记。1921 年代表陈独秀参加了中共一大。1922 年至 1923 年任中国劳动组合书记部长江支部主任,中共北京区委委员兼秘书,中共武汉区委委员长。1924 年第一次国共合作时期,以中共党员的身份加入国民党,在广州参加国民党工作,历任中共中央党部党员训练班委员,广东大学师范部教员,铁甲车总队政治教官,滇军干部学校政治部主任。黄埔军官学校政治部主任等职。1925 年 8 月初,调任黄埔军校第三团党代表。后改任黄埔军校教导师党代表兼政治部主任。1926 年夏,任黄埔军校高级政治训练班主任政治教官,后又任战时政治训练班主任。北伐军到达武汉后,先后任武汉新闻检查委员会主席,武汉中央军事政治学校筹备主任。1927 年 1 月调任国民革命军独立第十四师(师长夏斗

寅)党代表兼政治部主任。八一南昌起义后,与中共脱离组织关系。后在国民党湖北省主席兼武汉行营主任何成浚幕下任参议。1931 年起任蒋介石的陆海空军总司令部参议,军事委员会秘书兼中央军校政治教官。1935 年任国民党政府防空委员会编审室主任兼第四处副处长。1936 年至 1948 年,任国民党内政部参事、户政司司长、人口局局长等职。后举家迁往澳门。1949 年 11 月从澳门回到北京。1950 年入华北革命政治研究院学习,同年 12 月毕业后任内务部研究员、参事。1957 年 4 月起任国务院参事。1979 年 7 月 2 日因病在北京逝世。生前撰写了许多回忆中国共产党建党初期活动的史料,1983 年 5 月人民出版社结集以《包惠僧回忆录》之名出版。

贝时璋 (1903—2009)

生物学家、教育家。浙江镇海人。出生在一个贫苦家庭。1921 年在上海同济医工专门学校医学预科毕业后,赴德国留学。先后在弗赖堡大学、慕尼黑大学、图宾根大学动物学系学习,1928 年获图宾根大学自然科学博士学位并留校任教。1930 年回国后创办浙江大学生物系,任教授、系主任,后任理学院院长。中华人民共和国成立后,继续在浙江大学任教和帮助中国科学院筹建研究所。1950 年后,历任中国科学院实验生物研究所研究员、所长,生物物理研究所研究员、所长,中国科技大学研究生院生物教学部主任、生物物理系主任。1955 年当选中国科学院生物学部委员。1978 年加入中国共产党。他长期从事实验生

物学的研究与教学工作,培养了大批专业人才,当年中国科技大学的学生已经有6位当选中国科学院院士。他对生物的细胞常数、再生性转变以及细胞的结构、分裂等领域有深入的研究和很高的造诣。在丰年虫中间性的性转变过程中,观察到细胞重建现象——在生物体内除细胞分裂外,以某种物质为基础,也可以一步步形成完整细胞。在丰年虫和鸡胚早期发育中,多次重复研究,证明以卵黄颗粒为基础或细胞质为基地,重建为细胞,是客观存在的现象,并从卵黄颗粒中提取出染色质。他创立的"细胞重建学说",为中国的生物学,特别是实验生物学的发展作出了重要的贡献,是中国实验生物学的开拓者之一。从1958年到1983年一直担任中国科学院生物物理所所长,他开拓了中国放射生物学和宇宙生物学的研究,指导了中国核爆炸动物远后期辐射效应研究,主持建立的一系列关于辐射危害的标准、框架,至今仍在相关医学研究领域发挥着基础性的作用。指导了中国第一批生物火箭动物飞行实验等重大研究,为中国载人航天事业奠定了基础。他是三位建议中国发展载人航天技术的科学家之一。作为中国生物物理学、放射生物学和宇宙生物学的开创者,为中国的生命科学和载人航天事业作出了突出的贡献。是第三至六届全国人大常务委员会委员,第三届全国政协常务委员会委员。曾担任中国动物学会理事长、中国生物学会理事长、《中国科学》和《科学通报》杂志副主编等职。2009年10月29日因病在北京逝世。著有《细胞重建论文集》等著作。

秉　志（1886—1965）

动物学家。满族。字农山,河南开封人。曾任南京高等师范学校、东南大学、中央大学、厦门大学、复旦大学等校教授,中国动物学会理事长。并与胡先骕创办中国科学社生物研究所和静生生物调查所,为发展我国动植物分类学创造了条件。是我国动物学的奠基人之一。中华人民共和国成立后,历任中国科学院水生生物研究所研究员、动物研究所研究员。他对动物分类学、动物形态学、昆虫学、动物生理学、古动物学等方面的研究,都有一定成就。尤长于动物解剖及神经解剖。1955年当选中国科学院生物学部委员。著有《鲤鱼的解剖》、《鲤鱼组织学》、《江豚内脏的解剖》、《虎的大脑》等。

薄一波（1908—2007）

原名薄书存,山西定襄人。1922年入山西国民师范学校读书。1925年加入中国共产党。参加太原声援五卅运动的学生运动。1926年毕业后,任中共太原北部地区委员会书记、中共太原地委委员。1927年大革命失败后,转入晋北农村从事秘密工作,恢复、整顿中共党组织。1929年调到中共顺直省委军委,指导兵运工作。先后在唐山、大沽、塘沽和平汉铁路沿线地区组织领导士兵暴动。后因叛徒出卖,几次被捕入狱。1931年8月入"北平军人反省分院"（即草岚子监狱）服刑,曾任狱中党支部书记,组织狱友努力学习、坚定信念,与敌人进行了顽强的斗争。1936年8月,他和其他同志经党组织营救出狱。出狱后回到山西，投入到抗日统一战线工作中，任中共山西公开工作委员会书记。以抗日救亡活动家身份，同国民党山西地方实力派阎锡山建立了特殊形式的统一战线，应阎邀请接手改组"山西省牺牲救国同盟会"，在山西各地发动和组织民众，培训军政干部，广泛开展抗日救亡运动。1937 年抗日战争爆发后，他戴"阎的帽子"、"讲山西话"组建山西青年抗敌决死队，任政治委员。不久，扩充部队建立山西新军，到 1939 年夏发展到 50 个团（正规团 46 个，游击支队 4 个），主力部队 5 万余人，实际兵力和武器数量都超过了山西旧军；年底，指导山西新军粉碎了阎锡山发动的晋西反共事变，率余部编入八路军第一二九师。经过百团大战的洗礼，编入八路军的山西新军的战斗力获得了极大的提高，成为与老八路部队并肩的主力部队，创造了抗日统一战线的典范。历任太岳纵队兼太岳军区政治委员、晋冀鲁豫边区政府副主席、中共太岳区委书记、中共太行分局副书记，为巩固和发展晋冀鲁豫抗日根据地作出了贡献。1943 年 10 月赴延安入中共中央党校学习。1945 年 6 月当选中共第七届中央委员。抗日战争胜利后，任中共晋冀鲁豫中央局副书记、晋冀鲁豫军区副政治委员。1947 年晋冀鲁豫野战军主力挺进大别山后，主持中共晋冀鲁豫中央局的工作。1948 年任中共华北局第一书记、华北军区政治委员、华北人民政府副主席兼华北财经委员会副主任、平津卫戍区政治委员。参与了新民主主义国家政权的建设和实践。中华人民共和国成立后，任中央人民政府委员、中央财政经济委员会副主任、政务院财政部部长、全国增产节约运动委员会主任。协助陈云制定并实施克服国家财政经济困难的政策和措施。1951 年后负责主持"三反"、"五反"运动。1954 年 10 月任国务院第三办公室主任，主持重工业口的工作。1955 年任国家建设委员会主任。1956 年 6 月，任国务院副总理（第一届全国人大任期内）兼国家经济委员会主任；9 月，当选中共第八届中央政治局候补委员。1959 年 4 月任国务院副总理（第二届全国人大任期内）。1962 年 11 月后兼任国家计划委员会副主任。1965 年 1 月任国务院副总理（第三届全国人大任期内）。他是社会主义中国大规模经济建设的主要一线领导人之一。"文化大革命"中遭受迫害。1978 年 12 月中共中央为他平反昭雪。1979 年 6 月任国务院副总理；9 月，增选为中共第十一届中央委员。1982 年 5 月，任国务委员兼国家经济体制改革委员会副主任；9 月，在中共第十二次全国代表大会上，当选中共中央顾问委员会副主任，主持"中顾委"的日常工作。1983 年 7 月，任中央整党工作指导委员会常务副主任。1987 年在中共第十三次全国代表大会上，当选中共中央顾问委员会副主任。2007 年 1 月 15 日因病在北京逝世。著作有《若干重大决策与事件的回顾》《七十年奋斗与思考》（上卷·战争岁月），其他文章、报告、发言等收入《薄一波文选》。

C

蔡　畅（1900—1990）

　　女。湖南湘乡人。蔡和森之胞妹。长沙周南女校毕业后,先后在女子职业学校、周南附小任体育教员。1919 年 12 月赴法国勤工俭学,入蒙民达女校读书。1920 年夏加入新民学会。后在巴黎、里昂半工半读。1922 年加入中国社会主义青年团,1923 年转入中国共产党。1924 年同李富春结婚。同年底,被一起派赴苏联,入莫斯科东方大学学习。1925 年秋回到广州,任中共广东区委妇女运动委员会书记。参加国共合作,协助国民党中央妇女部部长何香凝领导妇女工作。1926 年秋兼全国妇女运动讲习所教务主任,主持讲习所工作。同年 11 月任中共江西区委妇女部部长。1927 年春改任中共湖北区委妇女部部长,领导湖北妇女参加反帝反封建斗争。大革命失败后,转移到上海从事秘密地

下斗争。1928 年春赴莫斯科,6 至 7 月参加中共六大并出席共产国际六大。后回国在上海做地下工作。1931 年冬进入中央革命根据地。此后历任江西省苏维埃政府工农监察委员会主席,中共江西省委组织部部长、妇女部部长等职。领导江西根据地广大妇女积极参加红军反“围剿”斗争。1934 年 2 月被选为中华苏维埃共和国中央执行委员。10 月随中央红军长征,在军委第二纵队政治部做民运工作。1935 年 10 月到达陕北,11 月任中共陕甘省委统战部部长、组织部部长。1936 年 7 月改任陕甘宁省委白区工作部部长。1937 年 5 月出席党的全国代表会议,被选为主席团委员,同时任中共陕甘宁边区党委妇女部部长。抗日战争时期,先后任中共中央妇女运动委员会委员、书记,长期主持党的妇女工作。1945 年 4 月至 6 月出席中共七大,被选

为中共中央委员,同时任中国解放区妇女联合会筹备委员会主任,中国解放区人民代表会议筹委会常委。解放战争时期,担任中央妇女运动委员会书记。后赴东北兼任中共中央东北局妇女运动委员会书记,被选为中华全国总工会执行委员,并任女工部部长。1949 年 3 月在北平主持召开第一次全国妇女代表大会,成立中华全国妇女联合会,被选为主席,同时被选为国际民主妇女联合会副主席,成为国内外著名的妇女运动领袖。中华人民共和国成立后,长期担任中共中央妇女运动委员会书记职务,并历任中央人民政府委员,第二、三届全国妇联主席,第四届全国妇联名誉主席,第四、五届全国人大常委会副委员长等职。被选为中共第八至第十一届中央委员,第一至三届全国人大常委等。1982 年因年迈体弱主动辞去所任领导职务。中共十一届七中全会特向她发出致敬信,表示亲切问候和崇高敬意。1990 年 9 月 11 日因病在北京逝世。

蔡楚生　(1906—1968)

电影导演。广东潮阳人。少时读过四年私塾,后以各种旧报纸作为课本,刻苦自学。1925 年在汕头参加店员工会,组织进业白话剧社,担任戏剧的编剧、导演、演员,并试写文章和绘画。1926 年和剧社同人协助上海影片公司在汕头拍外景,遂对电影产生了兴趣。1929 年到上海,曾在几家影片公司当临时演员、剧务、美工等几乎所有行当,在实践中学习电影艺术的各门知识。1931 年夏,加入联华影业公司,正式担任编剧、导演。先后创作了《南国之春》(1932)和《粉红色的梦》(1932),因影片脱离严酷的现实,受到左翼电影工作者的善意批评。1933 年参加中国电影文化协会,当选执行委员。1934 年编导《渔光曲》,创造了中国影片票房的最高纪录,并于次年在莫斯科国际电影节上获得荣誉奖,是中国影片在国际上获奖的第一部,也是其成名作和代表作之一。抗日战争爆发前后,在上海、香港导演和编写的剧本都是与抗战有关的内容。抗日战争胜利后,回到上海参加联华影艺社和昆仑影业公司的创建,并担任"昆仑"的编导。1947 年与郑君里合作编导的《一江春水向东流》,再次创造了票房纪录,并被誉为"中国电影发展途程上的一支指路标"。年底去香港,参加推进华南电影的改进工作。中华人民共和国成立后,先后任文化部电影局艺术委员会主任、电影局副局长,中国电影工作者联谊会和中国电影工作者协会主席,中国文学艺术联合会副主席等职。1956 年参加中国共产党。1958 年在领导电影工作的同时,执导了《南海潮》(上集,1963)。他为社会主义电影事业的发展作出了贡献。1968 年 7 月 15 日逝世。专著有《对分镜头剧本和文学剧本的一些看法》和《创作四题》。

蔡廷锴　(1892—1968)

字贤初,广东罗定人。1910 年投广东新军当兵。参加了孙中山领导的第一次北伐,多次立下战功。1924 年中国国民党改组后,经陈铭枢介绍加入国民党。1926 年 7 月参加北伐战争,攻占武汉后,出任第二十四师副师长。1927年8月1日参加南昌起义,任军事委员会委员,第十一军副军长兼第十师师长,后因认为自己是国民党党员与共产党信仰不同,令所有共产党员离开第十师。此后率部进入福建,重建第十一军。后去广东参加军阀混战。1930年12月奉调江西,参加围剿中央苏区,损失惨重。1931年"九一八"事变后,率十九路军三万多人在赣州宣誓反对内战,主张团结抗日。1932年1月28日深夜,日军武装进攻上海。他和蒋光鼐当即下令第十九路军"为自卫计,应迎头痛击"。次日,他们又联名通电全国,表示:"尺地寸草,不能放弃。"对南京政府严厉责成第十九路军撤退的命令不予理睬。被誉为"抗日将军"和"民族英雄"。后被迫调入福建与红军作战,任第十九路军总指挥、福建绥靖公署主任。1933年10月第十九路军代表与红军代表在瑞金草签了《反日反蒋的初步协定》。同年11月参与发动福建事变,失败后去香港。1934年4月周游欧、美、澳等地,大力宣传抗日救国主张,抨击国民党政府的不抵抗政策。次年4月返回香港,与李济深、陈铭枢、冯玉祥等组织中华民族解放同盟,为负责人之一。1937年8月应蒋介石电邀到南京,被委任为大本营上将参议官。次年任第十六集团军副总司令、总司令,于1946年在广州参与组织中国国民党民主促进会,反对内战,要求实现真正的三民主义。1948年1月中国国民党民主促进会和三民主义同志联合会在香港组成中国国民党革命委员会,当选为常务委员,兼任

财政部长。9月应邀和其他民主党派领导人北上,第一批进入东北解放区。1949年9月出席中国人民政治协商会议第一届全体会议。中华人民共和国成立后,历任中央人民政府委员,国家体委副主任,第二、三届全国政协常委,第四届全国政协副主席,第一、二、三届全国人大委员,中国国民党革命委员会第一、二届中央常委、第三、四届中央副主席等职。1950年8月被推为代表团成员,前往朝鲜慰问志愿军。同年11月又作为我国代表团成员前往波兰华沙,出席世界和平大会,被选为世界和平理事会理事。1961年初,随周恩来赴缅甸进行友好访问,回国后任国防委员会副主席。1968年4月25日在北京病逝。

蔡子民 （1920—2003）

台湾民主自治同盟的卓越领导人。原名蔡庆荣,台湾彰化人。出身书香门第。1939年怀着"政治报国"的心愿考入日本早稻田大学政治系学习。1943年毕业后任东京《华侨日报》总编辑。1945年抗日战争胜利后台湾光复,1946年8月怀着建设台湾的心愿,回到台北创办《自由报》并任总编辑。1947年2月,台湾爆发"二二八"起义,他投身其中;9月起义失败遭到台湾政府通缉。脱险到上海后,任上海台湾旅沪同乡会总干事,并加入中国共产党。1949年7月加入台湾民主自治同盟。中华人民共和国成立后,从事对台湾广播的编辑工作。1962年9月转到外事工作岗位后,仍然关心台湾问题,悉心研究台湾历史,撰写出版了《台湾史志》。1981年3月任

中华人民共和国驻日本大使馆文化参赞。1985 年 5 月回国后,历任台湾民主自治同盟中央常务委员、中央宣传部部长、中央主席团主席、中央主席、中央名誉主席。是全国人大第四、五届委员,第六、七、八届常务委员;第九届全国政协常务委员、港澳台侨委员会副主任委员。曾担任海峡两岸关系协会顾问、中华海外联谊会副会长等职。2003 年 4 月 11 日因病在北京逝世。

曹荻秋　(1909—1976)

原名曹仲榜,名健民,四川资阳人。1925 年五卅运动时,参加和组织了学生爱国运动。1929 年 9 月加入中国共产党。1930 年任温江县工委书记,参加和领导了广汉暴动。1931 年任中共重庆市委宣传部部长。3 月,到上海就任中国文化总同盟秘书、中国社会科学研究总会党团书记。"九一八"事变后,参加救国会的党团工作,组织上海学生赴京请愿团,担任总指挥。1932 年因叛徒出卖被捕。在狱中保持了共产党员的革命气节,保守了党的秘密。1937 年出狱后,先后到上海文委、武汉救国总会、西北军第二十七军团工作。武汉失守后,任中共鄂西北省委宣传部部长。1940 年 11 月,参加领导盐埠抗日根据地的开辟工作。历任盐埠区党委宣传部部长及行署主任、苏北区党委宣传部部长及行署副主任、盐埠区党委书记、苏北军区政委、华中行政办事处主任、中共江淮区党委书记、江淮军区政委、华东支前司令部副司令等职。1949 年南京、上海解放后,就任西南服务团团长,通过开办训练班,在短期内为解放和建设大西南培养了一批接管干部。中华人民共和国成立后,先后担任中共重庆市委书记,重庆市副市长、市长,中共四川省委第三书记。1955 年 11 月任上海市委书记、副市长,受市委和陈毅的委托,主持上海市人民委员会工作。领导上海的工商业社会主义大改造工作,取得了良好效果。1964 年任上海市市长。"文化大革命"中遭受迫害。1976 年 3 月 29 日在上海逝世。1978 年 6 月中共中央予以平反昭雪。

曹靖华　(1897—1987)

原名联亚,河南卢氏人。青年时代投身进步学生运动。1920 年加入中国社会主义青年团,并被派往苏联莫斯科东方大学学习,1922 年回国。1925 年受李大钊派遣,赴开封任国民军第二军苏联顾问团翻译。大革命失败后再次赴苏联,先后在莫斯科中山大学、列宁格勒东方语言学院等校任教。1933 年回国。其后,在周恩来直接指导下,参加中苏文化协会和中华全国文艺界抗敌协会工作,并主编《苏联抗战文艺丛书》。从 20 年代初开始,他即从事进步的俄国文学和苏联文学的介绍工作,是我国翻译介绍苏联革命文学的先驱者,先后译出《铁流》《保卫察里津》《我是劳动人民的儿子》《虹》等作品近 30 种,约 300 万字。新中国成立后,任北京大学教授兼俄罗斯语言文学系主任。曾任中国作家协会书记处书记,《世界文学》主编等。曾多次出国访问,为推动和发展中外文化交流作出了巨大努力。1987 年 5 月,苏联列宁格勒大学授予他名誉博士学位。同年8月,苏联最高苏维埃主席团授予他各国人民友谊勋章。他是第一、二、三届全国人大代表,第五、六届全国政协委员。1987年9月8日因病在北京逝世。

曹又方 （1942—2009）

作家。女。原名曹履铭,字光虹,辽宁岫岩人。出生在上海,随父到台湾。1952年10岁时,在《中华日报》儿童版发表文章。17岁时,短篇小说《杳》入选《皇冠》征文比赛。台湾世新大学毕业,在报社、图书公司、杂志社做过编辑、编审。34岁时改名为曹又方,出版散文集《爱的妙方》、小说集《蝴蝶怨》。37岁时游学美国,在纽约旅居10年,创办并主编美洲《中报》的"东西风"文艺副刊。回台湾后,历任圆神出版社、方智出版社、先觉出版社发行人。长期从事新时代运动和妇女运动,大力倡导心灵革命及环保运动。2009年3月25日因病在台北逝世。她20多岁就以小说展露才华,被誉为台湾才女。著有长篇小说《美国月亮》、《爱情女子联盟》等,短篇小说《绵缠》、《湿湿的春》等,散文集《情怀》、《笑拈》等。其他体裁的作品有《爱情EQ》(2卷)、《做一个有智慧的女人》、《淡定·积极·重生》等,另有《曹又方精选集》(24卷)出版。

常书鸿 （1904—1994）

画家。满族。浙江杭州人。1918年考入浙江省甲种工业学校染织科学习。1923年毕业后留校,任染织科美术教员和校属工场技术管理员。1927年7月赴巴黎求学。经过一段时间的半工半读,进入里昂中法大学、里昂国立美术专科学校,不久升入油画班学习。同时,还到装饰美术和染织图案系、里昂市立业余丝织机械学校学习。他以油画《梳妆》参加里昂市选送巴黎深造的国家奖学金考试,获得头名。1932年秋入巴黎高等美术学校,在劳伦斯画室学习。在曾经参加的里昂和巴黎春季沙龙展中,入选作品12件,其中三次获金质奖,两次获银质奖,两次获荣誉奖。1935年在巴黎举办个人画展。同时还为国内刊物撰写《德意志艺术》、《法兰西艺术》、《法国沙龙简史》、《法国近代装饰艺术》等介绍外国美术的文章。1936年夏毕业后回国,任北平艺术专科学校西画系教授、系主任。1937年抗日战争爆发后,学校南迁与杭州艺术专科学校合并,任三位负责校务的委员之一。1940年任教育部所属美术教育委员会委员兼秘书。1942年9月出任敦煌艺术研究所筹备委员会副主任。1943年3月24日到达敦煌莫高窟。1944年1月任敦煌艺术研究所所长,与十几位同事,对莫高窟进行清理、调整、临摹、研究,开始了艰苦寂寞的工作。1945年抗日战争胜利后,研究人员相继离去,他又从四川等地招聘了一批青年艺术家,继续做临摹研究和保护工作。1948年8月至9月,在南京、上海举办了他们五年多工作成果的展览。中华人民共和国成立后,任敦煌文物研究所所长。1959年兼任兰州艺术学院院长。1961年当选甘肃省政协常委。1962年当选甘肃省文联主席、中国美术家协会常务理事、中国美术家协会甘肃省分会主席。1982年任国家文物局顾问,后为敦煌研究院名誉院长。是第六、七届全国政协委员。1994 年 6 月 23 日因病在北京逝世。为敦煌壁画、洞窟的研究和保护工作,他付出了毕生的精力。关于敦煌艺术的著作有《敦煌艺术特点》(1948)、《敦煌艺术源流与内容》(1951)、《敦煌艺术》(1951)、《敦煌唐代图案选》、《敦煌壁画》(1956)、《敦煌彩塑》(1957)、《敦煌飞天》(1980)、《敦煌莫高窟艺术》等。

常香玉 （1922—2004）

豫剧表演艺术家。女,原名张妙玲,河南巩县人。自幼随父学艺,9 岁到密县太乙新班搭班唱戏,并拜翟燕身、周海水为师,学习豫西调。初习小生、须生,后专攻旦角。10 岁登台演出,13 岁以演出新编《西厢》而闻名开封。1938 年后因病不能再演武戏,专攻青衣、花旦表演和说白的改革。她广泛吸收京剧、评剧、秦腔、河南曲剧以及坠子、大鼓等北方戏曲艺术之长,以丰富自己的唱腔和表演,同时把风格不同的各种豫剧唱腔(如豫东调、祥符调、沙河调)融会于豫西调中,独创新腔,成为豫剧中一支主要流派。她的演唱热情奔放、刚柔相济、挥洒自如;做功刚健清新、优美大方。代表剧目有《拷红》、《白蛇传》、《花木兰》、《战洪州》、《大祭桩》等。1941 年为躲避日寇侵略,赴陕西、甘肃演出。1948 年在西安创办香玉剧校,教学和演出相结合,培养出很多豫剧演员。中华人民共和国成立后,改为香玉剧社。1951 年为支援抗美援朝战争,率领剧社在西北、中南和华南等地进行募捐义演,以全部收入捐献

苏制米格—15 歼击机一架,飞机被命名为"香玉剧社号",她因此被人尊称为"爱国艺人"。1952 年参加第一届全国戏曲观摩演出大会,获荣誉奖。1956 年河南豫剧院成立,出任院长。1959 年加入中国共产党。除演出传统剧目外,还演出现代戏《人欢马叫》、《红灯记》,展现出她宽广的戏路。"文化大革命"中遭受迫害。1979 年当选中国戏剧家协会副主席,后任河南省戏曲学校校长。1989 年10 月获第一届中国金唱片(戏曲类)奖。1995 年荣获"全国先进工作者"称号。是第一、二、三、五、六、七届全国人大代表。曾担任河南省文化艺术界联合会副主席、河南省戏剧家协会主席、河南省文化厅顾问。2004 年 6 月 1 日因病在郑州逝世;7 月 27 日,国务院在北京人民大会堂隆重举行追授仪式,授予她"人民艺术家"荣誉称号,对其艺术人生给予了充分肯定和高度褒奖。

车向忱 （1898—1971）

教育家、社会活动家。原名庆和,辽宁法库人。早年就读法库中学。1918 年考入北京大学补习班。1919 年参加五四运动,同年秋考入中国大学法科,后改学哲学。1925 年毕业后回沈阳,先后在省立第三高中、东北大学附中和省立第一高中任教。同时创办平民学校普及教育。1928 年 9 月成立奉天平民教育促进会,任总干事。1929 年夏,发起组织辽宁省国民常识促进会,被推选为主任干事、会长,并创办《常识半月刊》。在张学良的支持下,先后创办城市平民学校41 处,农村平民学校 200 所。他坚持反

对日本侵略的主张,进行爱国宣传教育;兼任拒毒联合会负责人,开展拒毒禁烟活动。1931年"九一八"事变后流亡北平,参与发起成立东北民众抗日救国会,任常务委员。次年,潜返东北慰问东北义勇军,先后至邓铁梅、唐聚五、李杜、马占山、苏炳文等部,慰问并鼓励他们坚持抗日斗争。1936年9月,在西安发起成立东北民众救亡会,任主任委员。为"西安事变"的和平解决作出了贡献。1937年1月参与发起成立西北教育界抗日救国大同盟。在西安这段时期与中国共产党有了较密切的接触。抗日战争爆发后,曾遭国民党逮捕,经各方营救始获释。1946年返回东北进入解放区,任嫩江省人民政府副主席兼嫩江省联合中学校长。9月,任东北行政委员会教育委员会主任委员兼哈尔滨大学校长,主持东北解放区的教育工作。10月,加入中国共产党。中华人民共和国成立后,历任东北人民政府委员、教育部部长兼东北实验学校校长、沈阳师范学院院长、辽宁省副省长兼省体委主任、沈阳体育学院院长等职。曾当选第一至三届全国人民代表大会代表、第二至四届全国政协委员、辽宁省政协副主席、中国民主促进会中央副主席。1971年1月8日因病在北京逝世。著有《怎样教育新的一代》等。

陈　诚　(1898—1965)

字辞修,别号石叟,浙江青田人。1912年小学毕业。次年考入省立第一师范学校,于1917年毕业。1918年曾插班入省体育专科学校学习。1919年考入保定军官学校第八期炮兵科。1920年直皖战争期间军校停办,陈南下入粤军第1师第3团服务,并加入中国国民党。1921年回军校继续学业。1922年6月毕业后,先入浙军当见习官,后随邓演达赴粤。1923年任粤军第1师第3团中尉副官、上尉连长。1924年黄埔军校成立,任该校上尉教育副官。1925年1月,改任军校炮兵营第1连上尉连长。参加二次东征,指挥炮兵阵前立功,升任炮兵第2营营长。1926年春,任军校炮兵科长。6月,任第1补充师筹备处主任兼第3团团长,率部参加北伐。12月,该师改番号为第21师,任该师第63团上校团长。1927年4月,第21师进驻南京,升任少将副师长兼63团团长。蒋介石发动"四一二"反革命政变时,陈代理第21师师长。5月,率部参加蒋介石的二次北伐。7月,升任第21师师长。10月,受何应钦排挤改任第3师师长。不久,出任军委会军政厅副厅长兼上海办事处主任。1928年3月,复职不久的蒋介石任命陈为国民革命军总司令部中将警卫司令兼炮兵指挥官,辖警卫第1至3团,炮兵两个团,宪兵两个团,相当于一个军的兵力。8月,部队整编,任第一集团军第11师副师长。1929年3月,任第11师师长。1930年任第18军军长兼第11师师长。1931年参加蒋介石对中央革命根据地的第三次"围剿",任"剿共"追击军第二路总指挥。1933年2月,任"赣粤闽边区剿匪军中路军总指挥",对中央革命根据地发动第四次"围剿"。7月,蒋介石在庐山开办军官训练团,自兼团长,任陈为副团长。9月,任北路军前敌总指挥兼第三路军总指挥,率部参加对中央红军的第五次"围剿"。1935年11月,当选为第五届国民党中央执行委员。1936年2月,奉命到山西堵截中国人民抗日先锋军东征抗日,任第一路军总指挥。5月,改任晋、陕、绥、宁四省边区"剿匪"总指挥。9月,任广州行营副主任兼参谋长,授陆军上将衔,处理两广事变善后事宜。12月,任军政部常务次长。"西安事变"中,和蒋介石一起被张、杨扣留。1937年1月,任第四集团军总司令。1938年1月,任武汉卫戍总司令,2月,兼任军事委员会政治部部长,6月,再兼湖北省政府主席和第九战区司令长官。1940年7月,任第六战区司令长官兼湖北省主席,负责建立陪都重庆的防御屏障,驻湖北恩施。曾率部参加长沙会战、宜昌会战、上高会战、鄂西会战、常德会战。1943年2月,任中国远征军司令长官。1944年6月,前往汉中任第一战区司令长官,整理豫陕军事,是年底,调任军政部部长。1945年在国民党"六大"上当选为中央执行委员。抗战胜利后,负责接收日伪投降工作和主管部队整编。1946年6月,任国防部参谋总长兼海军总司令。1947年2月,晋升为陆军一级上将。8月,调任东北行辕主任兼政务委员会主任委员。1948年2月,以养病为由回上海,摆脱东北残局。12月,出任台湾省政府主席兼警备总司令,为蒋介石退台作准备。1949年7月,又任新成立的东南军政长官公署长官。1950年3月1日,蒋介石在台北"复职视

事",推举陈任"国民政府行政院长"。1952年10月,当选为国民党第七届中央常务委员。1954年3月,当选为台湾"国民政府"副总统。1957年10月,当选为国民党副总裁。1958年6月,兼任"行政院"院长。1960年2月,连任"副总统"。1963年11月,在国民党第九次代表大会上连任副总裁。12月,辞去"行政院长"职务。1965年3月5日因肝癌卒于台北。著有《八年抗战经过概要》、《如何走向安全和平之路》、《革命的道德》、《从政回忆》等。

陈　赓　(1903—1961)

湖南湘乡人。早年入湘军鲁涤平部当兵,后到粤汉铁路供职。1922年加入中国共产党,参加长沙学生救国运动。1924年入黄埔军校第一期毕业后任军校第二期入伍生连长、三期副队长、四期步兵科连长。1926年9月赴苏联学习军事,次年2月回国。大革命失败后,参加了南昌起义,在起义军南下途中左腿负重伤,经香港赴上海治疗,年底又参加广州起义。1928年4月,任中共中央特科情报科长。1931年被派往鄂豫皖苏区,任红四方面军第十二师师长。1932年底,因伤赴上海就医,被租界巡捕房逮捕,引渡国民党当局,后被营救出狱。入中央革命根据地,任彭杨军校校长。1934年参加长征,任干部团团长。红军到达陕北后,任红一军团第一师师长,参加直罗镇、东征、西征诸战役。1937年抗日战争全面爆发后,任八路军一二九师三八六旅旅长、太岳军区司令员,参加"百团大战"等战役。1943年底到延安

中央党校学习,1945 年参加中国共产党第七次全国代表大会,被选为中共中央候补委员。解放战争期间,任晋冀鲁豫野战军第四纵队司令员、第二野战军第四兵团司令员等职,并于 1947 年 8 月,率部在晋南强渡黄河,挺进豫西,开辟豫陕鄂根据地,为人民解放军转入战略反攻作出贡献。接着率部转战中原、华东、华中和西南,解放大片国土。中华人民共和国成立后,任西南军区副司令员兼云南军区司令员、云南省人民政府主席。抗美援朝战争爆发后,率部入朝作战,任中国人民志愿军副司令员。1954 年,任中国人民解放军副总参谋长。1955 年 9 月被授予大将军衔。1956 年在中国共产党第八次全国代表大会上当选中共中央委员。1959 年被任命为中华人民共和国国防部副部长。在长期的革命战争中,为中国人民的解放事业立下了卓越功勋,在社会主义革命、社会主义建设和中国人民解放军的革命化、现代化建设中,取得了卓越的成绩。1961 年 3 月 16 日因心脏病在上海逝世。

陈　时　(1891—1953)

字叔澄,湖北黄陂人。1907 年赴日本留学,加入中国同盟会。先后在日本庆应大学、中央大学、早稻田大学、东京宏文书院学习,获法学学士学位。1911 年回国后,参加武昌起义,任军政府财政司秘书。1912 年 5 月,创办私立武昌中华学校,后改为中华大学。1917 年任中华大学校长。1923 年 6 月,代表中国出席世界教育会议,当选为世界教育会议委员。后曾任国民党中央政治会议武汉

分会秘书处秘书,北京政府教育部特种教育会委员,中国教育会理事。1938 年 6 月后历任第一届、第二届、第三届国民参政会参政员。1946 年 11 月,当选为制宪国民大会代表。1947 年 3 月,被聘为实施促进委员会研究委员会委员。中华人民共和国成立后,于 1950 年加入中国国民党革命委员会,并先后担任湖北省人民政府委员、湖北省各界人民代表会议协商委员会委员、湖北省土改委员会委员。1953 年在武昌病逝。著有《南洋游记》。

陈　仪　(1883—1950)

字公侠、公洽,浙江绍兴人。早年留学日本,入陆军士官学校学炮兵。辛亥革命后,任浙江都督府军政司长。1917 年再度赴日,入日本陆军大学。1922 年后,任浙军师长、第一军司令、徐州警备司令、浙江省省长、国民革命军第 19 军军长、国民党政府军政部政务次长、福建省政府主席兼保安司令、行政院秘书长、陆军大学代理校长等职。1945 年抗日战争胜利后,台湾回到祖国怀抱,出任国民党政府台湾省行政长官兼警备司令、浙江省政府主席。1947 年直接指挥镇压台湾"二二八"起义。1949 年初曾规劝汤恩伯向解放军投诚,事泄被免职,遭关押。1950 年 6 月在台湾被蒋介石处死。

陈　毅　(1907—1972)

字仲弘,四川乐至人。早年读过私塾。1919 年赴法国勤工俭学。1921 年因参加中国留法学生爱国运动被驱逐回国。1922 年加入中国社会主义青年团,

1923年加入中国共产党。1924年担任北京学生总会党团书记、中国国民党市党部中共代表。1927年在武汉中央军事政治学校做政治工作，曾参加粉碎夏斗寅等部叛乱的战斗。8月南昌起义后，带领武汉中央军事政治学校干部和学员赶赴南昌，因途中受阻，在临川加入起义军，随军南下。任第二十五师第七十三团党代表。起义军在潮汕失败后，与朱德率余部向粤赣湘边界转进。1928年1月参与发动湘南起义，工农革命军第一师成立后，任党代表。4月和朱德率部与毛泽东率领的秋收起义部队在井冈山会师后，任工农革命军第四军（6月改称中国工农红军第四军）第十二师师长。后任红四军军委书记。1929年1月与毛泽东、朱德率红四军军部和第二十八、三十一团离开井冈山，进军赣南。3月，红军整编后兼任第一纵队党代表，为创建中央革命根据地和发展工农武装作出了贡献。12月，参加在上杭古田召开的红四军党的第九次代表大会，传达中央指示，支持毛泽东的正确主张，并协助制定大会各项决议。1930年6月，组成红军第一军团第六军（后改为第三军）后，任政治委员。8月，江西军区独立第四师、第五师编成第二十二军后，任军长。1931年2月任中共赣西南特委书记、赣西特委书记。1932年1月任江西军区总指挥兼政治委员。1934年10月中央红军长征后，留在中央苏区，任中华苏维埃共和国中央政府办事处主任。在极端艰苦的条件下坚持了三年的游击战争。抗日战争期间，积极参与组建新四军。1938年初任中共中央东南分局委员、中央军委新四军分会副书记、新四军第一支队司令员。1939年11月任新四军江南指挥部（后改苏北指挥部）指挥。1940年10月指挥了著名的黄桥战役。1941年"皖南事变"后被任命为新四军代理军长，在苏北重建新四军军部，领导华中抗战，广泛开展游击战争，巩固和扩大了华中抗日根据地。1944年3月回到延安参加整风。1945年当选中共第七届中央委员。1947年1月任华东军区司令员、华东野战军司令员兼政治委员。1948年11月被任命为总前敌委员会常委，参与组织和指挥了淮海战役。1949年春，任中国人民解放军第三野战军司令员兼政治委员，率部横渡长江，解放南京、上海和东南广大地区。5月任上海市市长。中华人民共和国成立后，历任中共中央华东局第二书记、中央人民政府委员、人民革命军事委员会委员、华东军区司令员等职。1954年调中央工作，任国务院副总理、人民革命军事委员会副主席、国防委员会副主席等职。1955年被授予元帅军衔。1958年兼任外交部长。在中国共产党第七、八、九次全国代表大会上均当选为中央委员，在中共八届一中全会上当选为中央政治局委员。曾任中国人民政治协商会议第二届全国委员会常务委员，第三、四届政协全国委员会副主席。"文化大革命"中，同林彪、江青反革命集团进行了坚决的斗争。1971年林彪叛逃事件发生后，虽身患重病，仍积极投入粉碎林彪反革命集团的斗争中。1972年1月6日因病在北京逝世。诗作编为《陈毅诗词选集》、《陈毅诗稿》出版。

陈 垣 (1880—1971)

历史学家、教育家。号援庵，广东新会人。自幼好学，无师承，靠苦读闯出一条治学途径。1897年曾到北京参加科举考试未中。后从事历史研究和教学工作。1922年任北京大学研究所国学门导师和京师图书馆馆长。1925年任故宫博物院图书馆馆长。1926年至1952年任辅仁大学校长。1928年任燕京大学国学研究所所长和历史语言研究所通讯研究员。1929年任北平师范大学史学系主任。1931年任北京大学史学系教授、名誉教授。1935年当选民国政府中央研究院评议员。中华人民共和国成立后，1952年任北京师范大学校长。1954年任中国科学院历史研究所第二所所长、《历史研究》编辑委员会委员。1955年当选中国科学院哲学社会科学部委员。1959年加入中国共产党。曾当选第一至三届全国人大常务委员会委员。1971年6月21日因病在北京逝世。他的研究领域涉及宗教史、元史、年代学、校勘学、避讳学等多方面。主要著作有《元也里可温考》、《释氏疑年录》、《中国佛教史籍概论》、《二十史朔闰表》、《史讳举例》、《元典章校补释例》等。

陈 云 (1905—1995)

中国社会主义经济建设的开创者和奠基人之一。上海青浦人。1919年参加了五四运动。年底高小毕业后，进商务印书馆当学徒。1925年参加五卅运动；8月，任商务印书馆发行所罢工委员会委员长，参加领导全印书馆的罢工，并取得胜利。随即加入中国共产党。1926年10月参加上海工人第三次武装起义。1927年大革命失败后，任中共青浦县委委员、淞浦特委组织部部长。1929年后历任中共江苏省委常委兼农委书记，中共上海闸北区委书记、法南区委书记，中共江苏省委组织部部长、省委书记等职。参与领导苏沪两地农民和工人运动。1931年1月，增补为中共第六届中央委员；5月，任中央特科书记；9月，被指定为中共临时中央领导成员。1932年3月任中共临时中央常委、全国总工会党团书记。1933年初进入中央苏区。1934年1月，当选中共第六届中央政治局常委，任白区工作部部长；2月，当选中华苏维埃共和国第二届中央执行委员会主席团成员。1934年长征中任红五军团中央代表，后任军委纵队政委。遵义会议上支持毛泽东的正确主张。1935年6月，作为中央代表到上海，恢复和开展党的秘密工作；9月，抵达莫斯科，向共产国际报告中共中央和中央红军向西北战略转移和遵义会议的情况，并参加中共驻共产国际代表团的工作。随后进入列宁学校学习，并在东方大学任教。1937年4月，回国到达迪化任中共中央驻新疆代表，组织营救西路军余部的工作，并组建了中共第一支航空队；11月，回到延安任中共中央组织部部长。1944年3月任中共西北局委员、西北财经办事处副主任兼政治部主任，主持陕甘宁边区的财政经济工作。1945年6月，当选中共第七届中央政治局委员；8月，任中央书记处候补书记。抗日战争胜利后赴东北，参加领导中央关于建立东北根据地战略决策。历任中共中央北满分局书记、北满军区政委，中共中央东北局副书记兼东北民主联军副政委，中共中央南满分局书记兼辽东军区政委等职。力主不放弃南满，并领导了四保临江的战斗，使北满根据地更加巩固，南满根据地的局势得以改善。1948 年 1 月，兼任东北军区副政委，后又兼任东北财政经济委员会主任，主持东北解放区的经济工作；10 月，当选中华全国总工会主席；11 月，兼任沈阳特别市军事管制委员会主任。1949 年 5 月参加筹组并主持中央财政经济委员会的工作。中华人民共和国成立后，任中央人民政府委员、政务院副总理兼财政经济委员会主任、重工业部部长。1950 年 10 月任中共中央书记处书记。在统一全国财政经济、稳定金融物价、恢复国民经济、抗美援朝战争的物质保障，对私营工商业的社会主义改造，制定和实施国民经济第一个五年计划等奠定社会主义中国工业化基础的工作中，充满了智慧并作出卓越的贡献。1954 年 9 月任国务院副总理。1956 年当选中共第八届中央政治局常务委员和中央副主席，成为中国共产党第一代领导集体的重要成员；11 月，兼任商业部部长。1957 年 1 月后，兼任中央经济工作五人小组组长、国家基本建设委员会主任。1962 年 4 月，重新出任中央财经小组组长。开始国民经济的"调整、巩固、充实、提高"。"文化大革命"开始，"靠边站"，只保留中央委员的名义。1972 年 4 月，

按照周恩来的意见，参加国务院业务组工作，研究国际经济形势和发展对外贸易问题。1975 年 1 月当选第四届全国人民代表大会常务委员会副委员长；1978 年 3 月，当选第五届全国人民代表大会常务委员会副委员长。12 月，增选为中共第十一届中央委员会副主席，当选中央纪律检查委员会第一书记。1987 年在中共第十三次全国代表大会上，当选为中央顾问委员会主任。是中国共产党第二代领导集体的重要成员，也是社会主义中国改革开放新时期，中共和国家的重要决策人之一。1995 年 4 月 10 日因病在北京逝世。主要著作收入《陈云文选》。

陈 桢 （1894—1957）

生物学家。字席山，别号协三，江西铅山人。早年留学美国，先后入康奈尔大学和哥伦比亚大学学习。1922 年回国后，历任东南大学、中央大学、清华大学、北京大学等校教授。当选为中国动物学会会长。中华人民共和国成立后，任清华大学和北京大学教授、中国科学院动物研究所所长、中国动物学会主任委员。1955 年当选中国科学院生物学部委员。毕生以我国特产的金鱼为材料，研究有关遗传、变异和品种形成等一系列生物学基本问题。此外，对动物的社会行为和生物学史也均有研究。著有《金鱼的家化与变异》、《金鱼家化史与品种形成的因素》、《蚂蚁的社会对它们的筑巢活动的影响》。

陈波儿 （1910—1951）

女，广东汕头人。幼年爱好戏剧。

1929 年入上海艺术大学,并加入保障人权自由大同盟和上海艺术剧社;同年主演舞台剧《梁上君子》。1934 年主演《炭坑夫》、《爱与死的角逐》、《西线无战事》等。在从事左翼电影活动时,曾主演进步影片《桃李劫》和《生死同心》。1937 年加入中国共产党;同年组织上海妇女儿童慰劳团,赴绥远抗日前线,从事演剧宣传活动,演出街头剧《放下你的鞭子》、《张家店》、《走私》等剧目。1938 年转入内地及解放区,并组织华北敌后妇女儿童考察团,在华北各抗日根据地从事妇女抗日运动。1940 年到延安马列学院学习,并参加编导舞台剧《同志,你走错了路》等。在延安期间,还创作了电影剧本《边区劳动模范》、《伤兵曲》;导演了苏联反法西斯名剧《马门教授》、《新木马计》等。1946 年赴东北解放区参加电影制片厂创建及领导工作,主持拍摄了新闻纪录片《民主东北》。1947 年编导木偶片《皇帝梦》。1949 年完成了《中华儿女》、《光芒万丈》等 6 部故事片的摄制工作。中华人民共和国成立后,任政协第一届全国委员会委员、文化部电影局艺术委员会副主任委员兼艺术处处长。1950 年兼任新成立的表演艺术研究所所长,并担任全国妇联执行委员会委员、全国文联委员、全国影协常务理事等职。1951 年夏,任电影学校校长,1951 年 11 月 9 日在上海病逝。

陈伯达　（1904—1989）

福建惠安人。1927 年加入中国共产党,同年赴莫斯科,入中山大学学习。1930 年回国,在北平中国大学任教。

1937 年后在延安中共中央宣传部、中央军事委员会、中共中央秘书处、中央政治研究室等机构工作。1945 年在中共第七次全国代表大会上当选为候补中央委员。1956 年在中共八届一中全会上当选为中央政治局候补委员。曾任中共中央宣传部副部长,中国科学院副院长,《红旗》杂志总编辑。1966 年“文化大革命”开始后,任“中央文化革命小组”组长,同年在中共八届十一中全会上当选为中央政治局常委。与江青等人勾结,迫害大批老干部。1971 年在中共九届二中全会上,鼓吹“天才论”,积极参与林彪反革命集团的篡党夺权活动,受到批判。1973 年 8 月 20 日,中共中央决定永远将其开除出党。1981 年 1 月 25 日,中华人民共和国最高人民法院特别法庭以林彪反革命集团主犯罪判处其有期徒刑 18 年。1981 年 8 月获准保外就医,1989 年 9 月在北京病故。

陈昌浩　（1906—1967）

曾用名苍木,湖北汉阳人。1926 年加入中国社会主义青年团。在武汉积极从事我党领导的学生运动,并出席了共青团第五次全国代表大会。1927 年大革命失败后,在武汉坚持地下工作,担任共青团湖北省委宣传部干事。12 月党派他到莫斯科中山大学学习。1930 年 11 月从苏联回国,并由共青团员转为共产党员。1931 年 1 月,出席了共青团五届四中全会,被选为中央委员。4 月,到鄂豫皖苏区,任鄂豫皖中共中央分局委员兼共青团特委书记。1931 年 9 月—1937 年 3 月,先后任红四军政治委员、红四方面军总政治委员和中共鄂豫皖分局军委副主席、西路军军政委员会主席,参加了长征。1934年1月,在党的六届四中全会上,被选为候补中央委员。同年,在中华苏维埃共和国第二次全国代表大会上被选为中央执行委员。从1931年到鄂豫皖苏区工作后,一直是张国焘的主要助手,犯有严重的政治错误,给革命事业和红四方面军造成重大损失。后在党中央的教育、帮助下,检查并改正了错误。1937年8月,到中央宣传部工作,并在陕北公学、抗日军政大学和马列学院讲课。编著有《近代世界革命史》一书。1939年11月中央批准他去苏联养病。1943年至1952年,在苏联外国文书籍出版局工作,翻译了大量政治书籍、文艺作品,并编写了《俄华辞典》,对促进中苏文化交流、增进中苏友谊贡献了力量。1952年从苏联回国,担任中央马列学院副教育长。从1953年起,一直任中共中央马恩列斯著作编译局副局长,积极从事马列著作的编译工作。“文化大革命”中遭受迫害。1967年7月30日逝世。1980年中共中央为他平反昭雪。

陈春圃　（1900—1966）

广东新会人。1920年起追随汪精卫,任广东教育会图书馆主任,省长公署机要课主任,国民党中央党部秘书。1925年留学苏联。1927年宁汉合流后,任国民党广州特别市党部常委。1928年奉汪命赴美国,创办《民气日报》,任总编辑。1932年任侨务委员会常委兼侨民教育处处长。1940年3月,由日本侵略者扶植的汪精卫伪民国政府成立后,

历任汪伪国民党中央执行委员会副秘书长、中央政治委员会委员、中央党部组织部部长;伪民国政府行政院秘书,国防会议副秘书长、建设部部长、广东省省长。抗日战争胜利后,以通敌罪被民国政府司法部门判处无期徒刑。中华人民共和国成立后,仍留押监狱。1966年3月19日病死在上海监狱。

陈德仁　（1922—2007）

导弹控制专家。江苏无锡人。出生在一个铁路职员家庭。中学毕业后,由于抗日战争的影响,家庭已经无力供他继续求学。但他幸运地申请到上海交通大学电机系的奖学金,得以继续学习。1941年太平洋战争爆发,上海租界“孤岛”地位不复存在,他与一部分师生不愿在日伪统治下生活,陆续离校。1943年他来到重庆,在交通大学新校区继续学习。1945年8月获工学学士学位后,被校方择优推荐到中央无线电器材厂任实习员、工务员。1947年在上海任中央无线电器材公司研究所助理工程师。中华人民共和国成立后,1952年被调到北京任中国人民解放军总参谋部通信兵部电信技术研究所工程师、副研究员。1957年底调国防部第五研究院(院长钱学森)第二分院第一设计部从事弹道导弹控制系统研制工作,任系统研究室主任、某型控制系统主任设计师。1962年2月加入中国共产党。1965年6月任第七机械工业部第一研究院第12研究所副所长。1968年4月任第17研究所所长,开始了固体潜地型号控制系统的研制,解决了一系列适应固体导弹和水下发射特点的

制导与控制关键技术问题。1978 年 3 月任航天工业部第二研究院副院长。同年他主持研制的"地地型号导弹补偿方案制导系统"获全国科学大会奖。1979 年 6 月任中国第一代固体潜地战略导弹和"派生的"固体陆基机动战略导弹副总设计师。1985 年因潜地导弹水下发射飞行试验成功,获国家科学技术进步奖特等奖。1987 年当选国际宇航科学院院士。1988 年 4 月任航空航天工业部第二研究院科学技术委员会副主任,同年继任固体潜地战略导弹总设计师,参与领导了两个型号的设计定型工作,并担任核潜艇水下发射固体战略导弹定型飞行试验首区指挥部试验总师,全面负责导弹、核潜艇和地面测发控系统之间的技术协调,圆满地完成了试验任务。1991 年陈德仁作为总设计师负责技术保证,使战略导弹陆基机动型号定型后的首批交付产品抽检飞行试验圆满成功。1992 年起,历任全国战略导弹标准化技术委员会委员,某工程、国家高技术 863 某专题组和中国资源卫星应用中心顾问等职。1995 年当选中国工程院院士。80 岁以后还任某型号导弹故障分析专家组组长。1999 年 8 月任中国航天科工集团公司科学技术委员会顾问。陈德仁是中国弹道导弹控制技术的开拓者和奠基人之一,为中国国防现代化建设作出了卓越的贡献。2007 年 12 月 21 日因病在北京逝世。作为常务副主编,他主持编写了近 500 万字、14 册的《固体弹道导弹》系列丛书,为后续型号的研制提供了借鉴。

陈果夫 （1892—1951）

原名祖涛,字果夫,浙江吴兴人。1907 年入杭州陆军小学堂。1911 年入南京第四陆军中等学堂,同年加入中国同盟会,后随叔父陈英士参加辛亥革命。二次革命时,在上海组织奋勇军攻制造局。1915 年在上海中华革命党机关任秘书工作。1918 年至 1923 年在上海经商。1926 年 1 月,任国民党第二届中央监察委员。6 月,任国民党中央组织部部长。7 月,任中央政治会议委员。1927 年 4 月,任上海临时政治分会委员,参与"四一二"政变。9 月,任国民政府委员。1928 年任国民党中央组织部代理部长。10 月,任国民政府委员兼监察院副院长。1929 年 3 月,任国民党第三届中央执行委员和常委。4 月,任国民党中央组织部部长。1931 年 12 月,被选为国民党第四届中央执行委员和常委,10 月,任江苏省政府主席。1935 年 11 月被选为国民党第五届中央执行委员(后于 1938 年 4 月被推为常委)。1938 年任中央政治学校教育长。1939 年任军委会委员长侍从室第三处主任。1944 年 5 月,任国民党中央组织部部长。1945 年 5 月,当选为国民党第六届中央执行委员和常委;同年任国民党中央财政委员会主任委员,中国农民银行董事长和中央合作金库理事长。1946 年 11 月当选为制宪国民大会代表和主席团成员。在国民党统治期间,还与其弟陈立夫主持中央俱乐部和国民党中央执行委员会调查统计局(简称"中统");在经济上亦被中国共产党和人民称为官僚资本的主体"四大家族"

成员之一。1948 年 12 月迁居台湾。1950 年任国民党中央评议委员。1951 年 8 月 25 日在台北病逝。著有《中国教育改革之途径》《通礼新编》《苏政回忆》《机关组织论》《鹤林歌集》等。

陈焕镛　(1890—1971)

植物学家。字文农、号韶钟，广东新会人。父亲是清政府驻古巴公使，母亲是西班牙血统古巴人。早年丧父，与母亲旅居上海，就读于广肇中学。1913 年入美国哈佛大学学习，1919 年取得林学硕士学位。1920 年任金陵大学农学院森林系教授。1921 年后任东南大学教授。有感于当时教材内容多为欧美树种，编写《中国经济树木》作为教材。1927 年后任中山大学教授。1928 年在中山大学创办植物研究室，后扩建成植物研究所，任所长。1933 年与钱崇澍、胡先骕等创立中国植物学会，任学术评议员兼《中国植物学杂志》编辑；后任该学会副理事长、理事长。1935 年受广西大学邀请，在该校创设经济植物研究所，任所长并兼森林系教授、系主任。自此，往返于广州、梧州之间，主持着两所工作。1938 年、1940 年当选民国政府中央研究院第一、第二届评议员。中华人民共和国成立后，继续在中山大学任教授、植物系主任、理学院院长。1954 年任中国科学院华南植物研究所研究员、所长，兼广西分所所长。1955 年当选中国科学院生物学部委员。1959 年后，被聘任为《中国植物志》副主编，旋即移居北京，以主要精力主持这部我国植物分类学巨著的编纂工作。是第一至三届全国人民代表大会代表。1971 年 1 月 18 日在广州逝世。他是我国近代植物分类学的开拓者和奠基人之一。发现的植物新种达百种以上，新属十个以上。在开发利用和保护祖国丰富的植物资源、研究植物分类学、建设植物研究机构、培养人才、搜集标本等方面付出了毕生心血，并作出了重要贡献。著作有《栽培在我国的中国松与日本松之比较》《我国樟科之初步研究》，与胡先骕合作编著《中国植物图谱》(共 5 卷)等。

陈济棠　(1890—1954)

字伯南，广西防城港人。1907 年入广东陆军小学。1908 年加入中国同盟会。1913 年在广东陆军速成学校毕业后，在广东军队任下级军官。1925 年 7 月，任国民革命军第四军第十一师师长。1926 年北伐时留粤，负责警备工作。1927 年春赴苏联考察；同年夏，回南京任第十一师师长。1929 年 3 月，当选为国民党第三届中央候补执行委员。1931 年 5 月，任广州国民政府委员，军委常委，第一集团军总司令。1932 年 3 月，任广州绥靖公署主任。4 月，任赣粤闽湘边区"剿匪"副总司令。1933 年 10 月，任第五次"围剿"南路军总司令。1935 年 4 月授一级陆军上将。11 月，当选为国民党第五届中央执行委员。1936 年与桂系联合发动"六一"事变。7 月，被南京政府免去本兼各职，旋出走香港，后赴欧洲。抗战爆发后回国，1938 年 1 月任国民政府委员。1939 年 11 月被国民党五届六中全会推为常委和最高国防委员会委员。1940 年 3 月任农林部部长。1945

年 5 月当选为国民党第六届中央执行委员。抗战胜利后,任两广及台湾宣慰使。1946 年后,回广东从事教育事业,参与创办珠海大学(后迁香港改称珠海学院)。1948 年当选为行宪国民大会代表。1949 年 4 月,任海南特区行政长官兼警备司令。1950 年 4 月海南岛解放时去台湾。在台湾曾任"总统府"资政、战略顾问。1954 年 11 月 3 日在台北病逝。

陈嘉庚 (1874—1961)

福建同安(今厦门市)人。出生在一个华侨商人家庭。9 岁入本村南轩私塾就学。1890 年首次出洋,到新加坡其父经营的"顺安"米店学商。1893 年归国娶亲,次年倾其积蓄 2000 元,在集美创办惕斋学塾,这是他捐资兴学的开端。1900 年在厦门购地建造店屋。1904 年在新加坡兴办新利川菠萝罐头厂,并接办日新公司,开设谦益米店。1905 年买地 500 亩种植菠萝,又新建日春菠萝罐头厂,兼制冰糖。1906 年起开始经营橡胶种植业。1910 年加入中国同盟会,是年当选为新加坡中华总商会协理、道南学校总理,并开始致力于教育事业。1911 年投身辛亥革命,被推举为福建保安会会长,筹款支援福建新政府。1912 年孙中山就任中华民国临时大总统,陈汇款 5 万元表示支持。1913 年 1 月,创办乡立集美小学校。此后几年,他一面在新加坡继续经营实业,一面委托弟弟陈敬贤夫妇在家乡办学。从 1917 年起,在集美相继办起幼稚园、中学、师范、商科学校、农林学校、女子师范、水产航海学校。1919 年开始筹办厦门大学,并组织同安教育会,为几十所小学提供资助。1922 年在马来西亚开办橡胶厂。1924 年在新加坡创办《南洋商报》。1925 年他所经营的橡胶园达一万多亩、工厂 30 家,代理遍布五大洲 40 个国家及 48 个地区,规模之大为南洋第一,共有资产达新加坡币 1200 万元,达到鼎盛时期。此后,因胶价猛跌和经济危机的影响,企业每况愈下。1928 年任新加坡山东惨祸筹赈会主席、福建会馆主席。1931 年被迫接受银行条件,将企业改为股份有限公司,任总经理。1934 年企业破产,所有营业全部收盘。1937 年因经济拮据,将厦门大学无条件移交国民政府,改为国立大学。抗日战争爆发后,发起组织新加坡筹赈祖国难民总会,任主席,并任南洋华侨总会主席,捐献巨款,支援祖国抗战。1938 年当选为南洋华侨筹赈祖国难民总会主席,任国民参政会第一届参政员。1940 年 3 月,组织南洋华侨回国慰劳视察团,赴重庆、甘肃、陕西、青海、山西、福建等地慰劳抗日将士。5 月 31 日抵延安。回新加坡后积极颂扬中共,并呼吁各党派团结抗日。1941 年 3 月,连任第二届"南侨总会"主席。4 月又任"南洋闽侨总会"主席。12 月,任新加坡华侨抗敌后援会主席,是年创办南洋华侨师范学校。1942 年新加坡沦陷,避居爪哇等地。1943 年 3 月起,写作以华侨努力抗战为主题的《南侨回忆录》。抗战胜利后回到新加坡。1946 年 10 月创办新加坡《南侨日报》。1947 年创办《南侨晚报》。1948 年 5 月 4 日,代表新加坡华侨各界代表大会致电毛泽东,响应中共召开新政协和成立民主联合政府的建议。1949 年 6 月 4 日回到北平，与中共领导人一起共商建国大计，9 月参加中国人民政治协商会议，任全国政协常务委员会委员，10 月任中央人民政府委员、华东军政委员会委员，并任华侨事务委员会委员。1950 年 2 月 11 日，赴新加坡处理未了事务。期间，结集出版《新中国观感集》，印行 60 万册，增进华侨对中华人民共和国的了解。5 月 21 日，回到北京定居。1952 年上书毛泽东，倡议修筑鹰厦铁路。1953 年 1 月任华东军政委员会副主席。1954 年当选为全国人民代表大会常务委员会委员、第二届全国政协副主席。1956 年 6 月任中华全国归国华侨联合会筹备委员会主任委员，10 月任中华全国归国华侨联合会主席。1959 年继续当选为全国人大常委会委员，创立厦门华侨博物院。1961 年 3 月起，多次发生脑血管痉挛，并伴有点状出血。6 月 22 日，立下遗嘱：①希望把遗体运回集美安葬；②关心国家的前途，台湾必须回归祖国，集美学校一定要继续办下去，并把在国内的存款 300 多万元全部献给国家。1961 年 8 月 12 日在北京逝世。遗著主要有《南侨回忆录》、《陈嘉庚言论集》、《新中国观感集》。

陈建功　（1893—1971）

数学家。浙江绍兴人。1913 年留学日本，1916 年同时毕业于日本东京高等工业学校和东京物理学校。回国后在杭州高等工业学校任教。1918 年再次赴日留学。1921 年日本东北帝国大学数学系毕业。回国后先后任教于浙江工业专门学校、武昌高等师范学堂。1926 年第三次赴日留学，于 1929 年获日本东北帝国大学理学博士学位。回国后，历任浙江大学数学系教授、主任，民国政府中央研究院数学研究所研究员。20 世纪前期，中国数学名词术语由于翻译各异，非常混乱，1934 年教育部决定审订数学名词，由陈建功、何鲁等 15 人组成委员会，于 1938 年出版了中国第一部《算学名词汇编》，为中国的数学发展创造了条件。1947 年至 1948 年应邀赴美国普林斯顿高等学术研究所任访问学者。1948 年当选中央研究院院士。中华人民共和国成立后，先后任浙江大学、复旦大学教授，杭州大学教授、副校长，中国数学会副理事长。1955 年当选中国科学院学部委员。他主要从事实变函数论、复变函数论和微分方程等方面的研究与教学工作。是中国数学界公认的函数论方面的学科带头人和许多分支研究的开拓者。在指导青年教师和学生开展科学研究、培养人才和发展教育方面也作出了贡献。1961 年公布的关于无条件收敛的判别理论，引起国际注意。1971 年 4 月 11 日因病在杭州逝世。著有《直交函数级数的和》、《实函数论》、《三角级数论》等，《陈建功文集》于 1981 年出版。

陈瑾昆　（1887—1959）

法学家。字克生，湖南常德人。6 岁入私塾。1903 年考入县办高等小学学习。1908 年 7 月入日本东京一所中学学习。1917 年毕业于东京帝国大学，获法学学士学位。归国后任中华民国北京政府奉天省高等审判所推事和庭长。1918 年任修订法律馆纂修。1919 年历任大理院推事、最高法院庭长。1933 年任中华民国政府司法官。还在北京大学、朝阳大学专任或兼任讲师、教授。1937 年抗日战争爆发后，身陷北平，通过演讲、撰文痛斥日本侵略者，呼吁国人团结起来，共同抗日。他严词拒绝北平日军的威逼和利诱，不为侵略者服务。1945 年抗日战争胜利后，多次发表文章呼吁和平，反对内战。在一次演讲中遭到特务殴打，后愤而离开北平到延安考察。回到北平后，在进步刊物上发表文章怒斥国民党法西斯，其中《余为何参加中共工作》《致友人书》在国统区人民中产生了重大的影响。1946 年携全家 8 口人奔赴延安；12 月经毛泽东、刘少奇介绍，中共中央批准他为正式党员。1947 年在中共中央法律委员会工作，参加了《中国土地法大纲》的制定。1948 年任华北人民政府委员兼华北人民法院院长。1949 年 9 月参加中国人民政治协商会议，参与《中国人民政治协商会议共同纲领》的制定。中华人民共和国成立后，历任中央法制委员会副主任委员，中央人民政府最高法院委员、顾问。参加了1950 年《中华人民共和国婚姻法》和1954 年《中华人民共和国宪法》的制定。主张社会主义中国应加强刑法的制定；在司法工作中坚持审判独立；在刑事犯罪因果关系问题上，主张“意识自由论”即犯罪是意识作用，应有罪必罚。他为中国的法制建设作出了贡献，是第一、二、三届全国政协委员。曾担任中国政治法律学会理事会理事。1959 年 5 月因病在北京逝世。他通晓日语、英语、德语，晚年还学习俄语。在学术上，既精通民法又精通刑法。著有《刑事诉讼法通义》《民法通义总则》《民法通义债编总论》《刑法总则讲义》等。

陈景润　（1933—1996）

数学家。福建福州人。1953 年毕业于厦门大学数学系。历任中学数学教师、大学图书馆管理员。由于对塔里问题的一个结果作了改进，受到华罗庚的重视，将其调到中国科学院数学研究所工作，任实习研究员、助理研究员。20 世纪 50 年代，即对高斯圆内格点问题、球内格点问题、塔里问题与华林问题的以往结果作出了改进。60 年代，又对筛法及有关重要问题，进行了广泛深入的研究。1966 年他证明了“每个大偶数都是一个系数及一个不超过两个素数的乘积之和”，使他在哥德巴赫猜想的研究上居世界领先地位。这一结果在国际上被誉为“陈氏定理”，被广泛征引。被越级提升为研究员。1978 年获中国自然科学奖一等奖。1980 年当选中国科学院数学物理学部委员。是第四、五、六届全国人大代表。还获得过陈嘉庚数学奖等奖项。1996 年 3 月 19 日因病在北京逝世。著作有《初等数论》《组合数学》《哥德巴赫猜想》等。

陈铭枢　（1889—1965）

字真如，广东合浦（今属广西浦北）人。6 岁开始接受传统文化教育。1906 年入广东黄埔陆军小学。在校期间加入中国同盟会。1907 年因成绩优异被选送南京陆军中学学习。任同盟会支部会员和对外联络负责人。辛亥革命爆发后，和一批同学随宋教仁等赴武昌参战。"南北议和"后转赴粤军姚雨年部供职。1912年入保定军官学校第二期学习。1915年袁世凯称帝意向明显，陈赶回广东，参加筹划谋炸广东督军的活动。事泄被捕入狱。后越狱逃往日本，先后入大森浩然庐法政学校学习政治经济。1917年潜回广东，在阳江地区自建独立营，任营长，归属肇军。后改任肇军游击第1营营长。肇军改编后历任护国军第2军营长、粤军第6军第一纵队司令、粤军第五十四统领部统领等职。1920年任粤军第1师第4团团长。1921年参加孙中山亲率的讨伐桂系陆荣廷之役。1922年5月，孙中山在韶关誓师北伐，陈率部参战。陈炯明叛变后，辞去团长职，只身经广州转赴南京入佛门，取法名"真如"。1923年2月经邓演达斡旋，重回粤军第1师担任第一旅旅长。1925年7月，任国民革命第4军第10师师长。1926年参加北伐，战功卓著。攻克武汉后，任武汉卫戍司令、国民革命军总政治部训练部部长。不久，任第11军军长。1927年3月，到南京投奔蒋介石，任南京国民政府国民革命军总政治部副主任、代理主任、军事委员会委员等职。年底重任第11军军长。1928年任广东省南区绥靖主任、广州政治分会委员。1929年春，任广东省政府主席。嗣后，当选国民党第三届中央执行委员、国民党政治会议委员、国民政府委员。1930年8月，所部改编为第十九路军。1931年7月，任右翼集团军总司令官，参加蒋介石发动的第三次"围剿"中央革命根据地的战争。11月，继续当选为国民党第四届中央执行委员。同时第十九路军开始负责京沪警卫，陈出任京沪卫戍司令长官。12月，蒋介石被迫辞职，由陈代理行政院长。不久任行政院副院长兼交通部部长。1932年初，与蒋光鼐、蔡廷锴等率十九路军发起"一·二八"淞沪抗战，受到全国人民的拥护。1933年11月，同李济深等发动福建事变，在福州成立中华共和国人民革命政府，任委员兼文化委员会主席、人民革命军政治部主任。后又组织生产人民党，任总书记。事变失败后，潜赴香港，组织社会民主党、神州国光社等组织，继续进行反蒋的民主活动。1935年赴欧洲及苏联参观。同年将社会民主党改为中华民族解放大同盟，创办《大众日报》，赞成中国共产党的《八一宣言》，号召举国团结抗日。抗日战争爆发后，回国参加抗战。任国民政府军事委员会高级参议、政治部计划委员，还任国际反侵略大会中国分会主席、国民外交协会主席等职，在武汉、重庆等地从事抗日民主运动。1948年1月1日，中国国民党革命委员会正式成立，任中央常务委员。1949年春转抵北平。9月出席中国人民政治协商会议第一届全体会议，当选为中央人民政府委员。中华人民共和国成立后历任中南军政委员会委员、副主席，交通部部长，第一届全国人民代表大会常务委员，第二届全国政协常务委员，中国国民党革命委员会中央常务委员兼理论政策研究会主任委员。1965 年 5 月 15 日在北京逝世。

陈丕显 (1916—1995)

福建上杭人。1929 年加入中国共产主义青年团,1931 年转为中国共产党党员。历任共青团福建省委儿童局书记、共青团中央儿童局书记、共青团闽赣地区中心县委书记、共青团中央苏区分局委员。1935 年初,任共青团赣南省委书记;10 月,中央红军长征走后,留在中央苏区坚持游击战争。1937 年抗日战争爆发后,历任中共东南局青委书记、青年部部长,中共苏中区党委副书记、书记,新四军苏中军区政委。为创建和发展苏中抗日根据地作出了贡献。1946 年开始的解放战争时期,历任华中野战军第七纵队政委,中共华中分局委员,新四军华中南线后勤司令部政委,华中工委书记,新四军华中指挥部、苏北兵团、苏北军区政委。中华人民共和国成立后,历任上海市委第四书记,华东行政委员会委员,中共中央华东局、上海局委员,上海市委第二书记、市委书记处书记,上海警备区第一政委,中共中央华东局书记处书记,上海市政协主席,中共上海市委第一书记。是中共第八届候补中央委员。"文化大革命"期间,被关押十年之久。1977 年 2 月,任中共云南省委书记、省革命委员会副主任;7 月,任中共湖北省委第二书记、省革命委员会第一副主任;8 月,当选中共第十一届中央委员。历任中共湖北省委第一书记、湖北省革命委员会主任、湖北省人大常务委员会主任、湖北省军区第一政委、武汉军区政委。1982 年 9 月,当选中共第十

二届中央委员、中央书记处书记;10 月任中央政法委员会书记。1983 年 6 月当选第六届全国人大常务委员会副委员长。1987 年 11 月在中共第十三次全国代表大会上,当选中央顾问委员会常务委员。1995 年 8 月 23 日因病在北京逝世。著有回忆录《赣南三年游击战争》、《苏中解放区十年》。

陈其尤 (1892—1970)

又名陈定思、陈丽江,广东海丰人。早年在广州博济医学堂读书时加入同盟会,从事反清斗争。1911 年先后参加广州黄花岗起义和光复惠州之役。辛亥革命后被资送到日本留学。1916 年毕业于日本东京中央大学政治经济系,回国后在北京政府财政部任职。1917 年以后,任粤军总司令部机要秘书,东山、云霄两县县长及潮、汕海关监督兼海关外关特派员等职。1931 年加入中国致公党,同年参加在香港召开的致公党第二次代表大会,当选为中央干事委员会负责人。抗日战争初期任国民政府驻香港特派员,因揭发孔祥熙搞军火投机生意,触犯蒋介石,被囚禁于贵州息烽集中营。1941 年获释转居重庆。1946 年到香港,与在香港的致公党同志会合,改组并恢复致公党,拒绝了国民党反动派对致公党的拉拢和利诱。1947 年 5 月在致公党第三次代表大会上极力主张致公党加入中国共产党领导的人民民主统一战线,被选为中央副主席,实际上负责主持中央党部的日常工作。与其他负责人一起发动和引导致公党成员参加新民主主义革命,并撰文揭露国民党当局发动内战、

独裁专制的罪行。1948年5月代表中国致公党与各民主党派负责人及无党派人士在香港联名通电,响应中国共产党"五一"号召,拥护召开新政治协商会议和成立民主联合政府。1948年底应中共中央邀请,离开香港到达东北解放区。1949年6月,作为中国致公党代表参加筹备新政治协商会议,担负起草政府组织大纲的工作。9月,代表致公党出席中国人民政治协商会议第一届全体会议。1950年4月在广州召开的中国致公党第四次代表大会上,任中央主席团召集人。后在中国致公党第五、六次代表大会上当选为中央委员会主席。历任第一届全国人大代表,第二、三届全国人大常务委员,第一、二、三、四届全国政协常务委员,广东省人民政府委员等职。1970年12月10日因病在北京逝世。

陈奇涵 (1897—1981)

江西兴国人。1919年夏考入滇军讲武堂韶关分校,后转入护国军第二讲武堂。1921年至1924年任赣军排长、连长、代营长。后入广州警卫军讲武堂和桂军军官学校,任区队长。曾参加孙中山发动的第一次北伐和平定广州商团叛乱。1925年任黄埔陆军军官学校学生队队长、政治大队长等职。同年加入中国共产党。1926年夏回江西开展群众运动,任特派员,建立了抚州各县的党组织,创办赣州《民国日报》、南昌《贯彻日报》。1927年在南昌军官教导团任参谋长。大革命失败后任中共赣南特委军事部长、兴国县常委、省军事部办事处主任等职。1930年后,任赣西南红军三分校

教育长,赣西南军事委员会参谋长,红三军教导团团长,红四军、红一军团、江西军区参谋长。参加了中央革命根据地的历次反"围剿"作战。长征时期,任红军教导师参谋、作战科长、教育科副科长、军委随营学校校长。1935年冬任二十五军团参谋长。抗日战争爆发后,任军委教育局局长;同年冬至1939年,任绥德警备司令员;1940年任军委参谋部部长。1941年任抗日军政大学三分校校长。1942年任军委情报部第三室副主任。1945年日本投降后,任冀察热辽军区副司令员。1947年任东满军区副司令员。1948年任辽宁军区司令员、东北军区参谋长。中华人民共和国成立后,任江西军区司令员、军区党委副书记和中南军区党委委员、中共中央中南局委员、中南军政委员会委员、江西省政协主席等职。1955年被授予上将军衔。1957年任最高人民法院副院长。在中共八大上当选为候补中央委员,是中共九、十、十一届中央委员,第三、四届全国人大常委。1981年6月19日因病在北京逝世。

陈少敏 (1902—1977)

女。原名孙肇修。山东寿光人。1915年入青岛日本纱厂做童工,后回乡从事手工业劳动。1921年再进纱厂做纺织工人,参加了秘密工会。1925年进山东潍县文美女中学习。1927年加入中国共产主义青年团,不久担任共青团寿光县委妇女部长。1928年春因领导学生运动被开除,同年11月加入中国共产党。1930年1月到青岛任市工人运动

委员会委员,以做工为掩护,领导工人运动。8月由于叛徒告密受到通缉,避离青岛。1930年底至1931年,先后在北平、天津、唐山等地做党的机关工作。1932年任中共天津市委秘书长、妇女部长,同年10月被捕,1933年1月获释。3月调任中共唐山市委宣传部长。1934年1月在天津负责主办中共河北省委刊物《实话报》。9月以河北省委妇女委员会代表的身份到冀鲁豫和冀南特委帮助开展妇女工作。1935年5月任中共冀鲁豫特委组织部长,后任特委副书记。1937年5月到延安中央党校学习。11月离开延安到南昌,任中共江西省委妇女部长。1938年5月调任中共河南省委洛阳特委书记。7月任河南省委组织部长。1939年同李先念率领小部队先后到达鄂中地区创建抗日根据地,任中共鄂中区委书记兼任新四军鄂豫挺进支队政治委员。1940年1月改任中共豫鄂边区党委书记。1941年1月"皖南事变"后,部队改编为新四军第五师,任副政治委员。1943年1月任中共豫鄂边区党委副书记。1945年6月,在中共七大上被选为候补中央委员,10月任中共中央中原局组织部长。1949年6月调到中华全国总工会工作。中华人民共和国成立后,任全国纺织工业工会主席、中华全国总工会书记处书记。1954年12月和1959年4月被选为中国人民政治协商会议第二、三届全国委员会常务委员。1956年9月,在中共八大上被选为中央委员。1957年担任中华全国总工会副主席、党组副书记。1965年1月被选为

三届全国人大常委。在"文化大革命"中,她刚直不阿,为捍卫真理与邪恶势力进行了顽强的斗争,在中共八届扩大的十二中全会通过《关于叛徒、内奸、工贼刘少奇罪行的审查报告》时,拒绝举手;在江青、康生等人围攻"二月抗争"的老同志时,拒绝表态。受到江青、康生一伙的残酷迫害。1977年12月14日因病在北京逝世。

陈绍宽 （1888—1969）

字厚甫,福建闽侯人。早年入福州马尾水师学堂学习航海。1907年毕业后,历任海军炮艇二副、见习舰大副和艇长等职。1914年任民国北京政府海军总司令部少校副官。1915年被派往美国学习。1917年又被派往欧洲各国参研战事。1918年秋任中国驻英国公使馆中校武官兼留学生监督。1919年2月,担任出席巴黎和会的中国代表团海军代表。4月代表中国政府出席伦敦国际海道会议,10月回国后仍在海军负责训练海军学员。1922年起先后任海军司令部上校参谋长、少将舰长等职。1925年晋升中将军衔。1926年9月任北洋海军第二舰队司令。1927年率部归顺民国南京政府。8月底指挥舰队在长江截击军阀孙传芳部,协同陆军取得南京龙潭大捷。后任民国南京政府军事委员会委员。1928年12月任海军署中将署长。1929年6月任民国政府海军部政务次长兼代理部务。1930年兼海军江南造船所所长。1932年任海军部上将部长。1935年当选国民党中央执行委员,同时任民国政府国防会议委员、晋

升为一级海军上将。1937 年抗日战争爆发后,率中国海军主力在长江沿岸、江阴等要塞对日军作战。后自沉舰船在长江上设阻塞线,阻止日军沿江西进。1938 年 1 月任海军总司令。抗日战争胜利后,于 1945 年 9 月 2 日代表中国海军在东京湾美国"密苏里"号军舰上参与接受日本投降仪式。后被蒋介石免职,归乡隐居。1949 年 8 月拒绝蒋介石电召去台湾,通电拥护中国共产党并策动部分海军官兵起义。中华人民共和国成立后,历任华东军政委员会委员、福建沿海守备司令员、福建省人民政府副主席、第一至三届国防委员会委员、福建省副省长、福建省政协副主席、中国国民党革命委员会中央副主席。曾当选第一至三届全国人民代表大会代表。1969 年 7 月 30 日因病在福州逝世。

陈叔通　(1876—1966)

名敬第,字叔通,浙江杭州人。早年投身维新运动。1903 年中进士,授清政府翰林院编修。1904 年东渡日本留学,就读于日本法政大学,专攻政治和法律。1906 年回国,担任清政府资政院民选议员。辛亥革命时期,参加光复会。1912 年底,被推选为第一届国会众议院议员。先后任浙江都督府秘书长、大总统秘书、国务院秘书长等职,并任《北京日报》社经理。1915 年袁世凯称帝后,积极参与梁启超、蔡锷等发动的讨袁护国斗争。1917 年到北京参加国会复会第一次会议后,便愤然辞去议员职务,离开北京定居上海,专心致力于发展民族工商业和文化事业。自 1915 年起,在上海担任商务印书馆董事,历时十年,又长期担任浙江兴业银行董事,并兼任总经理办公室主任。其间,经历了北伐战争、十年内战和抗日战争等重要历史阶段,几次拒绝蒋介石要他到南京政府担任要职的邀请。"九一八"事变后,陈叔通鞭笞国民党政府"攘外必先安内"的反动政策,积极支持抗日救亡运动。1941 年太平洋战争爆发后,日军进占上海租界,逼他出任上海维持会会长,但他不为所动,表现了高尚的爱国情操和民族气节。1946 年 5 月,全面内战爆发前,参加筹备组建上海各界人民团体联合会,发起"十老上书",抨击国民党政府的独裁统治。1949 年 1 月离开上海,经香港到达解放区。中华人民共和国成立后,历任中央人民政府委员、第一、二、三届人民代表大会常务委员会副委员长,第一、二、三、四届中国人民政治协商会议全国委员会副主席。此外,还担任中国人民保卫世界和平委员会副主席、中华全国工商联二、三届主任委员等职。抗美援朝期间,担任抗美援朝总会副主席,积极动员工商界为保卫国家安全、维护世界和平出钱出力。1953 年 10 月,当选为全国工商业联合会主任委员。1966 年 2 月 17 日在北京逝世。著有《关于资本主义工商业的社会主义改造的报告》《政治学》《政法通论》和诗集《百梅书屋诗存》等。

陈太一　(1921—2004)

通信信息工程技术专家、中国人民解放军少将、中国工程院院士。江苏宜兴人。抗日战争时期坚持完成了学业,1940 年考入上海大同大学物理系;1941

年秋转入桂林广西大学数理系；1946 年获上海交通大学硕士学位。毕业后在广州中山大学电机系任副教授，后任军管第六区电信管理局技术员。中华人民共和国成立后，任中南邮电管理局无线电工务科科长。1952 年 7 月参加中国人民解放军，任张家口军事通信工程学院副教授、无线电教授会主任。1956 年 6 月加入中国共产党。1958 年任西安军事电讯工程学院无线工程系副主任、教授。1959 年提出的坑道通信与埋地天线理论，揭示了坑道通信传输的机理；提出的调频相干接收法，被广泛应用于后来的 FDMA 卫星通信；负责总体设计的多腔振荡器及放大器关键部件，填补了国内空白。1960 年所作的"埋地天线信道设计"报告，成果比美国早三年发表，被广泛应用于国防通信工程建设中。在学院创办了信息论、天线电波传播、量子电子学三个新专业。1963 年任中国人民解放军总参谋部通信兵部科学技术部总工程师。1964 年兼任国防科学技术委员会第 55 研究所副所长。1965 年提出了丛林通信电波传播模式为"侧面波"的设想，通过试验证实了这一设想，并处于国际领先水平。该成果在军用、民用丛林通信中发挥了重要作用。20 世纪 60 年代，他针对军队亟待解决的装备及改变落后状态问题，主持了半导体战术电台系统、长距离中同轴多路载波海缆通信系统、短波单边带电台系统的研制与开发；针对在对印度反击战中电子管电台过重的弊端，主持了师、团、营、连半导体战术电台的体制论证、集中设计、联合试

验等工作；提出并主持了半导体窄带数字保密机总体论证、成网研制、成网装备，并论证了小容量数字保密网的总体方案，使中国的数字保密系统在较短时间内接近国际水平。他在开拓军事通信发展方向和提出装备技术方针方面作出了开创性、奠基性的贡献。"文化大革命"中受到冲击。1975 年任中国人民解放军总参谋部通信装备体制研究所副所长。1979 任中国人民解放军总参谋部通信部科学技术部总工程师。70 年代，在参与论证（任地面组组长）东方红人造卫星的总体方案时，敏锐地意识到军事卫星通信的重要性，组织参与了军事卫星通信方案的论证，并积极向上级建议。"706 卫星通信工程"批准后，与宗汝立主持了总体论证，为"331 工程"打下了基础。在指挥自动化方面，"781 工程"创建时期负责总体方案，阐述了有关技术方针政策，领导并参与了系统集成、生存能力、系统评估等关键问题的研究，起到了推动作用。并首次提出一种如何系统地从作战使用要求论证可靠性指标的方法，有力地促进了军用通信装备质量的提高。1981 年后历任中国人民解放军通信工程学院教授、副院长、顾问。80 年代，他在 1980 年解决通信网络自动检测的基础上，着手研究军事通信网络管理的技术体制。他是中国最早主张发展数字程控交换技术的专家，领导并参与了数字程控专用小交换机的研制开发；设计完成中国第一台 200 门 PABX 数字程控交换机；领导并参与了中国第一台综合业务 IS－PABX 雏形机的研制。

1997 年当选中国工程院院士；获"全国有突出贡献的老教授"称号。90 年代，提出了新时期军事信息系统的目标体系结构及过渡策略，预见到信息战研究的重要性，主持编写了《信息战、数字化部队和数字化战场》专著，并举办了一系列信息战学术讲座。曾担任军事通信（现为军事电子信息）学术会议学术委员会主任委员，中国电子学会第一、二届理事、第五届常务理事，中国通信学会第一、二届常务理事、第三届名誉理事，国家新名词审定委员会信息科学名词组组长等职。2004 年 5 月 6 日因病在北京逝世。他长期从事中国人民解放军通信、指挥自动化的科学技术研究和人才培养工作，并作出了重要的贡献。发表论文 200 余篇。著有《综合业务数字网概论》、《用户程控交换机分析与设计》、《国家信息基础结构》、《信息论教材》等，译著有《纠错码入门》。

陈体强　（1917—1983）

国际法学家。福建闽侯人。1939 年毕业于清华大学政治学系。1945 年赴英国留学，入牛津大学研读国际法。1948 年获哲学博士学位后回国，在清华大学政治系任教。中华人民共和国成立后，1950 年历任中国人民外交学会编译委员会副主任兼研究部副主任、常务理事。1951 年以英文在伦敦出版的《关于承认的国际法》，在国际法学界受到高度重视，被誉为国际法名著，并被列为当代国际法必读书之一。1956 年以后，先后在国际关系研究所、国际法研究所、国际问题研究所担任和主持国际法研究工作。1978 年改革开放后，于 1981 年任外交学院兼北京大学教授、外交部法律顾问。他毕生致力于国际法的教学与研究工作，写作的有关于中华人民共和国在联合国的席位、台湾的主权属于中国、中印边界、北部湾海域划分、金边傀儡政权、中国飞机被劫持到南朝鲜（韩国）、湖广铁路债券案等问题的文章，从理论上分析和评论了中国外交实践中的现实国际法问题。还曾被邀请到美国、瑞士、英国、加拿大等国讲学，阐明中外关系中的法律问题和中国与国际法的关系。他为中国国际法的发展作出了贡献。是第六届全国政协委员。曾担任中国政法学会常务理事兼副秘书长，《中国国际法年鉴》主编之一，《中国大百科全书·法学》卷（1978 年版）编辑委员会委员兼国际法分支主编之一等职。1983 年 10 月 13 日因病在北京逝世。

陈望道　（1891—1977）

原名参一，又名融，浙江义乌人。早年在家乡读书、任教。1908 年考入金华中学。1913 年到上海补习英文，翌年考入杭州之江大学。1915 年东渡日本。1919 年毕业于中央大学，获法学学士学位。同年 6 月回国，在浙江第一师范学院任教，积极投身新文化运动，不久被查办离职。12 月回到家乡，潜心研究新思潮。1920 年二三月间翻译《共产党宣言》一书，并于 8 月出版。这是我国第一个中文全译本，有力地推动了马克思主义在中国的传播。后回到上海参加《新青年》杂志的编辑工作，并与陈独秀等发起组织马克思主义研究会和上海共产主义小组,成为中国共产党上海发起组的成员之一,后又参加社会主义青年团的创建工作,并参与创办《劳动界》、《共产党》等刊物。1920年底主办《新青年》,并任《民国日报》的副刊"觉悟"和"妇女评论"的编辑。从1919年至1921年,先后翻译了《空想的科学的社会主义》一书,以及《马克斯底唯物史观》、《唯物史观的解释》等文章,为在中国介绍、宣传马克思主义作出了重要贡献。1921年脱离党组织。从1920年9月开始任复旦大学中文系教授,主讲修辞学、文法、美学等课。1922年在上海大学兼任中文系系主任,后改任教务长。1928年任复旦大学中文系主任。1931年7月因保护进步学生,受到国民党政府的迫害,离开复旦大学,专心进行《修辞学发凡》的写作,并于1931年底正式出版,这是我国第一部系统的、兼及古今语文的修辞学专著。1933年7月任安徽大学教授,讲授文艺理论。1934年2月回到上海。6月与乐嗣炳、胡愈之等人共同发起"大众语运动",积极倡导语文改革。9月创办《太白》半月刊。1935年8月到广西大学任中文科主任。抗日战争爆发后回到上海从事抗日救亡运动。1940年秋到重庆,在迁至此地的复旦大学中文系任教。1943年任新闻系主任。1945年抗日战争胜利后,随校回到上海。1947年发起成立中国语学会。中华人民共和国成立后,任华东军政委员会委员、文化教育委员会副主任、文化部部长,华东高教局局长,复旦大学校务委员会副主任。1952年任复旦大学校长。1953年10月

任中国民主同盟上海市委副主任。1957年重新加入中国共产党。1958年12月当选民盟中央委员会副主席。1961年任《辞海》编辑委员会主编。是第一、二、三、四届全国人大代表,第四届全国人大常委,全国政协第三、四届常务委员会委员,中国科学院哲学社会科学学部委员,上海哲学社会科学联合会主席、上海语文学会会长。对文学、哲学、社会学、伦理学、逻辑学、新闻学等都有研究,特别是在语法学、修辞学方面贡献尤著。1977年10月29日因病在上海逝世。其主要著作收入《陈望道文集》。

陈希孺 (1934—2005)

数理统计学家。湖南望城人。出生在一个农民家庭,因其父上过学,家中有很多中国传统典籍,小时候他不好动,花了大量时间阅读了家中的藏书。1946年秋考入长沙城内的长郡中学。中华人民共和国成立后,1951年转入湖南省第一中学学习。1952年秋考入湖南大学数学系,一年后因全国院系调整,转入武汉大学数学系学习。1956年毕业后分配到中国科学院数学研究所概率统计组工作,任研究实习员。大学期间并未学过概率统计课程,他一边去北京大学数学系学习《数理统计》,一边自学概率统计知识。1957年秋被选派去波兰科学院进修,因"反右"运动的牵连,1958年被提前两年调回国,1959年被下放到陕西洛川劳动。1960年夏被调到合肥,任刚成立不久的中国科技大学讲师,承担起数理统计的教学任务。"文化大革命"中受到冲击。1978年被评为副教授。

1980 年获中国科学院科学技术成果奖二等奖,被评为教授。1984 年获中国科学院科学技术成果奖一等奖。1986 年调到中国科学院研究生院工作。1990 年获中国科学院自然科学奖二等奖。1991 年获国家自然科学奖三等奖。1997 年当选中国科学院数学物理学部院士。1998 年获中国科学院自然科学奖一等奖。他的研究领域主要为:①线性模型(圆满地解决了一般损失函数下 M 估计的强、弱相合问题);②U 统计量(在非参数计量,特别是极重要的 U 统计量的研究中获得 U 统计量分布的非一致收敛速度,具有国际领先水平);③参数估计与非参数密度、回归估计和判据等(亦取得优秀成果)数理统计学若干分支。曾担任中国概率统计学会理事长、中国现场统计学会理事长、中国统计学会副会长、《应用概率统计》主编、《中国科学》和《数学年刊》编辑委员会委员等职。2005 年 8 月 8 日因病在北京逝世。著有《数理统计引论》、《线性模型参数的估计理论》、《陈希孺统计文选》等。

陈锡联 (1915—1999)

湖北红安人。1928 年在家乡担任儿童团团长,投身农民运动。1929 年 4 月参加中国工农红军。1930 年加入中国共产主义青年团,同年转为中国共产党党员。在鄂豫皖苏区,参加了历次反围剿战斗,从战士、班长到连指导员成长起来。1933 年随红四方面军入川,开辟川陕根据地。历任营教导员、团政委,红四军 11 师副师长、政委。1935 年 7 月参加长征,任红 10 师师长。是红四方面军中著名的青年战将之一。1937 年抗日战争爆发后,历任 129 师 385 旅副旅长、旅长。1943 年 3 月,任太行军区三分区司令员,为太行山抗日根据地的建立和发展作出了贡献;8 月,赴延安中央党校学习。1946 年开始的解放战争时期,历任晋冀鲁豫军区、晋冀鲁豫野战军、中原野战军第三纵队司令员。1949 年 2 月任第二野战军第三兵团司令员。中华人民共和国成立后,兼任中共重庆市委第一书记、市长。1950 年 10 月任中国人民解放军炮兵司令员。1955 年被授予上将军衔。1956 年当选中共第八届候补中央委员。1957 年兼任炮兵学院院长。1958 年 8 月参与协调组织炮击金门的战斗。1959 年 10 月任沈阳军区司令员,历任军区党委第二书记、第一书记,中共中央东北局书记。是第一至三届国防委员会委员。"文化大革命"时期,历任辽宁省革命委员会主任,中共辽宁省委第一书记兼省革命委员会主任。1968 年 10 月增补为中共第八届中央委员。1973 年 10 月任北京军区司令员。1975 年 1 月任国务院副总理,中央军委委员、常委。1976 年 2 月开始主持军委工作;7 月,参加了唐山抗震救灾的领导工作。是中共第九、十届中央政治局委员。在粉碎"四人帮"的斗争中,完成了中共中央安排的任务。1977 年 8 月当选中共第十一届中央政治局委员。在中共第十二、十三次全国代表大会上,均当选中央顾问委员会常务委员。1999 年 6 月 10 日因病在北京逝世。

陈逸飞 (1946—2005)

画家。浙江镇海人。1965 年毕业

于上海美术专科学校,后到上海画院油画雕塑创作室工作,曾任油画组负责人。"文化大革命"中并未放弃艺术实践,除画毛泽东主席像等宣传画外,还创作了《黄河颂》《占领总统府》等反映中国历史的现实主义作品。1979年创作《踱步》。1980年赴美国留学,入纽约亨特学院攻读美术硕士学位,并在博物馆做过修补油画的工作,其技艺受到青睐。1983年10月在纽约哈默画廊举办个人画展的首展。他的音乐题材肖像组画《大提琴手》(1983)、《钢琴手》(1984)、《长笛手》(1987)、《中提琴手》(1988)等,画面上是西洋乐器、白种人;风景组画《古桥》(1983)、《童年嬉戏过的地方》(1984)、《寂静的运河》(1985)等,画面上是中国的江南水乡,向世人展示了西洋油画技法在一个中国人手中的高超运用。1985年在华盛顿的科克伦艺术博物馆举办个人画展。《古桥》被联合国选作邮票首日封发行;《家乡的回忆——双桥》被美国西方石油公司董事长哈默收购,访华时作为礼品送给邓小平。同年,《纽约时报》称其"画风融合了写实主义和浪漫主义,叫人想起欧洲大师的名作"。1992年回到上海后,拍摄了电影故事片《人约黄昏》(1995)和纪录片《逃往上海》,以及电视纪实片《上海方舟》;开办公司经营服装、服饰,培训模特,做经纪人,办时尚类杂志等;20世纪90年代创作的油画有中国古典诗意系列《浔阳遗韵》(1991)、《罂粟花》(1991)、《西厢待月》(1994)、《恋歌》(1995)等,上海旧梦系列《黄金岁月》(1993)、《玉堂春暖》(1993)、《春风沉醉》(1993)等,西藏系列《山地风》(1994)、《晨曦》(1995)、《藏族人家》(1995)、《神庙》(1995)、《山人》(1996)等。他在当代世界画坛的地位日益巩固,1991—1998年拍卖的33幅画总计4000余万元人民币。2000年3月他的雕塑《东方少女》,参加了由法国文化部在巴黎皇家花园举办的现代雕塑回顾展。21世纪初,通过电视、报纸、杂志向人们阐述他的"大美术"、"视觉艺术"的理念,使世人了解到其商业行为都是该理念下的一种实践。2005年4月6日在指导其第二部电影故事片《理发师》的拍摄中突然发病,于10日在上海逝世。

陈寅恪　(1890—1969)

历史学家。江西修水人。幼年读私塾时开始接触西学。1902年赴日求学,入东京巢鸭弘文书院高中,后因病回国,就读于上海吴淞复旦公学。1910年起赴欧美求学,先后在德国柏林大学、瑞士苏黎世大学、法国巴黎高等政治学校社会经济部、美国哈佛大学攻读比较语言学和佛学。1925年回国后,任清华学堂国学研究院导师,历史系、中文系、哲学系合聘教授。1930年后,兼任国民政府中央研究院理事、历史语言研究所研究员、故宫博物院理事等职。1937年抗日战争爆发后,随清华大学南迁至昆明,在西南联合大学执教。1939年被英国牛津大学聘为教授。1940年赴任因战事滞留香港,就任香港大学教授。1942年去桂林,在广西大学执教。1943年9月抵成都,在燕京大学执教。1945年秋赴英应聘,不久因病回国。英国皇家科学

院授予他外国籍院士称号。1946 年 10
月回清华大学任教。1948 年到广州，任
岭南大学历史系教授。中华人民共和国
成立后，岭南大学于 1952 年改为中山大
学，任历史系教授。曾当选第三、四届全
国政协常务委员，中国科学院哲学社会
科学部委员。并担任中央文史研究馆副
馆长，《历史研究》编辑委员会委员等职。
1969 年 10 月 7 日因病在广州逝世。一
生治史的领域甚广，对魏晋南北朝史、隋
唐史、宗教史（尤其是佛教史）、西域各民
族史、蒙古史、古代语言学、敦煌学、中国
古典文学、史学方法等学科均有重要建
树。著有《隋唐制度渊源略论稿》、《唐代
政治史述论稿》、《元白诗笺证稿》、《柳如
是别传》等，发表论文近百篇，后经修订
分别辑入《寒柳堂集》和《金明馆丛稿》
（初编、二编）。

陈永贵　（1914—1986）

山西昔阳人，出生于贫苦农民家庭。
从少年时代就参加农业劳动。解放战争
时期加入农会，参加本地土地改革运动。
1948 年加入中国共产党。中华人民共
和国成立以后，先后任山西省昔阳县大
寨村生产委员会委员，中共大寨村支部
书记，大寨农业生产合作社主任。他积
极领导群众，响应中共中央和中央政府
"自力更生，艰苦创业"的号召，大干苦
干，修造梯田，兴修水利，为改变大寨村
贫穷落后的面貌，促进山区农业生产发
展作出了贡献。大寨生产合作社（后为
生产大队）受到中共中央、国务院和毛泽
东主席、周恩来总理赞扬和表彰。他被
评为全国农业劳动模范。1967 年后担

任山西省革命委员会第一副主任，中共
山西省委副书记等职。1969 年 4 月出席
中共九大，被选为第九届中央委员。
1973 年 8 月被选为中共第十届中央委
员，中央政治局委员。1975 年 1 月，担任
国务院副总理，主管全国农业工作。
1976 年 10 月 6 日出席中共中央政治局
会议，拥护拘禁审查"四人帮"的决定。
1977 年继续当选为中共第十一届中央
委员、中央政治局委员。1980 年 9 月辞
去中共中央政治局委员和国务院副总理
职务。1983 年起任北京市东郊农村顾
问。是第三、四、五届全国人大代表。
1986 年 3 月 26 日因病在北京逝世。

陈再道　（1909—1993）

湖北麻城人。青少年时代参与组织
农民协会。1926 年 4 月，参加麻城县农
民自卫军。1927 年 9 月，参加大别山南
麓的秋收暴动；11 月，参加黄麻起义。
1928 年 8 月加入中国共产党，历任中国
工农红军班长、排长、连长、营长。1932
年 12 月后任红四方面军红四军第一师
团长、师长，参加了川陕革命根据地反
"三路围攻"和"六路围攻"等重大战役。
1935 年 6 月任红四军副军长，8 月任军
长，成为红四方面军青年将领之一。在
长征中，坚决反对张国焘的分裂活动，维
护了党和红军的团结。1936 年 10 月，率
红四军掩护红四方面军一部西渡黄河。
1937 年抗日战争爆发后，任八路军第
129 师 386 旅副旅长；10 月任八路军东
进纵队司令员，率部挺进冀南抗日前线。
1940 年 8 月任冀南军区司令员，率部参
加"百团大战"，并领导冀南军民粉碎敌

人历次"铁壁合围"和"扫荡"。1943年10月入延安中共中央党校学习。1946年开始的解放战争时期,历任晋冀鲁豫野战军第二纵队司令员、中原野战军第二纵队司令员等职,在刘伯承、邓小平指挥下,率部参加了一系列重大战役战斗。1949年2月任河南省军区司令员。中华人民共和国成立后,历任中南军区副司令员兼河南军区司令员,中国人民解放军武装力量监察部副部长,武汉军区司令员兼湖北省军区司令员等职。1955年被授予上将军衔。是第一、二、三届国防委员会委员。"文化大革命"中遭受迫害。1972年6月任福州军区司令员。1977年8月任中共中央军委委员;9月,任铁道兵司令员。1978年2月,当选第五届全国人大常务委员会委员;12月,增选为中共第十一届中央委员。1980年任中共中央军委顾问。1982年9月在中共第十二次全国代表大会上,当选中共中央顾问委员会委员。1983年6月当选第六届全国政协副主席。1993年4月6日因病在北京逝世。

陈中伟 （1929—2004）

医学家、"断肢再植之父"、骨科专家。浙江宁波人。父亲是医生,并于1922年在宁波城创办了保真医院。小时候因顽皮,被父母送进严厉的教会学校学习。中学时偏科,生物成绩很好,数理化成绩差。1948年考取上海同德医学院。中华人民共和国成立后,父亲被定性为"历史反革命",医院被没收,衣食无忧的他开始为学费和生活费操心。但学校免了他的学费,解剖学老师让他做

了助教,在此种帮助下得以继续学业。1954年毕业于上海第二医学院医疗系,被分配到上海市第六人民医院做住院医生。上海市卫生局要在该院建立骨科专科,并请来华东地区著名骨科教授叶衍庆帮助,叶教授点名要他这个学生回校,即跟随叶教授到仁济医院和广慈医院各进修了一年,打下了坚实的基础。1963年与同事在上海市第六人民医院为被完全切断右手的工人王存柏成功实施了世界首例断手再植术,该手术惊动了世界,卫生部为他记大功一次。历任第六人民医院骨科主任、副院长。在"文化大革命"的动荡中,于1973年为一例前臂屈肌严重缺血性挛缩病人,实施带血神经游离胸大肌移位再植手术成功。1977年成功地进行吻合血管游离腓骨移植手术,治疗先天性胫骨假关节及其他原因造成长段骨缺损。1978年又获断指再植成功。1980年当选中国科学院生物学部委员。1981年获国务院国家科学大奖。1982年4月任上海医科大学（今复旦大学）附属中山医院外科教研室主任、骨科主任、教授。1985年当选第三世界科学院院士。他还成功地进行了复合皮瓣移植和游离第二足趾再造拇指术。将显微外科技术用于再植和移植手术,使断指再植成功率由50%提高到90%。在国际上首创"断手再植和断指再植"等六项新技术,他所提出的"断肢再植功能恢复标准",被国际显微重建外科学术界公认为"陈氏标准"。1996年他的国家自然科学基金资助项目"手臂残端再造指控制的电子假手研究"通过

国家鉴定,为国际首创。1997年创用移植足拇趾再造手指控制的电子假手。1999年第13届国际显微重建外科学会学术讨论会授予他"世纪奖"。曾担任卫生部医学科学委员会委员兼显微外科副主任委员、中华医学会理事、中华医学会外科学会副主任委员、国际显微重建外科学会主席(1984－1988)、《中华骨科》和《中华显微外科》杂志编辑委员会委员等职。2004年3月23日因欲取出出诊时关门遗留在屋内的手机、钥匙等物品,跨窗坠楼逝世。在其一生中,与同事共接活了数千只断指。论著有《显微外科》、《创伤骨科与断肢再植》、《足趾移植再造手》、《带血游离腓骨移植30例报告》等。

成仿吾　(1897—1984)

原名成灏,字仿吾,笔名石厚生、夏乘,湖南新化人。幼读私塾。13岁随兄东渡日本,先后入名古屋第五中学、冈山等三高等学校二部和东京帝国大学造兵科学习。1916年同郭沫若、郁达夫等结成革命文学团体创造社,从事新文学创作。1921年4月与郭沫若回到上海,先后编辑出版《创造季刊》、《创造周刊》、《创造日》、《洪水》、《创造月刊》等文学刊物,发表许多文学评论、小说、诗歌,宣扬革命文学。曾在广东大学任教,兼管创造社工作,并任黄埔军校政治教官。大革命失败后,1928年转经日本、苏联到法国巴黎,不久加入中国共产党,编辑中共巴黎—柏林支部机关刊物《赤光》,宣传马克思主义。1929年春,由巴黎移居柏林,着手翻译德文版《共产党宣言》。

1931年秋被中共中央调回国内,派往鄂豫皖革命根据地工作。同年11月到达新集,担任中共鄂豫皖省委宣传部部长,同时兼任鄂豫皖省苏维埃政府文化委员会主席,并兼任过中共红安中心县委书记。1932年10月红四方面军主力西征后,留在原地坚持斗争。1933年10月被省委派到上海寻找中共中央汇报请示工作。同年冬经鲁迅联系找到瞿秋白,接上组织关系。1934年1月到达中央革命根据地瑞金,出席中共六届五中全会和第二次全国苏维埃代表大会,被选为中华苏维埃共和国中央执行委员。会后留在中央宣传部工作,并兼任马克思共产主义学校政治教员。1935年10月随军长征到陕北,不久任中共中央党校教务主任,后兼红军大学教员。1937年7月主持筹备陕北公学,8月学校正式成立,任校长。抗战初期领导陕北公学共培养7万余名干部,遍布全国各抗日根据地。1939年7月,由陕北公学、延安鲁迅艺术学院等校合并而成的华北联合大学成立,任校长。率师生3000余人经1500公里行军挺进敌后,到达晋察冀抗日根据地。1943年1月被选为晋察冀边区参议会议长,并任中共晋察冀分局委员。1945年4至6月出席中共七大。解放战争初期仍任华北联合大学校长,领导师生先后在张家口、冀中解放区办学。1948年5月华北大学成立,任副校长。中华人民共和国成立后,历任中国人民大学副校长,东北师范大学校长,山东大学校长兼党委书记,中共中央党校顾问、党委常委,中国人民大学校长兼党委书记等职。是第一届全国政协委员,第五届全国政协常委,第一至第五届全国人大代表,中共八大代表,在中共十二大上被选为中央顾问委员会委员。1984年5月17日因病在北京逝世。

成克杰 (1933—2000)

壮族。广西上林人。1952年入北京铁道学院铁道管理专业学习。1953年在北京俄文专修学校留苏预备部学习。1957年后,任柳州铁路局湛江车站实习生、技术员,南宁分局技术员。1969年后,任柳州铁路局湛江车站技术员,湛江办事处业务指导员。1979年后,任柳州铁路局南宁分局技术员、工程师,1980年后任副总工程师。1983年任柳州铁路局南宁分局副局长、总工程师。1984年2月加入中国共产党,同年任柳州铁路局副局长。1985年任柳州铁路局局长兼党委副书记。1986年任广西壮族自治区政府副主席。1989年任中共广西壮族自治区委员会副书记、自治区政府副主席。1990年后任中共广西壮族自治区委员会副书记、自治区政府代主席、主席。1992年10月当选中共第十四届中央委员。1998年3月当选第八届全国人大常务委员会副委员长。1999年8月,中共中央纪律检查委员会开始查处他的违法违纪行为。2000年4月,中共中央纪律检查委员会决定并经中共中央批准,开除他的党籍。广西壮族自治区第九届人大常委会第十七次会议决定,罢免他第九届全国人民代表大会代表资格;7月31日,北京市第一中级人民法院公开宣判,以受贿罪判处他死刑,剥夺

政治权利终身,并处没收个人全部财产。(从1992年下半年至1998年间,他收受贿赂款共计人民币4109万元。)9月7日,最高人民法院裁定核准他的死刑判决。14日,北京市第一中级人民法院对其执行死刑。

程 潜 (1882—1968)

字颂云,湖南醴陵人,1903年入湖南武备学堂学习。1904年被保送留学日本,次年加入同盟会,投身于民主主义革命。1908年毕业回国,受同盟会派遣到四川训练新军。1911年武昌起义时,参加过武汉保卫战,任龟山炮兵阵地指挥。1913年任湖南都督府军事厅厅长时,积极响应孙中山讨袁的号召,大力宣传湖南独立。1915年12月袁世凯称帝,从日本回国参加护国运动。1917年8月,受孙中山广州护法军政府派遣从广州回湖南参加护法运动,出任湖南护法军总司令。1920年12月受孙中山非常大总统之命,就任广东军政府陆军次长。1922年陈炯明叛变,围攻总统府,他随孙中山避登永丰舰,并在孙中山领导下任讨逆军总司令,击溃了陈炯明。1925年参加了东征陈炯明和平定杨希闵、刘震寰的叛乱。北伐战争中,拥护孙中山的"三大政策",真诚地与共产党合作。1926年1月在国民党"三大"上,被选为国民党中央执行委员会委员,并任国民政府委员和军事委员会委员。宁汉合流后,任国民党中央特别委员会委员。大革命失败后,参与国民党新军阀的混战。1931年在国民党"四大"上,当选为中央执行委员会委员,并任国民政府委员。

1935年2月任国民政府军事委员会参谋总长,授二级陆军上将衔。抗日战争爆发后,任第一战区司令长官兼河南省政府主席。1938年5月听从参谋长晏勋甫建议,又经蒋介石下令,于6月12日在花园口炸开黄河大堤,以水代兵阻挡日军进攻,淹没豫、皖、苏等省49个县,受灾人口达1250万人,并造成连年灾荒的黄泛区。抗日战争胜利后。先后任军委会武汉行营主任、湖南绥靖公署主任。1949年8月4日和第一兵团司令陈明仁共同领导了长沙起义,此举受到全国人民的欢迎。1949年9月出席中国人民政治协商会议第一届全体会议,当选为政协委员、中央人民政府委员会委员。中华人民共和国成立后,任中南军政委员会副主席、人民革命军事委员会副主席。1949年11月被选为中国国民党革命委员会中央常委。1952年任湖南省政府主席。1956年任湖南省省长。还曾任国防委员会副主席,中苏友好协会副会长,第一、二、三届全国人大常务委员会副委员长,第二、三、四届全国政协常务委员,中国国民党革命委员会第三、四届中央副主席。他积极参加国家重大事件的协商,关心社会主义中国的革命和建设,贯彻党的统一战线政策,帮助国民党军政人员一道进步,希望大家共同努力实现台湾回归祖国的统一大业。1968年4月9日在北京病逝。

程思远 (1908—2005)

广西宾阳人。1930年任国民党第四集团军总司令李宗仁的秘书。1934年赴意大利留学,入罗马大学读研究生,后获政治学博士学位。抗日战争时期,于1938年任中华民国军事委员会副参谋总长白崇禧的秘书,广西绥靖公署政治部主任,三民主义青年团广西支团书记、中央团部组织处副处长。1942年后,历任三民主义青年团中央社会服务处处长、中央常务干事,国防艺术社社长,广西省政府驻渝、驻京代表,国民参政会第四届参政员等职。1947年后,历任国民党第六届中央执行委员会委员、常务委员,国民党中央非常委员会副秘书长,中华民国立法院立法委员。中华人民共和国成立后,到香港居留,曾任《正午报》专栏作家。1965年随李宗仁回到北京定居。1978年3月当选第五届全国政协常务委员、国际组副组长。1983年6月当选第六届全国政协常务委员、副秘书长,第六届全国人大外事委员会副主任委员。1986年4月补选为第六届全国人大常务委员。1988年4月当选第七届全国政协副主席、提案委员会主任。1993年3月当选第八届全国人大常务委员会副委员长。1998年3月当选第九届全国人大常务委员会副委员长。在中国共产党领导下的多党合作和政治协商的民主政治制度下,作为无党派人士,一直为祖国的统一大业努力奋斗着。2005年7月28日因病在北京逝世。著作有《李宗仁先生晚年》、《政坛回忆》。

程砚秋 (1904—1958)

京剧表演艺术家。满族。原名承麟,后改承为程姓,北京人。出生在一个破落的仕宦世家。6岁开始学戏,初习武生,后习花旦,继而又习青衣。11岁登台,12岁正式参加商业演出。后得诗人罗瘿公之助深造,先从多位名家学习京剧武把子及昆曲身段、唱法,后又拜梅兰芳为师,更受教于王瑶卿。在不断的艺术实践和创新中,逐步形成个人风格,成为京剧界的"程派"。30年代曾创办中华戏曲职业专科学校,并任南京戏曲音乐学院北平分院院长。抗日战争时期,拒绝为敌伪演出,在北京郊区务农。中华人民共和国成立后,历任全国文联委员、中国戏剧家协会理事会主席团委员。曾率团亲赴朝鲜慰问志愿军。1953年任中国戏曲研究院副院长。1957年加入中国共产党。1958年3月9日因病在北京逝世。代表剧目有《武家坡》、《窦娥冤》、《锁麟囊》等,《荒山泪》被拍摄成电影。著有《戏曲表演艺术的基础——"四功五法"》、《谈戏曲演唱》、《创腔经验随谈》等。常演剧目编为《程砚秋演出剧本选集》出版。

程子华　（1905—1991）

山西运城人。出身贫寒,青少年时代即立志报国。1922年考入太原国民师范,多次参加反对军阀统治的爱国学潮并接受了共产主义思想。1925年参加革命,1926年6月加入中国共产党,同年12月考入黄埔军校武汉分校。1927年12月参加广州起义。1929年后到国民党军队岳维峻部做兵运工作。1931年4月到中央苏区工作,历任红三十五军307团团长、独立师师长,红五军第40师师长、41师师长兼政委、14师师长、22师师长、粤赣军区代参谋长等职,参加了第二至第五次反"围剿"战争。1934年1

月被授予二等红星奖章。同年6月,到鄂豫皖革命根据地任红二十五军军长,9月率部开始长征。1935年初到达陕南,开辟鄂豫陕革命根据地,同年9月任红十五军团政委。1936年2月和徐海东一起率领红十五军团参加东征战役。5月红十五军团和红一军团分两路西征,战绩辉煌。"西安事变"后,到第二战区民族革命战争战地总动员委员会工作,任党团书记兼人民武装部部长,中共中央北方局委员。1939年1月,深入敌后工作,任冀中军区政委,后兼冀中区党委书记。1943年8月任晋察冀中央分局副书记兼军区副政委,后代理分局书记、代理军区司令员和政委。1945年10月任中共中央东北局委员,冀察热辽中央分局书记、军区司令员兼政委。1948年9月参加辽沈战役。10月任东北军区第二军团司令员。北平解放后,任北平警备司令员兼政委。1949年4月任第四野战军十三兵团司令员,率部南下,同年末任山西省委书记、省政府主席、省军区司令员兼政委。1950年10月任全国合作社联合总社副主任、主任、党组书记。1956年任国务院财贸办公室副主任。1958年任商业部部长、党组书记。1960年任国家建委副主任、党组副书记。1961年任国家计委常务副主任、党组副书记。1964年后任中共中央西南局书记处书记兼西南三线建设委员会常务副主任,在极为困难的情况下,建设了一批以攀枝花钢铁基地为重点的厂矿和军工企业。1975年以后,到中央党校读书班学习。1978年3月,任民政部部长、党组书记。是中共第七届中央候补委员,第八届和第十一届中央委员,第一届全国人大常委,第三、四、五届全国人大代表,第三届国防委员会成员,第五、六届全国政协副主席,在党的十二大、十三大上当选为中央顾问委员会常委。1991年3月30日因病在北京逝世。

楚图南 (1899—1994)

字高寒,云南文山人。1919年考入北京高等师范学校史地系学习,参与组织"劳动文化社",主编《劳动文化》周刊。1922年加入中国社会主义青年团。1923年在昆明省立一中等学校任教。1925年赴东北工作。1926年转为中国共产党党员。在哈尔滨、长春、吉林等地中学任教,并从事党的工作。1928年遭通缉,辗转于山东泰安、曲阜、济南、青岛及哈尔滨等地,继续在青年学生中宣传进步思想。1930年在学生运动中以"共党要犯"被捕入狱。1934年出狱后,一度与中共失去了组织联系。年底到河南开封北仓女中任教。1935年到上海参加文化教育界抗日救亡活动,并到暨南大学史地系任教。1937年抗日战争爆发后,任云南大学文史系主任、教授。曾被推举为中华全国文艺界抗敌协会昆明分会会长。1942年参加中国民主政团同盟在昆明的活动,次年加入该组织,是云南省民盟的领导人之一。1945年当选民盟中央委员。1946年民盟领导人李公朴、闻一多相继被国民党特务暗杀后,离开昆明到上海,在上海法学院任教授,继续从事反独裁、反内战的民主运动。1947年10月中华民国政府宣布民盟为"非法组织",遂离开上海到香港活动。1948年底在中共中央城工部的安排下,到河北省平山县参加学习和入城准备。1949年北平和平解放后,参加文化教育界的接管工作。中华人民共和国成立后,历任西南军政委员会委员、文教委员会主任、文教部部长等职。同时担任民盟中央西南特派员、民盟西南总支部主任。1953年任中央人民政府扫除文盲工作委员会主任。1954年5月后,历任中国人民对外文化协会会长,国务院对外文化联络委员会副主任,从事民间外交工作。"文化大革命"中受到冲击。1976年粉碎"四人帮"后,任中国人民对外友好协会副会长、党组副书记。1978年2月当选第五届全国人大常务委员。1983年6月当选第六届全国人大常务委员、外事委员会副主任委员。1986年4月补选为第六届全国人大副委员长。是全国政协第一届委员、第二至五届常务委员。历任中国民主同盟中央常务委员、副主席、代主席、主席。1994年4月11日因病在北京逝世。著有《刁斗集》、《荷戈集》等。

慈云桂 (1917—1990)

计算机科学家、中国巨型计算机研制创始人、中国人民解放军少将。湖南枞阳人。1943年7月,湖南大学电机系毕业。8月考入地处昆明的清华大学研究院无线电学研究所读研究生,后任助教。1946年1月,被选派英国考察雷达技术。8月,任清华大学物理系讲师、研究员,从事无线电实验室的创建工作。中华人民共和国成立后,任大连高等海军学校指挥系副教授,从此献身社会主义中国的国防事业。1953 年任大连高等海军学校雷达通信系副主任、副教授。1954 年任哈尔滨军事工程学院海军系雷达教研室主任。1955 年任哈尔滨军事工程学院电子工程系副主任、教授。1956 年加入中国共产党。1958 年 9 月,主持领导研制代号"901"的中国最早的电子管专用计算机诞生。1964 年底,主持领导用国产半导体元器件研制成功中国第一台晶体管通用电子计算机"441B—Ⅰ"型机;次年底,又研制成功"441B—Ⅱ"型机,荣立集体一等功。1966 年任哈尔滨军事工程学院电子计算机系主任。1970 年任长沙工学院电子计算机系主任、教授,计算机研究所所长。1972 年后,率领团队先后研制出 26 种型号各异的大、中、小型计算机。主持研制的"441B—Ⅲ"型计算机,荣立集体一等功。该型机是中国 60 年代中期至 70 年代中期的主流系列机型之一,及时地装备到重点大专院校和科研院所,平均使用寿命在十年以上。1977 年夏,主持研制的"151—3"型百万次集成电路大型通用计算机成功问世。1978 年任国防科技大学电子计算机系主任、教授,计算机研究所所长。10 月,主持研制的"151—4"型两百万次集成电路大型通用计算机通过国家验收。同年,他主持研制的"441B"型和"718"东海号中心计算机,获全国科学大会奖。1979 年任国防科技大学副校长。1980 年当选中国科学院技术科学部委员。主持研制的"151—3/4"型集成电路大型通用计算机,获国防科技成果一等奖,荣获集体一等功;并和远望号测量船一起荣获国家科技进步特等奖。1983 年底,主持领导的亿次"银河"计算机研制成功,获国家科技进步特等奖,荣立集体一等功、个人二等功。1985 年后,任国防科学技术工业委员会科技委常任委员、顾问。还历任中国电子学会理事、中国计算机学会副理事长、国务院电子振兴领导小组计算机顾问组组长、中国微电脑协会名誉理事长等职。1990 年 7 月 21 日因病在北京逝世。他为发展中国计算机学术研究和国防建设以及计算机人才的培养作出了重要的贡献。著有《微波技术》、《雷达原理》、《概率论、信息论基础》、《计算机设计》等。

崔嵬 (1912—1979)

话剧、电影演员、导演。原名崔景文,山东诸城人。12 岁去青岛当童工。1931 年考入济南省立实验剧院编剧班学习。1935 年去上海从事戏剧活动。1936 年赴绥远抗日前线慰问,改编并与陈波儿合演《放下你的鞭子》,开启在前线演出抗日戏剧的先声。1937 年上海"八一三"抗战开始,组织参加上海救亡演剧一队,辗转演出宣传抗日。1938 年初去延安,任教于鲁迅艺术学院戏剧系。1939 年夏任华北联合大学文艺学院戏剧系主任。1942 年任冀中军区火线剧社社长。1949 年随军南下武汉,先后任中南军政委员会文艺学院院长、文化局长等职。1954 年借调到上海电影制片厂主演《宋景诗》。1956 年辞官调入北京电影制片厂,开始了电影创作生活。

是中国文化艺术界联合会委员、中国戏剧家协会和中国电影工作者协会常务理事。1979 年 2 月 7 日因病在北京逝世。创作改编了《察东之夜》、《孙家店》等近 30 部剧作；导演电影《青春之歌》(1959)、《小兵张嘎》(1963)、《天山的红花》(1964)以及戏曲片《杨门女将》(1960)、《野猪林》(1962)等；主演电影《海魂》(1957)、《老兵新传》(1959)、《红旗谱》(1960)等。这些电影在五六十年代的中国，都是受群众喜爱的作品。

D

达浦生 （1874—1965）

伊斯兰教阿訇、教育家。回族。名凤轩，字浦生，经名努尔·穆罕默德，江苏六合人。出身经学世家，是达氏第七代阿訇。自幼学习阿拉伯、波斯语文和伊斯兰教教义。1894 年在北京牛街礼拜寺师事王宽阿訇，并学习汉文。五年后回乡创建广益小学。1907 年应王宽之邀，赴京协助创立回文师范学堂和京师公立清真第一两等小学。1912 年起，任甘肃回民劝学所所长兼省视学六年，遍访甘肃、宁夏、青海三省数十县，视察回民教育问题。1921－1927 年游历印度及东南亚各国，考察伊斯兰教育，并为在国内办学筹款。1928 年回国后，任上海福佑路清真寺教长，同年，与好友倡议创办上海伊斯兰师范学校并任校长。1938 年曾参与上海浙江路清真寺"回教难民收容所"的创办及领导工作。同年

底，只身赴南亚、埃及宣传抗日，在埃及《金字塔》报发表《告全世界穆斯林书》，揭露日本侵华罪行，呼吁全世界穆斯林支持中国抗日战争。回国后，将上海伊斯兰师范学校迁到甘肃平凉，改名为私立伊斯兰师范学校，任校长。中华人民共和国成立后，任中国伊斯兰教协会副主任、中国伊斯兰经学院院长以及第一届至第三届全国人民代表大会代表、全国政协第二届常委。

戴爱莲 （1916—2006）

舞蹈家、教育家。女。广东新会人。生在南美洲英国殖民地特立尼达和多巴哥，5 岁开始学习舞蹈，10 岁进入当地的舞蹈学校学习芭蕾舞。1931 年到英国伦敦，在舞蹈家 A. 多林的芭蕾工作室和 M. 兰伯特芭蕾舞学校学习。后又随芭蕾大师 M. 克拉斯克学习。之后，因家庭破产，靠半工半读求学，经常在伦敦艺术

家沙龙表演舞蹈,还到电影制片厂、剧场当临时演员。《波斯广场的卖花女》、《杨贵妃》、《伞舞》等就是此时期创作的。在伦敦看到德国现代舞蹈家 M. 维格曼的表演,倾慕不已,追到德国维格曼剧团学习。在学习过程中,感到现代舞感情自由奔放,不受束缚但缺乏系统的技术;而芭蕾舞虽有系统的技术,但缺乏表现力。她大胆提出现代舞和芭蕾舞在技巧上应互相借鉴、互为补充的见解。由于现代舞和芭蕾舞之间门户之见很深,老师恐其观点影响其他学生,竟将她开除。1937 年抗日战争爆发后,在伦敦多次参加中国运动委员会为宋庆龄领导的保卫中国同盟筹集抗日资金举办的义演,自编自演了《警醒》、《前进》等舞蹈,歌颂中国人民的抗日精神。她发现尤斯芭蕾舞团的表演采用人体动作与内在感情紧密结合的方法,契合自己的观点,于是在实践中吸收了这一方法。1939 年她以优异的成绩获得尤斯—莱德舞蹈学校奖学金。在学校学习了舞蹈理论家 R. von. 拉班有关情感的表现方法和舞台表演技术方面的理论及舞谱等,这对她后来的舞蹈创作产生了深远的影响。1940 年回国,在桂林参加抗日宣传演出,创作了《游击队的故事》、《卖》、《思乡曲》等舞蹈,不仅宣传了抗日,同时也推动了中国舞蹈事业的发展。还从事各民族民间舞蹈的采集、整理、演出和研究工作。以瑶族喜庆时击鼓歌舞为素材,创作了《瑶人之鼓》;根据"哑背疯"改编了《老背少》。1942 年秋到重庆,先在国立歌剧学校、国立社会教育学院任教。后应陶行知之聘,创办育才学校舞蹈组,培养舞蹈人才,普及民间舞蹈。1945 年夏,和叶浅予到川北、西康等地采风,搜集了大量少数民族舞蹈素材,用拉班舞谱记录了 8 个藏族舞蹈(分别存在美国纽约舞谱中心图书馆和伦敦舞蹈中心图书馆)。创作了藏族舞蹈《春游》、《甘孜古舞》,彝族舞蹈《倮倮情歌》,苗族舞蹈《苗家月》,维吾尔族舞蹈《青春舞曲》、《马车夫之歌》等。1946 年和育才学校师生一起在重庆举行盛大的边疆音乐舞蹈大会,不仅使中国各民族的民间舞蹈登了现代舞台,而且掀起了一个民间舞蹈的普及运动。同年秋,和叶浅予赴美国讲学,介绍了中国的民间舞蹈。1947 年回国后,主持了私立上海乐舞学校的工作。1948 年在国立师范学院和北平国立艺术学院任教。她是中国新舞蹈的开创者之一,并为新舞蹈事业培养了一批专业人才。中华人民共和国成立后,历任华北大学三部舞蹈队队长、中央戏剧学院舞蹈团团长、中央歌舞团副团长、北京舞蹈学校校长、中央芭蕾舞团团长、中央歌剧舞剧院副院长。"文化大革命"中受到冲击。1980 年以来,她主持举办的拉班舞谱学习班,为中国培养了拉班舞谱人才。1981 年 5 月英国皇家舞蹈学院将英国雕塑家 W. 索科普 1939 年雕塑的戴爱莲头像陈列在学院大厅,以表彰她为促进中英友谊和艺术合作作出的贡献。同年,瑞典斯德哥尔摩舞蹈博物馆收藏了这尊雕像的复制品,以表彰她为发展国际舞蹈事业所作的努力。1978 年 2 月当选第五届全国政协委员。1983 年 6 月当选第六届全国政协常务委员。1988 年 3 月当选第七届全国政协常务委员。1993 年 3 月当选第八届全国政协常务委员。是中国共产党党员。曾担任中国民主同盟中央常务委员、中国文学艺术界联合会委员、中国舞蹈家协会副主席、中央芭蕾舞团艺术顾问、联合国教科文卫组织国际舞蹈理事会副主席等职。2006 年 2 月 9 日因病在北京逝世。她被誉为"中国舞蹈之母",演出和创作的舞蹈代表作还有《人民胜利万岁》(与人合作)、《建设祖国》、《和平鸽》、《荷花舞》、《飞天》等。

戴安邦 (1901—1999)

无机化学家、教育家。江苏丹徒人。1924 年毕业于南京金陵大学化学系。1928 年赴美国留学,入哥伦比亚大学化学系,先后获硕士、博士学位。1931 年回国后,在金陵大学化学系历任副教授、教授、系主任等职。他是中国化学会的发起人之一,1934 年创办会刊《化学》杂志(后为《化学通报》),并任总编辑 17 年。1947 年再赴美国,入伊利诺伊大学进修,次年回国。中华人民共和国成立后,历任南京大学化学系教授、系主任,配位化学研究所所长;中国化学会常务理事,《高等学校化学学报》副主编,《无机化学》主编。1958 年主编了中国高等学校第一部统编化学教材《无机化学教程》。他对硅、铬、钨、钼、铀、钍、铝、铁等元素的多核配合物化学,进行了系统的研究。其中与协作者提出的固氮催化剂的七铁原子簇活性中心结构模型和关于氢活化的机理及氨合成的活力学方面的研究,获 1978 年全国科学大会奖。关于

"硅酸聚合作用理论"的研究,获 1980 年国家自然科学二等奖。1981 年当选中国科学院化学部委员。从事化学教育 60 余年,重视实验,培养了一大批化学人才。1999 年 4 月 17 日因病在南京逝世。发表论文 150 余篇,主持编写了《配位化学》(1980)一书。

戴芳澜 (1893—1973)

真菌学家。字观亭,湖北江陵人。出生在一个书香门第世家。17 岁到上海震旦中学学习。1914 年赴美国留学,先入威斯康星大学农学院,后转到康奈尔大学农学院,获学士学位。后又到哥伦比亚大学研究生院读植物病理学和真菌学,1919 年获硕士学位。1920 年回国后,曾任广东农业专科学校、东南大学、金陵大学、清华大学等校教授。1943 年当选民国政府中央研究院院士。中华人民共和国成立后,历任北京农业大学教授、中国科学院应用真菌研究所所长、微生物研究所所长。是全国人民代表大会第一至三届代表。1955 年当选中国科学院生物学部委员,同年,民主德国农业科学院授予他通讯院士。1956 年加入中国共产党。1962 年被选为中国植物保护学会理事长。他早期从事水稻、果树等作物病害及其防治的研究,以后从事真菌的分类、形态和遗传等方面的研究,对我国真菌学和植物病理学的建立和发展作出了贡献。1973 年 1 月 3 日因病在北京逝世。著有《真菌》、《中国经济植物病原目录》、《中国真菌总汇》等。

戴望舒 (1905—1950)

原名梦欧,浙江杭州人。1923 年毕

业于杭州宗文中学,后入上海大学中国文学系。1925年转入震旦大学。1926年开始从事文艺创作。1927年因发表《雨巷》一诗引起文坛注目。1935年后一度主编《现代》月刊和《新诗》月刊。1937年抗日战争爆发后,与妻穆丽娟由上海赴香港,主编《星岛日报》副刊"星座"及每周附刊《俗文学》周刊。1941年香港沦陷,遭日军囚禁。1945年抗战胜利后获释,仍在香港报界工作。1949年回大陆,曾任全国文联代表大会代表。新中国成立后,于1949年10月调往中央人民政府新闻出版总署从事法文编译工作。1950年2月28日在北京病逝。著有《我底记忆》、《望舒草》、《望舒诗稿》、《灾难的岁月》;译有《洛尔伽诗钞》、《普希金革命诗钞》、《良夜幽情曲》、《西班牙抗战谣曲选》;校点《石点头》与《荳棚闲话》。

戴文赛　(1911—1979)

天文学家。福建漳州人。早年入协和大学、东吴大学、岭南大学学习。1937年转入燕京大学为助教、研究生,同年赴英国剑桥大学留学。1940年获博士学位。1941年回国后,任民国政府中央研究院天文研究所研究员,燕京大学教授。中华人民共和国成立后,任北京大学教授,南京大学教授、天文系主任。还担任第一至三届中国天文学会副理事长、国家科委天文学组副组长。60年代初,提出"宇观"概念,而后侧重于天体演化学的研究;晚年对太阳系起源问题作了较全面、系统的研究,提出了一种新星云说。1978年加入中国共产党。1979年4

月30日因病在南京逝世。他长期从事教学和天体物理与天体演化的研究、科学普及工作,为培养中国天文人才作出了重大贡献。著有《天体的演化》、《恒星天文学》、《太阳系演化学》等;主编《天文学教程》、《英俄中天文学词汇》等,还有《戴文赛科普文集》出版。

戴修瓒　(1887—1957)

民法学家。字君亮,湖南常德人。毕业于中央大学法科。曾留学日本。民国时期,历任北京政法大学法律系主任兼教务长、京师地方检察厅检察长、河南省司法厅长、最高法院首席检察官、上海法学院法律系主任、中国公学法律系主任、北平大学法商学院名誉教授、北京大学法律系主任兼教授。中华人民共和国成立后,任中央人民政府法制委员会委员、国务院参事、中国国际贸易促进会对外贸易仲裁委员会副主席、九三学社中央委员。著有《民法债编总论》、《民法债编分论》、《票据法》、《刑事诉讼法释义》等。

邓　拓　(1912—1966)

原名邓子健,笔名马南邨、向阳生等,福建闽侯人。早年就读福州省立第一高级中学。1929年秋考入上海光华大学政治法律系。1930年秋参加中国社会科学家联盟,同年冬加入中国共产党。曾任左翼上海社联和上海反帝大同盟区中共党团书记。1931年夏转入上海法政学院经济系学习,并任中共法南区委宣传干事、宣传部部长、南市工委书记。1932年12月因参加游行示威被国民党当局逮捕,1933年秋被亲友保释出狱,12月去福州参加福建人民政府,任外交部秘书并在文化委员会工作。1935年冬任开封中华民族解放先锋队总队长,领导组织开封学生的抗日救亡运动。1937年6月再次被国民党当局逮捕,"七七"事变后获释。此后参加战地服务团到河北抗日前线。1938年4月担任晋察冀边区政府机关报《抗敌报》编辑部主任。1940年11月任《晋察冀日报》社社长兼总编辑,同时兼任新华社晋察冀边区总分社社长、区党委党报社委员会书记。1944年5月主持编辑出版全国第一部《毛泽东选集》。抗日战争胜利后,先后担任中共晋察冀中央局宣传部副部长、中共中央华北局政策研究室主任、中共中央政策研究室经济组组长。1949年初,调任中共北平市委宣传部部长兼市委政策研究室主任。9月,改任中共中央机关报《人民日报》总编辑。中华人民共和国成立后,历任《人民日报》社社长、中共北京市委书记处书记、中共中央华北局书记处候补书记等职。曾被选为第一届全国政协代表,第一、二、三届全国人大代表、中共八大代表。被聘为北京大学法学院兼职教授、中国科学院哲学社会科学部委员、中国历史研究所学术委员会委员。被推选为中国新闻工作者联谊会会长、中国新闻工作者协会主席、国际新闻工作者协会副主席,并曾领导筹建中国历史博物馆的建馆工作。长期以来他为报刊撰写了大量重要社论、评论和理论文章,是出色的马克思主义理论宣传家。他主编北京市委理论刊物《前线》。"文化大革命"中受到迫害。1966年5月18日逝世。1979年9月5日中共中央为他平反昭雪,恢复名誉。主要著作收入《邓拓文集》四卷本。

邓宝珊 (1894—1968)

原名邓瑜,字宝珊,甘肃天水人。1910年7月在伊犁加入同盟会。1924年九十月间,促成冯玉祥、胡景翼、孙岳组建国民军,拥护孙中山领导的国民党。北京政变后升任国民军第二军第七师师长,并参与欢迎孙中山北上的有关事宜。1926年9月,冯玉祥在五原誓师,宣布响应国民革命军北伐。他与国民军其他将领通电,拥护成立国民军联军,并任国民军联军援陕前敌副总指挥,挥师入陕,在乾县开办军官教导队,聘请从苏联归国的邓希贤(邓小平)任政治教官,对学员进行民主革命教育。1927年1月,在西安出任国民军联军驻陕总司令部副总司令,支持共产党人在陕西的活动。1932年3月经杨虎城推荐出任西安绥靖公署甘肃行署主任兼新编第一军军长。此时,掩护过汪锋、杨明轩等共产党人开展地下工作。为响应中共中央于1935年发表的《八一宣言》,曾主动联络宋哲元、韩复榘、张学良、杨虎城等人,商谈停止内战、一致抗日问题。"西安事变"发生时,支持张学良、杨虎城提出的八项主张,赞成中共提出的和平解决"西安事变"的策略方针。抗日战争爆发后任国民党第21军团军团长、晋绥边区总司令等职,驻守陕西榆林,对蒋介石消极抗日积极反共的政策表示不满,拒不参加对陕甘宁边区的封锁,并且和陕甘宁边区建立了友邻关系。毛泽东曾高度评价他在抗日战争中所起的作用。抗日战争胜利后,他主张和平,反对内战。1948年任"华北剿总"副总司令,12月人民解放军发动平津战役,傅作义决定和谈,他被任命为和谈全权代表。次年1月13日,前往人民解放军平津前线部队驻地通县马各庄与共产党谈判,达成和平解决北平的协议。他为和平解放北平作出了特殊的贡献。1949年8月受毛泽东、周恩来的委托同傅作义一道前往绥远,促成董其武于9月19日在绥远和平起义。在绥远还为宁夏马鸿宾部队起义做了有益的工作。中华人民共和国成立后,历任西北军政委员会委员,甘肃省人民政府主席、省长,国防委员会委员,第三、四届全国政协常务委员,第一、二届全国人大代表,中国国民党革命委员会第三、四届中央副主席等职。1955年荣获中华人民共和国一级解放勋章。"文化大革命"初期受到冲击,周恩来得知此事,立即派飞机接他进京养病。1968年11月27日在北京逝世。

邓初民　(1889—1981)

字昌权。湖北石首人。早年入荆州荆南中学就读。1912年考入武昌江汉大学。1913年5月赴日本东京法政大学攻读政治学。1917年冬回国。1919年应聘任山西省政书总编辑,后任山西督军府秘书。1922年参与组织山西学术研究会,创办《新觉路》半月刊。1925年到武汉任法科大学教务长,加入中国共产党,被选为湖北省党部执行委员兼青年部部长,参与领导湖北青年和学生运动。1926年9月任湖北省临时政务委员会委员、慰问江西军民代表团团长。

1927年1月参与主持召开国民党湖北省四大,任大会秘书长,被选为省党部执行委员。不久任湖北省政府委员、省审判土豪劣绅委员会审判长。大革命失败后到上海,曾参加谭平山等组织的中华革命党,被选入中央领导机构(后脱离该组织)。1928年与李达等创办《双十》月刊任主编,宣传马克思主义的政治学观点。1930年5月参与发起成立中国社会科学家联盟,1931年任社联主席。这期间,在上海暨南大学、政治学院、艺术大学和中国公学等校任教,讲授政治学和社会发展史,积极参加抗日救亡活动。1933年秋赴广州中山大学任教。1936年转至桂林广西大学任教。抗日战争爆发后,北上武汉从事抗日活动,11月创办《民族战线》周刊。1938年发起成立湖北省战时乡村工作促进会,后回石首任朝阳学院政治系主任。10月学校迁往四川成都,继续在校任教。1941年在重庆加入全国各界救国联合会,参与发起成立中国民主同盟,并加入中国民主政团同盟。在周恩来的领导下,以民主教授身份,从事国民党上层人士统战工作。1945年1月被选为中国民主同盟中央委员。抗日战争胜利后,以民盟代表团顾问身份,参加重庆政治协商会议。后到上海主编《唯民周刊》,参加爱国民主活动。1947年4月被迫出走香港。1948年春参与重建中国民主同盟领导机构,同时参与成立中国国民党革命委员会,被选为中央常委。1949年初到北平,9日出席中国人民政治协商会议第一届全体会议,被选为全国政协委员会委员。中华人民共和国成立后,历任华北行政委员会委员,山西省人民政府副主席兼山西大学校长,山西省政协副主席兼山西省体委主任,中国民主同盟中央副主席等职。1962 年加入中国共产党。被选为第二至第五届全国政协常委,第一至第五届全国人大常委,中国民主同盟第三、四届中央委员会副主席,中国政治学会名誉会长。1982 年 2 月 4 日因病在北京逝世。主要著述有《政治学》、《社会史简明教程》、《新政治学大纲》、《社会科学常识讲话》。

邓稼先　(1924—1986)

"两弹一星"元勋。安徽怀宁人。1945 年于昆明西南联合大学物理系毕业,先后在昆明文正中学、培文中学、北京大学物理系任教。曾任北京大学教职工联合会主席,积极参加反对国民党反动派的民主斗争。1948 年赴美国留学,在印第安纳州普都大学物理系攻读研究生,获物理学博士学位。1950 年 9 月回国。先后在中国科学院近代物理研究所、原子能研究所任助理研究员、副研究员,从事原子核理论的研究,同时兼任中国科学院数理化部副学术秘书。1951 年加入九三学社,1956 年加入中国共产党。1958 年起,任第二机械工业部第九研究院理论部主任、副院长、院长,国防科学技术工业委员会科学技术委员会副主任,核工业部科学技术委员会副主任,核工业部第九研究院院长。长期从事国防科研事业。是中国核武器理论研究工作的奠基者和开拓者之一,也是中国研究制造和发展核武器在技术上的主要组织领导者之一。从 1958 年起,参与和领导中国核武器的研究设计工作。从中子物理、爆炸和流体力学、高温高压下物质的状态方程三大方面探索原子弹的运动规律。领导和组织中国第一颗原子弹、氢弹研制工作,被誉为"两弹元勋"。1982 年 9 月被选为中共第十二届中央委员。是中国科学院数学物理学化学部委员,全国劳动模范。因长期辛勤工作,积劳成疾,1986 年 7 月 29 日在北京逝世。1999 年被中共中央、国务院、中央军委追授"两弹一星功勋奖章"。

邓书群　(1902—1970)

微生物学家。字子牧,福建福州人。1915 年考入清华学堂留美预备班学习,1923 年毕业后,旋即以公费生资格赴美国留学。1928 年获康奈尔大学森林学硕士学位和植物病理学博士学位。回国后,先后任岭南大学、金陵大学、中央大学教授,负责讲授植物病理学、真菌学等课程。并从事水稻、小麦、棉花病害的防治研究。1932 年起,先后在中国科学院生物研究所、中央自然历史博物院、中华文教基金会董事会、中央研究院动植物研究所等单位任研究员,民国政府中央研究院林业实验研究所任副所长。1937 年开始进行中国西南、西北原始林区调查研究。1941 年辞去中央研究院林业实验研究所的职务,自愿赴西北,任甘肃省水利林牧公司林业部经理,为黄河上游的水土保持和森林保护作出了重大贡献。1945 年在上海设立森林生态研究室。1946 年回到中央研究院,除继续科研工作外,还兼任《植物学报》编委。在此期间，他创设了森林生态研究室，并恢复了真菌研究室。1948 年当选中央研究院院士。中华人民共和国成立后，在不到半年的时间内，编写出 20 册一整套林科大学教材纲要。历任沈阳农学院教务长、副院长，东北农学院副院长，为东北的教育发展作出了贡献。1950 年加入中国民主同盟，任中央委员。1951 年 9 月被任命为松江省人民政府委员。1955 年调中国科学院工作，历任真菌学研究所、微生物研究所副所长，同年加入中国共产党。1956 年当选中国科学院生物学部委员。1963 年在广州创建中国科学院中南真菌研究室（后改为广东省微生物所）。还曾任林业科学院顾问、中国植物学会常务理事、中国植物保护学会理事、全国政协委员。"文化大革命"中遭受迫害。1970 年 5 月在北京逝世。1978 年得平反昭雪。他在真菌研究方面，曾发现 4 个新属、120 个新种。在森林研究方面，制定了一套科学经营管理森林的制度。在粮食作物病害防治方面也颇有建树。他是我国真菌研究的奠基人，森林病理学的创始人。著有《中国的真菌》等。

邓锡侯 （1888—1964）

字晋康，四川营山人。保定军校第一期毕业。后投四川军阀刘存厚部。民国北京政府时期，曾任旅长、师长、四川省联军总司令、四川省省长、四川清乡督办。1927 年任国民革命军第二十八军军长。曾参与"围剿"共产党川陕根据地红军的战争。抗日战争时期，先后任第四集团军和第二十二集团军总司令，率部出川抗日。川军装备差、给养不足，但仍奋力杀敌，极其悲壮。抗日战争胜利后，任四川省政府主席、西南公署副长官。1949 年 12 月在四川彭县率部起义。中华人民共和国成立后，历任西南行政委员会副主席兼水利部部长、四川省副省长、国防委员会委员、中国国民党革命委员会中央委员。

邓小平 （1904—1997）

中国改革开放的总设计师。原名邓先圣，学名邓希贤，四川广安人。1919 年秋考入重庆勤工俭学留法预备学校学习。1920 年夏赴法国勤工俭学。1922 年参加旅欧中国少年共产党，1924 年转为中国共产党党员。1926 年初赴苏联，先后在莫斯科东方大学和中山大学学习。1927 年春，到冯玉祥部任中山军事学校政治处处长兼政治教官，并任该校中共组织书记；8 月 7 日参加中共中央紧急会议；年底随中共中央机关迁往上海，从事秘密地下工作。1928 年任中共中央秘书长。1929 年夏，作为中共中央代表前往广西，任前敌委员会书记，与张云逸等于 12 月发动百色起义，创建红军第七军和右江根据地。1930 年 2 月，领导发动了龙州起义，创建红军第八军和左江根据地。出任红七军、红八军政委，前敌委员会书记。1931 年夏到中央苏区，历任中共瑞金县委书记、会昌中心县委书记、江西省委宣传部部长等职。1934 年 10 月，随中央红军长征；年底，任中共中央秘书长。1935 年 1 月参加遵义会议。后历任红一军团政治部宣传部部长，红一军团政治部副主任、主任。1937

年抗日战争爆发后,任八路军政治部副主任,开赴华北抗日前线。1938 年 1 月任八路军 129 师政委,与师长刘伯承率部先后创建晋冀豫、冀鲁豫等抗日根据地。1942 年 9 月兼任中共太行分局书记。1943 年 10 月代理中共北方局书记,并主持八路军总部的工作。1945 年 6 月,当选中共第七届中央委员;8 月,抗日战争胜利时,他和刘伯承率部开创的根据地,已成为拥有 2400 万人口、30 万军队的中共最大的解放区;同月,任晋冀鲁豫中央局书记、晋冀鲁豫军区政治委员;9 月,与刘伯承指挥所部取得上党战役和随后邯郸战役的胜利,积极地配合了毛泽东在重庆与国民党的谈判斗争。1947 年 5 月,任中共中原局书记;6 月,与刘伯承率晋冀鲁豫野战军主力 12 万人,坚决执行中央的战略部署,千里跃进大别山,揭开了中国人民解放战争战略进攻的序幕。1948 年 5 月任中共中原局第一书记,中原野战军和中原军区政治委员。1949 年 2 月,解放军开始整编,任第二野战军政治委员;3 月,出席中共七届二中全会,兼任中共华东局第一书记。淮海战役、渡江战役时任总前委书记,统一指挥中原野战军和华东野战军,解放了上海及苏、皖、浙、赣广大地区;9 月,在中国人民政治协商会议第一届全体会议上,当选中央人民政府委员;10 月,任中国人民革命军事委员会委员。随后与刘伯承率第二野战军进军西南,解放滇、黔、川三省。后任中共西南局第一书记、西南军政委员会副主席、西南军区政治委员。在西南工作期间有两件事可以重

墨书写:其一,遵照中央指示,亲自起草"十大政策",这不但是与西藏当局谈判的条件,实际上已成为中共中央和中央人民政府对西藏的基本方针和政策;选配干部、精密部署、组织部队向西藏进军,为西藏的和平解放作出了贡献。其二,领导组织建设了川渝铁路,这是中华人民共和国成立初期,经济建设的亮点。1952 年 7 月任政务院副总理。后曾兼任财政经济委员会副主任、政务院交通办公室主任、财政部部长。1954 年任中共中央秘书长、组织部部长,国务院副总理,国防委员会副主席。1955 年 4 月在中共七届五中全会上,增选为中央政治局委员。1956 年当选中共第八届中央政治局常委、中央委员会总书记,成为中国共产党第一代领导集体的重要成员。1959 年任中共中央军委常委。在任总书记的十年中,一直处在中央领导工作的第一线,参加党和政府的重要决策。1966 年"文化大革命"开始以后,失去一切领导职务。1973 年恢复国务院副总理职务。1974 年 4 月代表中国政府出席联合国第六届特别会议,在会上系统地阐述了毛泽东关于三个世界划分的理论。1975 年 1 月任中共中央副主席、国务院副总理、中央军委副主席、中国人民解放军总参谋长,主持党、政府和军队的日常工作。开展全面的整顿工作,使经济迅速恢复发展,得到人民的拥护。1976 年 4 月由于"四人帮"的诬陷,又被撤销党内外一切职务。1977 年 7 月,恢复中共中央副主席、国务院副总理、中央军委副主席、中国人民解放军总参谋长

的职务；8月，任中共第十一届中央委员会副主席。1978年3月，当选第五届全国政协主席；12月召开的中共十一届三中全会，形成了以他为核心的中国共产党第二代领导集体。1982年9月任中共第十二届中央政治局常委，中共中央军委主席，中央顾问委员会主任。1983年6月任第六届中华人民共和国中央军事委员会主席。1989年11月，在中共十三届五中全会上，他辞去了最后担任的中共中央军委主席的职务。他维护毛泽东的历史地位，科学地评价毛泽东思想；坚持解放思想，实事求是，创立和发展了建设有中国特色的社会主义理论。在他的引领下，社会主义中国和中国共产党在20世纪80年代末、90年代初的世界政治大变动中屹立不倒，改革开放继续前进。1992年发表了著名的"南方谈话"，总结了改革开放以来的基本经验，从理论上回答了许多重大问题。1997年2月19日因病在北京逝世；9月中共第十五次全国代表大会，将建设有中国特色社会主义理论概括为邓小平理论，指出这一理论是当代中国的马克思主义，是马克思主义在中国发展的新阶段。到1997年中国国民经济提前三年完成国内生产总值翻两番的任务。他充满大智慧的"一国两制"的构想，已经使香港、澳门顺利回归。他提出的独立自主的和平外交政策，打开了中国外交的新局面。2004年第十届全国人大二次会议通过的宪法修正案，将邓小平理论的核心思想——四项基本原则写入宪法，使之成为中国各政党、团体和个人一致遵循的国家意志。主要著作收入《邓小平文选》第一、二、三卷。

邓颖超　（1904—1992）

女。河南光山人。幼年丧父，1910年随母迁居天津。1913年起，先后在北京一所免费的平民学校、天津直隶第一女子师范大学读书。1919年参加五四爱国运动，后在天津组织天津女界爱国同志会，任执委兼讲演队队长，还和周恩来等一起组织了进步团体——觉悟社，是天津学生爱国运动的主要领导人之一。1920年在北京、天津任小学教员，曾组织女权运动同盟会直隶支部和女星社。1924年初，参加并组织天津社会主义青年团，任特支宣传委员。1925年3月，转为中国共产党党员，任中共天津地委妇女部长。曾组织天津女界国民会议促成会，响应国民会议运动，作为天津代表出席国民会议促成会全国代表大会，并被选为执行委员。在五卅运动中，发起组织天津妇女联合会、天津各界救国联合会，并当选为各界救国联合会主席团委员；8月，调广东任中共广东区委委员兼妇女部长并与周恩来结婚。1926年出席中国国民党第二次全国代表大会，当选为中国国民党候补中央执行委员。1927年冬任中共中央妇委书记。1928年5月赴莫斯科列席中共第六次全国代表大会；10月，返回上海，任中共中央直属支部书记，从事党的秘密工作。1932年5月赴江西中央苏区，历任中共中央局秘书长、中央政治局秘书、中华苏维埃共和国中央执行委员、中央机关总支书记等职。1934年10月参加长征。

1935年10月到达陕北后,任中共中央机要科科长,中央白区工作部秘书,中华苏维埃政府西北办事处内政司法部秘书。1937年抗日战争爆发后,于12月赴武汉,先后任八路军武汉办事处妇女组织员,中共长江局妇女委员会委员。1938年1月,出席国际反侵略运动大会中国分会首次理事会,并当选为常务理事;3月,同各界妇女组织中国战时儿童保育会,担任该会常务理事;6月,任国民参政会中共方面参议员。1939年任中共南方局委员兼妇委书记。1941年皖南事变后,和周恩来、董必武拒绝出席国民参政会,抗议国民党的反共罪行,在国内外引起巨大反响。1943年夏回到延安,曾在中央党校一部学习。1945年6月,当选中共第七届候补中央委员,并任中央妇委副书记兼解放区妇联筹备委员会副主任。抗日战争胜利后,被选为国际民主妇联理事;12月,推动成立以李德全为首的中国妇女联谊会。1946年1月,作为中共代表团代表到重庆出席政治协商会议。随后在重庆、南京、上海参加中共代表团工作;11月,由南京撤回延安。1947年3月,任中共中央后方工作委员会委员;7月,出席在西柏坡召开的全国土地会议。1948年任中共中央妇委代理书记。1949年3月,在中国妇女第一次全国代表大会上当选为全国妇联主席,并任党组副书记;6月,受中共中央委托,带着毛泽东和周恩来的亲笔信,专程到上海迎接并陪同宋庆龄北上,于8月到达北平;9月,出席中国人民政治协商会议第一届全体会议,当选政协全国委员会常务委员。中华人民共和国成立后,历任全国妇联副主席、党组副书记、名誉主席,中国人民保卫儿童全国委员会副主席,中国人民对外友好协会名誉会长,中国人口福利基金会名誉会长,中共中央对台工作领导小组组长,第一、二、三届全国人大常务委员,第四、五届全国人大常务委员会副委员长,中共中央纪律检查委员会第二书记,中共第八、九、十届中央委员、第十一、十二届中央政治局委员,第六届全国政协主席。1992年7月11日因病在北京逝世。

邓兆祥　（1903—1998）

广东肇庆人。1914年先后在黄埔海军学校、吴淞海军学校、烟台海军学校、南京鱼雷枪炮学校学习。1923年历任中华民国北京政府海军少尉、中尉,东北海军第一战队中尉副官,南京政府海军少校副舰长。1930年赴英国留学,先后在格林威治海军学校、鱼雷航海信号枪炮学校学习。1934年回国后,历任中华民国海军少校枪炮长、水鱼雷营少校营长、第二舰队司令部中校参谋。1937年抗日战争爆发后,在贵州桐梓任海军学校训育主任。1945年抗日战争胜利后,任中华民国海军长治舰舰长、重庆号巡洋舰上校舰长。1949年3月在上海吴淞口率重庆号巡洋舰官兵起义,任中国人民解放军重庆号巡洋舰舰长。中华人民共和国成立后,历任安东海军学校和青岛海军快艇学校校长,东北行政委员会委员,中国人民解放军海军青岛基地司令部副参谋长、副司令员。1955年被授予海军少将军衔。是第一、二、三届国防委员会委员,第一至三届全国人大代表。1965 年加入中国共产党。历任北海舰队副司令员、海军副司令员。是全国人大第四届代表、第五届常务委员会委员。1983 年 6 月当选第六届全国政协副主席。1988 年 3 月当选第七届全国政协副主席。1993 年 3 月当选第八届全国政协副主席。1998 年 8 月 6 日因病在北京逝世。

邓子恢　（1896—1972）

乳名邓绍箕，福建龙岩人。1917 年 2 月赴日留学，1919 年五四运动后，在家乡发起组织奇山书社，出版《岩声》报，撰文抨击黑暗统治，宣传马克思主义。1925 年加入改组后的国民党，1926 年加入中国共产党。在民主革命时期历任中共龙岩县委宣传部长，中共闽西特委书记，闽西苏维埃政府主席，中央工农民主政府财政人民委员，新四军政治部副主任、主任，新四军四师政治委员，中共华中分局书记，华中军区政治委员，中原临时人民政府主席，中共中央中原局第三书记等职。是我国老一辈无产阶级革命家。他经历了新民主主义革命各历史阶段的艰难历程，是农民运动的卓越领导者和闽西革命根据地的主要创始人之一。土地革命时期，主持闽西农民开展武装斗争，进行土地革命，建立地方政权，并创造性地提出土地改革需要坚持"押多补少"、"抽肥补瘦"的正确原则，有力地推动了闽西革命形势的发展。红军长征开始后，按党的要求参加闽西游击战争的领导工作。抗日战争时期，转战皖南，皖南事变后他领导了淮北抗日根据地工作。解放战争时期，转战于华东、

中原战场。中华人民共和国成立以后，先后任中共中央中南局第二书记、中南军区第二政治委员、中南行政委员会副主席、中央人民政府国家计划委员会副主席、中共中央农村工作部部长。1954 年任中华人民共和国国务院副总理，主管农业。在中国共产党第七、八、九次全国代表大会上均当选为中央委员。他实际领导了中南地区的社会主义改造。1953 年到 1962 年，在任中共中央农村工作部部长期间，坚持党的路线、方针和政策，对农业合作化运动中一些重要问题提出了正确意见。提出生产责任制是鼓舞社员积极劳动、改进技术、提高劳动效率的良好制度。他关于在农业中要实行责任制的观点，被斥为右倾机会主义而受到批判。他领导下的农村工作部也被撤销。1965 年，被免去国务院副总理职务，改任政协第四届全国委员会副主席。"文化大革命"中遭受迫害。1972 年 12 月 10 日在北京逝世。

丁　聪　（1916—2009）

漫画家、舞台美术家。别名小丁，上海人。父亲为漫画家，曾任刘海粟创办的上海美术专科学校教务长，并在家中创办艺术沙龙。他从小就受到了良好的艺术熏陶，30 年代在上海清心中学读书时开始发表漫画。后为新华电影公司编画报，同时任《良友》画报美术编辑。他只在上海美术专科学校受过一年多的专业训练，成才靠自学、实践。1937 年抗日战争爆发后，在香港编辑《良友》、《大地》、《今日中国》等画报，多次参加抗日宣传画展览，为旅港剧人协会设计《雾重

庆》等剧的舞台布景。1942年起，在桂林、重庆、成都、昆明等地，为中国艺术剧社等剧团，设计《北京人》《家》《牛郎织女》等剧的舞台布景。并在四川省立艺术专科学校教课，还与他人组织现代美术会，参加重庆八人漫画联展。1945年抗日战争胜利后回到上海，为进步报刊画了大量争民主、反内战的政治讽刺漫画。为《马凡陀山歌》作插图，为讽刺话剧《升官图》以漫画手法设计服装、布景。1946年春与吴作人等组织上海美术作家协会。1947年到香港参加美术团体人间画会的活动。他的漫画尖锐泼辣，有强烈的战斗性。《现象图》(1944)和《现实图》(1947)是其代表作，前者反映了抗日战争后期国统区人民的苦难生活，揭露了统治者的横行霸道和骄奢淫逸。另如《"良民"塑像》《公仆》《"我"的"言论自由"》《民国万"税"》《无题》等则对国民党政府和社会黑暗进行了辛辣的讽刺和揭露。1949年初到北平。中华人民共和国成立后，参与筹办《人民画报》，并任副总编辑。1951年随中国人民赴朝鲜慰问团到抗美援朝战争前线，慰问中国人民志愿军。创作的《美国杀人犯》等漫画，充满了对帝国主义侵略的愤恨。1957年反右派斗争运动中，他被定性为"右派分子"，1958年与黄苗子、吴祖光、聂绀弩等被送到北大荒劳动改造。70年代初，又转到文化部在河北省的宝坻、团泊洼等地的"五七干校"劳动审查，一直到"文化大革命"结束，都没有漫画作品发表。1979年改革开放以后，他没有时间抱怨也没有心情叹息，到

90岁一直用笔说话、用画达意。如《"四犯"造型》等揭露"四人帮"的漫画，依然充满战斗激情和爱憎分明的感情。他为《读书》杂志作封面画、设计版式，默默地做了许多幕后工作，难能可贵的是二十多年来，他每期在《读书》上发表漫画，让人们通过幽默、讽刺的画面可以看到社会的变化，可以感受到他的战斗精神依旧。还创作了大量的插图，如《鲁迅小说插图》等。其中为老舍的《骆驼祥子》、《四世同堂》小说所作的插图和封面，还获得奖项。他的素描基本功扎实，漫画人物造型既夸张，又讲究解剖和结构处理；所用线条流畅而富有装饰味，人物刻画细致严谨；设色深沉浓重，富于变化，有着适应特定漫画人物需要的感情色彩。曾担任中国美术家协会理事及漫画艺术委员会主任、中国摄影学会副主席、《讽刺与幽默》编辑委员会委员等职。2009年5月26日因病在北京逝世。他的创作态度严肃认真，其漫画有着鲜明的个人风格。出版的漫画集和画集有：《小朱从军记》(1939)、《阿Q正传插画》(1944)和1979年后出版的《昨天的事情》、《丁聪画集》、《古趣集》等，以及多种版本的《丁聪漫画选》。

丁 玲 (1904—1986)

原名蒋伟，字冰之，别名蒋玮、丁冰之。湖南临澧（原安福）人。1919年五四运动爆发时，在桃源第二女子师范读书，参加了当地学生运动。后转入长沙周南女子中学和岳云中学。1922年初到上海，入陈独秀、李达等共产党人创办的平民女子学校，后经瞿秋白介绍入上

海大学中文系学习。1924 年到北京,在北京大学等校旁听文学等课程。1927年 12 月,在《小说月报》上发表第一个短篇小说《梦珂》。1928 年 2 月发表早期代表作《莎菲女士的日记》。此后又连续写了十几篇描写在新的思想影响下冲出封建家庭的知识女性的小说,从此成为引人注目的女作家。1930 年前后,她的创作倾向发生了明显变化,从抒发自己苦闷伤感,转为以文学为战斗武器而创作,写出了《韦护》、《水》、《一九三〇年春上海》、《母亲》等一批反映革命斗争和社会生活的文学作品。1930 年 5 月加入中国左翼作家联盟。1931 年 2 月其夫胡也频被国民党反动派杀害后,在严重的白色恐怖下,于 1932 年 3 月加入中国共产党。先后担任过"左联"组织部长、党团书记等职务,并主编"左联"机关刊物《北斗》。1933 年 5 月被国民党反动派秘密绑架,在南京被囚禁了三年多。她的作品全部被查禁。宋庆龄、鲁迅等国内外文化名人曾积极营救。1936 年 9 月,在中共党组织的安排下逃离南京,11 月,经西安到达陕北。曾任中国文艺协会主任,中央警卫团政治部副主任。1937年 8 月,率西北战地服务团赴山西抗日前线宣传抗战,历时一年。返回延安后,历任陕甘宁边区文艺界抗敌协会执委,陕甘宁边区文艺协会副主任,中华全国文艺界抗敌协会延安分会常务理事,《解放日报》文艺副刊主编,《长城》文学杂志主编等职务。其间在延安马列学院学习一年。1942 年与陈明结婚。在负担繁忙的实际工作的同时,写了《一颗未出膛的枪弹》、《新的信念》、《我在霞村的时候》等大量反映根据地战斗与劳动生活、歌颂英雄模范人物,以及批评革命队伍中某些不良现象的文学作品。1942 年参加延安文艺座谈会后,写了《田保霖》等十余篇报告文学。解放战争时期,多次参加土地改革工作,积累了大量创作素材。1948 年完成反映土改的长篇小说《太阳照在桑乾河上》,得到高度评价,1951 年在苏联获得斯大林文学奖金二等奖。中华人民共和国成立后,先后任中国文学艺术界联合会常委,中国作家协会党组书记及常务副主席,《文艺报》主编,中央文学研究所(后改名为文学讲习所)所长,中共中央宣传部文艺处处长,《人民文学》主编等职,并当选为第一届全国政协委员,第一届全国人大代表。1955 年被错定为"丁(玲)冯(雪峰)右派反党集团"的主要成员。1958 遭受"再批判",被开除党籍,送往北大荒"劳动改造"。"文化大革命"期间,又被监禁了五年多。中共十一届三中全会后,得到平反,恢复了党籍,并被增补为第五届全国政协委员,当选为第六届全国政协常委,第四届全国文联委员,中国作家协会副主席。重返文坛后,虽年事已高,仍坚持写作,除重写长篇小说《在严寒的日子里》外,还写了许多散文、杂文和回忆录,并创办和主编文学刊物《中国》。1986年 3 月 4 日因病在北京逝世。一生著述很多,除了动乱中失落的手稿外,现存的各种著作有二百多万字。

丁 颖 (1888—1964)

农业科学家、教育家。号竹铭,广东

茂名人。1912 年毕业于广东高等师范学校。1913 年赴日本留学,日本东京帝国大学农学部毕业。1924 年回国后,任中山大学农学院教授。中华人民共和国成立后,历任华南农学院院长、中国科协第一届副主席、中国科学院学部委员、中国农业科学院首任院长。曾被选为民主德国农业科学院和全苏列宁农业科学院通讯院士,捷克斯洛伐克农业科学院荣誉院士。1956 年加入中国共产党。他毕生从事农业教育和水稻研究工作。早在 30 年代初,他就进行野生稻与农家水稻品种杂交育种研究,所育"中山 1 号"在生产上应用达半个世纪。1964 年 10 月 14 日卒于北京。著有《广东野生稻及由野生稻育成之新种》《中国水稻品种的生态类型及其与生产发展的关系》、《中国栽种稻种的起源及其演变》、《我国稻种的区域划分》等。

董必武 （1886—1975）

原名贤琮,又名用威,字洁畲,号璧武,湖北省红安人。幼年熟读四书五经。1903 年赴黄州府应试考中秀才。1911 年参加辛亥革命,并加入中国同盟会。1914 年 1 月东渡日本,考入东京私立日本大学攻读法律。1915 年 6 月回国,因策动讨袁两次被捕入狱。1917 年参加了孙中山领导的护法战争。1920 年,参与筹建武汉共产主义小组。1921 年出席中国共产党第一次全国代表大会。会后,回湖北负责建立和发展湖北省的党组织,任中共武汉地方委员会书记,中共湖北省委委员。1925 年 7 月主持召开了国民党湖北省第一次代表大会,成立国

民党湖北省党部,并当选为省党部执行委员。1926 年,出席国民党第二次全国代表大会,被选为候补中央执行委员,派驻湖北指导党务。1927 年大革命失败后,转入秘密活动。12 月,中共中央派他去苏联莫斯科中山大学学习。1932 年 3 月回国,在中央革命根据地历任马克思共产主义学校副校长,中共中央党务委员会书记,中华苏维埃中央政府执行委员,最高法院院长,工农检察委员会代理主任等职。1934 年参加长征。1935 年到达陕北后,任中共中央党校校长,代理陕甘宁边区政府主席。抗日战争时期,他是中国共产党同国民党谈判的代表之一,先后任中共中央长江局、南方局委员、常委,并参与领导南方局党的工作。他以中共代表团成员、国民参政会参政员的身份在国民党统治区域进行了艰苦卓绝的斗争。1938 年中国共产党六届六中全会,被补选为中央委员。1945 年作为解放区人民的代表,参加中国代表团赴美国旧金山出席联合国制宪会议,代表中共和解放区人民在联合国宪章上签了字,并发表了《中国解放区实录》一书,向全世界人民介绍了中共领导下的抗日根据地的伟大成就。1945 年在中共七届一中全会上当选中央政治局委员。抗日战争胜利后,继续作为中共代表之一与国民党进行谈判,为争取国内和平、民主而努力,1946 年 11 月,国共谈判破裂,接替周恩来领导中共代表团,在极端困难复杂的条件下坚持斗争。1947 年 3 月,率中共代表团宁、沪办事处的最后一批人员从南京撤返延安。此

后,历任中共中央工作委员会常委、华北财经委员会主任、华北行政委员会主任、华北人民政府主席等职。1949年6月,参加中国人民政治协商会议的筹备工作、主持制定《中华人民共和国中央人民政府组织法》。9月出席中国人民政治协商会议第一届全体会议,当选为中央人民政府委员、全国政协委员。中华人民共和国成立后,任政务院副总理兼政法委员会主任,领导或参与制定了一系列重要法律和法令。并领导了司法队伍的整顿和建设。1953年4月,经他建议成立了政治法律学会,并当选为会长。1954年他参加了以毛泽东为首的宪法起草委员会,参与起草和修订《中华人民共和国宪法》的工作。9月,当选为最高人民法院院长。在人民民主专政和社会主义法制建设方面作出了重大贡献。曾任第二届全国政协副主席、中共中央监察委员会书记、全国人大常务委员会副委员长等职。1956年在中共八届一中全会上当选中央政治局委员、中央监察委员会书记。1959年4月和1965年1月,在第二、三届全国人大上当选为中华人民共和国副主席,并于1974年4月代理主席。1973年在中共十届一中全会上当选为中央政治局常委。1975年4月2日在北京逝世。主要著作收入《董必武选集》《董必武政治法律文集》。诗词收入《董必武诗词选》。

董寅初　(1915—2009)

爱国侨领、社会活动家。安徽合肥人。出生在书香门第。从小生活在苏州,少年时期先后在苏州东吴大学附属中学、上海光华大学附属中学学习。1931年"九一八"事变后,参加抗日救亡运动,遭关押,立志走实业救国的道路。1934年考入上海交通大学,在实业管理专业学习期间,联合进步学生发起成立了"交大"救国会,当选该会执行主席。1937年抗日战争爆发后,于1938年在上海"孤岛"毕业后,任《大美晚报》翻译,后到香港邮政汇金局任职,并兼任《申报》的翻译和编辑。1939年8月到印度尼西亚雅加达任《天声日报》编辑。1940年创办《朝报》,任经理兼总编辑,撰写了大量抗日救亡的文章,在华侨中间开展抗日救国的宣传工作。1941年太平洋战争爆发后,日本侵略军占领印尼。1942年12月因从事抗日救亡运动被日军逮捕入狱。1945年抗日战争胜利后,于9月获得自由。后任印尼中华侨团总会总干事兼华侨治安总会主任。1947年回到上海定居,任印尼建源公司上海分公司总经理、上海酒精厂厂长。中华人民共和国成立后,历任上海市国际贸易联营公司副总经理、上海溶剂厂经理、上海轻工业品进出口公司经理、上海市对外贸易促进会副主任、上海华建公司董事长兼总经理等职。1956年带领上海部分从事进出口的企业第一批进入了公私合营的行列。多次捐巨资支持社会公益事业和社会主义建设事业。"文化大革命"中受到冲击。1980年加入致公党,历任第七届中央副主席、第八届中央常务副主席。80年代后期,他了解到美籍华人、国际预应力大师、桥梁专家林同炎教授提出开发开放上海浦东的构想后,积极向地方和中央政府引荐,为开发开放浦东战略的实施发挥了积极作用。1988年12月当选致公党第九届中央主席。1992年12月当选致公党第十届中央主席。他始终秉承"致力为公"的宗旨,时刻关注海外侨情的新变化,使致公党中央做华侨华人工作时更有针对性,提出的有关意见建议,为国家有关部门进一步完善侨务政策提供了重要参考。1993年3月当选第八届全国政协副主席、华侨委员会主任委员。是第七届全国人大常务委员会委员,全国政协第五届委员、第六届常务委员。曾担任上海市人大常务委员会委员、上海市政协副主席、上海市归国华侨联合会主席、中华归国华侨联合会常务委员会、中国和平统一促进会顾问等职。2009年6月23日因病在上海逝世。6月28日,中共中央政治局常委、全国政协主席贾庆林专程到上海,参加这位中共亲密朋友的追悼会。

杜国庠 （1889—1961）

哲学家、历史学家。曾用杜守素、林伯修等笔名。广东澄海人。1907年赴日留学。1919年毕业于日本京都帝国大学。回国后曾在北京大学等校任教。1925年到广东澄海任县立中学校长、国民党澄海县党部执行委员会主席。1928年在上海加入中国共产党。1929年任中共中央文化工作委员会成员,参加组建中国左翼作家联盟、左翼社会科学家联盟。抗日战争时期,受党委派,先后任国民党第八集团军战地服务队队长、国民政府军事委员会政治部第三厅宣传处科长。抗

日战争后期,撰文较系统地批判了"新理学"唯心主义。抗日战争胜利后,在民主人士和工商界上层人士中开展统战工作。中华人民共和国成立后,历任中南军政委员会委员、广东师范学院院长、广东省人民政府文教办公室主任、中国科学院广州分院院长、中国科学院中南分院副院长、广州哲学社会科学研究所所长、中共中央华南分局宣传部副部长。虽然担任的职务很多,但仍继续中国哲学史的研究,对公孙龙、荀子的思想和《墨经》的认识论和逻辑思想有独到的诠释和评价。对马克思主义哲学和社会科学的研究作出了有益的贡献。著有《先秦诸子思想概要》,与侯外庐合著《中国思想通史》等。遗著编为《杜国庠文集》。

杜庆华 （1919—2006）

固体力学家、教育家。浙江杭州人。在杭州受到初、高中教育,1936年毕业后考入上海交通大学。1937年抗日战争爆发后,曾就读于浙江大学。1940年毕业于上海交通大学机械系航空组,获工程学士学位。1941年到成都航空研究院与成都航空机械学院从事发动机动力学研究工作。1947年考取教育部公费留学生赴美国留学,入斯坦福大学学习固体力学。1948年6月,获机械工程硕士学位;9月,转入哈佛大学,在冯·米泽斯教授指导下学习流体力学。1949年6月,获航空工程硕士学位;9月,回到斯坦福大学,在铁木辛柯教授和古迪尔教授指导下从事航空轻结构的力学研究工作。1951年4月,获工程力学博士学位;6月,回国后任北京大学力学教研

组主任、教授。1952 年任清华大学工程力学系教授,并一直为清华大学服务到逝世。1956 年与钱学森、钱伟长、郭永怀、张维等共同创建了工程力学研究班,为我国培养了近 300 名工程力学教学和科研的骨干力量。1957 年主编的我国第一本《材料力学》教材出版,为工程科学技术人才培养发挥了重要作用。他是清华大学工程力学系,特别是固体力学专业的创办人和奠基人之一。1958 年任工程力学数学系副主任、固体力学教研组主任。在科研工作中一贯倡导科研要紧密联系实际、要为工程建设服务,力学研究要与国家重大工程实际问题相结合。长期以来,在结合航天航空、水利、机械等工程领域的力学研究中取得了丰硕成果。"文化大革命"期间,他带领的一个小组与新港船厂的科技人员合作,完成了我国第一台 200 吨龙门吊车的设计任务,由于性能良好,1978 年获全国科学大会奖。1979 年改革开放以后,他组织和领导了清华大学、西安交通大学、上海交通大学、浙江大学四校联合体,承担了国家自然科学基金"六五"、"七五"重大项目"机械结构强度与振动",取得了一批高水平的具有国际影响的学术成果,在工程应用方面取得了巨大的经济效益。20 世纪 80 年代初,在清华大学组织了工程中边界元法研究组,开始跟踪国际上这一领域的最新进展,取得了国内第一批比较系统的研究成果。1988 年获国家教育委员会科学技术进步(甲类)二等奖。1991 年获国家教育委员会科学技术进步(甲类)一等奖。经过 20

多年坚持不懈的努力,在边界元法的若干前沿领域(耦合方法、快速多级算法、大规模计算、非线性计算等)取得了一批具有特色的和国际影响力的研究成果,成为现代计算力学边界元法的国际知名学者。1997 年当选中国工程院院士。他培养出了大批工程力学人才,为我国的工程科技建设和发展作出了杰出的贡献。曾担任首届国际边界元法组织(IABEM)的科学执委、国际杂志《边界元工程分析》编辑委员会委员、《固体力学学报》主编等职。2006 年 11 月 5 日因病在北京逝世。共出版 6 部力学专著,发表论文 40 余篇。主编的《工程力学手册》是我国第一部工程力学的大型巨著。

杜月笙 (1888—1951)

原名月生,后改名镛,上海人。以贩卖鸦片起家,为上海法租界青帮头目之一。在上海广收门徒,依仗帝国主义势力欺压人民。1927 年他组织中华共进会,与黄金荣、张啸林等率领青帮会众破坏上海工人武装起义,积极参加蒋介石发动的"四一二"反革命政变。抗日战争时期,不为日本人做事,避走香港。国民党统治时期,曾任上海地方协会会长、国民党上海市参议会副议长、中汇银行董事长、法租界公董局华董、国民党军委会少将参议和行政院参议。他摒弃帮会旧有的一些做事方式,充分利用上海商业发达的特点,用帮会的势力做合法生意,在竞争中取得优势。抗战胜利后,他已取代黄金荣成为帮会的大佬。1949 年去香港。1951 年 8 月 16 日在香港病逝,终年 63 岁。

F

范长江 （1909—1970）

原名希天，四川内江人。早年在内江中学和四川省六中读书。1927年初入中法大学重庆分校学习。不久离校赴武汉，入国民革命军第二十军学生营当兵。后在军长贺龙指挥下参加了南昌起义。1928年考入南京中央党务学校，选学乡村行政系，并加入国民党。1931年"九一八"事变后，愤于国民党的不抵抗政策，离校并脱离国民党。1932年入北京大学哲学系读书。1933年1月日军侵占山海关后，参加辽吉黑抗日义勇军后援会，并发起组织北大学生长城抗敌慰问团，投入抗日救亡运动。同年，开始为北平《晨报》、《世界日报》和天津《益世报》写稿，从此投身新闻事业。1934年成为天津《大公报》撰稿人。1935年7月以《大公报》旅行记者身份，到西北地区考察采访，历时10个月，在《大公报》上陆续发表沿途见闻，首次客观真实地向全国报道了中国工农红军和长征。以后集成《中国的西北角》出版。1936年夏返回天津，成为《大公报》正式记者。8月，绥远抗日战争爆发，马上赴内蒙古采访百灵庙战役及西蒙情况，所写大量通讯收入《塞上行》一书。12月，西安事变爆发，又马上赴西安，报道了事变的真相和中国共产党的主张。1937年2月到延安采访，开始接受马克思主义和中国共产党的政治路线。他写的《陕北之行》，将陕北根据地和红军的真实情况呈现给读者，并热情宣传中共的抗日民族统一战线政策，在全国产生了重大影响。1938年10月宣布脱离《大公报》，与胡愈之等组织成立国际新闻社。1939年5月加入中国共产党。1941年皖南事变后，遭国民党通缉，遵照党的指示到香港参加创办《华商报》。1942年进入新四军苏北根据地,先后任新四军苏皖鲁边区新闻学校校长、新华通讯社华中分社社长、《新华日报》(华中版)社长。1946年以中共代表团对外发言人身份参加国共谈判,后任新华通讯社陕北台负责人。1949年5月至11月任上海《解放日报》社社长。中华人民共和国成立后,历任中央人民政府政务院新闻总署副署长、《人民日报》社社长。1952年4月任政务院文化教育委员会副秘书长。1956年起到科技部门工作,先后任国务院科学规划委员会党组委员兼秘书长、国家科学技术委员会副主任、中国科学技术协会党组书记兼副主席。是第二、三、四届全国政协委员。“文化大革命”中遭受迫害。1970年10月23日在河南确山逝世。1978年12月中共中央给予平反昭雪。经中共中央宣传部批准设立的“范长江新闻奖”,1991年开始评选,每两年评选一次。2005年3月,“范长江新闻奖”和“韬奋新闻奖”合并为“长江韬奋奖”,评选工作一年一次。

范文澜 (1893—1969)

名文澜,字仲沄。浙江绍兴人。1909年考入上海浦东中学堂,下半年转入杭州安定中学堂,1912年毕业。1914年考入北京大学文本科国学门,1917年毕业后任北京大学校长蔡元培的私人秘书。1918年先后在沈阳高等师范学校、河南省立汲县中学任教。1921年到上海,在浙江兴业银行担任统计员。1922年任天津南开中学教员。1925年在天津参加五卅爱国运动,1926年在南开大学任教时,加入中国共产党,但不久又失

掉关系。1927年5月,离开天津到北京,先后在北京大学、北京师范大学、女子师范大学、中国大学、朝阳大学任教。抗日战争爆发后,创办《风雨》周刊、《经世》半月刊和河南战时教育工作团,积极从事抗日救亡活动。1938年,毅然放弃大学教授职务,投笔从戎,成为一名游击队战士。1939年到竹沟镇中共河南省委宣传部工作,9月,重新加入中国共产党。1940年1月到达延安。任中央马列学院历史研究室主任。1941年,任中央研究院副院长兼历史研究室主任。这期间,他撰写了《中国通史简编》、《中国近代史》上册、《汉奸刽子手曾国藩的一生》、《太平天国运动史》等书,是中国最早运用马克思主义唯物史观进行中国史研究的学者之一。1946年4月到达晋冀鲁豫边区,任北方大学校长。1947年又兼任该校历史研究室主任。1948年7月,华北大学成立,任副校长兼研究部主任和历史研究室主任。1949年,随华北大学迁到北京。中华人民共和国成立后,任中国科学院近代史研究所所长。1951年担任中国史学会副会长并主持日常工作。1955年当选中国科学院哲学社会科学部委员、常委。1956年9月当选中共第八届候补中央委员。1969年4月当选中共第九届中央委员。他还是第一、二、三届全国人民代表大会代表,第三届全国人民代表大会常务委员会委员、全国政协文史资料研究委员会主任委员。《中国近代史资料丛书》的总编之一。除主持《中国通史简编》的修订工作外,还先后发表了《论中国封建社会长期延续

的原因》、《戊戌变法的历史意义》等论文。1969 年 7 月 29 日因病在北京逝世。

方　方　(1904—1971)

原名思琼,广东普宁人。1924 年到广州入第二届农民运动讲习所学习。1925 年加入中国共产主义青年团,1926 年转为中国共产党党员。大革命失败后,历任中共普宁县委书记、汕头市委书记、福建省委代理书记。1934 年中央红军主力长征后,留在根据地坚持斗争,任闽西南军政委员会常委兼政治部主任。抗日战争爆发后,任中共闽粤赣边区省委书记、南方工作委员会书记。1946 年 1 月任军调部第八小组中共首席代表。同年夏任中共中央香港分局书记。1949 年春任中共中央华南分局书记。曾领导营救转移大批民主党派、爱国人士安全抵达东北和华东解放区。组织领导开展华南游击战争。中华人民共和国成立后,历任中共中央华南分局第三书记、广东省人民政府副主席、中共中央统战部副部长、全国侨联副主席等职。“文化大革命”中受到迫害,1971 年 9 月 21 日在狱中病逝。1979 年 3 月 28 日中共中央正式宣布为其平反昭雪。

方永刚　(1963—2008)

中共创新理论的传播者、全国道德模范。辽宁朝阳人。1985 年复旦大学历史系毕业,7 月参加中国人民解放军。先在海军政治学院任教,后在海军大连舰艇学院政治系中国特色社会主义理论教研室任教授,专业技术 7 级。1992 年 12 月加入中国共产党。他长期从事政治理论教学和研究工作,坚持深入学习、坚定信仰、模范践行党的创新理论。2000 年后的近 6 年,累计完成 1000 多课时的教学任务,年均超额完成 200% 的教学工作量,并连续多年教学质量被学院评为 A 等。多次被学院评为优秀教员、青年教员成才标兵。他还坚持深入工厂、农村、学校和社区,真情传播党的创新理论。2007 年 6 月,中共中央授予他“忠诚党的创新理论的模范教员”称号。9 月,被评为“全国道德模范”,是中共十七大代表。2008 年 3 月 25 日因病在北京逝世。理论著述有《经济全球化对我军思想政治建设的影响》、《西方国家对我进行意识形态渗透的特点及对策》、《马克思主义中国化的最新成果》、《江泽民军事文化思想的主要内容》、《党的十三年奋斗基本经验的理论特色》等。

费　穆　(1906—1951)

电影导演。字敬庐,江苏吴县人。童年迁居北京。稍长,入法文高等学堂学习,除法语外,还自学英、德、意、俄等多国语言。离校后,业余为北京真光戏院《真光影讯》撰写影评。1930 年到天津,在华北电影公司任编译主任,翻译英文字幕和撰写说明书。1932 年在上海联华影业公司任导演,先后拍摄《城市之夜》、《天伦》等影片。在一定程度上暴露了当时社会的黑暗,反对神权迷信,歌颂自由恋爱。1936 年编导的《狼山喋血记》,采用寓言的方式,批评不抵抗主义,指出对日本侵略者只有“打狼”才有出路,为影评界和观众所赞赏。上海被日本占领沦为“孤岛”后,于 1938 年创办民华影业公司,导演了《孔夫子》、《世界儿女》等影片。1941 年太平洋战争爆发后，拒绝与日伪合作，转向话剧工作，参与创办上海艺术剧社，导演了《秋海棠》、《小凤仙》等舞台剧。抗日战争胜利后，在主持上海实验电影工场期间，导演了长故事片《小城之春》(1948)和中国第一部彩色戏曲片《生死恨》。1949 年 5 月到香港，创办龙马影片公司，监制影片《花姑娘》，编写了《江湖儿女》（与齐闻韶合作）和《月儿弯弯照九州》等电影剧本。他的作品富于哲理内涵，在人物刻画上，善于对心灵深处的剖析，在艺术处理上，镜头凝练，构图优美，形成了清淡、典雅、朴素、自然和意境幽深的风格。这主要表现于他的几部长故事片中。1951 年 1 月 31 日因病在香港逝世。

费孝通 (1910—2005)

社会学家、人类学家、民族学家、社会活动家。字彝江，江苏吴江人。1928 年考入东吴大学预科学习，1930 年转入燕京大学社会学系学习，1933 年毕业获学士学位后入清华大学研究院学习。1935 年毕业后，即偕同夫人王同惠去广西大瑶山进行社会调查，在调查过程中，因迷路掉进猎人捕虎所设陷阱，身受重伤，夫人出去寻求救援时不幸溺水身亡。他被救后，利用回家乡休养的机会，对开弦弓村进行了系统的社会调查。1936 年底赴英国留学，入伦敦大学经济政治学院，师从人类学家 B. K. 马林诺夫斯基。1938 年获哲学博士学位，博士论文为《江村经济》（又译《中国农民的生活》）。同年夏，回到抗日战争时期的大后方云南，任教于云南大学社会学系，随后主持云南大学和燕京大学合办的社会学研究室。1940 年后，任云南大学、西南联合大学教授。1942 年加入中国民主政团同盟。1945 年后，任清华大学副教务长、社会学教授。中华人民共和国成立后，于 1952 年调到中央民族学院任副院长、人类学教授。1957 年被定性为"右派分子"后，失去领导职务，主要从事边界和世界民族问题的研究。曾担任中央民族事务委员会副主任、国务院专家局副局长、民盟北京市委员会副主任委员等职。是第三、四届全国政协委员。"文化大革命"中受到冲击。1978 年 3 月当选第五届全国政协常务委员。同年起，历任中国社会科学院民族研究所副所长，社会学研究所所长、名誉所长。1981 年获英国皇家人类学会赫胥黎奖章。1982 年底英国伦敦大学政治经济学院授予他荣誉院士称号。1983 年当选第六届全国政协副主席。1985 年任北京大学社会学研究所所长。同年担任香港特别行政区基本法起草委员会副主任委员。1988 年 4 月当选第七届全国人大常务委员会副委员长。同年获英国《大不列颠百科全书》奖。1993 年 3 月当选第八届全国人大常务委员会副委员长。是中国民主同盟第二届中央常务委员，第四届中央副主席，第五届中央副主席、主席，第六、七届中央主席，后任名誉主席。2005 年 4 月 24 日因病在北京逝世。他长期从事社会学、社会人类学的教学和研究工作，重视实地调查，尤其重视社区的比较研究。著有《禄村农田》(1943)、《生育制度》(1947)、《乡土中国》

(1948)、《乡土重建》(1948)、《从事社会学五十年》(1983)、《费孝通社会学文集》(1985)、《记小城镇及其他》(1986)、《边区开发与社会调查》(1987)、《费孝通民族研究文集》(1988)、《费孝通文集》(16卷)等。

丰子恺 (1898—1975)

漫画家、散文家。原名丰仁,浙江桐乡人。自幼读家塾,爱好图画。1914 年考入杭州省立第一师范学校,绘画受业于李叔同,文学受业于夏丏尊。课外组织桐荫画会。1919 年毕业后,与刘质平等在上海筹办上海专科师范学校,并任美术教师。同年,与姜丹书等发起成立中华美育会,出版会刊《美育》。1921 年春赴日本,在东京学习绘画、音乐,冬,回国。1922 年到浙江省上虞县春晖中学任美术、音乐教员。1924 年开始在《我们的七月》杂志上发表漫画。1925 年任立达学园校务委员、西洋画科负责人。12 月,由郑振铎主编的《文学周报》社编的《子恺漫画》出版。1926 年在上海艺术大学兼课。1928 年从李叔同皈依佛门,法名婴行。未有李之诚心复归社会,1929 年任开明书店编辑,兼松江县女子中学图画、艺术论课。1933 年后专事著述。1936 年加入中国文艺家协会。1938 年 3 月到武汉参加抗日宣传,任中华全国文艺界抗敌协会会刊《战地文艺》编委。1939 年起任教浙江大学,随校迁贵州都匀、遵义。1942 年到重庆,任国立艺术专科学校教授兼教务主任。1943 年辞职以卖画为生。抗日战争胜利后回到上海。1948 年游台湾阿里山、日月潭,并在台北举行画展。中华人民共和国成立后,历任全国政协委员、中国美术家协会常务理事、上海市文联副主席、美协上海分会主席、上海中国画院院长等职。1975 年 9 月 15 日在上海去世。漫画有《丰子恺漫画全集》(六册)等,散文有《缘缘堂随笔》(1931)、《车厢社会》(1935)、《缘缘堂再笔》(1937)、《率真集》(1946)等,专业论著有《漫画的描法》等,译著有《源氏物语》等。

冯白驹 (1903—1973)

海南琼山人。1919 年春入琼山中学读书,参加了五四运动。1925 年夏考进上海大学,冬,返回海南。1926 年任广东省海口市郊农民协会办事处主任,9 月加入中国共产党。1927 年大革命失败后,奉命组建中共琼山县委,任书记。9 月琼崖讨逆军成立,任第六路军党代表,率部参加琼崖起义。不久建立琼山县工农民主政府,任政府主席。年底赴澄迈县任中共县委书记。1929 年秋,琼崖特委遭到破坏后,他组织临时特委,任书记。1930 年 4 月,主持召开中共琼崖第四次代表大会,正式成立琼崖特委,任书记。8 月,领导建立琼崖工农红军第二独立师,从此领导琼崖人民进行了长期艰苦卓绝的斗争。1937 年抗日战争爆发,作为中共琼崖特委的代表参加了与国民党当局的谈判。1938 年 11 月终于迫使国民党当局接受团结抗日的主张,建立起海南抗日民族统一战线。原游击队改编为琼崖抗日独立队,任队长。1939 年琼崖抗日独立队扩编为总队,任总队长。1940 年创办琼崖抗日公学,兼任校长。12月,率部反击国民党的反共袭击。1944年琼崖人民抗日游击纵队成立,任司令员兼政委。1945年琼崖临时人民民主政府成立,任政府主席。1946年2月海南地区的内战爆发,与国民党军进行殊死战斗。1947年5月任中共海南区党委书记。同时,奉中央军委命令,成立中国人民解放军琼崖纵队,出任司令员兼政委。中华人民共和国成立后,于1950年率部接应解放军主力,解放了海南岛。历任中共海南区委书记、海南军区司令员兼政委、海南军政委员会主任。1952年任中共华南分局委员、统战部部长,广东省政府副主席。1954年底,任广东省委书记、副省长。1955年被授予中将军衔,兼任国防委员会委员。1956年当选中共第八届中央候补委员。1957年广东开展反右派和反地方主义的斗争,受到错误批判,被撤销省委书记和常委职务。1963年任浙江省委委员、副省长。"文化大革命"中遭受迫害。1972年在周恩来关怀下到北京治病。1973年7月19日逝世。1983年2月中共中央批准为"冯白驹地方主义反党集团案"平反,撤销原处分决定,恢复名誉。

冯雪峰　(1903—1976)

原名冯春福,笔名雪峰、画室等,浙江义乌人。1918年考入浙江金华师范学校,因参加学生运动被开除。1922年转浙江杭州师范学校学习,参加朱自清等组织的文学团体晨光社,开始写新诗。同年与潘漠华等组织湖畔诗社,人称"湖畔诗派"。1925年到北京大学旁听,次年开始从事马克思主义文艺理论的介绍和研究。1927年加入中国共产党,第二年到上海开始与鲁迅合作,领导左翼文艺运动。在鲁迅帮助下,编译出版"科学的艺术论丛书"。1929年与鲁迅等发起成立中国左翼作家联盟。1931年任左联党团书记。在此期间,为沟通中国共产党与鲁迅的关系做了许多工作,编辑了《萌芽》(后改名《新地》)、《巴尔底山》、《前哨》和《十字街头》等刊物。写了许多重要的文学论文。1933年底,去江西中央苏区,任中央党校副校长。次年参加长征。1936年受党中央派遣到上海,任中共上海办事处副主任,再次与鲁迅合作,领导左翼文艺运动。当时他写的《关于鲁迅在文学上的地位》一文,是一篇评论鲁迅的重要论文。抗日战争时期,因国民党当局制造了皖南事变而被捕,在上饶集中营被关近两年。出狱后到重庆,参加中华全国文艺界抗敌协会。抗日战争胜利后到上海,从事共产党的文化统战工作。中华人民共和国成立后,任鲁迅著作编刊社社长、人民文学出版社社长兼总编辑、《文艺报》主编、中国作家协会副主席等职。1957年被错划为"右派","文化大革命"中又受到批判。1976年1月31日逝世。他参加并主持了《鲁迅全集》(19卷注释本)和《鲁迅译文集》(10卷本)的编校注释工作,主要论著有《鲁迅论及其他》、《回忆鲁迅》、《论〈野草〉》。诗集有《湖畔》、《春的歌集》(湖畔诗人合集)、《真实之歌》、《雪峰的诗》。杂文集有《乡风与市风》、《有进无退》等。寓言集有《雪峰寓言三百篇》、

《雪峰寓言》等。译著有《新俄文学的曙光期》和《俄罗斯的无产阶级文学》、《艺术与社会生活》、《艺术之社会的基础》等。

冯友兰　(1895—1990)

哲学家。字芝生，河南唐河县人。幼读私塾，聪明好学。后入开封中州公学中学班。1912 年入上海中国公学大学预科。1915 年考入北京大学文科，攻读哲学。1918 年毕业后到开封中等学校当教员。1919 年底赴美国考入哥伦比亚大学深造。1924 年撰写出《人生理想之比较研究》，获哲学博士学位。不久回国，任河南中州大学哲学教授、文学院长。1925 年赴广州任广东大学哲学教授。1926 年到北京任燕京大学哲学教授，讲授中国哲学史，并撰写出版了《人生哲学》教科书。1928 年担任清华大学秘书长，不久改任哲学系主任兼文学院院长，曾兼任清华大学校务会议主席。这一时期潜心中国哲学史的教学和研究，著有两卷本的《中国哲学史》。抗日战争时期，随清华大学撤往昆明，担任西南联合大学哲学教授兼文学院长。1946 年应邀赴美，任本薛文尼大学客座教授、夏威夷大学教授。1918 年初毅然回国，担任清华大学校务委员会代理主席、主席。中华人民共和国成立后，任清华大学文学院院长兼哲学系主任。1952 年调任北京大学哲学系教授。曾获得美国普林斯顿大学名誉文学博士、印度德里大学名誉文学博士。是第二、三、四届全国政协委员，第七届全国政协常委，第六届全国人大代表。被聘为中国科学院哲学社会科学部常务委员。1990 年 11 月 26 日因病在北京逝世。主要著作有《中国哲学史》、《中国哲学史新编》、《中国哲学史论文集》等。

傅　雷　(1908—1966)

文学翻译家。字怒安，号怒庵，上海南汇人。20 年代初在上海天主教创办的徐汇公学读书，因反封建反宗教，言论激烈被学校开除。1925 年五卅运动时，他参加街头的讲演游行。1926 年北伐战争时期，他又参加大同大学附中学潮，在国民党的逮捕威胁和恐吓之下，被寡母强迫避离乡下。1927 年冬赴法国留学，在巴黎大学文科听课，同时专攻美术理论和艺术评论。留学期间，游历瑞士、比利时、意大利等国。1931 年秋回国后，即致力于法国文学的翻译与介绍工作。他的译作丰富，行文流畅，文笔传神，翻译态度严谨。中华人民共和国成立后，曾任上海市政协委员，全国作家协会上海分会理事、书记处书记。60 年代初，因在翻译巴尔扎克作品方面的卓越贡献，被法国巴尔扎克研究会吸收为会员。“文化大革命”中遭受迫害，与夫人一起选择自杀的方式进行无声的抗争，于 1966 年 9 月在上海逝世。他翻译的作品共 30 余种，主要为法国文学作品。其中巴尔扎克十五种，有《贝姨》、《欧也妮·葛朗台》等；罗曼·罗兰四种，即《约翰·克利斯朵夫》及三名人传；伏尔泰四种，即《老实人》等；梅里美两种，即《嘉尔曼》、《高龙巴》；莫罗阿三种，即《伏尔泰传》等。此外还译有苏卜的《夏洛外传》，杜哈曼的《文明》，丹纳的《艺术哲学》和英国罗素的《幸福之路》,牛顿的《英国绘画》等。他的全部译作经家属编定,交由安徽人民出版社编辑成《傅雷译文集》共15卷,于1981年陆续出版。

傅抱石　（1904—1965）

画家、美术史论家。原名长生、瑞麟,江西新余人。11岁时在瓷器店学徒,并开始自学篆刻、书画。后由街邻资助考入省立第一师范附小。1925年著《国画源流概述》。1926年由江西第一师范学校毕业后,留校任美术教师。从此开始对中国画传统技法的研究。1929年著《中国绘画变迁史纲》。1933年得徐悲鸿之助去日本留学,入东京美术学校研究部,攻读东方美术史及工艺、雕刻。1934年在东京举办个人画展,颇得好评。1935年7月回国后,经徐悲鸿推荐入中央大学艺术系任教。抗日战争时期,在国民政府军事委员会政治部第三厅任秘书。定居重庆,继续在中央大学执教。中华人民共和国成立后,历任中国美术家协会副主席兼江苏分会主席、西泠印社副社长、全国政协委员。1952年任南京师范学院美术系教授。1957年任江苏省中国画院院长。他的绘画艺术开启了现代金陵山水画派的一代新风,具有强烈的民族特点和时代感,个性突出,气魄雄健,豪放洒脱。1949年,和画家关山月,应邀为人民大会堂创作《江山如此多娇》特大型国画。他还善书法、篆刻。1965年9月29日因病在南京逝世。出版的画册有《韶山》画集、《东北写生集》、自选《傅抱石画集》和新编《傅抱石画集》等。著作有《中国绘画理论》、《人物山水技法》、《中国之工艺》、《中国篆刻史述略》等。

傅连暲　（1894—1968）

字日新,曾化名郑爱群,福建长汀人。早年在基督教教会医学院学习。历任医生、汀州师范英语教员、亚盛医专教员。1925年创办汀州福音医院,任院长。1927年秋曾医治南昌起义军伤病员。1929年后又为闽西红军、红四军医治伤病员。1933年任瑞金临时中央政府红色医院院长,后兼中央红色医务学校校长,同年冬任红军卫生学校附属医院院长。1934年任中华苏维埃共和国国家医院院长。参加中央革命根据地各次反"围剿"作战医疗救护的组织领导工作及中央领导人的保健工作。10月参加中央红军长征,途中做医务工作。1935年10月到达陕北后,任中央医院院长。抗日战争时期,历任中共中央总卫生处处长兼延安中央医院院长、中央军委总卫生部副部长。被选为中共七大候补代表。解放战争时期,任中央军委总卫生部副部长。中华人民共和国成立后,历任中央军委总后勤部卫生部第一副部长、中央人民政府卫生部副部长、中国人民解放军总后勤部卫生部第一副部长。被选为中华医学总会第一届理事长。抗美援朝期间,他发动中华医学会会员组成首都志愿手术队奔赴朝鲜战场,担任防疫委员会办公室副主任,负责反细菌战的科研工作和宣传工作。他十分重视医学学术的发展和科普工作,在他的领导和努力下,中华医学会自1950年开始,除原有的《中华医学杂志》外,又增办了内科、外科、妇产科、儿科等 16 种医学杂志,这些杂志成为我国医务工作者重要的学术交流园地,也成为医学学术界的高级理论刊物。1959 年 10 月出版了《养身之道》一书(后改为《健康漫谈》)。1980 年,此书荣获全国首届医药卫生科普创作一等奖。1955 年被授予中将军衔。是中共八大代表,第二、三届全国政协常务委员。1968 年 3 月 28 日在北京逝世。

傅铁山　(1931—2007)

圣名弥额尔,河北清苑人。1939 年抗日战争时期,家乡发洪水,全家逃荒到密云县檀营天主教堂,次年进白檀书院读书。1941 年被保送到北平天主教备修学院学习。1944 年秋天,进入北平天主教西什库教堂小修道院学习。1945 年抗日战争胜利后,田耕莘枢机将这座小修道院改为"耕莘中学"(今北京市第三十九中学)。1950 年高中毕业后,被保送到文声学院哲学系学习。1956 年从文声学院神学系毕业,7 月晋升神父。1958 年任北京神学院拉丁语教师。1959 年开始,被下放到北京郊区南口农场、西北旺等地劳动。1979 年改革开放后,北京宣武门天主堂在全国率先开放,他被北京教区自选自圣为主教。后历任中国天主教爱国会副主席、教务委员会副主任、主教团副团长。1992 年后历任中国天主教爱国会副主席,中国天主教主教团副主席兼秘书长,北京市天主教爱国会主席、教务委员会主任、北京教区主教。1998 年任中国天主教爱国会主席、中国天主教主教团副主席。2003 年

3 月当选第十届全国人大常务委员会副委员长,同年任中国宗教和平委员会名誉主席。2005 年任中国天主教主教团代主席。高举爱国爱教旗帜,坚持独立自主自办教会原则,贯彻宗教信仰自由政策。他通晓拉丁语、英语,社会科学知识渊博,在神学理论和中国神学思想研究方面卓有建树。是第八、九届全国人大常务委员会委员,第六、七届全国政协常务委员会委员。曾担任中国残疾人福利基金会理事、中华海外联谊会常务理事、中国国际交流协会副会长、北京市人民对外友好协会副会长等职。2007 年 4 月 20 日因病在任期内于北京逝世。

傅作义　(1895—1974)

字宜生,山西临猗人。1915 年入保定陆军军官学校深造。1918 年毕业回太原,在阎锡山部下任职。1927 年 6 月,在涿州战役中以卓越的军事才能著称。1931 年 1 月,被张学良任命为三十五军军长兼七十三师师长。8 月,国民政府任命他代理绥远省主席。1931 年"九一八"事变后,同晋绥军将领徐永昌等 25 人联名通电,请缨抗日。1936 年发起绥远抗战。11 月 23 日取得了百灵庙大捷。此役被称为"复兴民族之起点"。国民政府授予他一级勋章。1940 年 3 月指挥五原战役,击毙日军水川中将,取得五原大捷,此役是抗战以来国民党战区内第一次收复失地。抗日战争胜利后,奉命兵分两路,向晋察冀解放区首府张家口大举进攻。1947 年 12 月 3 日,国民政府任命他为"华北剿匪总司令部"总司令,进驻北平,负责整个国民党在华北地区的

军事指挥。1948 年 11 月 29 日起,中国人民解放军发动了平津战役。此时,中国共产党适时加强了对他的争取工作。经反复考虑后,毅然率部接受和平改编。1949 年 1 月 22 日,正式发表了《关于和平解放北平的协议》,至 1 月 31 日改编完毕,北平宣告和平解放。2 月 22 日,他和邓宝珊飞抵西柏坡党中央所在地,受到毛泽东的亲切接见。之后,又亲去绥远,帮助董其武将军举行了"九一九"起义,实现了绥远的和平解放。随后出席了中国人民政治协商会议第一届全体会议。中华人民共和国成立后,历任政协全国委员会委员、中央人民政府委员、军事委员会委员、水利部部长等职。1949 年 12 月 2 日,又兼任绥远省军政委员会主席、省军区司令员。1954 年任国防委员会副主席。1955 年荣获一级解放勋章。1965 年当选为第四届政协全国委员会副主席。他时刻关心祖国统一,期望在台军政人员共同努力,早日完成祖国统一大业。1974 年 4 月 19 日病逝于北京。

G

盖叫天 （1888—1971）

京剧表演艺术家。原名张英杰，号燕南，河北高阳人。童年入天津隆庆和科班，初学武生，后改学老生，倒仓后复演武生。长期在上海、杭州一带演出。他继承了南派武生创始人李春来的艺术风格，又广泛汲取京剧与昆曲、地方戏中各流派武生和其他行当表演艺术的长处，并借鉴武术，着意观察自然界的物象活动姿态，以丰富武打技术和人物形体美的造型，逐渐形成了独具特色的"盖派"武生表演艺术。他擅演全部《武松》戏，有"江南活武松"之誉。1934年在上海大舞台演出《狮子楼》时，折断右腿，为了武松的形象，忍痛用左腿站住，保持"金鸡独立"姿势，坚持到大幕落下。后来，断骨被医生接错位置，变成残废，他又将已经愈合的骨节打断再接，使中断了的艺术生命又延续数十年。中华人民共和国成立后，曾任中国戏剧家协会浙江分会主席，第三届全国人民代表大会代表。1952年参加第一届全国戏曲观摩演出大会，演出《十字坡》获荣誉奖。1956年文化部为他举行舞台生活60年纪念活动，再次授予他荣誉奖。1971年1月15日在杭州逝世。拍摄成电影的有《武松》和《盖叫天的舞台艺术》，还有其艺术纪录的《粉墨春秋》出版。

甘　苦 （1924—1993）

壮族。广西扶绥人。青年时期思想进步，向往革命。1947年6月，参加中国共产党领导下的左江地区武装斗争；7月，加入中国共产党。历任广西左江游击区民兵大队教导员，中共凭祥县委工委书记，广西凭祥游击大队政委，滇、桂、黔边区纵队左江支队三团政委。中华人民共和国成立后，历任中共龙津县委副书记、书记，龙津县县长，广西壮族自治区政府办公厅代科长,广西手工业局副局长,中共龙州县委第一书记,中共崇左县委书记,河池地区行署专员。"文化大革命"中受到冲击。恢复工作后,历任柳州造纸厂革委会主任,中共河池地委副书记,地区革委会副主任等职。1976 年任广西水利电力局局长、党组书记。1979 年任广西壮族自治区人民政府副主席,并继续兼任广西水利局局长、广西电力局负责人。1985 年 6 月后,历任广西壮族自治区第六、七届人大常务委员会主任、党组书记。是中共第十三、十四大代表,第七、八届全国人大代表。1993 年 3 月当选第八届全国人大常务委员会副委员长。1993 年 7 月 25 日因病在任期内于南宁逝世。

高　岗 (1905—1954)

陕西怀远(今横山县)人。1926 年加入中国共产党。1927—1930 年在国民党西北军中开展兵运工作,任中共陕西省委候补委员、甘肃特派员,参加谢子长、刘志丹等人创建陕北红军的活动。1932 年后,任陕甘边区红军临时总指挥部政委、红军第二十六军四十二师政委、红军第二十六军政委,参加创建陕甘根据地。1935 年任西北革命军事委员会副主席兼总政委、红军第十五军团副政委。1938 年后,任中共陕甘宁边区区委书记、陕甘宁边区参议会参议长、中共陕甘宁边区中央局书记、中共中央西北局书记,为陕甘宁边区的建设作出了贡献。1945 年当选为中共第七届中央政治局委员,同年赴东北,历任北满军区司令员、中共中央东北局副书记、东北民主联军副政委、东北人民解放军第一副司令员兼副政委、中共中央东北局书记、东北人民政府主席、东北军区司令员兼政委,为建立巩固的东北根据地和解放东北作出了贡献。中华人民共和国成立后,历任中央人民政府副主席、中央人民政府计划委员会主席兼东北行政委员会主席。组织抗美援朝的后勤工作。1953 年调到北京后,野心膨胀,攻击刘少奇等领导人,散布所谓"军党论",在党内制造分裂活动。1954 年 2 月,在中共七届四中全会上被揭露和批判后,仍采取对抗态度。8 月 17 日自杀身亡。1955 年 3 月,中共全国代表会议通过《关于高岗、饶漱石反党联盟的决议》,开除其党籍,撤销其党内外一切职务。

高崇民 (1891—1971)

名健国,字崇名,辽宁开原人,幼年随父习读四书五经。1909 年考入奉天省立农业学堂,不久秘密加入同盟会。1914 年在开源县考取公费留学,赴日本入东京明治大学政治经济学系读书,次年作为中国留日学生代表参加反对袁世凯称帝的活动。1924 年加入中国国民党,并在沈阳参与发起组织启明学社。因赞赏张学良"东北易帜"维护民族独立之举,于 1929 年任东三省保安司令部张学良的秘书,兼奉天省农务会会长。1931 年"九一八"事变后毅然辞职。9 月 27 日,在北平组织东北民众抗日救国会,任执委会主任兼总务部长,联络关内各界人民,积极支援东北义勇军抗日。1935 年因遭蒋介石通缉,避居上海英租界。焚毁国民党党证,表示脱离国民党,跟共产党走。11月受中共地下党组织委托赴西安劝说张学良停止内战,联共抗日,并促进张学良与杨虎城的合作。1936年"西安事变"发生后,任张学良、杨虎城的政治参议机构——"设计委员会"主任委员,参与起草了张、杨联名发表的抗日救国八项政治主张,拥护中共和平解决西安事变的方针。1943年先后加入中国民主同盟、三民主义同志联合会和中国民主革命同盟,从事民主运动,并秘密组织"东北民主政治协会"。1945年11月被中国共产党任命为东北安东省主席,后为蒋介石发现,遭到蒋的第三次下令通缉。1946年10月加入中国共产党。次年1月任民盟东北解放区盟务特派员。1948年8月在沈阳任东北人民政府副主席兼东北人民政府司法部长、最高人民法院东北分院院长。1949年9月出席中国人民政治协商会议第一届全体会议,被推选为主席团成员,并被选为全国政协常委、中央人民政府委员。中华人民共和国成立后,历任第一、二、三届全国政协常委,全国政协副主席,第一、二届全国人大常务委员会委员,民盟第一届中央委员、第二、三届中央副主席、东北总支部主任委员。"文化大革命"中遭受迫害,于1971年7月29日去世。1981年5月中共中央统战部为他平反昭雪。

高树勋　（1897—1972）

字建侯,河北盐山人。1915年因家贫投入北洋陆军中当兵。1918年转入北洋军直系的冯玉祥部队,次年在冯部第16混成旅模范连当了第五栅的副目。

以后,以战功渐次递升,先后任过连、营、团长。1926年在国民军中"集体"加入国民党。1927年5月,任国民革命军第二集团军师长、代理青海省主席。1930年中原大战阎锡山和冯玉祥战败,西北军被蒋介石收编为第二十六路军,高树勋任第十七师师长。1931年第二十六路军到江西参加围剿红军时,脱离部队。宁都起义后潜回天津居住。1933年和吉鸿昌投奔冯玉祥的抗日同盟军,任骑兵司令,参加攻克多伦的战斗。抗日战争爆发后,任河北省保安处副处长、处长、河北游击总指挥、新六师师长、第十军团副军团长兼暂一军军长、新八军军长等。1939年在冀中、冀南等地抗日。1940年10月除掉了投降日军的第39集团军总司令石友三,继任总司令,后任冀察战区总司令。1945年8月派人与刘伯承、邓小平联系表示向往革命,10月30日率新八军、河北民众一万多人在邯郸前线起义,震动全国,起义部队根据毛泽东建议改编为民主建国军,高树勋任总司令。中共中央为了进一步加强分化、瓦解国民党军队和争取国民党军队起义的工作,曾号召国民党官兵以他为学习榜样,被称为"高树勋运动"。1949年9月下旬,出席中国人民政治协商会议,当选为全国政协委员。中华人民共和国成立后,任河北省人民政府副主席。1954年当选为第一届全国人民代表大会代表,在9月召开的全国人大第一次会议上被任命为国防委员会委员,同年当选为河北省人民政府副省长。为褒奖他在人民解放战争中率部起义的成绩,被授予一级解放勋章。1972 年 1 月 19 日在北京病逝。

格达活佛　（1903—1950）

法名洛桑登真·扎巴他耶。四川甘孜白利寺第五世活佛。1903 年出生在四川甘孜一个农奴家庭。1910 年白利寺活佛圆寂，按藏传佛教遗规，他被确定为"转世灵童"，成为白利寺活佛。1920 年赴西藏拉萨甘丹寺朝佛、学经。由于他苦读经书，学识出众，尤其精通显宗经典，8 年后，获甘丹寺格西（藏传佛教最高等级学衔）学位。1935 年至 1936 年中国工农红军长征经过甘孜地区时，曾发动藏族人民支援红军。1936 年 5 月，中华苏维埃博巴（藏族）自治政府在甘孜成立，他当选为副主席。中华人民共和国成立后，任西南军政委员会委员兼西南民族事务委员会委员、西康省人民政府副主席兼康定军事管制委员会副主席。1950 年 7 月，为劝说西藏地方政府进行和平解放西藏的谈判，不顾个人安危前往西藏，经过昌都时，被帝国主义分子和西藏反动分子所阻挠。是年 8 月终被毒杀。

耿　飚　（1909—2000）

湖南醴陵人。7 岁随父母逃荒到常宁县水口山。13 岁到铅锌矿当童工。在水口山中共组织的教育和引导下，积极参加工人罢工斗争，逐渐懂得了中共的主张及其思想渊源。1925 年 5 月参加中国共产主义青年团。1926 年组建并率领农民赤卫队参加醴陵暴动和攻打长沙的战斗。1928 年 4 月任游击队队长，8 月转为中国共产党党员。1930 年 9 月率游击队参加中国工农红军。历任红一军团第三军 9 师参谋、师干部教导队队长、作战教育科科长，红一军团第 2 师 4 团团长等职。参加了中央苏区的历次反围剿战斗。1934 年 10 月参加长征，率部担任红军前卫第 2 师的前卫。1935 年 1 月遵义会议后任红一军团第 1 师参谋长。1936 年 6 月，入抗日红军大学学习；12 月，任红四方面军参谋长。1937 年抗日战争爆发后，历任八路军 129 师 385 旅参谋长、副旅长兼政委。1941 年 7 月回延安入中共中央党校学习。1944 年 9 月任晋察冀军区副参谋长兼联络部部长。1945 年 8 月率部收复张家口，用一场胜利迎来抗日战争的胜利。1946 年 1 月，任北平军事调处执行部中共代表团副参谋长兼交通处处长；6 月，解放战争开始后历任晋察冀野战军参谋长。1948 年 5 月任华北军区第二兵团副司令员兼参谋长，为华北地区的解放作出了贡献。中华人民共和国成立后，调到外交部工作，历任中国驻瑞典大使兼驻丹麦、芬兰公使，驻巴基斯坦大使，外交部党委委员、副部长，驻缅甸、阿尔巴尼亚大使。"文化大革命"中受到冲击。1971 年任中共中央对外联络部部长。是中共第九、十届中央委员。1977 年 8 月当选第十一届中央委员。1978 年 3 月，任国务院副总理；8 月，当选第十一届中央政治局委员。1979 年 1 月任中共中央军委常务委员、秘书长。1981 年 3 月任国防部部长。1982 年 5 月任国务委员。1983 年 6 月当选第六届全国人大副委员长、外事委员会主任委员。在中共第十二、十三次全国代表大会上,均当选中共中央顾问委员会常务委员。2000 年 6 月 23 日因病在北京逝世。

谷　牧 (1914—2009)

山东荣城人。幼时读私塾,后在文登入山东省立第七乡村师范学校学习。1931 年加入中国共产主义青年团,1932 年 7 月转为中国共产党党员。曾任文登乡村师范学校中共支部书记。1934 年到北平,参加左翼作家联盟工作,是北平"左联"负责人之一。1936 年到东北军从事兵运工作。1937 年抗日战争爆发后,在东北军第 67 军 107 师当兵,从事中共地下工作。上海"八一三"事变后,参加了中华民国政府领导的正面抗击日本侵略军的"淞沪会战"的战斗。1938 年 3 月在东北军第 57 军 112 师 667 团工作,发展团长万毅加入中国共产党。后主持 112 师中共工作委员会的工作。这支起义过来的部分队伍军事素养好、文化程度高、武器装备精良,很快成为中共武装力量的主力部队。1940 年进入山东抗日根据地,历任中共山东分局秘书主任、统战部部长。1943 年起,兼任八路军 115 师暨山东军区政治部统战部部长。1944 年任滨海二地委书记兼滨海军区第二军分区政委,参加了巩固、发展滨海抗日根据地的斗争。1946 年开始的解放战争时期,历任中共滨海直属地委书记兼滨海军分区政委,中共华东局秘书长,中共新海连特委书记兼新海连警备区政委,中共鲁中南区党委副书记兼鲁中南军区第一副政委。中华人民共和国成立后,历任中共济南市委书记,

济南市市长,济南警备区政委,中共上海市委宣传部部长、副书记。1955 年起历任国家建委副主任,国务院第三办公室副主任,国家经委副主任、党组副书记,国务院工交政治部主任。1965 年任国家建委主任、党组书记。"文化大革命"中受到冲击。1969 年 4 月任国务院业务组成员。1973 年任国家建委革命委员会主任、党的核心小组组长,兼任国家计委副主任、党的核心小组副组长。8 月,当选中共第十届中央委员。1975 年 1 月在第四届全国人民代表大会上,被任命为国务院副总理兼国家基本建设委员会主任。在"文化大革命"中协助周恩来总理做了许多维持经济秩序的工作。1977 年 8 月当选中共第十一届中央委员。1978 年 3 月在第五届全国人民代表大会上,被任命为国务院副总理兼国家计划委员会副主任、党的核心小组副组长。1979 年 7 月兼任国家进出口管理委员会和国家外国投资管理委员会主任、党组书记。1980 年 2 月在中共十一届五中全会上,当选中共中央书记处书记。1982 年 3 月任国务委员。9 月当选中共第十二届中央委员、中共中央书记处书记。他是社会主义中国经济建设战线的杰出领导人,改革开放后建立经济特区的坚定执行者、开创者和探索者。1988 年 3 月当选第七届全国政协副主席。还曾担任中国孔子基金会会长、国际儒学联合会会长。著作有《谷牧回忆录》。2009 年 11 月 6 日因病在北京逝世。

顾颉刚 (1893—1980)

历史学家、民俗学家。原名诵坤,字

铭坚,江苏苏州人。出生在书香门第。幼读私塾,1906 年入当地公立高等小学,1908 年转入苏州第一中学学习。1912 年秋,入上海神州大学学习,醉心于文学。1913 年考入北京大学预科,沉迷于戏剧。1916 年考入北京大学本科中国哲学门学习。1920 年毕业后留校,以助教职任图书馆编目。1922 年到上海,任商务印书馆编辑,编纂中学历史教科书。1924 年回北京大学研究所国学门任助教。先后编辑《国学季刊》、《歌谣周刊》、《北京大学研究所国学门周刊》。1926 年秋任厦门大学国学院研究教授。1927 年 4 月任中山大学历史系教授、系主任、图书馆中文部主任,代理语言历史研究所主任。1929 年 5 月任燕京大学国学研究所研究员兼历史系教授,还在北京大学兼课。1934 年初与谭其骧等发起成立历史地理研究的学术团体——禹贡学会,创办《禹贡》半月刊。1935 年初任中华民国北平研究院史学研究会历史组主任,主编《史学集刊》。1937 年组团到绥远、宁夏、甘肃等省进行民族、宗教、农田水利等方面的考察。抗日战争爆发后,于 1938 年 10 月赴昆明,任云南大学文史教授。1939 年秋到成都,任齐鲁大学国学研究所主任。1940 年 4 月任教育部史地教育委员会委员。1941 年春赴重庆,主编《文史》杂志。5 月,任边疆语文编译委员会副主任委员。8 月,任中央大学中文系和历史系教授,兼出版部主任。11 月,任中国史地图表编纂社社长、复旦大学教授。1945 年任交通书局总编辑。1946 年开始的解放战争时期,

任兰州大学教授。1947 年担任大中国图书局总编辑,创办《民众周刊》。1948 年 7 月任兰州大学历史学教授、系主任。1949 年秋任诚明文学院中国语文系教授、系主任,兼震旦大学教授。是中华民国中央研究院院士。“古史辨”派创始人,继承和发展了前人的疑古思想,提出“层累地造成的中国古史”观,并与人合作编成古史论文集《古史辨》(7 册),在学术界产生了深远影响。他还是中国民俗学研究的先驱,编著有《妙峰山》、《吴歌甲集》、《孟姜女故事研究集》、《苏粤的婚丧》等著作。中华人民共和国成立后,任上海市文化管理委员会委员、上海图书馆筹备委员会委员、中国史学会上海分会常务理事。1951 年任上海学院中文系教授。1952 年任复旦大学教授。1954 年任中国科学院历史研究所第一所研究员。受国务院委托,担任《资治通鉴》总校。1955 年开始标点《史记》。1959 年任全国政协文史资料委员会副主任。1965 年因病修养。“文化大革命”开始受批判,在单位劳动改造。1971 年任《二十四史》和《清史稿》总校。1979 年任中国社会科学院历史研究所学术委员。是第二、三届全国政协委员。曾担任中国民间文艺研究会副主席、中国文学艺术界联合会委员等职。1980 年 12 月 25 日因病在北京逝世。著有《秦汉的方士和儒生》、《三皇考》、《中国上古史研究讲义》、《史林杂识初编》、《苏州史志笔记》、《西北考察日记》、《论巴蜀与中原的关系》、《顾颉刚选集》、《顾颉刚古史论文集》等。

顾廷龙 （1904—1998）

图书馆学家。字起潜，江苏苏州人。出生在书香门第。1924年毕业于苏州省立第二中学。1927年考入上海南洋大学机械系，1928年转入国民大学学习，1931年毕业于持志大学，获文学学士学位。1931年考入北京燕京大学研究院国文系学习，研读古文字学。1933年获硕士学位，毕业后任燕京大学图书馆中文采访主任。后到上海，任暨南大学教授。1939年与张元济、叶景葵等人创办合众图书馆。1949年任光华大学教授。中华人民共和国成立后，1951年任上海图书馆筹备委员会委员。1953年将合众图书馆捐献给上海市，改为市立，任代馆长。1956年任上海市历史文献图书馆馆长。1962年任上海图书馆馆长、研究员。1980年任华东师范大学兼职教授。1982年加入中国共产党。1984年任复旦大学兼职教授。1985年任上海图书馆名誉馆长。他长期从事古典文献学、版本学和目录学的研究和组织整理工作，为中国图书馆事业的发展作出了贡献。是第四、六届上海市政协常务委员。曾担任国务院古籍整理出版规划小组顾问，国家文献鉴定委员会委员，《中国美术全集·明清书法》卷主编，中国图书馆学会第一、二、三届副理事长，中国书法家协会名誉理事等职。1998年8月22日因病在北京逝世。编著有《吴愙斋先生年谱》（1935）、《章氏四当斋书目》（1938）、《古陶文香录》（1939）、《明代版本图录初编》（与潘景郑合编，1940）；主编有《中国丛书综录》（1959—1962）、《中国古籍善本书目》（1985）等。

顾祝同 （1893—1987）

字墨三，江苏涟水人。先后就读于江苏陆军小学、湖北陆军第二预备学校。1914年入保定陆军军官学校第六期步兵科。1919年毕业后任长江上游总第四旅七团九连连长、湖南清乡司令部卫队营营副。1921年冬任粤军第二军教导队区队长。1922年任东路"讨贼军"总部副官长。1924年任广州黄埔军校战术教官兼管理部主任、军校教导团第一营营长。1925年先后任国民革命军第一军第一师第二团参谋长、团副，第三师参谋长、副师长等职，成为蒋介石黄埔嫡系中的重要成员。1926年秋参加北伐军东路军作战，不久任第一军第三师师长。1927年6月任第三路军第二纵队指挥官；8月率部参加龙潭战役，后任第九军军长。1928年4月率部参加第二期北伐，后所部缩编为陆军第二师，任师长。1929年春率部参加讨桂战争，兼任武汉卫戍司令，旋任第一军军长。1930年率部参加中原大战，任第十六路军总指挥、海陆空军总司令洛阳行营主任，潼关行营主任等职。1931年任南京国民政府警卫军长兼第一师师长、讨逆军南路集团军第二军团总指挥、江苏省政府主席，在国民党四大上被选为中央执行委员，此后历届均当选。1933年任"湘鄂赣粤闽五省剿匪北路军"总司令，指挥蒋介石嫡系部队对中央根据地发动第五次"围剿"。1934年12月任国民政府军政部政务次长兼江西绥靖主任。1935

年 4 月晋升二级陆军上将,兼任军事委员会委员长贵州绥靖会署主任、重庆行营主任,指挥中央军及黔军、川军继续围追长征途中的中央红军。1936 年 8 月兼贵州省政府主席。"西安事变"后,任南京"讨逆军"副总司令兼西路集团军总司令。1937 年 1 月兼任西安行营主任,率部进驻陕西,将东北军、西北军调离改编,后兼任川康军整理委员会副主任委员。抗战爆发后,任国民革命军第九集团军总司令,旋任第三战区副司令长官,率部参加淞沪会战。南京失守后任第三战区司令长官兼江苏省政府主席,并兼二十四集团军总司令等职。曾率部发动过对皖南冬季攻势、淞沪皖边区战斗,策应长沙会战、福州攻略、萧山诸暨和闽海与浙东等战役。1941 年 1 月参与制造了皖南事变。抗日战争胜利后历任徐州绥靖公署主任,国防部陆军总司令兼郑州绥靖公署和徐州绥靖公署主任,国防部参谋总长兼陆军总司令和西南军政长官等职,指挥国民党军大举进攻苏鲁豫皖等省人民解放军,终遭失败。后指挥国民党残余部队在川云贵和两广地区作最后挣扎。1950 年 3 月从西昌乘飞机逃到台湾。此后历任台湾国民党军总参谋长兼代理"国防部长"、"总统府战略顾问委员会副主任委员"、"国防会议秘书长"、国民党中央评议委员会主席团主席等职。1972 年晋升为一级陆军上将。1987 年 1 月 17 日病逝于台北。

郭沫若 (1892—1978)

诗人,历史学家。原名开贞,号尚武,曾用名鼎堂,笔名沫若、麦克昂、易坎人、石沱等,四川乐山人。少年时代十分崇敬邹容、徐锡麟、秋瑾等革命党人,接受了孙中山的革命主张。1910 年积极参加成都学生的民主立宪运动,并被推为学生代表。1911 年参加四川的保路爱国运动。1913 年秋离开四川,取道朝鲜东渡日本留学,先入东京第一高等学校预科,后入冈山第六高等学校,1918 年入福冈九州帝国大学医科学医。在十月革命影响下,积极投身反帝反封建的新文化运动。五四运动时期以诗歌颂人民革命,是新诗的奠基人。其代表作《女神》,以强烈的反帝反封建精神和鲜明的浪漫主义特色轰动于世。1921 年与郁达夫、成仿吾等发起建立文学团体创造社,边学医边从事文学创作。1923 年毕业于日本帝国大学。1924 年翻译日本马克思主义经济学家河上肇的《社会组织与社会革命》一书,初步接触马克思原理。同年 11 月回到上海。编辑《创造》季刊、《创造周报》、《创造日》等刊物,倡导"革命文学"。1926 年 3 月离沪赴穗,任广州大学(中山大学)文学院院长。曾应毛泽东之邀到广东农民运动讲习所讲课。同年 7 月参加北伐战争,初任国民革命军总政治部秘书长,武汉攻克后,任总政治部副主任、代主任。1927 年 3 月 31 日在蒋介石公开叛变革命前夕写了讨蒋檄文《请看今日之蒋介石》,在国内外产生巨大影响。后参加八一南昌起义,任起义军总政治部主任,并于部队南下途中加入中国共产党。起义失败后,经香港到上海,后经周恩来等安排,于 1928 年 2 月携家到日本。旅居日本期间，从事中国古代历史与古文字学的研究，并积极支持留日学生和国内文艺界的革命文化活动。1937年抗日战争爆发后，回到上海，团结进步文化人士，从事抗日救亡运动，主编《救亡日报》。1938年任国民政府军委会政治部第三厅厅长，主管宣传工作。后到重庆任文化工作委员会主任。广泛团结爱国文化人士，发展和壮大抗日民族统一战线。与此同时，还创作了《棠棣之花》、《屈原》、《虎符》、《孔雀胆》、《南冠草》等历史剧，并且进行了卓有成效的历史研究，写下了《青铜时代》、《十批判书》、《历史人物》等科学论著。他在1944年写的《甲申三百年祭》被指定为中国共产党整风运动的重要文献。1945年应邀出访苏联。抗战胜利后，先后在重庆、上海、香港参与人民革命运动，并从事文学创作，《蜩螗集》为这一时期的代表作。1948年底由香港赴东北解放区。1949年2月到达北平，参加新政协的筹备工作和第一届文学艺术界联合会代表大会，被选为全国文联主席。中华人民共和国成立后，历任中央人民政府委员，政务院副总理兼文化教育委员会主任，中国科学院院长兼哲学社会科学部主任、历史研究所第一任所长，中国科学技术大学校长，全国文联第二、三届主席，中国人民保卫世界和平委员会主席，中日友好协会会长等职。是中共第九至第十一届中央委员，第一至第五届全国人大常委会副委员长，政协第一届全国委员会委员、第四届常务委员、第二、三、五届副主席。是鲁迅之后，在中国共产党领导下文化战

线上又一面光辉旗帜。1978年6月12日因病在北京逝世。一生著述丰硕，出版有《沫若文集》、《郭沫若选集》、《郭沫若全集》等。

郭秀仪　(1911—2006)

社会活动家。女。广东中山人。出生在上海，1929年毕业于上海文艺女校。1937年抗日战争爆发后，与宋美龄、邓颖超等各界人士创办中国战时儿童保育会及妇女抗日救国委员会，任"保育会"常务理事、经济委员会副主任和征募部副部长。在武汉掀起了颇有声势的为拯救难童的募捐活动，并亲自主持汉口的献金台，到街头募捐。除了向社会募捐外，她还将积蓄2万余元捐献出来，并负担了442名难童的长年生活费用，她的捐款额仅次于宋美龄，居第二位。中国战时儿童保育会拯救、收容和培育了战争难童3万余名。1939年她在丈夫黄琪翔任国民革命军第十一集团军总司令时，担任妇女工作队队长，亲自率领随军家属上前线抢救伤员、慰劳战士。1941年在湖北襄樊创办医务所，救死扶伤。1945年抗日战争胜利后，获中华民国政府颁发的"抗日胜利"勋章。黄琪翔不愿打内战，主动要求担任中国驻德国军事代表团团长，于1947年6月出国。1948年10月奉召回国，曾劝蒋介石停止内战，为蒋所不满。年底潜赴香港，公开宣布与国民党彻底决裂，积极从事爱国民主活动。她一直追随左右。中华人民共和国成立后，她重拾绘画爱好，1950年后师从齐白石，侍奉笔砚达6年之久。"文化大革命"中受到冲击。1978年3月

当选第五届全国政协委员。1979 年 10 月当选中国农工民主党第八届中央委员。积极参政议政,关心国家建设,为祖国统一大业不懈努力。1995 年 9 月抗战胜利 50 周年时,获中国政府授予的"抗日老战士纪念奖章"荣誉,她是百名获此殊荣老战士中的三位女性之一。2001 年在中国美术馆与弟子一起举办"新世纪迎新春"画展。是全国政协第六、七、八届常务委员、第九届委员。历任中国农工民主党中央常务委员兼中央联络委员会副主任、中央咨监委员会副主席、中央委员会名誉副主席。曾担任全国妇联第五届执行委员,中国和平统一促进会常务理事、中华海外联谊会理事、北京齐白石艺术研究会副会长等职。2006 年 11 月 16 日因病在北京逝世。2007 年底《郭秀仪画册》出版,收其画作 120 余幅。

郭永怀　(1909—1968)

"两弹一星"元勋。力学家。山东荣成人。1935 年毕业于北京大学物理系。1941 年在加拿大获多伦多大学硕士学位。后去美国加利福尼亚理工学院,在 T. von. 卡门指导下做流体力学的研究工作,获得博士学位。1946 年任康奈尔大学教授,同年与钱学森共同发表论文《可压缩无旋亚声速和超声速混合型流动和上临界马赫数》,指出在跨声速流场中有实际意义的是来流的上临界马赫数,而不是原先被重视的下临界马赫数。这对航空技术突破声障具有重要意义。1953 年前后,他研究激波与边界层的相互作用,得出远场超声速流动与近场边界层相互作用的速度场和压力场的表达式,得到与实验一致的理论结果。在这项研究中,他把 H. 庞加莱所开创并为 M. J. 莱特希尔所发展的小参数求解方法运用于远场解和近场解的对接中。这个推广后的方法按三人的英文姓氏被称为 PLK 方法,现称奇异摄动法。1956 年回国后任中国科学院力学研究所副所长、《力学报》主编、中国科技大学化学物理系主任等职。同年,当选中国科学院数理化学部委员。是第四届全国人民代表大会代表、全国政协委员。1961 年加入中国共产党。1963 年他指出钝锥绕流可能产生"悬挂激波",并给出产生二次激波的条件。1964 年他指出在弹体穿过核爆区的高超声速再入大气层时,灰粒子对激波有重要影响。他对爆轰力学的发展也作出了贡献。1968 年 12 月 5 日因飞机失事而殉职,被授予烈士称号。他为中国核武器的研究作出了重大贡献。1999 年被中共中央、国务院、中央军委追授"两弹一星功勋奖章"。

H

韩先楚　（1913—1986）

湖北红安人。少年时因贫困而辍学，当过学徒、短工。1927年在家乡参加农民协会。1929年加入中国共产主义青年团。1930年参加区游击队，同年转为中共党员。1931年任独立营排长，随即在黄陂、孝感、罗山地区进行游击战争。1933年编入中国工农红军第25军。1934年任排长、副连长，同年11月随红25军长征，任连长、营长。1935年参加劳山战役后，任红75师第223团团长。1936年初，任红224团团长，参加东征战役。后任红78师副师长、师长，西征战役中率部连克定边、盐池。后参加山城堡战役。1937年2月，入抗日军政大学学习。抗日战争爆发后，任八路军115师344旅688团副团长、689团团长，参加了晋东南反"九路围攻"等战役战斗。1939年任344旅副旅长。1940年任新三旅旅长兼冀豫军区第三军分区司令员。1941年初到延安，入军政学院学习。1942年入中共中央党校学习。1944年任抗日军政大学第一大队队长。1945年出席中共七大。抗日战争胜利后到东北。1946年春，任东北民主联军第四纵队副司令员。率四纵队两个师和辽南独立师在沈阳以南发起鞍海战役，连克鞍山、营口、大石桥、海城等城镇。同年10月参与指挥新开岭作战，全歼国民党一个精锐师。1947年秋任第三纵队司令员。辽沈战役中，参加夺取锦州和辽西会战，指挥所部突袭国民党军第9兵团指挥部，俘虏敌兵团司令廖耀湘。1948年任东北野战军第40军军长。1949年平津战役后，兼湖南军区副司令员。1950年参与指挥海南岛登陆战役，6月任13兵团副司令员。10月参加抗美援朝战争，任中国人民志愿军副司令员,在第一至五次战役中,均于前线指挥作战。1952 年任第 15 兵团司令员。1953 年回国后任中南军区参谋长。1954 年任人民解放军副总参谋长。1955 年被授予上将军衔,荣获一级八一勋章、一级独立自由勋章和一级解放勋章。1957 年兼任福山军区司令员。中共福建省委书记。1968 年任福建省革命委员会主任。1969 年 5 月任中共中央军委委员。1971 年任中共福建省委书记。1973 年任兰州军区司令员。1977 年 8 月任中央军委委员。1980 年 1 月任中央军委常委。1958 年被补选为中共第八届候补中央委员,是中共第七至十二届中央委员,第六届全国人大常委会副委员长,第一、二、三届国防委员会委员。1986 年 10 月 3 日因病在北京逝世。

何 鲁 (1894—1973)

教育家、数学家。字奎垣,四川广安人。1903 年考入成都机械学堂,三年后毕业,后被保送南洋公学(上海交通大学前身)读书。1912 年 5 月,在北京留法俭学会预备学堂学习了半年,成为中国第一批赴法留学生。到法国后入里昂大学,1919 年获得科学硕士学位。国内五四运动爆发,他转变了"科学救国"的信念,认为改造中国"人"是第一位的,遂选择了"教育救国"的道路。回国后走上了南京高等师范学校的讲台,这是他 50 余年教学生涯的开始。后在上海中法通惠大学、大同大学、东南大学任教,做过中央大学数学系主任,云南大学理学院院长,中国公学和安徽大学校长;在重庆大学时间最长,曾先后任理学院院长、校长。抗日战争期间,他还在重庆、广安办载英中学,收容贫穷和因参加进步活动被开除的学生。在他的教育生涯中,(一)注重人才的培养并有成就。(1)严济慈是他南京高等师范学校的学生,他到上海教书后,逢暑假都邀严到家中度假,在其指导下严通晓了法文,还阅读了他珍藏的法文书籍,演算大量习题。1923 年严在他的指导和资助下赴法留学,终成为科学家。(2)华罗庚 1938 年完成《堆垒素数论》,送到中央研究院无人能审,后送教育部交由他主审。阅后不仅长篇作序,还利用部聘教授(国民政府共 6 位部聘教授)之声誉,坚持给华授予数学奖。华以后也以他为老师。(3)还有几位受业于他的学生:钱三强、吴有训、赵忠尧、吴文俊、柳大纲等。(二)不仅着力现代数学的介绍、传播,对于中国中学数学教学改革和课程建设也作出过重要贡献。(1)1923 年 6 月教育部颁行中小学新学制各科课程纲要,结束了民国成立后教育上的混乱状态,也较适合国情。他不仅是一位积极参与者并作出了贡献,高中几何课程纲要即由他起草。(2)他亲自参加中学数学教科书的撰写,1923 年编著《新学制高级中学教科书代数学》由商务印书馆出版。1924 年由中国科学社出版《高中代数学》。这些教科书是仿效日本、美国后,由中国学者自编数学教材的尝试。(3)他还撰写各种数学书籍,介绍西方数学知识。主要著作有收入"算学丛书"的《行式样论》、《二次方程式样论》等。其著作为西方近代数学在中国的传播起过重要作用。(4)20

世纪前期,中国数学名词术语由于翻译各异,非常混乱,1934 年教育部决定审订数学名词,由陈建功、何鲁等 15 人组成委员会,于 1938 年出版了中国第一部《算学名词汇编》,为中国的数学发展创造了条件,因此获得数学大师的声誉。中华人民共和国成立后,担任西南军政委员会委员、西南文化教育委员会副主任、四川省人民代表大会代表、全国政协委员等职。1956 年调北京师范大学数学系任教,后又调中国科学出版社工作。他的诗和书法造诣亦深厚,留下旧体诗词数千首,但未公开出版;书法只赠好友而不出卖。1973 年 9 月 13 日因病在北京逝世。

何长工 （1900—1987）

原名何坤,湖南华容人。1918 年于湖南长沙甲种工业学校毕业后,去北京长辛店法文专修馆半工半读。1919 年赴法国勤工俭学。1922 年在法国加入旅欧中国少年共产党,同年转为中国共产党党员。1923 年去比利时做工。1924 年回国,从事党的秘密工作。1925 年在湖南南县、华容从事学生运动,曾任新华中学校长,并任该校中共党委书记,创建该地区中共党团组织。1926 年秋任华容县农民自卫军总指挥,中共南(县)华(容)地委常委兼军事部部长。1927 年"四一二"反革命政变后入国民革命军第二方面军总指挥部警卫团,后任连党代表,同年 9 月参加湘赣边秋收起义,后上井冈山。先后任工农革命军一师二团党代表,红四军三十二团党代表兼中共宁冈中心县委书记,农民自卫

军指挥,中共湘赣特委委员、前敌委员会常委。1929 年红四军主力离开井冈山后,曾率部坚持井冈山斗争。后任红五军五纵队党代表。1930 年 5 月任红八军军长,8 月任红一方面军总前委委员,参与开辟鄂东南革命根据地的斗争和攻打长沙的战斗。1931 年任中国工农红军学校校长。1932 年 3 月任红五军团十三军政委。1933 年 10 月任红军大学校长兼政委。1934 年 1 月被选为中华苏维埃共和国中央执行委员,同年 2 月任粤赣军区司令员兼政委。参加了中央革命根据地反"围剿"战争。长征初期任军委纵队第二梯队司令员兼政委。遵义会议后任红五军团政委,曾与军团长罗炳辉率部在侧翼单独行动,担负掩护和配合中央红军主力的任务。1936 年入抗日红军大学学习。抗日战争时期历任两延(延长、延川)河防司令员兼政委,抗日军政大学一分校校长兼政委,总校教育长、副校长等职。解放战争初期,任东北军政大学代校长。1947 年起任东北区军工部部长。中华人民共和国成立后,曾任重工业部副部长、部长,地质部副部长、中共党组书记,军政大学副校长,军事学院副院长,中共中央顾问委员会常委,第三、四届全国政协常委,第五届全国政协副主席等职。1987 年 12 月 29 日因病在北京逝世。著有《难忘岁月》。

何凤生 （1932—2004）

职业神经病学专家。女。贵州贵定人。出生在南京,5 岁上小学。1937 年抗日战争爆发后,国立中央大学迁至重庆,她在附属中学学习。1946 年国立中

央大学迁回南京,16 岁时被保送入国立中央大学医学院学习。中华人民共和国成立后,继续学业。1955 年毕业于更名后的南京大学医学院,到北京任和平医院神经内科住院医生。1961 年到中国医学科学院卫生研究所任助理研究员、副研究员。1979 年 9 月到英国伦敦大学神经病学研究所进修。20 世纪 70 年代,中国生产丙烯磺酸钠及环氧氯丙烷的工厂中,成批工人出现周围神经病的症状,病因不明。她与同事通过流行病学、临床、毒理与神经病理等历时十年的研究,在国际上首次证实这些工厂生产所用的原料氯丙烯为周围神经毒物,其神经病理具有中枢—周围性远端型轴索病的特点,从而丰富了中毒性神经病发病机制的新理论。对中国氯丙烯职业危害的防治工作起到了指导作用,为保护工人的健康作出了重大的贡献,并被美国作为经典载入最新的神经病学教科书。80年代,中国北方每年冬季曾流行原因不明的急性脑病,患儿表现为抽搐、昏迷和迟发的肌张力不全,死亡率极高。在专家初步探明为霉菌毒素 3－硝基丙酸致中毒后,她与同事通过临床 CT 及 MRI在国际上首先发现该病有对称的选择性壳核及苍白球病变,并成功应用节菱孢提取液及 3－硝基丙酸染毒动物制成相似的脑部病变模型,从神经病理学和神经生化学进一步证实此病因,为彻底控制该病作出了重要的贡献。1982 年任联合国世界卫生组织职业卫生合作中心(北京)主任。1984 年获意大利劳动医学基金会首次设立的西比昂·卡古里国

际奖。1985 年任中国预防医学科学院劳动卫生与职业病研究所所长、研究员。1987 年获国家科学技术进步奖二等奖。1991 年任联合国世界卫生组织日内瓦总部职业卫生顾问。1994 年当选中国工程院院士。她重视基础医学与预防医学研究的交叉与结合,组织十多个相关研究机构的科学家,申请并实施了国家重点基础科学研究项目"环境化学污染物致机体损伤及其防御机制的基础研究",为提高中国的预防医学研究作出了杰出的贡献。2001 年她主持的国家"九五"攻关课题"混配农药中毒的防治研究",取得国际领先水平的成果,荣获中华医学科学技术奖。她是中国共产党党员,多次被评为卫生部直属机关和中国疾病预防控制中心优秀党员。曾担任中国疾病预防控制中心职业卫生与中毒控制所名誉所长、中国科学技术协会理事、卫生部职业病诊断标准委员会主任委员、中华医学会卫生学会副主任委员、中华预防医学会常务理事、国际职业卫生委员会农药学术委员会副主任委员、亚洲职业医学会主席、英国皇家内科学院名誉院士等职。2004 年 11 月 16 日因病在北京逝世。她开创了中国劳动卫生与职业病学的新学科,推动了中国中毒性神经系统疾病的防治。

何干之　(1906—1969)

历史学家。原名谭郁居,广东台山人。早年先后入广州广雅书院、岭南大学附属中学读书。1923 年回乡任昌明小学教员。1925 年考入广东大学(后改为中山大学)教育系。1928 年与同学创

办秋明书店,任经理。不久遭查封,他也被学校开除学籍。同年冬回昌明小学任校长,兼任《台山日报》编辑。1929年初赴日本留学,先后入早稻田大学专修科和明治大学经济科学习。在日期间研读马克思主义。1931年"九一八"事变后愤然回国,在台山县立中学当主任教员,兼任《台山日报》总编辑。以后历任广州女子师范学校教师,国民大学教授兼经济系主任,中国左翼文化总同盟广州分盟执行委员、分盟书记兼社联书记。1934年春,参加上海社会科学家联盟。5月,加入中国共产党。1935年到日本东京,从事中国社会史研究,成立东京留日学生文化总同盟,任宣传部长。1936年回国,在上海著作人协会中共党团工作。撰写了《转变期的中国》、《中国社会性质问题论战》等著作。抗日战争爆发后,任陕北公学中国问题研究室主任,中共中央文化工作委员会委员。1939年起,先后任华北联合大学社会科学部副部长,华北联合大学社会科学院院长兼中学部主任,晋察冀分局文委委员,晋察冀边区参议会参议员,延安大学社会科学院院长等职。解放战争期间,先后任华北联合大学政治学院院长,华北大学第二部主任兼社会科学系主任。还担任《北方文化》、《鲁迅学刊》编辑委员会委员。中华人民共和国成立后,长期在中国人民大学从事教学和科研工作。先后任中国革命史教研室主任,校研究部副部长和历史系主任。被聘为中国科学院专门委员、历史研究所学术委员、国务院科学规划委员会历史组组员。1954年

由他主编的《中国现代革命史讲义》,被规定为全国高等院校革命史教材。他是中国马克思主义史学家、现代革命史专家,对全国高等院校中国革命史课程建设和师资培养作出了贡献。1969年11月16日因病在北京逝世。主要著作还有《社会科学概论》、《近代中国启蒙运动史》等。

何思源 (1896—1982)

字仙槎,山东菏泽人。省立第六中学毕业后,考入北京大学哲学系。毕业后先赴美国,入芝加哥大学攻读天文学,获硕士学位,后转去德国学习三年,又到法国改学经济学二年。1926年从欧洲回国到广州,任中山大学教授兼经济系主任及校图书馆馆长,后兼校政治训育部副主任、代理主任,以后并任中山大学法学院主任。1928年3月任南京国民政府国民革命军总司令部政治部副主任,并代理主任,参加第二次北伐战争。济南"五三惨案"后,调任国民党山东省党务整理委员会委员,山东省政府委员兼教育厅厅长。后曾兼国民党山东省党部宣传部长,被选为国民党第五届中央执行委员。抗日战争时期,继续任山东省政府教育厅厅长。1944年担任山东省政府主席。解放战争后期担任北平市市长。1949年初被华北七省、市参议会推选为与中共和平谈判首席代表,积极为争取北平和平解放奔走。其寓所遭国民党特务炸毁,与夫人、孩子一同受伤,小女儿被炸死,他置生死于不顾,继续与其他代表到郊区同中国人民解放军代表商谈,对北平的和平解放作出了贡献。中

华人民共和国成立后,历任政协第二至第五届全国委员会委员,民革中央委员等职。1982年4月28日因病在北京逝世。主要著作有《国际政治政策》等。

何香凝 （1878—1972）

女。原名谏,又名瑞谏,广东南海人。1897年与廖仲恺在广州结婚。1902年冬,东渡日本读书。1905年加入同盟会,跟随孙中山从事民主革命。1911年2月回国参加辛亥革命。二次革命失败后流亡日本。1914年在东京加入孙中山组建的中华革命党,积极参加讨袁和护法运动。1924年支持孙中山改组国民党,主张同共产党合作。7月,支持广州沙面工人为反对英帝国主义而举行的罢工,四处奔走募捐。1925年8月廖仲恺被暗杀,她继承廖仲恺遗志,坚定地维护联俄联共扶助农工的三大政策,反对蒋介石制造"中山舰事件"和国民党二届三中全会"整理党务案"破坏国共合作的分裂行为。1926年1月被选为国民党第二届中央执行委员,任中央妇女部部长,创办妇女运动讲习所,领导广东省妇女运动。1927年7月汪精卫在武汉"分共"后,毅然辞去在国民党党内的一切职务。在广州创办仲恺农工学校。1929年赴欧洲旅居。1931年"九一八"事变后,回国投入抗日救亡运动,发表《对时局之意见》,反对国民党当局"攘外必先安内"的反动政策,要求挽救民族危亡。1932年1月,十九路军在上海抵抗日本侵略军的进攻,曾变卖书画为抗日战士征募军用品。同宋庆龄一起筹划救济工作,创办国民伤兵医院,救护伤员,并致电海外华侨,呼吁援助抗战。1936年支持沈钧儒、邹韬奋组织的全国各界联合会,并任该会常务委员。1937年2月同宋庆龄等人联名向国民党五届三中全会提出《恢复孙中山先生制订联俄联共扶助农工三大政策案》,为促成国共两党合作抗日作出了努力。7月在上海发起组织中国妇女抗敌后援会,任主席。11月迁居香港,组织当地妇女支援前线抗日。1938年夏,与宋庆龄在香港成立保卫中国同盟,从事战时医药和儿童保育工作。1942年7月在共产党人帮助下转居桂林,参与酝酿成立国民党民主派组织。1946年和蔡廷锴、李济深等在广州发起组织中国国民党民主促进会,要求实现真正的三民主义。1948年1月中国国民党革命委员会在香港成立,任中央常务委员。1949年4月由香港到北平,筹备并出席中国人民政治协商会议第一次全体会议。中华人民共和国成立后,历任中央人民政府委员,第二、三届全国政协副主席,第二、三届全国人大常委会副委员长,华侨事务委员会主任,全国妇联名誉主席,中国美术家协会主席等职。是中国国民党革命委员会第二届中央常委、第三、四届中央副主席,1960年8月当选为中央主席。在团结爱国民主人士、华侨和广大妇女积极参加社会主义建设,争取国家统一等方面作出了重大贡献。她能诗擅画,出版有《何香凝诗画集》和《双清诗画集》。著有《回忆孙中山和廖仲恺》。1972年9月1日,因病在北京逝世。按照她的遗愿与廖仲恺合葬于南京中山陵右侧。

何应钦 （1889—1987）

字敬之,祖籍江西,生于贵州兴义。早年先后就读于贵州初级陆军学堂和武昌第三陆军中学。1908 年被派赴日留学,先入振武学校,一年后进日本陆军士官学校步兵科学习,并加入中国同盟会。1911 年辛亥革命爆发后回国,在上海陈其美司令部工作,曾任江苏军队第一师营长。1913 年"二次革命"失败后,再次东渡日本入士官学校完成学业。1914 年回国到贵州训练新军,先后任黔军团长、旅长、军参谋长。曾参与组织"少年贵州会",任会长。1922 年任云南讲武堂教育长。1924 年春赴广州任孙中山大元帅府高级参谋。6 月任黄埔军校少将总教官,后兼任教导团第一团团长,同年 10 月率黄埔学生军进广州,平定商团叛乱。1925 年 2 月率教导团一团参加讨伐军阀陈炯明的东征。不久国民党军第一旅成立,任旅长。7 月任国民革命军第一军第一师师长。10 月率部参加第二次东征。12 月兼黄埔军校潮州分校校长。此后追随蒋介石参与反共活动。1926 年 1 月任国民革命军第一军军长。中山舰事件后兼任黄埔军校教育长。7 月担任北伐军东路军总指挥,率三个师参加北伐战争,攻占福建、浙江,曾兼任浙江省主席。1927 年 4 月追随蒋介石发动"四一二"政变,在浙江进行反革命屠杀。7 月任黄埔军校代理校长。1928 年任南京国民党军总司令部参谋长、国军编遣筹备委员会主任委员、训练总监部总监等职。1929 年起被选为中国国民党中央执行委员、中央政治委员会委员,担任海陆空军总司令部参谋总长。1930 年 3 月任国民政府军政部部长。此后任"剿共"军队前线指挥,积极参与对中央革命根据地的第一、二、四次"围剿"。1931 年"九一八"事变后,任国民党中央政治会议特别事务委员会委员。1933 年 3 月任北平军分会委员长。5 月 31 日与日军签订丧权辱国的《塘沽协定》。1935 年 6 月又同日本华北驻屯军司令梅津美治郎签订《何梅协定》,承认日本侵略军对华北的无理要求。同年被授予一级陆军上将军衔。1936 年 12 月"西安事变"后,暂代国民党军队总司令,力主武力讨伐东北军和西北军。1937 年抗日战争爆发后,任第四战区司令长官。1938 年 1 月任国民政府军事委员会参谋总长。1941 年 1 月同蒋介石策划皖南事变。1944 年 12 月任中国陆军总司令。1946 年 5 月任重庆行营主任,10 月赴美国任联合国军事参谋委员会中国代表。1948 年 3 月回国担任南京政府行政院国防部长,追随蒋介石进行反共、反人民战争。1949 年 3 月担任行政院院长,不久辞职。8 月随蒋介石飞往台湾。1950 年 5 月担任台湾国民党"总统府战略顾问委员会主任委员",并任国民党中央评议委员会及"国民大会"主席团主席等职。1987 年 10 月 21 日因病在台北逝世。著有《八年抗战之经过》、《中国与世界前途》。

何作霖 （1900—1967）

矿物学家。字雨民,河北蠡县人。出生在一个书香门第家庭。童年读私塾。1914 年考入保定育德中学。1918

年毕业后考入天津北洋大学采矿系，后随采矿系大部分学生转入北京大学地质系。1926年毕业后，在河北大学农学系任教授，讲授测量学和地质学。1928年在国民政府中央研究院地质研究所任助理研究员。1930年奉派赴北平研究院地质调查所工作。1932年晋升为中央研究院地质研究所研究员，并在北京大学地质系兼讲师。1935年撰写的《光性矿物学》，被审定为大学教科书。1938年赴奥地利留学，入茵斯布鲁克大学攻读岩组学。1940年获理学博士学位，随即到德国莱比锡大学任研究员，从事X射线结晶学的研究。6月回国到上海，在前北平研究院镭学研究所工作。1941年12月太平洋战争爆发，上海"孤岛"地位不复存在，镭学研究所关闭。他潜回北平闭门写作。1943年为生计所迫，出任在伪政府统治下的北京大学和北京师范大学教授。这是他一生引以为遗恨的事。1945年抗日战争胜利后，任北平临时大学地质系主任，1946年经李四光推荐，到山东大学（在青岛）筹建地矿系，任主任、教授。中华人民共和国成立后，任山东大学教务长兼地矿系主任。1952年任中国科学院地质研究所特级研究员、岩石矿物学研究室主任。同年加入中国民主同盟。1955年当选中国科学院地学部委员。1958年中国科学院和苏联科学院组成联合考察队，研究白云鄂博矿的物质组成，他任中方队长。经过几年的艰苦努力，查明该矿不仅是大型铁矿，而且是世界上最大的稀土矿，其储量占世界总储量的80%。为国家找

出重要的战略资源作出了贡献。1959年后，历任全国政协第三、四届委员。1967年11月因病在北京逝世。他一生致力于光性矿物学的研究和教学，在费德洛夫法、斜长石的测定、双变法测定折射率技术、焦点屏蔽技术和岩石磨片术方面的贡献，一直为业界人称颂。著有《赤平极射投影及其在地质学中的应用》《薄片内透明矿物鉴定指南》等。

贺　诚　**（1901—1992）**

原名贺宗霖，字润之，四川三台人。1922年考入北京大学医学院学习。1925年底加入中国共产党。1926年毕业后，被中共组织派往广州，在国民革命军中做医务工作，参加了北伐战争。1927年大革命失败后，随国民革命军第四军教导团从武汉到广州后，任第四军军医处主任；12月参加广州起义，任工农革命军第四师军医处处长。起义失败后，随部队转战广东海陆丰地区，兼任东江工农民主政府卫生处长。1928年到上海，开办"达生医院"掩护中共中央机关的安全，做地下工作。1930年初到武汉，开办"华中大药房"，作为中共中央军委长江五省总交通站，继续做地下工作。1931年初，进入中央苏区任中共中央军委总军医处处长；9月，任红军总医院政治委员。1932年10月任中共中央军委总卫生部部长兼政治委员，后兼任中华苏维埃共和国临时中央政府卫生管理局局长。他创办红军卫生学校并任校长，为红军培养了一批战争急需的医务工作者。参加了中央苏区第二至五次反围剿的战斗。1934年10月参加长征。1937

年 6 月护送王稼祥去苏联莫斯科治病，先后入苏共中央民族殖民地学院、共产国际远东局党校、苏联中央医师进修学院学习。1941 年经蒙古人民共和国回国，因太平洋战争爆发，被羁留在乌兰巴托，从事医务工作谋生。1945 年 7 月，在苏联红军第 17 军做情报资料翻译工作；10 月，回到国内。1946 年历任东北民主联军后勤部副部长兼卫生部部长、政治委员，东北人民政府卫生部部长。1947 年任东北军区后勤司令部副司令员兼卫生部部长、政治委员。中华人民共和国成立后，历任中共中央军委总后勤部副部长兼卫生部部长，中央人民政府卫生部副部长、部长、党组书记。1955 年受到批判被撤销职务。1956 年入中共中央党校学习。1958 年被授予中将军衔。4 月任军事医学科学院院长。"文化大革命"中遭受迫害。1975 年得以平反昭雪，任中国人民解放军总后勤部第一副部长。1977 年 8 月当选中共第十一届中央委员。是第四、五届全国政协委员。1992 年 11 月 8 日因病在北京逝世。

贺　龙（1896—1969）

原名文常，字云卿，湖南桑植人。早年曾参加中华革命党。1916 年率领农民袭击芭茅溪盐局，夺取枪支，建立起一支农民武装，随即参加护国军，任桑植县讨袁护国军民军总指挥。1920 年 10 月任湘西靖国军第三梯团团长。1922 年率部入川。1923 年 11 月被孙中山任命为四川讨贼军第一混成旅旅长。1925 年 3 月广州大元帅任命他为建国川军第一师师长。1926 年 7 月参加北伐，任国民革命军第 9 军第 1 师师长，率部北上讨伐吴佩孚。1927 年春任独立第 15 师师长。6 月独立第 15 师扩编为 20 军，任军长。8 月 1 日率部参加中国共产党领导的南昌起义，任起义军总指挥。9 月加入中国共产党。1928 年春受命到湘鄂西开创根据地，先后任工农革命军军长、工农革命军第四军军长和中共湘西前敌委员会书记。1929 年工农革命军第四军改编为红四军后，仍为军长。在他的领导下，初步建立了湘鄂边革命根据地。1930 年 7 月红四军和红六军在湖北公安会师，组成红二军团，任总指挥。1931 年红二军团又改为红三军，任军长。在第一、二次中华苏维埃共和国代表大会上当选为中央执行委员，并担任中央革命军事委员会委员。1934 年 10 月率部和红六军团会师，红三军恢复红二军团番号，与任弼时、关向应统一指挥二、六军团。11 月任湘鄂川黔革命委员会主席和军区司令员。1935 年 2 月任中央革命军事委员会湘鄂川黔分会主席，是湘鄂川黔革命根据地的创建人之一。11 月率部长征。1936 年 7 月红二、六军团与红四方面军在甘孜会师，成立红二方面军，任总指挥，同张国焘的右倾分裂主义错误进行了坚决的斗争。抗日战争爆发后，任八路军 120 师师长。9 月率部深入敌后，开辟晋绥抗日根据地。1938 年 12 月率师主力挺进冀中，开展平原游击战争。1939 年 2 月任冀中军政委员书记和冀中总指挥部总指挥，创建了冀中抗日根据地。1940 年 2 月后，历任晋西北军政委员会书记，晋西北军区司令员，陕甘宁晋绥五省联防军司令员和财政经济委员会副主任、晋绥军区司令员、中共晋绥分局委员等职。1945年6月，当选中共第七届中央委员。8月，成立晋绥野战军，任司令员。解放战争时期转战西北，期间历任中共晋绥分局常委兼晋绥军区司令员、陕甘宁晋绥联防军区司令员、西北军区司令员、西安市军事管制委员会主任等职。1949年10月中华人民共和国成立后，任中央人民政府委员和中央人民革命军事委员会委员。12月率部入川，协同第二野战军发起成都战役。1950年2月任西南军区司令员、中共西南局第三书记。7月任西南军政委员会副主席。他参与领导和指挥中国人民解放军向西藏的进军。1952年起历任西南行政委员会副主席、国务院副总理兼国家体育运动委员会主任和国防委员会副主席。1955年被授予元帅军衔。1956年当选中共第八届中央委员、中央政治局委员。1959年后，任中共中央军事委员会副主席、国防工业委员会主任。"文化大革命"中遭受迫害。1969年6月9日逝世。1978年12月中共中央为他平反昭雪。

贺绿汀　（1903—1999）

作曲家、音乐理论家、音乐教育家。原名贺安卿，湖南邵东人。1923年春入长沙岳云学校艺术专修科学习音乐、绘画。1926年在家乡教书时参加了农民运动。1927年参加广州起义，后随起义失败的部队到海丰，在彭湃领导的中共东江特委会宣传部工作，创作了《暴动歌》。1931年春入上海国立音乐专科学校选修科，师从黄自学习音乐理论和作曲。1934年秋以《牧童短笛》、《摇篮曲》获美籍俄裔作曲家、钢琴家 A. N. 切列普宁（中文名字齐尔品）举办的"征求中国风味钢琴曲"一等奖和名誉二等奖，从此为乐坛所瞩目，同年应明星影片公司之聘，进入电影界。此后，他一面在"音专"继续学习，一面以电影音乐工作为中心，为左翼电影《船家女》、《乡愁》、《都市风光》、《压岁钱》、《十字街头》、《马路天使》和话剧《复活》、《武则天》配乐，创作了《摇船歌》、《春天里》、《秋水伊人》、《怨别离》等电影、话剧插曲，以及歌曲《心头恨》、《谁说我们年纪小》、《清流》等。陆续发表了《音乐艺术的时代性》、《中国音乐界的现状及我们对音乐艺术所应有的认识》等论文，以及译作《和声学理论与实用》。1937年上海"八一三"事变前后，参加上海文化界抗日救亡演剧一队，赴内地宣传抗日。1938年春到武汉，入中国电影制片厂，后随厂内迁至重庆，又在育才学校音乐组和中央训练团音乐干部训练班等处担任教学工作。该阶段创作的歌曲有《弟兄们拉起手》、《干一场》、《保卫家乡》等，特别是作为演剧一队献给八路军全体将士的《游击队歌》，在敌后抗日根据地和大后方均得到广泛流传。他的创作逐渐趋于多样化，除为《中华儿女》等电影配乐外，创作的合唱《胜利进行曲》（之二）气势磅礴，无伴奏合唱《垦春泥》格调清新、富于泥土气息，朗诵调《嘉陵江上》充满戏剧性，抒情曲《阿依曲》民谣风味浓厚；还有笛子独奏曲《幽思》、管弦乐《晚会》等，创作取得了新的进展。发表了《从"学院派"、古典派、形式主义谈到目前救亡歌曲》、《抗战音乐的历程及音乐的民族形式》等论文,就抗战初期音乐界一些有争议的问题阐明了自己的观点。1941年皖南事变后,前往华东抗日根据地,先后在鲁迅艺术学院华中分部、新四军鲁艺文工团和新四军二师政治部抗敌剧社等处工作。1943年夏抵延安,在鲁迅艺术学院任教。1944年秋调陕甘宁晋绥联防军政治部宣传队从事创作。1946年赴东北途中,奉命返回延安筹建中央管弦乐团。1948年秋负责组建华北文工团。该阶段他的音乐活动首先是培训音乐干部,为向学员讲授作曲技法而创作了《一九四二年前奏曲》;其次,创作以解放区军民的生活和斗争、新型的官兵关系等为主要内容,追求音乐的通俗性和对歌舞剧形式的探索,以及用专业手法对传统民歌进行改编,构成了他在这个阶段的创作特色。包括管弦乐《森吉德玛》在内的一些作品,都受到战士和群众的欢迎。1949年加入中国共产党。中华人民共和国成立后,一直任上海音乐学院院长。为办好高等音乐院校、培养新型的专业音乐人才倾注了大量心血。他主张办学依靠专家,面向社会,注重实践,重视民族音乐传统。坚持专业上的高标准、严要求,坚持教学与科研的有机结合与相互促进。他在办学的同时依然坚持创作,写出了大合唱《十三陵水库》,无伴奏合唱《我们心上开了一朵玫瑰花》,独唱《牧歌》,民歌编曲《绣出山河一片春》,电影插曲《不渡黄河誓不休》,群众歌曲《英雄

的五月》,小提琴曲《百灵鸟》,电影音乐《宋景诗》等多种不同体裁与形式的音乐作品。他的创作构思严谨周密,结构完整紧凑,手法简洁洗练,感情真挚自然,有鲜明的时代特点和浓厚的生活气息。同时,针对中国现代音乐文化建设事业中出现的一些悬而未决的问题,发表了上百篇文章,其中《关于"洋嗓子"问题》、《音乐美学及其他》、《论音乐的创作与批评》、《民族音乐问题》、《新歌剧问题》、《中国音阶及民族调式问题》、《关于发展少数民族音乐教育的一封信》、《关于演外国歌剧的问题》等,都产生过一定的社会影响。"文化大革命"中遭受迫害。1978年3月当选第五届全国政协常务委员。1983年6月当选第六届全国政协常务委员。同年,中国音乐界举办了庆祝贺绿汀从事音乐教育和音乐创作60周年纪念活动,中央新闻纪录电影制片厂为此拍摄了彩色纪录片《音乐家贺绿汀》。曾担任中国音乐家协会副主席、上海分会主席,中国文化艺术界联合会和上海分会副主席,上海音乐学院名誉院长,中国音乐家协会名誉主席等职。1999年4月27日因病在上海逝世。他是中国自己培养出来的音乐大师,其音乐活动与人民的生活、斗争紧密地结合在一起,共创作了近200首歌曲、3部大型合唱曲、6部歌剧(两部与人合作)、25部电影音乐、5部话剧配乐、7首管弦乐曲及一些器乐独奏曲和140余篇音乐论文与译作等。他的著作除单行本外,编辑出版的有《贺绿汀歌曲集》、《贺绿汀歌曲选》(简谱本)、《贺绿汀合唱歌曲集》、

《管弦乐曲二首——晚会、森吉德玛》、《贺绿汀钢琴曲集》、《贺绿汀音乐论文集》等。

洪　深　(1894—1955)

电影戏剧理论家、剧作家、导演。字伯骏，号浅哉，江苏武进人。1912年秋考入北京清华学校。在校时曾多次参加新戏演出，并从事文艺工作。1915年开始创作剧本。1916年在清华学校毕业后，赴美国留学，入俄亥俄州立大学学习陶瓷工程。1919年秋，转入哈佛大学学习文学与戏剧，并在波士顿声音表现学校学习，又在考柏莱剧院附设戏剧学校学习表演、导演、舞台技术、剧场管理等课程，获硕士学位。1922年春回国，先在南洋兄弟烟草公司上海总公司材料总管理处任理事，兼任总经理简照南的私人英文秘书。后任复旦大学、暨南大学英文教授。1923年加入上海戏剧协社，任排演主任，先后上演《泼妇》、《终身大事》等。1928年脱离戏剧协社，加入南国社，任中华电影学校校长、明星电影公司编导主任。1930年3月，加入左翼作家联盟，任英文秘书。8月，与田汉等发起成立中国左翼剧团联盟，任总书记。1931年到复旦大学、暨南大学任教。1934年到青岛山东大学任外文系主任。不久，又回上海与夏衍等合办《光明》半月刊，任发行人和主编。抗战爆发后，辞去大学教授职务参加上海救亡演剧第二队，任队长，在武汉一带演出。1938年4月，任国民政府军事委员会政治部第三厅第六处第一科科长，曾组成十九支抗敌演出队深入战区宣传抗日。11月，长沙大火，受周恩来委派，任善后委员会总指挥，负责灾民救济金的发放工作。1939年12月随第三厅至重庆。1943年任中央青年剧社编导委员。抗战胜利后，于1946年8月回上海复旦大学任教。1947年5月，因支持学生运动被解聘，旋去厦门大学外文系任教。1948年12月，赴东北解放区，翌年2月赴北平。1949年3月参加世界第一届和平代表大会。6月任全国政治协商会议筹备会议代表。7月，出席第一次中华全国文学艺术工作者代表大会，当选为中华全国文学艺术界联合会常委。同年，任北京师范大学外语系主任。中华人民共和国成立后，兼任文化部对外文化事务联络局副局长。1953年，被选为中国文联主席团委员、中国戏剧家协会副主席，中国作家协会理事。1954年任中国对外文化联络局局长，兼中国人民对外文化协会副会长。1955年8月29日在北京病逝。他从中国话剧和电影的草创时期开始，就进行了编剧、导演、表演等全面的实践和理论探索，是中国现代话剧和电影的奠基人之一。著有《洪深文集》、《洪深选集》。

洪式闾　(1894—1955)

寄生虫学家。字百容，浙江乐清人。1905年春入温州中学，后随父到河南开封，进客籍中学学习。1913年冬，在北京医学专门学校学习。1917年3月，毕业后留校任病理学助教。1920年夏，被派往德国进修。开始在柏林市立病院病理学科专攻病理学，发明"基础膜染色法"，同时他的《复形虫赤痢病理解剖学》

论文在德国发表。后转往汉堡热带病研究所专攻寄生虫病学。1923年回国,任北京医科大学教授、校长。1925年3月,返回汉堡热带病研究所,继续未完成的研究工作。在一年的研究时间里,于动物体内发现两种新的寄生性线虫;将司氏钩虫卵定量计数法加以改良,即现在世界上还在通用的"洪氏钩虫卵测量法"。1927年回国到杭州,接办英国圣公会办的广济医院,任院务委员会主任委员。1928年民国南京政府将医院还归英国,几经交涉无果。他于1929年创办杭州医院,不久又筹设杭州热带病研究所。1929年9月应日本九州医学会邀请,去日本作关于姜片虫病问题的讲学。1933年出版《杭州之疟疾》。1936年夏离开杭州医院,任私立江苏南通学院寄生虫学教授兼医科主任。1937年上海"八一三"战事爆发,受卫生部军医署委托,率医科师生成立第七重伤医院,救护抗日军人。1938年10月江苏医学院在湖南沅陵成立,任寄生虫学教授。后学院迁至重庆北碚,增设寄生虫研究所,任所长。在此期间,开展了在当地流行的"水积病"的防治。他一直是联系实际开展科学研究工作的科学家,完成了《北碚钩虫病初步报告》等论文。1946年夏学院迁回江苏镇江。同年冬,应台湾大学之邀,任台湾大学热带医学研究所所长,发表了《台湾人体寄生性吸虫发见史》等论文。1947年暑假,带回50升破伤风免疫血清,秘密送往解放区。1948年3月辞去台湾大学教职。1949年7月,到北京参加中华自然科学工作者代表大会筹备会议。9月,参加全国政协代表会议。中华人民共和国成立后,1950年任浙江卫生实验院院长。12月兼任中央卫生研究院华东分院院长。1951年10月,任浙江省人民政府卫生厅厅长兼浙江医学院院长。1954年8月加入中国共产党。是第一届全国人民代表大会代表。1955年4月17日在学术座谈会上发病,救治无效,于24日在杭州逝世。他在寄生虫学研究和姜片虫形态学的研究方面都颇有成就。著有《病理学总论》、《病理学各论》、《钩虫病及毛圆线虫病》等。

洪学智 (1913—2006)

安徽金寨人。1929年3月,参加商南农民暴动后加入中国工农红军;5月,加入中国共产党。历任排长、连长、连政治指导员,参加了鄂豫皖苏区反围剿的战斗。1932年后历任红四军团政治处主任,红三十一军师政治部主任,红四军政治部主任。参加了创建川陕苏区的斗争。1935年参加长征,任红四方面军政治部组织部部长。1936年到达陕北后,入抗日军政大学学习,历任学员大队大队长、副大队长、第4团团长。1940年11月率抗大第三团干部大队赴新四军苏北抗日根据地。历任抗大第五分校副校长兼盐城卫戍司令、盐阜军区司令员、新四军第三师参谋长等职。参与指挥了巩固苏北抗日根据地的斗争。1945年抗日战争胜利后,任新四军第三师副师长兼参谋长,在师长黄克诚率领下开赴东北。历任辽西军区副司令员,黑龙江军区司令员,东北野战军第六纵队司令员,第四野战军第43军军长、第15兵团副司令员等职。参与了创建东北根据地、解放东北地区、平津战役、渡江战役、解放中南的战斗。中华人民共和国成立后,兼任广东军区副司令员兼参谋长、海防司令员。1950年参与指挥海南岛战役和解放万山群岛后,改任第13兵团副司令员。第一批入朝,参加抗美援朝战争。任中国人民志愿军副司令员兼后勤司令员。为志愿军作战的后勤保障及胜利作出了贡献。1954年回国后历任中国人民解放军后勤部副部长、部长。1955年被授予上将军衔(第三级军阶)。1956年当选中共第八届候补中央委员。1959年受彭德怀案株连被撤销军职,调吉林省历任省农业机械厅厅长、省重工业厅厅长。是第一、二届国防委员会委员。1977年任国务院国防工业办公室主任、中共中央军委委员。1979年9月增选为中共第十一届中央委员。1980年任中国人民解放军总后勤部部长兼政治委员、中共中央军委副秘书长、中华人民共和国军委委员。1982年9月当选中共第十二届中央委员。1988年被授予上将军衔(最高军阶)。他是中国人民解放军现代军事后勤工作的开拓者和实践者。1990年3月补选为第七届全国政协副主席。1993年3月当选第八届全国政协副主席。2006年11月20日因病在北京逝世。

侯宝林　(1917—1993)

满族,著名相声大师、表演艺术家。自幼家境贫寒,少年学艺。先学京剧,后改学相声,先后拜常葆臣、朱阔泉为师,曾在北京天桥、鼓楼说单口相声。抗日战争期间,与郭启儒合作,艺术日臻成熟,声名大震。一改当时相声的粗俗风气,以高雅的情趣与格调的质朴,正派的台风赢得了广泛赞誉。新中国成立后,更是焕发了艺术青春,成为享誉海内外的艺术大师。在他60年艺术生涯中,创作和表演了《戏曲与方言》、《戏剧杂谈》、《夜行记》等数百个相声段子,在我国家喻户晓、妇孺皆知,作品为几代人所喜闻乐见,达到令人瞩目的艺术高峰。他晚年对相声和曲艺的源流、原理和技巧进行了理论研究,撰写和与人合写了《相声表演艺术》、《曲艺概论》、《相声溯源》等专著。被誉为相声界具有开创性的一代宗师,同时被誉为语言大师。曾任第三届全国政协委员,第四、五、六、七届全国人大代表。还担任中国广播艺术团艺术指导、北京大学兼职教授。1993年2月4日因病在北京逝世。

侯德榜　(1890—1974)

化工专家。字致本,福建闽侯人。早年学习铁路工程,在津浦铁路工作。后入清华留美预备学堂高等科学习,毕业后赴美入麻省理工学院学习化工。1921年获哥伦比亚大学哲学博士学位,同年应范旭东聘请,任天津塘沽永利制碱公司技师长。经过他长期潜心钻研,终于破解"索尔维法"的生产技术秘密,于1926年6月永利碱厂生产出洁白的纯碱。产品在美国费城万国博览会上获金质奖章,被誉为中国近代工业进步的象征。1935年中国工程师学会公推他为第一届金质奖获得者。1941年3月15日经范旭东提议,将联合生产纯碱与氯化铵的新工艺命名为"侯氏碱法"。至1943年完成了从合成氨开始的联合制碱流程；同年，在中国化学学会第11届年会上，此法获"中国工程学会一届化工贡献最大者奖"。中华人民共和国成立后，历任中央财政经济委员会委员、重工业部化工技术最高顾问、化学工业部副部长、中国化学学会和中国化工学会理事长、中国科学院学部委员。1953年起在大连对联合制碱流程进行中间试验，至1964年实现工业化，被命名为"联合制碱法"。1958年为打破国外对中国的经济封锁及迅速增加化肥产量，他又创建了碳化法生产碳酸氢铵的工艺。1974年8月26日在北京去世。早在1932年，他激愤外国的技术垄断，将其心血著成《纯碱制造》（英文版），于1933年在美国出版，将保密达70年之久的索尔维法制碱技术公之于世，为中外学者共钦。1941年修订，1942年再版。1948年曾译成俄文。1959年他又结合中国资源情况进行修订补充，并加入联合制碱法的内容，用中文写成《制碱工学》。他是中国化学工业的先驱者之一。

侯镜如 （1902—1994）

河南永城人。1923年在河南省留学欧美预备学校英文毕业。1924年郑州大学理科肄业，后进黄埔军校第一期学习，加入中国国民党。1925年在校参加了平叛军阀陈炯明的第一、二次东征作战；年底加入中国共产党。1926年7月参加北伐战争，任国民革命军第1军第14师团参谋长，后任第17军第3师党代表兼政治部主任。1927年2月赴上海，参与组织指挥上海工人第三次武装起义。蒋介石发动"四一二"反革命事变后，到武汉任中华民国武汉政府武汉三镇保安团团长。汪精卫发动"七一五"反革命事变后，侯镜如到贺龙的第20军任教导团团长，8月参加了南昌武装起义。1931年与中共中央失去联系。1932年后历任第30军第30师参谋长、第89旅旅长。1937年任第91军参谋长。抗日战争爆发后，任第92军第21师师长，参加了台儿庄会战、武汉会战、枣宜会战等中国政府军正面抵抗日寇的战斗。1943年春任第92军中将军长。1945年抗日战争胜利后，兼任北平警备司令。1948年任第十七兵团司令。后历任天津塘沽防守司令、长江防务预备兵团司令、福州绥靖公署主任兼华东军官团总团长。1949年8月率部起义。中华人民共和国成立后，历任国务院参事，北京市政协副主席，中国国民党革命委员会北京市委员会主任委员，北京市人大常委会副主任。是国防委员会第二、三届委员，全国政协第二至四届委员、第五届常务委员。1979年改革开放后，是全国政协第六届常务委员，第七、八届副主席，中国国民党革命委员会第五至七届中央副主席、第八届中央名誉主席。曾担任黄埔同学会会长、中国人民争取和平与裁军协会副会长、中国和平统一促进会会长等职。1994年10月25日因病在北京逝世。

侯祥麟 （1912—2008）

化学工程学家、燃料化工专家。曾名侯波，广东揭阳人。1935年毕业于燕京大学化学系。1937年抗日战争爆发后,投身抗日救亡运动。1938 年 4 月加入中国共产党。历任中华民国中央研究院化学所实习研究员,重庆西南运输处炼油厂副工程师,云南光华化学公司精制部主任,重庆兵工署炼油厂正工程师。与此同时从事中共的秘密工作。1944 年按照党组织指示,自费赴美国留学。1945 年在匹兹堡入卡内基理工学院化学工程系读研究生,发表了煤、焦反应活性指数的测定和微型填料的液液萃取等方面的论文。1948 年获化学工程博士学位。1949 年任麻省理工学院燃料研究室副研究员。在美国留学期间,参加组织爱国学生的社团活动。中华人民共和国成立后,按照中共指示,成功动员了一批留学生回国参加经济建设。1950 年回国后,历任清华大学教授,中国科学院大连石油研究所研究员、石油工业部技术司副司长、石油科学研究院副院长等职。他负责石油工业科研队伍、机构的组建和科研计划的管理;参加历次国家和部门科技发展规划的制定以及实施过程中的部署与协调;组织领导重大炼油新技术的科研攻关会战,这些新技术在生产上的应用,使中国的炼油技术接近世界水平,并实现了石油产品立足于国内;领导解决了中国喷气燃料的特殊技术问题;组建队伍,研制并及时提供原子弹、导弹等尖端战略武器所需的各种润滑材料。1955 年当选中国科学院数学物理学化学部委员。1965 年国产航空煤油提炼技术获国家新产品成果一等奖。“文化大革命”中,他排除干扰狠抓科研管理,组织领导了多金属重整、渣油催化裂化、顺丁橡胶、高档润滑油等新工艺、新技术、新产品的研究开发,取得多项成果。1978 年 4 月任石油工业部副部长,主管科技工作兼管炼油生产。1982 年退居二线,但仍担任石油工业部科技领导小组组长、科技委员会主任委员,中国石油化工总公司第一届技术经济顾问委员会首席顾问、第二届常务副主任,中国石油天然气总公司技术委员会副主任、高级顾问。1986 年获意大利通用石油公司颁发的第一届恩里科·马泰伊国际科学技术奖。1994 年当选中国工程院化工、冶金与材料工程学部院士。1996 年获香港何梁何利基金“科学与技术成就奖”。2003 年 5 月,受国务院总理委托,担任了由中国工程院牵头组织的“中国可持续发展油气资源战略研究”重大战略咨询课题组组长,经过一年多的调查研究,提交的报告已经成为指导中国“十一五”发展规划中能源行业战略决策的一项重要依据。完成任务后,他又提出做一个到 2050 年“中国可持续发展油气资源战略研究”的规划,受其精神的鼓舞,中国工程院相关领域的院士以及有关专家共同努力,用两年时间完成了这项工作。是全国政协第五、六、八届常务委员、第七届常务委员和科学技术委员会副主任委员。曾担任中国科学院第一届主席团成员,中国石油学会第一、二届理事长,中国科技馆发展基金会会长,世界石油大会中国国家委员会主任等职。2008 年 12 月 8 日因病在北京逝世。他是中国石油化工技术的开拓者之一,中国炼油技术的奠基人。主编和参加编辑、撰写了《中国炼油技术》、《中国页岩油工业》、《中国炼油技术新进展》(英文版)、《英汉石油大辞典》、《中国大百科全书·化工》卷等多部大型专著。

侯学煜 (1912—1991)

安徽和县人。1937年毕业于南京中央大学农学院农化系。1945年至1950年入美国宾夕法尼亚州州立大学研究院,先后获硕士和博士学位。中华人民共和国成立后不久毅然回国,创建了我国第一个植物生态学研究室,是新中国植物生态学与地植物学的主要开拓者和奠基人之一。兼任清华大学、北京大学等多所高等院校教授。多次代表国家或我国科学界到国外出席国际会议和实地考察,足迹遍及全世界,学术著作得到国际生态地植物学界的普遍好评,为我国生态学科学与国外生态科学的交流作出了杰出的贡献。1980年当选中国科学院生物学部委员。曾任第六届全国人大常委,第七届全国政协常委,民盟中央科技委员会副主任。1991年4月16日因病在北京逝世。

胡 绳 (1918—2000)

浙江钱塘人。1934年在北京大学哲学系学习。1935年到上海从事文化活动,参加上海世界语者协会工作,并为《读书生活》、《生活知识》、《新知识》、《自修大学》等刊物撰稿,参加《新学识》的编辑工作。1937年抗日战争爆发后,于1938年1月加入中国共产党。从事抗日文化的宣传和统一战线工作。历任武汉《全民周刊》、《全民抗战》、《救中国》等刊物的编辑,第五战区文化工作委员会委员,襄樊《鄂北日报》主编,中共南方局(王明负责)文化委员会委员,生活书店编辑,《读书月报》主编等职。1941年任香港《大众生活》编辑委员会委员。1942年到重庆,任中共南方局(周恩来负责)文化委员会委员,《新华日报》社编辑委员会委员。1946年开始的解放战争时期,历任中共上海工委候补委员、文化委员会委员,上海、香港生活书店总编辑。1949年任中共中央宣传部教材编写组组长,华北人民政府教科书编审委员会副主任。中华人民共和国成立后,历任政务院出版总署党组书记、办公厅主任,中共中央宣传部副秘书长、秘书长,中共中央党校一部主任等职。1955—1966年任中共中央政治研究室副主任,《红旗》杂志社副总编辑。"文化大革命"中受到冲击。1975年在国务院政治研究室及《毛泽东选集》工作小组工作。后任毛泽东著作编辑委员会办公室副主任,中共中央文献研究室副主任,中共中央党史研究室主任等职。1982年9月当选中共第十二届中央委员。1985年任中国社会科学院院长、党组书记。1988年4月当选第七届全国政协副主席。1993年3月当选全国政协第八届副主席。是第四、五届全国人大常务委员,中国科学院哲学社会科学部委员。曾担任国务院学位委员会副主任委员、香港特别行政区基本法起草委员会副主任委员、澳门特别行政区基本法起草委员会副主任委员、中国史学会会长、孙中山研究会会长、全国中共党史学会会长等职。2000年11月5日因病在北京逝世。著有《辩证法唯物论入门》(1938)、《帝国主义与中国政治》(1948)、《从鸦片战争到五四运动》(1981),主编《中国共产党的七十年》(1991)、《胡绳全书》(6卷,1997)等。

胡　适　(1891—1962)

字适之。原名嗣穈,后曾改名洪骍,安徽绩溪人。出生在一个中下层官僚家庭。1904年到上海接受现代教育,先后在梅溪学堂、澄衷学堂、中国公学、竞业学会学习。1908年一边学习,一边走上了中国新公学和华童公学的讲台,讲授英文和国文,以缓解经济的窘困。1910年夏,到北京参加庚子赔款留美官费生考试成功。8月,与其他69名学生乘船去美国,开始了留学生活。先是进入康纳尔大学农学院,1912年初转入文理学院主攻哲学。1914年获得学士学位。1915年9月,进入哥伦比亚大学,来到杜威教授门下,撰写博士论文。1917年秋回国,受聘为北京大学哲学系教授。他参加了以《新青年》为核心的知识分子集团,一起推动着新文化运动。他先后在《新青年》上发表了《文学改良刍议》、《历史和文学观念论》、《建设的文学革命论》等文章,探讨文学革命的形式和内容,倡导白话运动,讨论文化更新和思想改革问题。1919年在其博士论文基础上写出了《中国哲学史大纲》上卷,1921年的《清代学者的治学方法》和1928年的《几个反理学的思想家》等中国哲学史著述。1919年杜威来华讲学,他借机宣传实用主义的方法论。1929年的《我们走哪条道路》和1930年的《介绍我自己的思想》等文章阐明了他的政治观点。胡适很以自己是个无党无派的知识分子为自豪。1927年5月,他在出国对欧美作了一年游历考察之后回到上海,与徐志摩、梁实秋等人创办了以文学和文学评论为主的《新月》杂志,开办了新月书店,并任董事长。1930年他辞去中国公学校长职务,回到北京,重任北大教授。1932年他又在北京创办了《独立评论》。1931年"九一八"事变以后,他认为与日本应采取"妥协"态度,以免战争摧毁几十年来政治、文化改革的成就,他不同情学生参与政治活动。1937年七七事变,使他放弃了这种幻想。1938年9月,胡适出任中国驻美大使。在四年任期内,他积极宣传中国人民的抗战事业。离任后,继续留在美国讲学研究。1945年作为中国代表出席了联合国制宪会议。1946年9月回到北京出任北京大学校长。

1948年12月,到了美国。大部分时间居住在纽约,虽任普林斯顿大学杰斯特东方图书馆馆长,但已处于半退休状态。也时常为《外交季刊》及其他杂志写稿,悲叹国民党政权在大陆的失败。1954年2月,被国民党任为"光复大陆设计委员会"副主任委员。1958年10月,他离开居住了十年的美国,抵达台湾,出任"中央研究院"院长。11月,担任了《自由中国》半月刊的发行人,该杂志因创办人雷震常发表大胆批评国民党政策、政府和军队腐败无能的文章而被迫停刊。1959年2月,又兼任"国家长期发展科学委员会"主席。1962年2月24日,在台湾"中央研究院"欢迎新院士的招待会上,因心脏病发作而逝世。著有

《尝试集》、《中国哲学史大纲》、《白话文学史》、《胡适文存》、《四十自述》、《胡适选集》、《胡适手稿》等。

胡厥文　(1895—1989)

原名保祥,上海嘉定人。中学毕业后考入北京高等工业学校。1918 年毕业后回上海,兴办实业,先后创办建成新民机器厂、合作五金厂、黄金电灯公司、长城机制砖瓦公司、大中机器厂、石城窑厂等企业,任总经理。被选为上海机器同业公会主席,上海市棉布市场理事会理事长。1932 年上海"一·二八"抗战时,他联合同业拆迁机器到沪南,赶制武器弹药,支援十九路军抗战。抗日战争爆发后,带头将上海机器厂内迁大后方,在重庆、桂林、祁阳等地创建机器厂等企业,任中南区工业协会理事长,迁川工厂联合会理事长。抗日战争胜利后,于1945 年 12 月,在重庆与黄炎培发起成立中国民主建国会,任常务理事。不久返回上海,任新民机器厂总经理。1948 年因受国民党当局迫害,中国民主建国会转入地下活动,他与黄炎培仍在上海坚持争取和平民主的斗争。1949 年上海解放后,以民主建国会代表身份参加政协筹委会。中华人民共和国成立之后,历任中央人民政府政务院财政经济委员会委员,上海市政协副主席,上海市副市长,中国民主建国会第一、二届中央委员会副主任委员,第三届中央委员会主任委员,第四届中央委员会主席,第一届全国人大代表,第二、三届全国人大常委,第四、五、六届全国人大常委会副委员长等职,为第一至第四届全国政协委员,第

五届全国政协常委,历届全国工商联常委,中华职业教育社理事长。1989 年 4 月 16 日因病在北京逝世。

胡乔木　(1912—1992)

江苏盐城人。中学毕业后,考入清华大学就读,后转入浙江大学学习,肆业。1930 年加入中国共产主义青年团,1932 年转为中国共产党党员。历任共青团北平西郊区委书记、市委宣传部部长。参与领导北平学生与工人的抗日爱国运动。1935 年 2 月,到上海任中国社会科学家联盟常务委员、书记;7 月,调任中国左翼文化总同盟宣传部部长;10 月,担任文化总同盟书记。1936 年 2 月任中共上海临时工作委员会委员,负责宣传工作。参与领导国统区左翼文化运动和上海文化界抗日救亡运动,恢复发展中共上海地下组织,是中共在上海抗日救亡工作的领导人之一。1937 年 6 月奉调到延安。抗日战争前期,担任西北青年救国联合会宣传部部长,中共中央青年工作委员会委员,并参加安吴堡青年干部训练班领导工作,任副主任。1941 年起担任毛泽东政治秘书,中共中央政治局秘书。1943 年 3 月兼中共中央宣传委员会秘书。参加起草了《关于若干历史问题的决议》和其他一些重要文件,为报刊撰写了许多重要评论。1945 年 4 至 6 月出席中国共产党第七次全国代表大会,参与大会文件起草。不久被选为中国解放区青年联合会筹备委员会常务委员。1946 年开始的解放战争时期,随中共中央转战陕北,为中共中央起草重要文件,为新华社撰写重要评论。

1948 年担任新华社社长。1949 年 6 月，以中华全国民主青年联合总会委员身份，参加新政协筹备委员会；9 月，出席政协第一届全体会议，参加《共同纲领》等文件的起草。中华人民共和国成立后，任政务院新闻总署署长，政务院文化教育委员会秘书长，中共中央宣传部副部长。1951 年 7 月撰写发表了《中国共产党的三十年》一书，参与领导《毛泽东选集》的编辑工作。1953 年兼任中共中央马列学院管理委员会主任。1954 年任中共中央副秘书长，参加起草中华人民共和国第一部宪法。1956 年 9 月出席中共八大，参加起草大会文件。当选第八届中央委员、中共中央书记处候补书记。曾三次参加赴苏联会谈的中共代表团，撰写了有关的一些重要评论。"文化大革命"中受到冲击。1975 年任国务院政治研究室负责人。1977 年后，历任中国社会科学院院长，毛泽东著作编委会办公室主任，国务院学位委员会主任委员，中共中央整党工作指导委员会顾问，中共中央党史研究室主任，全国人大常委会法制委员会副主任，中国社会科学院院长、名誉院长等职。被选为中共第十一届中央委员，第十二届中央委员、中央政治局委员，在中共十三大上被选为中央顾问委员会常委。还被选为第一届全国政协常委，第一、二、三、五届全国人大常委等，并担任 1978 年版的《中国大百科全书》总编辑委员会主任等职。1992 年 9 月 28 日因病在北京逝世。

胡耀邦　（1915—1989）

湖南浏阳人。1929 年开始读中学。1930 年加入中国共产主义青年团，同年到湘赣革命根据地工作。1933 年初调往中央革命根据地，先后任反帝拥苏总同盟宣传部部长、青年部部长兼宣传部副部长。同年 8 月转为中国共产党党员。后任少共中央局秘书长。长征中曾在中央工作团和红三军团政治部地方工作部工作。1935 年任红三军团第十三团俱乐部主任、团总支书记。长征到陕北后，继续担任少共中央局秘书长。1936 年 4 月起，任共青团中央组织部副部长、部长，宣传部长。1937 年 4 月入抗日军政大学第二期一队学习。同年 9 月任抗大政治部副主任。1938 年任抗大第一队政委。1939 年调任军委总政治部组织部副部长，后兼任军委直属政治部主任。1942 年起任军委总政治部组织部长。抗日战争胜利后到晋察冀，先后任冀热辽军区代理政治部主任，晋察冀军区野战军第四纵队政委、第三纵队政委。参加了保（定）南、正太、青沧、石家庄、察南绥东等战役。1948 年夏任华北野战军第一兵团（后改为第十八兵团）政治部主任。参与组织指挥太原、宝鸡等战役。1949 年 9 月作为中国新民主主义青年团的代表，出席了政协第一届全体会议。中华人民共和国成立后，任中共川北区委书记兼川北军区政委，川北行政公署主任。1952 年秋任中国新民主主义青年团中央委员会书记处书记。1956 年在中共八大上当选为中央委员。1957 年任共青团中央第一书记。1964 年 11 月起任中共中央西北局第二书记，中共陕西省委第一书记。"文化大革命"中受到迫害。1975 年重新工作后，任中科院党组负责人。因组织领导对科学院工作进行整顿而再遭错误批判。江青反革命集团被粉碎以后，于1977 年 3 月起任中共中央党校副校长。同年 8 月在中共十一大上当选为中央委员，年底任中共中央组织部部长。1978年 12 月在中共十一届三中全会上被选为中央政治局委员、中央纪律检查委员会第三书记，并任中央宣传部部长，中央委员会秘书长等职。曾先后组织推动了关于真理标准问题的讨论、平反冤假错案、落实干部政策等工作；为实现十一届三中全会以来党的工作重心的转移作出了重大贡献。1980 年 2 月在中共十一届五中全会上当选为中央政治局常委，中央书记处书记，中央委员会总书记。1981 年 6 月在中共十一届六中全会上当选为中央委员会主席。1982 年 9 月在中共十二届一中全会上当选为中央政治局常委，中央委员会总书记。1987 年 1月，在中共中央政治局扩大会议上检讨了在担任党中央总书记期间，违反党的集体领导原则，在重大的政治原则问题上的失误，辞去中央总书记职务。11月，在中共十三届一中全会上被选为中央政治局委员。是第一、二、三、五届全国人大常委，第二、三届全国政协委员。1989 年 4 月 15 日，因病在北京逝世。

胡愈之　（1896—1986）

　　浙江上虞人。早年就读于绍兴府中学堂。1914 年考入上海商务印书馆编辑所做见习生。1919 年在上海参加声援五四运动的斗争，并创建上海世界语学会。1920 年与郑振铎、沈雁冰发起成立文学研究会，参加新文学运动。1925年投身五卅运动，编辑出版《公理日报》，撰写《五卅事件纪实》。后参与主编《东方杂志》，支持工农革命和北伐战争。1927 年"四一二"反革命政变次日，曾起草对国民党当局抗议信。迫于国内白色恐怖，于 1928 年 1 月流亡法国，入巴黎大学国际法学院学习，并系统地攻读马克思主义著作。1931 年春归国途中访问苏联，写出《莫斯科印象记》，真实地介绍了社会主义苏联的情况。"九一八"事变后在上海主编《东方杂志》，积极宣传抗日救亡主张，并与邹韬奋共同主持《生活周刊》，推动创办生活书店，后兼法国远东《哈瓦斯社》中文编辑部主任。1933年应鲁迅之邀加入中国民权保障同盟，同年 9 月加入中国共产党。在党的领导下先后筹划创办了《文学》、《太白》、《译文》、《妇女生活》等多种进步刊物，并主编《世界知识》，成为进步文化工作者进行战斗的重要阵地。1935 年参与发起成立抗日救国会等组织。1936 年被派去苏联向中共驻共产国际代表团汇报情况，4 月返回香港支持邹韬奋创办《生活时报》。11 月在上海积极声援营救救国会"七君子"，采写《爱国无罪听审记》，参与"救国入狱"运动。1937 年抗日战争爆发后，在上海倡议成立国际宣传委员会，出版《团结》、《上海报》、《集纳》、《译报》等刊物向国内外进行抗日救亡宣传，组织翻译出版了《西行漫记》，编辑出版了《鲁迅全集》。1938 年 5 月任军事委员会政治部第三厅五处处长，主管抗日宣传工作。同年冬到桂林出版《国民公论》,组织国际新闻社、文化供应站,创办广西地方干部学校。1940年冬被派往新加坡开辟海外抗日宣传阵地,帮助陈嘉庚创办《南洋商报》。1942年后与郁达夫等流亡苏门答腊,进行印度尼西语研究。抗战胜利后回到新加坡,创办新南洋出版社及《南侨时报》、《周下》、《新妇女》等报刊,在海外宣传中国共产党的方针政策。1949年8月经香港抵达北平,9月出席中国人民政治协商会议第一届全体会议。中华人民共和国成立后,历任《光明日报》总编辑,政务院出版总署署长,中国文字改革委员会副主任,文化部副部长,中国人民外交学会副会长,中华全国世界语协会理事长,民盟第三、四、五届中央副主席,第五届全国政协副主席,民盟中央代理主席,第六届全国人大常委会副委员长等职。还被选为第二、三、四届全国政协常委、第一至第五届全国人大常委等。1986年1月16日因病在北京逝世。

胡宗南　(1896—1962)

原名琴斋,字寿山,浙江孝丰人。8岁读私塾,13岁入孝丰县城高等小学堂读书。17岁考入湖州公立吴兴中学,毕业后回孝丰县立高小任国文、历史和地理教员。1924年报考黄埔军校,成为第一期学生。1925年3月,参加第一次东征,因立功升任副连长。后在二次东征中升任第1团第2营营长。1925年冬加入贺衷寒等人组织的孙文主义学会。北伐前夕,教导团扩编,改任教导师第2团第2营营长。北伐军攻克株洲后,升任

第2团团长。1927年5月,晋升为国民革命军第1师少将副师长,成为黄埔学生中第一个跨入将军行列的人。11月,升任第1军第22师师长。1928年8月,部队整编,改任第1师第2旅旅长。1930年11月,升任第1师中将师长。1932年复兴社成立,胡为"十三太保"之一。6月,率部参加"围剿"鄂豫皖革命根据地。1935年中国工农红军长征开始,胡部参与拦截、"追剿"。11月,当选为国民党第五届中央监察委员。1936年3月,在山西与阎锡山共同阻击东征的红军。9月,任第1军军长,仍兼第1师师长。不久率部抵豫旺、惠安堡附近,进攻陕北红军。"西安事变"中,支持戴笠赴西安营救蒋介石。1937年8月,率第1军参加淞沪战役。9月,升任第17军团军团长。1938年5月下旬,奉命开赴豫东兰封地区对日作战。抗日战争进入相持阶段后,执行消极抗日、积极反共的方针。开始封锁陕甘宁边区。同时创办中央军校第7分校、战时工作训练第4团,训练所属部队,扩充自己的实力。1940年初,参与蒋介石发动的反共事件,率部向陕甘宁边区纵深进犯。5月,任第34集团军总司令。1942年1月,兼代军事委员会委员长西安办公厅主任。3月,又兼第八战区副司令长官,实际指挥4个集团军,号称34万余众。1943年7月,企图大举进攻陕甘宁边区,再次发动反共高潮。1944年11月,任第一战区代理司令长官。1945年1月正式就任司令长官,并在国民党第六次全国代表大会上当选为中央执行委员。9月,在郑

州接受日军投降。1946年6月,率部参加进攻中原解放区,挑起内战。1947年3月率部进犯延安,19日占领延安。受到蒋介石电贺嘉奖,被授一枚二等大绶云麾勋章,并晋升为中将加上将衔。6月任西安绥靖公署主任。1948年5月19日人民解放军逼近西安,胡逃往宝鸡。7月人民解放军再攻占宝鸡,结束了其在西北为王的历史。1949年8月任川陕甘边区绥靖主任。12月任西南军政长官公署副长官兼参谋长。后所部在重庆、成都一线被人民解放军歼灭,他逃往海南岛。随后在蒋介石的再三催促下飞往西昌作最后挣扎。1950年3月西昌战役失败后被撤职,改任"总统府"战略顾问,4月飞往台湾。1951年9月,化名秦东昌,赴大陈岛任国民党军江浙反共救国军总指挥兼"浙江省政府主席",负责骚扰大陆沿海地区。1953年6月24日,任上将战略顾问。1955年9月,任国民党军澎湖防守军司令官。1959年12月,任"国防研究院"研究员。1962年2月14日因心脏病卒于台北。著有《宗南文存》。

华　岗 (1903—1972)

原名华少峰,字西园,浙江龙游人。1924年加入中国社会主义青年团。五卅运动时,任宁波学生联合会代表、青年团宁波地委宣传部长。1925年夏任共青团南京地委书记,同年加入中国共产党。后调往上海,任团沪西区委书记。1927年"四一二"政变后,历任青年团浙江省委书记、江苏省委书记、顺直(河北)省委书记。1928年5月,受中央委派去莫斯科参加中共第六次代表大会、中国共产主义青年团第五次代表大会、共产国际第六次代表大会和少共国际第五次世界代表大会等。回国后,在上海担任团中央宣传部部长,并主编团中央机关刊物《列宁青年》。1929年之后,专门从事党的宣传和领导组织工作,先后担任中共湖北省委宣传部长、中共中央组织局宣传部部长、华北巡视员等职。1932年前往东北就任中共满洲特委书记,途经青岛时被捕,坚持狱中斗争。1937年10月由党营救出狱。抗日战争和解放战争时期,任中共湖北省委宣传部部长,在汉口筹办《新华日报》,担任总编辑。后在重庆八路军办事处和云南等地工作。曾担任中共西南局宣传部部长、旧政协代表顾问、上海工委书记等。对开展国民党统治区的民主运动和争取李济深、刘文辉、龙云等国民党军政要员反蒋起义起了重要的作用。中华人民共和国成立后,担任山东大学教授、校长兼党委书记。重视对学生的政治理论教育,建议山东大学各系普遍开设政治课,并亲授《社会发展史》、《实践论》、《矛盾论》等课程。创办了《文史哲》杂志兼任社长。是中国史学会理事、第一届全国人民代表大会代表、《哲学研究》的编委。1955年遭受诬陷受到错误审查,8月被判入狱。在狱中坚持著书,写下了《美学论要》、《列宁辩证法十六个要素试释》、《自然科学发展史纲要》、《自然科学发展史略》、《科学的分类》等近百万字著作。1972年5月17日在狱中去世。1980年3月,中共中央为其平反昭雪,恢复名誉。主要著作有《中国大革命史》、《社会发展史纲要》、《太平天国革命战争史》、《苏联外交史》、《五四运动》、《鲁迅思想的逻辑发展》、《辩证唯物论大纲》等。

华国锋 (1921—2008)

山西交城人。1938 年 10 月加入中国共产党。曾任游击队队长，参加敌后抗日游击战争。1940 年历任交城县各界抗日联合会主任、中共交城县委书记。1945 年抗日战争胜利后，任中共阳曲县委书记兼县武装大队政委。1949 年夏，随南下工作团到湖南，任中共湘阴县委书记。中华人民共和国成立后，历任中共湘潭县委书记、湘潭地区专员公署专员、中共湘阴地委书记、中共湖南省委统战部部长、中共湖南省委书记处书记、湖北省副省长等职。"文化大革命"期间，历任湖南省革命委员会副主任、代主任。1969 年 4 月当选中共第九届中央委员。1970 年底任中共湖南省委第一书记兼省革命委员会主任，后兼任广州军区政治委员。1971 年任国务院业务组成员、副组长。1973 年 5 月，列席中央政治局会议并参加政治局工作；8 月，当选中共第十届中央政治局委员。1975 年 1 月任国务院副总理兼公安部部长。1976 年 2 月，任国务院代总理；4 月，任中共中央第一副主席、国务院总理；10 月，领导了粉碎"四人帮"反革命集团的斗争，顺应了历史潮流。此后任中共第十届中央委员会主席、中共中央军委主席。1977 年 8 月当选中共第十一届中央委员会主席、中共中央军委主席。1978 年 3 月继续任国务院总理。因继续搞个人崇拜，坚持

"两个凡是"的错误指导思想，无法承担领导中国实现现代化的责任，1980 年 9 月在第五届全国人大第三次全体会议上，辞去国务院总理职务。1981 年 6 月在中共十一届六中全会上，辞去中共中央主席、中共中央军委主席职务，当选中共中央副主席。是中共第十二至十五届中央委员。2008 年 8 月 20 日因病在北京逝世。

华罗庚 (1910—1985)

数学家、教育家。江苏金坛人。高等小学毕业后，考入金坛中学。喜爱数学，受到留法数学老师的精心栽培。1925 年中学毕业后，进入上海中华职业学校，后因交不起学费而失学。回家帮父亲管账，坚持自学数学。1930 年，撰写的一篇数学论文在上海《科学》杂志上发表，引起清华大学教授熊庆来的关注。1932 年应邀到清华大学数学系任助理员，在熊庆来的指导下学习、研究数论，并自修英、法、德文。1935 年被提为数学助教，不久被破格提为教授，以后又被中华文化教育基金会聘为研究员。1936 年夏由该会资助赴英国剑桥大学访问学习。他从事堆垒素数论研究，提出著名的华氏定理，撰写 18 篇论文，先后发表在英、法、德等国杂志上。1938 年回国任昆明西南联合大学数学教授，撰写《堆垒素数论》，并开展矩阵几何和多变函数论的研究，取得重要成果，被选为中华民国政府中央研究院院士和资源委员会委员。1946 年赴美国，任普林斯顿数学研究所研究员，普林斯顿大学和伊利诺大学教授。中华人民共和国成立后，任中国科学院副院长、学部委员兼数理化学

部主任,中国科技大学数学系主任、副校长,中国科技协会副主席,国家学位委员会委员,中国优选法统筹法与经济数学研究会会长,第六届全国政协副主席等职。被选为第一至第六届全国人大常委,中国民主同盟中央常委、副主席。1956年所作《典型域上调和分析》获国家科技一等奖。60年代先后写出《统筹方法平话》、《统筹方法平话及其补充》、《优选法平话》,在全国广泛推广使用,对工农业生产起到了良好作用。同时与王元合作开展近代数论方法在近似分析上的应用研究,被称为"华—王方法"。1979年应邀访问英国,任伯明翰大学客座教授,被法国南锡第一大学授予名誉博士,同年加入中国共产党。1982年4月被选为美国国家科学院外籍院士。1983年被选为第三世界科学院院士,同年被香港中文大学授予荣誉理学博士学位。1985年被选为联邦德国巴伐利亚科学院院士。是我国最早在把数学理论研究和生产实践紧密结合方面作出巨大贡献的科学家,是中国爱国知识分子的杰出代表。1985年6月3日赴日本进行学术交流,6月12日在东京向日本数学界作学术报告时,心脏病突发,不幸逝世。主要著作有《堆垒素数论》、《指数和的估计及其在数论中的应用》、《典型群》(与万哲先合著)、《多复变函数论中的典型域的调和分析》、《数论导引》、《从单位圆谈起》、《数论在近似分析中的应用》(与王元合著)、《优选学》等。

华彦钧 (1893—1950)

民间音乐家,人称阿炳。江苏无锡人。父名华清和,是无锡洞虚宫道观偏殿雷尊殿的当家道士,精于道教音乐,会演奏多种民间乐器。阿炳从小受到父亲的严格训练,学会演奏笛子、二胡、琵琶、鼓等乐器。十五六岁时已成为无锡道教界一名出色的乐师。1918年左右,其父去世,他继为雷尊殿当家道士。他对民歌、戏曲等有着强烈的爱好和追求,拜了不少民间艺人为老师,学习、掌握了大量民间音乐,这对他以后创作特点和演奏风格的形成有重要影响。约在1928年双目失明,时人称他"瞎子阿炳"。由于军阀混战社会动乱,道产亦变卖殆尽,开始了流浪卖艺的生活。流浪生活使他大量接触到江苏南部的民歌小调、丝竹乐、锣鼓乐、锡剧等,为他的创作提供了大量新鲜而生动的素材,其大部分器乐作品出自这个时期。继1931年"九一八"事变东北沦陷后,1932年在上海又爆发"一·二八"事变,在全国抗日救亡运动的影响下,他常常在无锡崇安寺等地演奏救亡歌曲,编唱时事新闻。抗战胜利后,他因常在演唱中揭露国民党统治的阴暗面而一再受到迫害。他创作的3首二胡曲《寒春风曲》约成于20年代末,《听松》约作于30年代初,《二泉映月》约作于30年代末。这些作品表达了他对辛酸现实生活的沉思,也寄托了他对生活的热爱和憧憬。他留下的3首琵琶曲是《昭君出塞》、《大浪淘沙》和《龙船》。阿炳以自己的创作、演奏鲜明地反映了当时的社会生活,表现了被压迫阶层的思想感情和生活愿望。1950年12月12日因肺病去世。他创作和演奏的器乐曲数量较多,但大多已散佚。中华人民共和国成立之初,抢录了他的 3 首二胡曲和 3 首琵琶曲,辑有《阿炳曲集》(杨荫浏等编,万叶书店 1952 年初版)。

黄　敬 (1912—1958)

原名俞启威,又名俞大卫。浙江绍兴人。早年就读于天津南开中学、北京汇文中学。1931 年考入青岛大学物理系。“九一八”事变后,积极参加爱国学生运动。1932 年加入中国共产党。曾任山东大学地下党支部书记,中共青岛市委宣传部部长。1933 年被捕入狱,后经营救出狱后赴上海养病。1935 年到北平,考入北京大学数学系。12 月,参与领导“一二·九”学生运动。1936 年 4 月任中共北平市委宣传部部长、学委书记。1937 年 2 月任中共北平市委书记,后任中共晋察冀区委员会书记。1938 年春,任冀中区党委书记,参与组织领导冀中抗日根据地的开辟、创建工作。1942 年秋,调任冀鲁豫区党委书记,后任中共中央平原分局书记、平原军区政委。1944 年回延安养病。1946 年冬到阜平,先后任晋察冀边区财经办事处主任、中共晋察冀中央分局副书记、晋察冀军区副政委等职。1948 年夏,任中共中央华北局委员、华北军区后勤司令部政委、华北人民政府企业部部长。1949 年初,任中共天津市委副书记、天津军管会副主任、天津市委书记兼市长。中华人民共和国成立后,1952 年 8 月任第一机械工业部部长、党组书记。1956 年 9 月当选中共第八届中央委员。1957 年任国务院科学规划委员会副主任、国家技术委员会主任兼第一机械工业部部长。1958 年 2 月 10 日因病在广州逝世。

黄　菊 (1938—2007)

浙江嘉善人。1944 年先后在嘉善益善小学、启东小学读书。1950 年 9 月先后在嘉善一中、嘉兴一中学习。1956 年考入清华大学,在电机工程系电机制造专业学习。1963 年毕业后到上海人造板机器厂工作,1966 年 3 月加入中国共产党。历任动力车间、铸钢车间技术员、车间党支部副书记。1967 年任上海中华冶金厂动力车间技术员、车间党支部副书记。在上海经历了“文化大革命”的政治熏陶。1977 年任上海中华冶金厂革命委员会副主任、副厂长、工程师。1980 年任上海市石化通用机械制造公司副经理。1982 年任上海市第一机电工业局副局长。1983 年任中共上海市委常务委员兼市工业工作党委书记。1984 年任中共上海市委常务委员兼市委秘书长。1985 年任中共上海市委副书记。1986 年任中共上海市委副书记、上海市副市长。1987 年 10 月当选中共第十三届候补中央委员。在 1989 年春夏之交发生的政治风波中,坚决拥护党中央的重大决策和市委的部署,努力维护市内交通,积极组织生产,保障社会秩序和市民生活,为保持上海的稳定做了大量的工作。1991 年任中共上海市委副书记、上海市市长。1992 年 10 月当选中共第十四届中央委员。1994 年任中共上海市委书记、上海市市长。9 月,在中共十四届四中全会上增选为中央政治局委员,成为中共第三代领导集体成员。

1995 年任中共上海市委书记。1997 年 9 月当选中共第十五届中央政治局委员。他在上海工作了 40 年,特别是担任上海市主要领导期间,创造性地贯彻执行党的路线方针政策,提出了符合上海实际的改革发展思路,推动上海在经济实力、文化影响、城市环境、管理体制等方面取得了长足进步,为把上海建设成为国际经济中心、金融中心、贸易中心和航运中心付出了大量心血,作出了重要贡献。2002 年 11 月当选中共第十六届中央政治局常务委员。2003 年 3 月任国务院副总理,负责国务院常务工作,协助负责金融方面的工作,负责工业、交通和企业改革方面的工作。他认真贯彻中共十六大以来中央的各项方针政策,在加强和改善宏观调控、调整经济结构、转变增长方式、促进经济发展和改善民生等方面做了大量工作,作出了重要贡献。他十分注重工业经济各领域的协调发展,加强经济运行调度,重视提高综合运输能力,缓解煤电油运紧张状况。积极推进电力体制、邮政体制、国有资产管理体制、国有企业改制重组等各项改革。作为国务院安全生产委员会主任,在安全生产工作方面倾注了大量的心血。狠抓就业和社会保障工作,经常深入基层进行调查研究,及时研究出台了各项政策措施。在金融改革方面,他也做了大量卓有成效的工作,为促进金融业健康发展发挥了重要作用。2007 年 6 月 2 日在任期内于北京逝世。

黄 昆 (1919—2005)

国家最高科学技术奖获得者,物理学家。浙江嘉兴人。出生在北京一个银行高级职员家庭。小学就读于北京、上海两地,初中就读于燕京大学附属中学,高中就读于北京通州潞河中学。1936 年毕业后,报考清华大学和北洋工学院,均因语文成绩太差未被录取。1937 年通过潞河中学的保送考试,入燕京大学物理系学习。1941 年毕业获学士学位,后赴云南,入西南联合大学读研究生。1944 年在吴大猷教授指导下获北京大学硕士学位。1945 年赴英国留学,1947 年在 N. F. 莫脱教授指导下获布里斯托尔大学博士学位。此后在爱丁堡大学物理系、利物浦大学理论物理系任研究员。1950 年与 A. 里斯共同提出多声子的辐射和无辐射跃迁的量子理论。同年,苏联的佩卡尔也发表了与其有关辐射部分相平行的理论,但未考虑到无辐射跃迁问题。他们的理论是后来研究固体杂质缺陷光谱和半导体载流子复合的奠基性工作,被国际上称为"黄—佩卡尔理论"或"黄—里斯理论"。1951 年回国后,任北京大学物理系教授、系副主任。1955 年当选中国科学院数学物理学化学部委员。1956 年由北京、复旦、南京、吉林、厦门五座大学联合在北京大学物理系建立中国第一个半导体教研室,他出任主任。为开创发展中国半导体物理学科的教育事业和培养造就中国半导体技术骨干队伍作出了重要贡献,成为中国半导体物理学科的开创者之一。他于 1951 年提出晶体中声子与电磁波的耦合振荡模式,1963 年被喇曼散射实验所证实,被命名为极化激元,后来发现其他物质振动也有类似的与电磁波的耦合振荡模式,也被称为极化激元。他当时提出的方程,被国际上称为"黄方程",他与 M. 玻恩合著的《晶格动力学理论》(1954)一书是公认的该学科领域的一部权威著作。"文化大革命"中受到冲击。1977年在邓小平的过问下,调到中国科学院做研究工作,任半导体研究所所长。他于1947年提出固体中杂质缺陷导致 X 射线漫散射的理论,20世纪70年代被外国科学家证实和应用,被国际上称为"黄散射"。1980年当选瑞典皇家科学院外国院士。1985年当选第三世界科学院院士。80年代外国科学家在中子衍射研究中,也证实了"黄散射"。他自1978年以来在固体理论研究方面又取得了新进展,其中关于无辐射跃迁绝热近似和静态耦合理论等价性的证明,澄清了20多年来国际上在这方面理论发展中存在的一些根本性的问题。他提出的无辐射跃迁中声子的统计规律性,有可能为这一领域的研究开辟新的方向。这些成果正引起国际物理学界的关注。1995年获陈嘉庚物理学奖。是中国共产党党员,第五至八届全国政协常务委员,九三学社社员。曾荣获全国五一劳动奖章和中央国家机关工委授予的优秀共产党员称号。由于他在固体物理学的理论研究方面成果卓著,2002年获国家最高科学技术奖(2001年度)。2005年7月6日因病在北京逝世。他是中国固体物理学先驱,中国半导体技术的奠基人。著有《半导体物理学》(与谢希德合著,1958)、《固体物理学》(韩汝琦改编,1988)等高等院校教材和《半导体和它的应用》、《半导体物理进展与教学》等。

黄霑 (1941—2004)

大众娱乐文化的传播者。原名黄湛森,广东番禺人。1949年移居香港,入读喇沙书院。1960年入香港大学中文系学习,1963年获学士学位,毕业论文为《姜白石词研究》。毕业后在培圣中学任教两年。1965年以业余形式主持电视节目;9月,到英美烟草有限公司广告部工作,后升任广告部副经理。1969年获最佳电视节目男司仪奖。1970年任华美广告公司联合创作总监。1972年任国泰广告公司总经理。同年当选香港作曲家及作词家协会理事。1973年与好友创办宝鼎电影公司,自编自导创业作品《天堂》。1976年创办黄与林广告公司,加上歌曲创作、制作电影、出唱片以及签约电视台、电台做主持人,使精通普通话、粤语、英语和即兴之才的他,得以在高度商业化的社会中充分展示。同年,在忙碌的工作之余回到香港大学读研究生。1983年以毕业论文《粤剧问题探讨》,获哲学硕士学位。他在推动粤语音乐文化方面作出了极大的贡献。1991年专为粤剧女演员红线女作词、作曲的《四大美人》专辑,历时三年终于制作完成。其后,继续获得金针奖、最佳唱片监制、最佳作曲、最佳歌词及金曲金奖等各种奖项。1996年当选香港大学亚洲研究中心荣誉院士。62岁时再次回到香港大学攻读博士学位。2003年以论文《粤语流行曲的发展与兴衰——香港流行音乐研究(1949—1997)》获哲学博士学位。他在香港大学所完成的三个学位的论文,均与音乐有关。而其内容从学术到大众文化,与其一生的生活经历有着密切关系。2004年11月24日因病在香港逝世。他笔耕40年,其作品构成一整代香港人的文化思想。主要著作有《不文集》、《人海同游》、《广告人告白》、《我自求我道》、《香港仔自白》、《数风云人物》、《开心活人》等。创作歌曲近2000首,主要与作曲家顾嘉辉合作,在香港有"流行歌词宗匠"之誉,代表作有《半岛有情》(作词)、《男儿当自强》(作词)、《我的中国心》(作词)、《上海滩》(作词)、《沧海一声笑》(作词/曲)、《倩女幽魂》(作词/曲)等。广告词代表作有"人头马一开,好事自然来"。

黄　镇 （1909—1989）

安徽枞阳人。1925年起入上海美术专科学校、上海新华艺术大学攻读。毕业后从事艺术教育,因支持进步学生运动被解职。后加入冯玉祥部西北军。1931年12月随第二十六路军参加宁都起义,加入中国工农红军。1932年加入中国共产党。先后任红八军团政治部宣传干事、宣传科科长,参加了中央革命根据地第四、第五次反"围剿"作战。1934年10月参加长征。在极端困难的条件下坚持写生作画(后汇编为《长征画集》),并创作《一只破草鞋》等话剧,鼓舞红军士气。1935年冬起先后任红十五军团政治部宣传部部长,军委总政治部宣传部副部长,参加红军东征、西征战役。抗战时期,历任八路军总政治部民运部部长,晋冀豫军区(边纵)政治委员,

第一二九师兼太行军区政治部副主任,太行军区副政治委员兼政治部主任,并兼中共太行党委副书记。解放战争时期,历任军调部执行小组中共驻新乡首席代表,解放军晋冀鲁豫野战军第九纵队政治委员,中央军委总政治部第一室主任,率部参加了保卫太行解放区的多次战斗和挺进豫西的战役。中华人民共和国成立后,转入外交战线工作。历任首任驻匈牙利大使,驻印度尼西亚大使,外交部副部长,首任驻法国大使,驻美国联络处主任,中共中央宣传部第一副部长,文化部部长、党组书记等职。并曾任中共中央外事领导小组成员,中国国际友谊促进会名誉理事长,中美友好协会会长等。他是中共八大代表,第九、十、十一届中共中央委员,第五届全国人大常委,第六届全国人大外事委员会顾问,第五、六届全国政协常委。在中共十二大、十三大上连续当选为中央顾问委员会委员、常务委员。1989年12月10日因病在北京逝世。

黄宾虹 （1865—1955）

画家。名质,字朴存、朴人,别署予问、虹庐、虹叟,中年改号宾虹,安徽歙县人。6岁即从画家倪逸甫学习绘画和篆刻。13岁去歙县应童子试,名列前茅。16岁入金华丽止书院。19岁游览杭州西湖,安徽黄山、九华山等地,写生作画。1886年补廪贡生。1887年,去扬州,在两淮盐运使署任录事。在此期间,从画家郑珊学山水,从陈若木学花鸟。1895年在安徽贵池结识谭嗣同,成为文字交。1899年以"维新派同谋者"为人控告,被

迫出走,后回家乡隐居。1906 年在歙县新安中学堂任国文教员,并与陈去病等组织"黄社",名为研究国家,实为宣传革命。1907 年至 1911 年,曾协助邓实等编辑《政艺通报》《国粹学报》《国粹丛书》等。一度与宣古愚合办宙合斋,又曾经发起组织金石书画艺观学会、烂漫社、百川书画社。还同郑午昌等合办蜜蜂画社,编印画集。1915 年在上海《时报》工作时,拒绝筹安会为袁世凯效劳的邀请。以后,除从事绘画和篆刻外,还在神州国光社、商务印书馆、有正书局、上海时报等单位工作,同时还担任上海暨南大学中国画研究会导师和昌明艺术专科学校、新华艺术专科学校教授。1930 年任中国艺术专科学校校长。后又任上海美术专科学校教授。1937 年 5 月,举家迁北平,仍从事教育工作。抗战爆发后,北平沦陷,不为日伪效劳。1946 年夏,任北平艺术专科学校教授。1948 年秋,任杭州国立艺术专科学校教授。中华人民共和国成立后,任中央美术学院华东分院教授。是第二届全国政协委员,中国美术家协会华东分会副主席。1953 年,被授予"中国人民优秀的画家"荣誉称号。1955 年 3 月 25 日病逝。著有《黄山画家源流考》《虹庐画谈》《古画徵》《画学篇》《中国画学史纲》《宾虹草堂藏印》等。

黄鼎臣 （1901—1995）

医生、社会活动家。广东海丰人。少时学中医治病。1921 年赴日本留学,入日本医科大学学习。毕业后入东京帝国大学附属医院继续深造。在留学期间

多次参加留学生爱国集会和游行示威,几次被拘留。后参加中共东京特支领导的社会科学研究社。1928 年任东京留学生反日大同盟组织委员会主任委员,旋因进行反日爱国活动被捕。不久,被日本强行押送回上海,任上海反帝大同盟分会主任,因爱国活动曾两次被捕。1932 年底出狱后,在澳门、广东、广西、云南、四川等地行医。1937 年开始的抗日战争时期,到重庆行医,担任中共《新华日报》社医药卫生顾问,为报社和八路军办事处人员治病。其诊所也成为中共转藏文件、书报和进步人士秘密会议的场所。1946 年开始的解放战争时期,加入中国致公党,从事民主运动。1947 年当选中国致公党中央常委兼组训部部长。1949 年 9 月出席中国人民政治协商会议第一届全体会议。中华人民共和国成立后,历任卫生部医政局局长、医疗预防司司长、中华医学会副会长、中国防痨协会理事长等职。1952 年 11 月后,连任中国致公党第五、六届中央委员会常委。1979 年 10 月后,连任中国致公党第七、八届中央委员会主席。1988 年 12 月后,连任中国致公党第九、十届中央委员会名誉主席。是中华全国归国华侨联合会第三届副主席,全国政协第二、三、四、八届委员和第五、六、七届常务委员。1995 年 1 月 7 日因病在北京逝世。

黄火青 （1901—1999）

湖北枣阳人。读书时期参加了襄樊的学生运动。1926 年 1 月加入中国共产主义青年团,3 月转为中国共产党党员。1927 年 4 月,在武汉工人运动讲习所和

中央军事政治学校学习;6月,赴苏联学习,先后任东方大学中国特别军事政治训练班连长、支部干事,步兵学校中国连行政班长、党支部书记。1930 年 4 月回国后,历任红十四军一团政委兼参谋长,中共上海法南区区委委员、工人纠察队特派员,中共江南省委军委兵运书记,中央巡视员等职。1931 年 11 月进入中央苏区,历任工农红军学校总支书记、国家保卫局特派员、红五军团十四军政委兼政治部主任,工农红军学校政治营政委。1933 年秋,以潘汉年秘书名义,在"福建事变"成立的人民革命政府中做统战工作。1934 年春,任红一方面军第九军团政治部主任;10 月,参加长征。1935 年夏,红一、四方面军会合后,任红四方面军党校教员、政治部军人工作部部长。1936 年 10 月参加了红军西路军在甘肃、青海同回族"马家军"军阀所进行的残酷、最终失败的战斗。1937 年 12 月后在新疆,任中共与军阀盛世才处在合作期的民众反帝联合会秘书长、阿克苏专区行政长。1940 年 10 月回到延安,任军政学院副院长,中央党校一部主任、秘书长。1945 年 8 月后,历任中共冀热辽中央分局副书记兼组织部部长、军区副政委兼政治部主任,中共热河省委书记兼军区政委。1949 年 1 月后,历任中共天津市委副书记兼组织部部长,天津市总工会主席,全国总工会委员,中共天津市委第一书记,天津市市长,天津市政协主席,天津警备区政委等职。1956 年当选中共第八届候补中央委员。1958 年 6 月任中共辽宁省委第一书记、省军区政委、

省政协主席,中共中央东北局书记处书记等职。"文化大革命"中遭受迫害。1978 年 3 月,任中央政法小组副组长,中央政法委员会委员,最高人民检察院检察长、党组书记;12 月,增选为中共第十一届中央委员。1979 年 7 月,任审判林彪、江青反革命集团案领导小组副组长、特别检察厅厅长,直接领导对"两案"的审查起诉。顺利完成审判工作,昭示了社会主义中国法制的恢复。1982 年 9 月,在党的第十二次全国代表大会上当选中央顾问委员会常务委员。1999 年 11 月 9 日因病在北京逝世。

黄继光 (1931—1952)

中国人民志愿军特级英雄。四川中江人。1951 年 4 月参加革命。同年参加中国人民志愿军,任第十五军第四十五师第一三五团第二营通讯员。1952 年加入中国新民主主义青年团。10 月 19 日,在上甘岭战役中,我担任主攻的连队已五次向敌人阵地发起进攻,均被敌火力压制。组织爆破亦未成功。关键时刻,他挺身而出,请战爆炸,在同行战友相继牺牲、自己左臂被打穿的情况下,仍忍着剧痛抵近敌火力点,投出最后一颗手雷。这时,当看到敌火力点还未彻底炸毁,身边又无弹药,而部队已发起冲锋时,为了胜利,他毅然纵身而起,用胸膛堵住敌人正在扫射的枪孔,壮烈牺牲。在他英勇献身精神的激励下,反击部队迅速消灭了敌人,夺回阵地。被所在部队党委追认为中国共产党党员,被中国人民志愿军领导机关追记特等功,授予中国人民志愿军特级英雄称号。并被朝鲜民主主义人民共和国授予

"朝鲜民主主义人民共和国英雄"称号和朝鲜民主主义人民共和国一级国旗勋章、金星奖章。

黄金荣 （1867—1953）

字锦镛，浙江余姚人。早年在上海当学徒，1900 年在上海法租界巡捕房当巡捕，后勾结帝国主义、官僚政客发展封建帮会势力，成为上海青帮最大的头目，门徒达 1000 余人，操纵贩卖鸦片、赌博、剧院等非法或合法的生意。1927 年组织中华共进会。与杜月笙、张啸林等率领青帮会众破坏上海工人武装起义，积极参加蒋介石发动的"四一二"反革命政变。同年辞去法租界巡捕房督察长职务。1928 年被蒋介石任命为国民党军委会少将参议和行政院参议。抗日战争时期寓居上海，拒绝出任伪职。1945 年抗战胜利后，重新从事帮会活动。由于从事帮会活动的方式陈旧，权势衰退，地位被杜月笙代替。中华人民共和国成立后，向人民政府坦白罪行。1953 年在上海病逝。

黄克诚 （1902—1986）

湖南永兴人。1922 年考入衡阳湖南省立第三师范学校。1925 年加入中国共产党。1926 年在广州入国民革命军总政治部训练班，后被派往唐生智部，曾任营、团政治指导员，参加北伐战争。大革命失败后，被派往永兴从事秘密革命活动。1928 年初参与领导永兴年关暴动。任红色警卫团党代表兼参谋长，后率部随朱德、陈毅到了井冈山，任工农革命军第 4 军 12 师 35 团团长。不久后改任湖南农军第二路游击司令。失败后

辗转到上海。1930 年初，被中央军委派到红五军，任第三纵队第二支队政委。1931 年任红三军团四师政治部主任、代政委，三师政委兼政治部主任，一师政委。1932 年 4 月任红五军政治部主任，同年底任红三军团政治部组织部长，后代政治部主任，参与了巩固发展湘鄂革命根据地的斗争和中央革命根据地第一至第五次反"围剿"。在"左"倾冒险主义领导时期，他反对攻打城市的冒险行动，抵制肃反扩大化，曾数次被错误地指责为右倾机会主义而撤职。1933 年底任红三军团第四师政委。长征中率部担任前卫，参加了突破湘江封锁线以及攻占娄山关和遵义城等战斗。到达陕北后，先后任军委卫生部长，红一军团四师政委，红一方面军政治部和红军总政治部组织部长，参加了直罗镇、东征、西征、山城堡等战役战斗。抗日战争爆发后，任八路军第 115 师 344 旅政委，与徐海东率部转战晋冀豫。1940 年春起任八路军第二纵队政委，兼冀鲁豫军区司令员、冀鲁豫军政委员会书记。5 月率主力一部南下豫皖苏，任八路军第四纵队政委。后东进皖东北，任八路军第五纵队司令员兼政委。10 月率部驰援新四军黄桥作战，与新四军北上之师会合。1941 年起任新四军第三师师长兼政委，苏北军区司令员兼政委，苏北区党委书记，领导苏北军民开展敌后游击战。1946 年任西满军区司令员，中共西满分局副书记、代理书记。1947 年 8 月任东北民主联军副司令员兼后勤司令员、政委。1948 年 4 月任中共冀察热辽分局书记兼军区政

委,东北野战军第二兵团政委。1949 年
1 月任天津市军管会主任和中共天津市
委书记。中华人民共和国成立后,任中
共湖南省委书记,湖南省军政委员会副
主席,湖南军区司令员、政委。1952 年
11 月调任人民解放军副总参谋长兼总
后勤部部长、政委。1954 年任中共中央
军委秘书长、国防部副部长,后兼任中共
中央财经领导小组成员。1958 年 10 月
任总参谋长。1959 年在庐山会议上,对
"大跃进"、"人民公社化"运动中"左"的
错误提出批评意见,和彭德怀等被错定
为"反党集团",长期受到专案审查。"文
化大革命"中,又遭到打击、迫害。1977
年 12 月出任中共中央军委顾问。1978
年 12 月,中共十一届三中全会纠正了庐
山会议对他所作的错误决议,并被选为
中央纪律检查委员会常务委员、副书记。
他是中共第七届候补中央委员(三中全
会递补为中央委员),第八届中央委员、
中央书记处书记,第十一届中央委员(三
中全会增补)。还是第一届全国人大常
委,第五届全国政协常委。1955 年被授
予大将军衔,获一级八一勋章、一级独立
自由勋章、一级解放勋章。1985 年 9 月
辞去中纪委领导职务。1986 年 12 月 28
日因病在北京逝世。

黄琪翔 (1898—1970)

　　字御行,广东梅县人。1912 年入广
东陆军小学,后入湖北第二陆军学校和
保定陆军军官学校。1920 年任保定军
校炮兵分队长。1922 年辞职回广东,追
随孙中山参加民主革命。1924 年加入
改组后的中国国民党。北伐战争开始时
任国民革命军第四军第 12 师第 36 团团
长,以后因作战有功,历任第 12 师师长、
第四军军长等职。1928 年 7 月赴德国入
柏林大学补习德文。在德国受邓演达影
响,并赞成邓的政治主张,赞同在国共两
党以外建立新党。1929 年 5 月作为宋庆
龄的秘书随宋回国,次年 8 月作为邓演
达的助手,参加发起组织中国国民党临
时行动委员会举行的结党仪式,被选为
中央干部会干事、军事委员会主任委员,
负责军事工作,从事反蒋军事活动。邓
演达被蒋介石杀害后,他成为中国国民
党临时行动委员会的实际领袖,主持该
党工作。1933 年 11 月,率领中国国民党
临时行动委员会大批干部到福建,和李
济深、陈铭枢等人成立"中华共和国人民
革命政府",当选为政府委员、军委参谋
团主任。福建事变失败后,重赴德国,参
加全欧洲学生抗日救国联合会,继续从
事反蒋抗日活动,遭到柏林警察当局的
拘捕。1935 年 11 月临时行动委员会在
香港举行第二次干部会议,决定改名为
中华民族解放行动委员会,当时他还在
德国,仍被推选为行动委员会总书记。
1937 年 8 月参加"八一三"抗战,任第八
集团军副总司令、总司令。太平洋战争
开始后,调任中国远征军副司令长官兼
中印公路东段警备司令,指挥滇西远征
军作战。抗日战争胜利后,主张和平建
国反对内战。1947 年出任中国驻德国
军事代表团团长。1948 年回国,力劝蒋
介石停止内战,恢复和谈。年底潜往香
港,公开宣布同蒋介石国民党政府彻底
决裂,发表了一系列文章和谈话,积极从

事民主运动。1949 年 9 月以特邀代表身份到北平出席中国人民政治协商会议第一届全体会议。中华人民共和国成立后,历任中央政法委员会委员,中南军政委员会委员,国防委员会委员,国家体育运动委员会副主任,第一届全国人大代表,第一、二、三届全国政协常委,第四届全国政协委员,中国民主同盟中央委员,中国农工民主党第五届中央执行委员会秘书长、第六届中央副主席等职。1957年被划为右派分子。1970 年 12 月 10 日在北京因病逝世。1980 年右派分子问题得到改正。

黄绍竑　（1895—1966）

原名黄绍雄,字季宽,广西容县人。1909 年入广西陆军小学第三期学习。辛亥革命时,参加陆军小学敢死队,赴武汉参战。1924 年加入中国国民党。1926 年 1 月,当选国民党第二届中央候补监察委员、国民政府委员。3 月任党代表兼广西省主席。1931 年“九一八”事变爆发后,他被汪精卫任命为国民党内政部长。1933 年任军事委员会北平分会参谋长,秉承蒋介石旨意与何应钦同日本侵略者签订了卖国的《塘沽协定》。后任浙江省主席。1937 年 1 月任湖北省主席。抗日战争爆发后,任国民党军事委员会第一部部长,主要负责作战计划。9 月任第二战区副司令长官,参加太原会战,指挥扼守娘子关战役。娘子关失守后,再次出任浙江省主席,兼第三战区游击总司令,组织浙江抗日自卫团司令部,自任总司令。建立各区自卫队,并统一指挥浙江全省抗敌自卫工作。1943 年,兼任第三战区司令长官。1949 年初,被李宗仁派为国民党代表团代表,赴北平与中共谈判。他赞同中国共产党提出的国内和平协定,希望结束内战,恢复和平。4 月 16 日从北平带回国共谈判代表达成的《国内和平协定》（最后修正案）,劝南京政府接受,为李宗仁拒绝,旋即出走香港。在香港联合 44位国民党人士于 8 月 13 日通电起义,发表声明,宣布脱离国民党。8 月作为特邀代表由香港到北平。9 月参加了中国人民政治协商会议第一届全体会议。中华人民共和国成立后,历任政务院政务委员,第一、二、三、四届全国政协委员,第一届全国人大常务委员会委员、法案委员会委员,中国国民党革命委员会第三届中央常委、第四届中央委员,中国国民党革命委员会和平解放台湾工作委员会副主任等职。1957 年被错划为“右派”,后经复查改正。1966 年 8 月 31 日在北京逝世。著有《五十自述》。

黄新廷　（1913—2006）

湖北仙桃人。从小随父在洪湖打鱼谋生,精通水性、驾船。1928 年春贺龙、周逸群领导农民暴动,创建洪湖根据地。他父亲成了村农会负责人,领着他参加了革命,任村、区少先队队长,站岗放哨。1929 年 8 月加入中国共产主义青年团。1930 年参加中国工农红军。1931 年入中国工农红军军事政治学校第二分校学习。1932 年 10 月,转为中国共产党党员;11 月,遭“肃反”被打成“改组派”,被捆绑着背弹药、粮食等负重行军。1933年 1 月历任红三军第 9 师第 26 团战士、排长、连长。1934 年 12 月历任红二军团第 6 师连长、营长。1935 年 4 月，任红二、六军团总指挥部司令部作战参谋，参加了湘鄂西苏区反围剿和创建湘鄂川黔苏区的战斗；11 月参加长征。1936 年 1 月任红二军团第 12 团团长。1937 年抗日战争爆发后，8 月到延安入抗日军政大学学习。1938 年 4 月任八路军 120 师第 358 旅第 716 团团长。1941 年先后在八路军军政学院、中共中央党校学习。1944 年春任八路军 120 师第 358 旅副旅长。1946 年开始的解放战争时期，11 月任晋绥军区野战纵队第一纵队第 358 旅旅长。1947 年 2 月任陕甘宁野战集团军第一纵队第 358 旅旅长。1949 年 2 月任中国人民解放军第一野战军第一兵团第 1 军第 1 师师长，参加了解放大西北的战斗。中华人民共和国成立后，1950 年任西北军区第 3 军军长、党委书记，受命担任甘肃、青海、新疆三省剿匪总指挥。1953 年 1 月参加抗美援朝战争，任中国人民志愿军第 1 军军长。1954 年回国后入军事学院战役系学习。1955 年被授予中将军衔。1957 年 9 月任成都军区副司令员，兼康定地区平叛总指挥。1960 年 8 月任成都军区司令员。1963 年 9 月兼任四川省体育运动委员会主任。1964 年 11 月任中共四川省委常务委员。1965 年 11 月任中共中央西南局委员。是国防委员会第三届委员。"文化大革命"中遭受迫害。1975 年 5 月任中国人民解放军装甲兵司令员。1977 年 8 月当选中共第十一届候补中央委员，任中共中央军事委员会委员。1982 年 9 月当选中共第十二届中央委员。1985 年 9 月辞去中共中央委员，增选为中共中央顾问委员会委员。1987 年 10 月中共第十三次全国代表大会上，当选中共中央顾问委员会委员。是第二、三、四届全国人大代表。2006 年 5 月 12 日因病在北京逝世。

黄炎培 （1878—1965）

号任之，江苏川沙（今属上海）人。6 岁时即由母亲教授识字，9 岁起就学于外祖父所设私塾。1898 年，以府试第一名中秀才，当过两年家塾教师。1901 年考入上海南洋公学特班。1902 年中江南乡试举人（末科）。1903 年，在家乡举办小学，开始从事教育救国的实践。6 月 18 日，被当地知县以"革命党"的罪名逮捕，后亡命日本。1904 年自日本归国后，同杨斯盛毁家办学，创建了上海浦东中学。1905 年 7 月，经蔡元培介绍加入中国同盟会。不久，蔡元培赴德留学，他接替蔡的同盟会上海干事一职，保存会员名册，接待来往会员，做了不少工作。同年，与沈恩孚等人发起组织江苏学务总会（后改为江苏教育会），推举张謇为会长，他为常务干事。1909 年当选为江苏省咨议局议员及常驻议员。1911 年辛亥革命后，被任命为江苏省教育司司长，并兼任过江苏省议会议员、江苏省教育会副会长。1915 年随同农商部游美实业团赴美考察。1917 年 5 月 6 日，在上海建立中华职业教育社，任理事长，主张对教育进行改革，使"无业者有业，有业者乐业"。1918 年又募款创办了中华职业学校，以"敬业乐群"为校训，强调把职业教育与爱国主义教育相结合,提倡国货,抵制日货。1931年春,东渡日本考察教育,敏感地注意到日本军国主义日盛,矛头指向中国。归国后,他忧心如焚,带着"日本即将侵我的预感"多方奔走,着手写出《黄海环游记》,连日刊登在《申报》上,向读者揭露日本的侵华野心。"九一八"事变后,积极投入抗日救亡运动,并与史量才一起,联络一部分上层知识分子组织壬申俱乐部,商讨救国自救的途径。1932年1月28日,日军进攻上海,为了支持十九路军的抵抗,以壬申俱乐部为基础成立了上海地方维持会(后改为上海地方协会),任秘书长兼总务主任,负责维持会的具体事务,动员上海市民筹募捐款,供应军需物资,支持十九路军对日作战。抗日战争爆发后,被国民政府聘请为国防参议会参议员和国民参政会参议员,全部身心投入到争取民族解放和民主团结的政治活动中去。1941年皖南事变爆发后,深感痛心和不满。1月24日,当面向蒋介石陈述并递交了意见书。3月19日,和张澜等人在重庆发起组织中国民主政团同盟(1944年后改称中国民主同盟),被公推为主席。1944年1月,在重庆创办《宪政》月刊,邀请张志让担任总编,集中刊载宣传民主政治、介绍各国宪政的文章。1945年7月,以国民参议员身份访问延安。回重庆后,写了《延安归来》一书,叙述了在延安目睹的中国共产党的方针政策和解放区成就,在当时的蒋管区产生了重大影响。12月16日,与胡厥文、施复亮等人在重庆发起成立中国民主建国会。1946年1

月,和张澜、沈钧儒等人作为民主同盟的代表,参加了在重庆召开的政治协商会议。由于他和中国共产党采取协调一致的步调,因而遭到了国民党的迫害。1949年2月,在中共上海地下党组织的关怀和安排下,化装离开上海到香港,3月25日转赴北平。中华人民共和国成立后,历任中央人民政府委员、政务院副总理兼轻工业部部长,政协第一届全国委员会常务委员,第二、三、四届政协全国委员会副主席,第一、二、三届全国人民代表大会常务委员会副委员长,中国民主建国会中央委员会主任委员等职。1965年12月21日在北京病逝。

黄耀祥 （1916—2004）

水稻遗传育种专家。广东开平人。中山大学附属中学毕业后,考入中山大学物理系。但国事维艰,看到华人背井离乡出国谋生,主要是因为在国内难得温饱,遂立志"以农立国,振兴中华",改读农学系,师从水稻专家丁颖教授。1939年毕业后,在云南省农事试验场从事稻麦育种工作。1940年任广东省稻作改进所技士、技正。他在学习和工作中度过了抗日战争时期。1946年因看不惯权势之争愤而辞职,改行教书为生。中华人民共和国成立后,回到广东省农业试验场、华南农业科学研究所、广东省农业科学研究所从事水稻育种及其应用基础理论研究工作。1956年开始进行人工杂交"矮秆育种"。1959年育成中国第一个杂交矮秆籼稻品种"广场矮9号"。不仅解决了华南沿海地区长期因台风暴雨造成的水稻严重倒伏减产的问题,而且开创了一条矮秆杂交育种的新途径,使中国矮化育种居国际领先水平。在其后的 40 年间,他领导的科研团队,又相继育成"珍珠矮"、"广解 9 号"、"广陆矮 4 号"、"桂朝 2 号"、"特青 2 号"、"七山占"、"胜优 2 号"等一大批高产良种,并在中国南方稻区推广种植,为中国各历史阶段水稻产量的提高作出了重要的贡献。历任广东省农业科学院副研究员、研究员、副院长、顾问。他提出的"组群筛选法"是杂交古种方法的改进和创新,经专家组验收后,建议推广使用。1978 年获全国科学大会奖。1979 年被国务院授予全国劳动模范称号。1985 年获国家科学技术进步奖二等奖。1988 年获广东省有突出贡献专家三等奖。1989 年被国务院授予全国先进工作者称号。1995 年当选中国工程院院士。是第五届全国人大代表,第五、六届广东省人大常务委员。曾担任广东省科学技术协会副主席、农业部科学技术委员会委员、华南农业大学教授、广东省种子协会名誉理事长、中国遗传学会广东省分会名誉理事长等职。2004 年 2 月 22 日因病在广州逝世。在国际学术界他被称为"中国半矮秆水稻之父",主要论著有《创造矮秆类型的水稻品种选育工作》、《水稻矮化育种之研究》、《广东省矮化育种工作初步总结》、《水稻杂交育种组群筛选法之研究》、《水稻丛化育种》等。

黄永胜 (1910—1983)

原名叙全,湖北咸宁人。1927 年 6 月入国民革命军第二方面军总指挥部警卫团。参加了秋收起义,编入工农红军第一师,随部队上井冈山。同年 12 月加入中国共产党。1929 年起在中国工农红军任排长、连长、副团长、团长。1932 年起,先后任红三十一师、红六十六师师长。1933 年任红一师三团团长。参加过中央革命根据地反"围剿"和长征。到陕北后,先后任红四师副师长、红二师师长。抗战爆发后,任八路军晋察冀军区第三军分区副司令员、司令员,教导第二旅旅长。抗战胜利后,任热河军区司令员,冀热辽军区副司令员,热辽军区司令员,冀察热辽军区副司令员,东北民主联军第八纵队司令员。曾参加辽沈、平津战役。新中国成立后,任第十三兵团代司令员、司令员,曾兼广西军区副司令员,第十五兵团司令员兼广东军区副司令员,后兼广州市警备司令员。1951 年任华南军区副司令员兼华南军区防空部队司令员和政委,中共中央华南分局常委。1952 年任中南军区参谋长。1953 年参加抗美援朝,任中国人民志愿军第十九兵团司令员。1954 年任中国人民解放军中南军区副司令员兼参谋长。1955 年任广州军区司令员,同年被授予上将军衔。1956 年被选为中共第八届候补中央委员(1968 年递补为中央委员)。1961 年任中共中央中南局书记处书记。是第一、二、三届国防委员会委员。"文化大革命"期间,于 1968 年任广东省革命委员会主任,解放军总参谋长,1969 年兼任军政大学校长,中共中央军委委员。是中共第九届中央政治局委员。参与了林彪篡夺党和国家最高领导权的阴谋活动。1971 年 9 月被撤职。

1973 年 8 月 20 日被开除党籍。1981 年
1 月 25 日被最高人民法院特别法庭确
认为林彪、江青反革命集团主犯,判处有
期徒刑 18 年,剥夺政治权利 5 年。1983
年 4 月 24 日病死于青岛。

霍英东　（1923—2006）

爱国实业家、社会活动家。广东番
禺人。生在香港,青年时就读于香港皇
仁英文书院。1953 年创办霍兴业堂置
业有限公司和有荣有限公司,任董事长。
抗美援朝战争时期,曾为打破帝国主义
国家对中国的经济封锁出过力。长期在
香港经商,历任香港霍英东集团主席、香
港地产建设商会会长、香港中华总商会
会长、永远名誉会长。中国的改革开放
使他欢欣鼓舞,积极投资帮助内地建设。
1978 年 2 月当选第五届全国政协常务
委员。1983 年 6 月当选第六届全国政协
常务委员。1988 年 3 月当选第七届全国
人大常务委员。1993 年 3 月当选第八届
全国政协副主席。在香港回归过程中,
积极投身其中。历任中华人民共和国香
港特别行政区筹备委员会预备工作委员
会副主任、香港特别行政区基本法起草
委员会委员、香港特别行政区推选委员
会副主任、香港事务顾问等职。1998 年
3 月当选第九届全国政协副主席。他热
心兴办和资助文化、教育、体育事业,仅
1979—1985 年就向内地捐款 4 亿港元。
还捐资 1 亿港元设立“霍英东教育基
金”。曾担任世界羽毛球联合会名誉主
席,国际足球联合会执行委员,亚洲足球
协会副会长,香港足球总会会长,暨南大
学教育和科学发展基金会名誉会长,宋
庆龄基金会理事等职。2006 年 10 月 28
日因病在北京逝世。

J

嵇文甫 （1895—1963）

教育家、历史学家。河南汲县人。出生在一个小手工业者家庭。1901 年入私塾读书。1910 年考入卫辉中学。1915 年考入北京大学哲学系。1918 年毕业后，在开封任省立第一师范国文教员，并在一些中学兼课。1926 年加入中国共产党，随即被中共河南省委派赴苏联莫斯科中山大学学习。不幸得了肺病于 1928 年回国。此时大革命失败，党组织遭到破坏，因此和党失去了联系。经一段治疗后，曾先后任教于清华大学、北京大学、燕京大学、中国大学、北平女子师范大学等校。1933 年任河南大学教授，后兼文史系主任、文学院院长。抗日战争时期，他利用在河南知识界的威望，积极宣传抗战。在河南大学通过教学和学术报告，对学生进行马列主义宣传和爱国主义思想教育。1941 年 10 月被国民党逮捕，后迫于社会舆论的压力，于次年 3 月将其释放。中华人民共和国成立后，历任河南省人民政府副主席，中南军政委员会委员，河南大学副校长、校长，全国政协委员。1955 年当选中国科学院哲学社会科学学部委员。1956 年 11 月调任郑州大学校长。1959 年 7 月 1 日重新加入中国共产党。1963 年 10 月 10 日因病在郑州逝世。他长期致力于先秦诸子及宋明理学的研究。著有《先秦诸子政治社会思想述要》、《晚明思想史》、《中国社会史》等。

纪登奎 （1923—1988）

山西武乡人。早年受过中等教育。1937 年 7 月参加革命工作。1938 年 4 月加入中国共产党。抗日战争时期，历任晋东青年救国会委员兼和顺县青年救国会主席，鲁西区青年救国总会组织部部长，冀鲁豫第二地委抗联分会组织部部长、副主任,中共冀鲁豫区党委第一地委委员兼民运部部长。参与动员组织青年参加抗日队伍和支前工作,参加敌后抗日游击战争。解放战争时期,历任中共冀鲁豫区党委党校组教科科长,中共豫西区党委工作团书记兼鲁山县委副书记、书记,中共伏牛山剿匪指挥部工委副书记,中共许昌地委副书记兼宣传部部长等职。参与领导当地土地改革和剿匪反霸斗争。中华人民共和国成立后,先后任中共河南许昌地委书记兼许昌军分区政委,中共洛阳矿山机器厂党委书记兼厂长,中共洛阳地委第一书记,中共河南省委常委、候补书记兼秘书长。1963年兼中共商丘地委第一书记。1968年起先后任河南省委革命委员会副主任,中共河南省委书记。1969年中共九大上被选为中央委员,九届一中全会上被选为中央政治局候补委员,此后任国务院副总理。1971年兼任北京军区第一政委。此后被选为中共第十、十一届中央委员、中央政治局委员。1983年任国务院农村发展研究中心研究员。1988年7月13日因病在北京逝世。

季 方 （1890—1987）

字正成,江苏海门人。早年入保定军官学校学习。1911年参加辛亥革命,加入沪军北伐敢死队。1913年赴江西参加讨伐袁世凯的湖口起义,后回南通任警备队连长。1921年加入中国国民党,在上海执行部工作。1924年赴广州任黄埔军校特别官佐。1925年参加讨伐陈炯明的东征。1926年参与组织国民革命军北伐军总政治部,任上校组织科科长,随军北伐。后任师党代表和政治部主任。1927年"四一二"反革命政变后,潜往武汉在中央军委总政治部担任军事指挥,参加第二次北伐。不久回武汉任教导营营长、第四军教导团参谋长。大革命失败后愤而辞职。1930年协同邓演达等创建中国国民党临时行动委员会（中国农工民主党前身）,被选为中央干部会干事,负责总务和军事工作,积极从事爱国反蒋民主运动。1933年11月参加反蒋抗日的福建人民政府,任军事委员会高级参谋。1934年夏被国民党当局逮捕,后经营救保释出狱。抗日战争爆发后,以国民党战地党政委员会少将指导员名义,组织和推动长江以北苏中各派军队联合抗日。1940年进入苏中解放区,担任新四军苏中区第四军分区司令员,率部坚持敌后抗日战争。1942年3月兼苏中第四专员公署专员。1944年担任苏中行政公署副主任。1945年8月担任苏中行政公署主任。参与领导苏中解放区各项建设。解放战争时期,先后任苏皖边区政府副主席兼苏中行政干部学校校长,华东军区解放军教导总团团长等职,参加华东解放战争。中华人民共和国成立后,历任中央政府政务院交通部副部长,江苏省副省长,第五、六届全国政协副主席等职。是中国农工民主党的创始人之一,被选为农工民主党历届中央委员,第六届中央执行局委员,第七届中央主席团委员,第八、九届中央委员会主席,1987年1月任名誉主席。并被选为第一届全国政协代表,第二届全国政协委员,第三、四届全国政协常委,第一至第五届全国人大常委,中国民主同盟第一、二、三届中央委员等。1987 年 12 月 17 日因病在北京逝世。

冀朝鼎 （1903—1963）

经济学家、经济活动家。山西汾阳人。1924 年毕业于清华学校,随即留学美国。先后获得芝加哥大学哲学学士和法律博士学位,哥伦比亚大学经济学博士学位。1927 年加入中国共产党。在美国留学期间,曾主办英文版《今日中国》和《亚美杂志》;主编美国《工人日报》副刊,并亲自撰写文章,介绍中国战时的经济情况。由于他在国内外经济界的名望和在国民党政府中的公开身份,抗日战争时期担任了平准基金委员会秘书长、外汇管理委员会主任、中央银行经济研究处处长等职。中华人民共和国成立后,任中央财经委员会委员兼计划局副局长、政务院外资企业局局长、中国银行副董事长兼副总经理、中国国际贸易促进委员会副主席。他在发展中国与西方国家的贸易方面做了许多工作。1955 年当选中国科学院哲学社会科学学部委员。著有《中国经济枢纽区域史》(1934)、《中国战时的经济发展》(1938)。

季羡林 （1911—2009）

古文字学家、历史学家、东方学家、翻译家、佛学家。字希逋,又字齐奘,山东临清人。6 岁到济南,投奔叔父季嗣诚。入私塾读书。7 岁后在山东省立第一师范学校附设新育小学读书。10 岁开始学英文。12 岁考入正谊中学,半年后转入山东大学附设高中学习。在高中开始学德文,并对外国文学发生兴趣。1930 年考入清华大学西洋文学系学习。1935 年考取清华大学与德国的交换研究生,赴德国留学。入哥廷根大学学习梵文、巴利文和吐火罗文等学科,1941 年获哲学博士学位。在德国期间发表的论文获得了国际学术界的高度评价,奠定了其在国际东方学和印度学界的地位。1946 年回国后,任北京大学教授,创建东方语文系并任首任系主任。中华人民共和国成立后,继续在北京大学任教。1956 年当选为中国科学院哲学社会科学部委员。"文化大革命"中遭受迫害。1978 年任北京大学副校长、中国社会科学院与北京大学合办的南亚研究所所长。在佛典语言、中印文化关系史、佛教史、印度史、印度文学和比较文学等领域,创作颇多,著作等身,成为享誉海内外的东方学大师。他还精于语言,通英文、德文、梵文、巴利文,能阅读俄文、法文,尤其精于吐火罗文,是世界上精于此语言仅有的几位学者之一。他研究翻译了梵文著作和德、英等国经典,诸如梵文名著《沙恭达罗》和世界瞩目的印度两大史诗之一《罗摩衍那》等。2006 年 9 月成为中国翻译协会颁发的首位"翻译文化终身成就奖"获得者。是第六届全国人大常务委员会委员,第二、第三、第四、第五届全国政协委员。曾担任国务院学位委员会委员兼外国语言文学评议组组长、中国外国文学学会会长、中国南亚学会会长、中国民族古文字学会名誉会长、中国语言学会会长、中国外语教学研究会会长、中国高等教育学会副会长和中国敦煌吐鲁番学会会长等职。2009年7月11日因病在北京逝世。著作已经汇编成《季羡林文集》，共24卷，内容包括印度古代语言、中印文化关系、印度历史与文化、中国文化和东方文化、佛教、比较文学与民间文学、糖史、叶火罗文、散文、序跋以及梵文与其他语种文学作品的翻译。

简玉阶　（1875—1957）

民族资本家。广东南海人。早年随其兄简照南在日本、香港等地经营商业和航运业。1905年与其兄和越南华侨曾星湖等在香港创办卷烟厂，初名广东南洋烟草公司。因受英美烟草公司排挤，亏损歇业。1909年得其叔父资金支持，更名为广东南洋兄弟烟草公司复业。1911年起公司转亏为盈。1915年向北洋政府以无限公司注册。1916年冬在上海设立分厂。在提倡国货和历次抵制外国货运动的支持和推动下，不断排除英美烟草公司各种竞争手段的压力和三次恶意吞并的阴谋，公司盈利丰厚。1918年改组为南洋兄弟烟草股份有限公司，重心移至上海。由此，上海分厂成为总厂，香港厂成为分厂。其兄被举为公司"永远总理"，他任协理。1923年任公司总经理。全盛时期职工达万人，至1927年10月企业实际自有资本已近2000万元。1937年4月，官僚资本乘公司困难之际，以低价进入并实际控制公司，宋子文任公司董事长，他只是徒具空名的董事和设计委员。中华人民共和国成立后，于1951年2月公司实现公私合营，他任副董事长。同年推出"红双喜"牌香烟。曾当选全国政协委员、全国人民代表大会代表。

翦伯赞　（1898—1968）

维吾尔族湖南桃源人。1916年考入北京政法专科学校，后转入武昌商业专科学校，1919年毕业后到常德中学任教。1924年赴美国加利福尼亚大学留学，研究经济。1926年回国，加入国民党，在国民革命军总政治部工作。1927年受到蒋介石迫害，流亡上海。1928年脱离国民党，结识吕振羽，开始接受马克思主义。1937年在南京加入中国共产党。七七事变后回到长沙，与吕振羽等人发起组织湖南文化界抗敌后援会和中苏文化协会湖南分会，均任常务理事并主编分会机关刊物《中苏半月刊》。1938年冲破国民党的阻力，出版了名著《历史哲学教程》。1940年2月到达重庆，在周恩来直接领导下从事统战和理论宣传工作，并深入研究中国古代史，先后撰成专著《中国史纲》一、二卷。《中国史纲》是我国早期运用马克思主义观点和方法，系统全面地论述中国古代历史的重要著作之一。抗日战争胜利后，他回到上海，参与组织上海大学教授联谊会，主编《大学月刊》，积极团结文化界进步人士，支持学生爱国运动。1948年11月，和郭沫若等人进入解放区，次年随军进北京，应燕京大学之聘，任社会系教授。并参加筹备新政治协商会议工作，任筹备委员。中华人民共和国成立后，他历任北京大学历史系教授兼系主任、副校长，中央民族学院研究部主任，中央民族历史研究指导委员会副主任，中国科学院哲学社会科学院学部委员,政务院文教委员会委员,中央民族事务委员会委员,第一、二、三届全国人民代表大会代表,人大民族委员会委员等职。还担任中国史学会常务理事兼秘书长。参加发起组织编纂《中国近代史资料丛刊》(全书共十一个专题,约2000多万字)。还与北京大学、人民大学、中国科学院、北京师范大学、中央民族学院等单位的专家、教授合作编著《中国历史概要》、《中外历史年表》、《历代各族传记汇编》等书,并主编高校通用教材《中国史纲要》,为我国高校教材建设和马克思主义新史学的发展作出了贡献。"文化大革命"中,被扣上"资产阶级史学的代表人物"的大帽子加以批判。于1968年12月18日去世。

江 华 (1907—1999)

瑶族。原名虞上聪,湖南江华人。1925年在湖南省第三师范学校学习期间,加入中国共产主义青年团,1926年冬转为中国共产党党员。历任共青团湘南特委群委书记、衡阳总工会青工委主任、湖南汽车路总工会湘南办事处主任。1927年大革命失败后,历任中共湘南特委交通员,中共萍乡县委秘书、茶陵县委书记。1928年11月任红四军前委秘书、政治部秘书长,是红军初创时期开展政治工作的领导人之一。1929年6月任中共闽西特委秘书长、福建省委军委常委。年底到上海参加中央军委军事训练班学习。1930年春后,历任红军团政委、师政委。参加了中央苏区第一至五次反围剿的战斗。1934年夏因广昌战役失利,被撤销职务;10月参加长征;年底任红

三军团直属队政治处主任。到达陕北后,任中央警卫团政委、陕甘军区关中军分区司令员、红二十八军政治部主任、延安城防司令部政委。1937年任中央军委第四局副局长、局长。1938年8月赴山东,历任八路军山东纵队政治部主任,八路军苏皖纵队司令员兼政委,山东纵队二旅政委兼滨海军政委员会书记,山东军区政治部主任等职。参加了创建山东敌后抗日根据地的斗争。1943年秋回延安学习。1945年抗日战争胜利后赴东北,历任中共安东省工委副书记,中共辽宁省委第二书记,辽东军区第二政委,中共辽东分局组织部部长兼社会部部长。参加了建立巩固的东北根据地的战斗。1948年5月任中共安东省委书记兼安东军区政委。1949年8月任中共杭州市委书记兼市长、杭州市警备司令兼政委。中华人民共和国成立后,历任中共浙江省委书记,中共中央华东局书记处书记,中共浙江省委第一书记,浙江省政协主席,浙江省军区政委、党委第一书记,南京军区第五政委。1956年当选中共第八届候补中央委员。"文化大革命"中受到冲击。1973年当选中共第十届候补中央委员。1975年1月任最高人民法院院长、党组书记。1977年当选中共第十一届中央委员。1978年在第五届全国人民代表大会上,当选最高人民法院院长,并任中央政法委员会委员。1980年任最高人民法院特别法庭庭长,主持了对林彪、江青反革命集团的审判,顺利完成审判工作,昭示了社会主义中国法制的恢复。在中共第十二、十三次

代表大会上均当选中央顾问委员会常委。1999年12月24日因病在杭州逝世。

江 青 （1914—1991）

女。原名李云鹤，又名李进。山东诸城人。1929年春入济南山东实验戏曲学校实验剧团学戏。后到青岛，在大学图书馆工作，参加海漠剧社演出话剧，参加进步的文艺宣传活动。1933年2月加入中国共产党，同年夏只身前往上海，入业余剧社等剧团演话剧，失掉党的组织关系。1934年10月在上海被国民党当局逮捕，同年12月被释放。此后以蓝苹为艺名，在电影公司当演员，参加过《王老五》等影片的演出。1937年秋到延安，入抗日军政大学学习，重新恢复中共党组织关系，参加演出话剧等文艺活动。1938年同毛泽东结婚。此后曾到延安鲁迅文艺学院任教。1947年3月党中央撤离延安后，随毛泽东转战陕北，担任过中央纵队直属队协理员。1949年春随中央机关到北平。中华人民共和国成立后，曾任中央人民政府政务院文化部电影事业指导委员会委员，中共中央宣传部电影处处长等职。多年称病休养，极少参加社会活动和政治活动。1963年起，插手指导京剧改革活动，通过演出京剧"样板戏"，在文艺界煽动极左思潮，标榜"文艺革命"的旗手。1965年11月指使姚文元发表文章，攻击吴晗写的《海瑞罢官》历史剧。1966年4月受林彪委托，主持写出了《部队文艺工作座谈会纪要》，诬蔑中国文艺界是"黑线专政"，为"文化大革命"的发动作舆论准备。1966年夏"文化大革命"开始后，她抛头露面，四处活动，积极策划诬陷打倒大批国家和党的领导人。曾任中共中央文化革命领导小组第一副组长、代理组长，解放军文化革命领导小组顾问。为中共第九、十届中央委员、中央政治局委员。以她为首，与张春桥、姚文元、王洪文结成的"四人帮"，形成反党反人民、破坏分裂党和国家的反革命集团，对党、国家和人民造成极其严重的危害。1976年10月中共中央政治局决定予以审查。1977年7月中共十届三中全会决定将其永远开除出党，撤销党内外一切职务。1981年1月被中华人民共和国最高人民法院特别法庭判处死刑，缓期两年执行，剥夺政治权利终身。1983年1月被依法减为无期徒刑。1991年5月14日在北京关押期间自缢身亡。

江亢虎 （1883—1954）

原名绍铨。1901年赴日本考察政治，回国后任清政府北洋编译局总办和《北洋官报》总纂。1902年留学日本。1904年回国后，任刑部主事、京师大学堂日文教习。1910年在国外宣扬"无宗教、无国家、无家庭"的三无主义，与孙中山的三民主义相对抗。1911年组建中国社会党，攻击辛亥革命。1913年赴美任加利福尼亚大学中国文化课讲师。1920年以中国社会党的旗号混入共产国际第三次代表大会。1922年9月在上海创办南方大学，自任校长。1927年逃亡美国、加拿大，在此期间，任加拿大大学中国文学院院长及汉学主任教授。1939年应汪精卫邀请回国到上海。

1940 年出任汪伪政府考试院院长。抗战胜利后,作为大汉奸被捕。1954 年死于狱中。著有《洪水集》、《江亢虎文存初编》等。

姜圣阶 （1915—1992）

化工、核能专家。黑龙江林甸人。1936 年毕业于天津工业学院机电系。后在南京永利宁厂历任技术员、主任工程师、制碱部副部长、高压合成车间主任工程师。1948 年赴美国留学,入哥伦比亚大学研究生院学习,1950 年获科学硕士学位。回国后,任永利宁厂副厂长兼总工程师。领导并参加了氨合成塔内部的结构改进,氨产量由日产 40 吨增加到 500 吨。领导设计和制造出大型沸腾焙烧炉,在国内首次用于硫酸生产,比机械炉产量提高约 10 倍。1956 年在布拉格国际氮肥会议上,宣读了新型氨催化剂研制论文和用无烟煤代替焦炭制造水煤气的论文。倡议并亲自从事理论计算设计,研制成功多层式高压（32MPa）容器,获国务院特别奖。他的一系列应用科技成果,为中国的化肥工业、有机合成化学工业的发展作出了杰出的贡献。1956 年加入中国共产党。1959 年任南京化学工业公司副经理兼总工程师、华东化工研究设计院院长兼总工程师。1963 年任第二机械工业部（核武器研制主管部门）所属国营 404 厂副厂长兼总工程师。他领导和组织了以下工作:（1）六氟化铀厂的设计和运行,对生产工艺过程和冷凝工序进行了重大改革,用大型隔板容器代替单管冷凝器,既作冷凝装置又作贮罐。该成果获国家科学大会奖。

（2）中国第一个大型反应堆的设计、建造和运行工作。（3）将核燃料后处理萃取法从三循环改为二循环,节省了大量设备和仪表,从而降低了成本,提高了效率,增强了安全性。（4）是将核燃料后处理的沉淀法改为萃取法的倡议人之一。（5）第一枚原子弹核心部件的研制成功,保证了核爆炸试验准时进行。（6）改进生产工艺,将氯化法改为氟化法,并达到世界先进水平,生产出铈弹核部件。成为获得"原子弹技术突破与武器化"全国进步奖特等奖七人之一。在 α 相铈的提炼技术与研制成果中,是获得国家发明二等奖七人之一。在中国核武器的研制中作出了应有的贡献。1976 年任第二机械工业部核燃料局负责人。1977 年任第二机械工业部副部长。1982 年后,任核工业部科技委员会主任兼国家核安全局局长,国家核安全专家委员会主任。是中国科学院学部委员,中国核学会理事长,第六、七届全国人民代表大会代表。他是中国和平开发核能,发展核电事业的积极倡导者和实践者。不仅在国内外报刊上发表关于中国发展核电的论文十余篇,还积极指导中国第一座具有自主知识产权的秦山核电站的研制和建设。1992 年 12 月 28 日出差执行公务,不幸心脏病突发,经抢救无效在重庆逝世。著有《合成氨工学》（4 卷）,主编《决策科学基础》（2 卷）和《核燃料后处理工艺学》等。

蒋光鼐 （1888—1967）

字憬然,广东东莞人。幼年入东莞师范学堂读书。1906 年加入同盟会。

1909 年入南京第四陆军中学学习。辛亥革命爆发时，与陈铭枢等赴武昌加入黄兴总指挥部学生敢死队，参加汉口战役。"二次革命"时赴湖口参加起义。1916 年参加云南护国军的讨袁战争。次年任广州护法军政府卫戍司令部警卫营连长。后任警卫团副官、少校团副。1922 年陈炯明背叛孙中山，他参加了保卫总统府的战斗。北伐战争时先后任国民革命军第十师副师长、第十一军副军长。1930 年任十九路军总指挥。1932 年 1 月 28 日深夜，日本侵略军向闸北十九路军发动突然袭击，他命令自卫还击，亲赴真如车站，设立前线临时指挥部。他率部在上海抗日一个月余。5 月 5 日，国民党政府与日本签订了《上海停战及日方撤军协定》，次日蒋介石下令将十九路军分调江西、武汉、安徽三地。他和蔡廷锴坚决反对蒋介石肢解十九路军的命令。后被迫调往福建与红军作战。7 月任福建省政府主席兼驻闽绥靖公署主任。1933 年 11 月参与发动福建事变，在福州成立中华共和国人民革命政府，任财政部长。事变失败后去香港。1935 年，他与蔡廷锴商议，从十九路军抗日公积金中拨出十万银元在香港交给中共代表潘汉年，以支援在长征中经济困难的红军。7 月和李济深等人在香港成立中华民族革命同盟，曾任主席。他变卖了自己在香港的住宅作为同盟的活动经费，积极响应中共发表的"八一宣言"，与同盟的其他领导人发表《告同胞书》，声援"一二·九"运动。抗日战争爆发后，他与李济深等宣布解散中华民族革命同盟，共赴国难。1937 年 10 月，他到南京任军事参议院上将参议。后在广东任第四战区参谋长，第七战区副司令长官，坚持联共抗日，因蒋介石对他的猜忌，他并无兵权。抗日战争胜利后，他坚持反对蒋介石独裁内战卖国的政策，与李济深等人发起筹建中国国民党民主促进会。1948 年中国国民党革命委员会成立后被选为中央委员。1949 年 8 月从香港到北平，9 月应邀出席了中国人民政治协商会议第一届全体会议，当选为全国政协常务委员。1952 年起长期担任纺织工业部部长职务。对中国纺织工业的发展作出了贡献。他曾任中国国民党革命委员会第二、三、四届中央常委等职。1967 年 6 月 8 日因病在北京逝世。

蒋介石　（1887—1975）

原名瑞元，谱名周泰，学名志清，成年后更名中正，字介石，浙江奉化人。1907 年夏考入保定陆军速成学堂一期。年底，又考上日本陆军士官学校十一期，入东京振武学堂炮兵科学习。1909 年冬毕业后，转入日本高田野炮兵第十三联队实习，为士官候补生。同年结识了孙中山。1910 年经陈其美介绍，加入中国同盟会。1911 年 10 月，武昌起义后，蒋介石回到上海，协助陈其美光复沪、杭，任沪军第五团上校团长。1922 年 6 月 16 日陈炯明叛变，炮击广州总统府，孙中山避难永丰舰。蒋前往护卫，得到孙中山的信任。1923 年升任大本营参谋长和国民党军事委员会委员。1924 年 5 月任黄埔陆军军官学校校长兼粤军总司令部参谋长。1925 年 8 月又兼任国民革命军第一军军长。1926年1月当选国民党中央执行委员会委员和常务委员。3月制造中山舰事件，排挤共产党人，5月，主持制定"整理党务案"公开反共。6月，任中央组织部长、军人部长、国民政府委员等职。窃取了党、政、军大权。1927年4月12日在上海发动了反革命政变。4月18日，在南京成立国民政府，任军队总司令。8月，在国民党内反对派的逼迫下，第一次下野。12月1日在上海和宋美龄结婚。1928年1月重新上台。10月统一了中国，任国民政府主席兼任海空军总司令。1930年9月，又兼行政院长，建立起他的独裁统治。"九一八"事变爆发后，采取不抵抗政策，妥协退让。1936年12月12日，"西安事变"爆发，后在中国共产党的努力下，接受停止内战、一致抗日的主张，安全回到南京。1937年9月23日发表谈话，承认了共产党合法地位，第二次国共合作形成。此后至1938年10月，他指挥下的国民党军队参加了对日作战。至武汉沦陷后，消极抗日，积极反共。1941年1月制造了皖南事变。1945年抗战胜利后，于8月4日、20日、23日，三次电邀毛泽东到重庆会谈，国共双方签订了《双十协定》。但他又于转年6月，悍然撕毁停战协定和政协决议，发动全面内战。1948年4月，被国民大会选为总统。1949年1月，内战失败后宣布引退。退居浙江奉化溪口，以国民党总裁身份，操纵国民党政局。12月10日，离开大陆赴台湾。1950年3月1日，在台湾复职总统，兼革命实践研究院院长，此后又四次连任总统。从1952年10月起，在国民党"七大"、"八大"、"九大"和"十大"上，他均当选为国民党总裁。从1953年起，蒋在台湾推行"第一期经建计划"，依靠美日资本发展经济。1967年7月，台湾成立中华文化复兴运动委员会，蒋兼会长。1972年6月1日，任命其子蒋经国为行政院长。7月，患肺炎进行治疗。1975年4月5日因突发性心脏病，逝于台北。

蒋经国　（1910—1988）

又名建华，浙江奉化人。蒋介石长子。早年就读于上海浦东中学。1925年夏参加抗议五卅惨案的游行示威，因行动过激而遭学校开除。随后转入北平外语补习学校，又因参加反对北洋军阀的学生运动被监禁两周。同年10月赴苏联入莫斯科中山大学学习，12月加入中国共产主义青年团。1927年"四一二"政变后，曾发表声明指责蒋介石叛变革命。1928年秋从中大毕业后进列宁格勒托玛卡红军军政学校进修，半年后毕业，担任列宁学院中国留学生的助理指导。1930年曾要求回国，遭到拒绝。1931年被下放劳动。1933年后在乌拉尔重型机械厂工作，先后当技工、技师、副厂长兼工厂报纸主编。1935年与苏联女工费娜（后改名蒋方良）结婚。1937年3月回国。抗战时期先后任江西省政府保安处副处长、处长，督练处处长，江西第四行政区督察专员，赣州专员公署专员兼赣州区保安司令、防空司令、防护团团长，兼三民主义青年团江西支团部主任、赣县县长、江西省政府委员等职。积极推行"赣南新政"，但未取得成效。

1944年1月调任三民主义青年团中央干部学校教育长。10月参与发起国统区10万青年学生从军运动,成立青年军,任总政治部中将主任。1945年6月随宋子文赴苏联谈判并签订《中苏友好同盟条约》。抗战胜利后,10月出任军事委员会委员长东北行营外交特派员,到东北与苏联军方就苏军撤退问题进行谈判。随后任南京国民政府国防部预备干部管训处处长、预备干部局局长,被选为国民党中央执行委员。1948年春秘密组织青年铁血救国会,任总会会长。同年8月出任上海地区经济管制督导专员,监督执行国民政府公布的《财政紧急处分令》,以失败告终。1949年春担任国民党台湾省党部主任委员,为国民党统治集团迁台作准备。大陆解放后,任台湾国民党"政府"、"国防部"总政治部主任。1957年任"行政院"、"国军退役官兵辅导委员会"主任委员,其间曾创办中国青年反共救国团,兼主任。1964年任"行政院""副院长"兼"国际经济合作发展委员会"主任委员。1972年出任台湾"行政院""院长"。1975年4月蒋介石病故后,被推选为中国国民党中央委员会主席兼中央常务委员会主席。1978年5月被选为台湾"国民政府"第六届"总统",1984年连任第七届"总统",并被选为国民党第八至十届中央执行委员会主席兼中央常务委员会主席。他主政台湾以后,"坚持一个中国,反对台湾独立";在经济建设上作了一些改革,使台湾经济有较快发展;提出"自由化"和"政治革新",使台湾内政有所松动。但仍坚持反共立场和与中共当局"不接触、不谈判、不妥协"的政策。1988年1月13日在台北病故。著有《我的生活》、《我的父亲》、《负重远致》,另出版有《蒋经国先生言论著述汇集》12集。

蒋南翔 （1913—1988）

江苏宜兴人。中学时代起就积极参加爱国运动。1932年考入清华大学,开始参加党的地下活动。1933年秋加入中国共产党,先后参加北平社会科学家联盟分社和中华民族武装自卫委员会的工作,主编《清华周刊》和《北方青年》等进步刊物。1935年后任中共清华大学支部书记,中共北平西郊区区委委员。参与领导学生抗日救亡活动。同年12月9日参与组织北平学生爱国示威游行,先后起草学生宣言和北平市学联一些重要文件,在学运中产生巨大影响。1936年3月到上海任中共上海市学委江湾区委书记。抗日战争爆发以后,任中共中央北方局青年委员兼宣传部干事,协助刘少奇编辑《斗争》杂志。1938年初到武汉,任中共中央长江局青委委员,中华全国学生联合总会中共党团书记,筹备并主持召开第二次全国学联代表大会,参与创办武汉青年救国团。1939年初任中共中央南方局青年工作委员会书记,积极开展大后方党的青年工作。1941年2月奉调到延安,任中共中央青年工作委员会委员、宣传部长,并兼《解放日报》社论委员会委员。1945年4至6月被选为候补代表出席中共七大。抗战胜利后被派到东北工作,先后任中共辽北省委宣传部部长、哈尔滨市委常委兼宣传部长并兼哈尔滨市政府教育局长,中共中央东北局青年工作委员会书记兼哈尔滨青年干校校长并兼东北局党报委员会秘书长等职。参加解放东北的斗争。1949 年 1 月调到北平,任中共中央青委委员,中国新民主主义青年团筹委会副主任,参与主持召开青年团第一次全国代表大会,被选为团中央副书记,后任书记处书记,主持创办《中国青年》,成为全国青年运动的著名领导人之一。中华人民共和国成立后,历任清华大学校长兼中共党委书记,中共北京市委常委兼北京市高校党委第一书记,教育部副部长、党组副书记,高等教育部部长,中共天津市委书记兼天津市革委会副主任,国家科委常务副主任兼全国第一次科学大会秘书长,中共中央党校第一副校长等职。被选为第一届全国政协委员,第一至三届全国人大代表,第五届全国人大常委。还曾当选中共中央候补委员、中共中央委员、中共中央顾问委员会委员。1988 年 5 月 3 日因病在北京逝世。

蒋廷黻 （1895—1965）

字缓章,湖南邵阳人。出生在一个自耕农兼小业主家庭。6 岁入私塾。1905 年他与胞兄到省城长沙,进入明德学校学习。次年转入美国长老会传教士办的益智学堂读书,开始学习英文和西洋史等课程。1911 年辛亥革命爆发后,对革命表示困惑,便随林格尔女士到了上海,准备赴美求学。在上海,他加入了基督教。1912 年 2 月,经教会介绍,到达美国旧金山。经人介绍进入密苏里州帕克学院半工半读。两年后转入俄亥俄州粤伯林学院,主修历史。1918 年获得文学学士学位。1919 年又进入纽约哥伦比亚大学研习历史。1923 年 2 月获得博士学位。1923 年春回到祖国,应聘南开大学历史系教授,开始从事中国近代外交史研究。1929 年 5 月,任清华大学历史系主任。在清华大学的五年中,他为历史系建设了一组中国近代史的重要资料,并积极协助外国留学生的研究。同时,他还在北京大学兼课。1934 年夏,蒋介石两次约见他讨论国家统一和抗日问题,他表示反对武力统一中国,主张全面抗日。同年,借休假赴欧考察之机,受蒋介石之托以其私人代表身份到苏联,试探苏联抗日的可能性。在莫斯科,他频频约见负责官员,阐明中国政府希望苏联支持抗日的愿望,同时指出国民党政府的内外政策仍将是反对共产主义的。1935 年 12 月,经翁文灏推荐,出任南京国民党政府行政院政务处长。1936 年 10 月,被孔祥熙推荐出任驻苏大使,以谋求改善中苏关系。12 月,在孔祥熙指使下诬称"西安事变"是苏联指使,立即遭到苏联外交部严正抗议。1937 年"七七事变"爆发,8 月中苏签订了互不侵犯条约,受命争取苏联外援。不久,陆军中将杨杰来莫斯科购置军火,报告国内苏联参战在即,令南京政府有影响人士深信不疑,而责备蒋廷黻不可能直接卷入的报告失实,加上"西安事变"时他无根据的诬称,招致苏联外交界冷遇,于1938 年 1 月奉召回国,卸去驻苏大使。5 月,在汉口复任行政院政务处长。1941 年 7 月 16 日,兼任行政院秘书长,并一度任国民政府行政院发言人。他从

1942 年底开始,着手战后救济工作,并于 1945 年出任中国善后救济总署署长。1946 年 10 月,因与宋子文不和,被解除以上职务。1947 年他参加了有损中国主权的《中美友好通商航海条约》的签约。同年夏季,他在纽约处理亚洲远东经济委员会事务时,因常任代表郭泰祺不在,奉命代表中国出席了联合国安理会,11 月,成为南京国民政府常驻联合国代表。中华人民共和国成立后,蒋廷黻仍以台湾蒋介石政权的"代表身份占据着这个属于中国人民的席位。1961 年 11 月,兼任国民党台湾政权的"驻美大使"。1965 年辞职退休,移居纽约。10 月 9 日,因癌病死于纽约医院。

蒋学模　（1918—2008）

经济学家、翻译家、教育家。浙江镇海人。6 岁时随父亲到上海求学。1936 年入苏州东吴大学经济系学习。1937 年抗日战争爆发后,辗转到四川大学经济系学习。1941 年毕业后,曾在香港《财政评论》杂志社、复旦大学文摘社等处担任编辑和编译工作。在这之后八年中,翻译了 600 余万字,内容涉及经济学、国际政治、文学作品等。他从英文版翻译的法国作家大仲马的《基督山恩仇记》(今名《基度山伯爵》)脍炙人口,发行持续 60 年。其文学功底使他的经济学著作文笔流畅,理论阐述不滞涩,形成独特风格。中华人民共和国成立后,一直在复旦大学经济系从事政治经济学的教学和科研工作,任教授。20 世纪 50 年代,复旦大学经济系开设马克思主义经济学课程,在资料十分有限的情况下,他

毅然承担了《苏联建设》和《东南欧经济》两门课程。70 年代末,应教育部要求,为全国理、工、农、医、师范高等院校马克思理论课教学需要,他组织编写了《政治经济学教材》,于 1980 年初次出版,基于他"没有一种理论可以一成不变,放之四海皆准。我们的理论也必须跟随实际变化时时予以更新,才能确保与时俱进"的认识,至 2005 年已经修订了 13 版,累计发行 2000 万册。他对青年教师和学生提出了被称为"三一纲领"的治学原则,即精读一部经典著作,深入研究一个领域,熟练掌握一门外语。是上海市政协第二、三届委员,第四、五、六届常务委员。曾担任中国对外交流协会常务理事、上海经济学会名誉会长、《中国大百科全书·经济学》卷(1978)编辑委员会委员、《辞海》编辑委员会委员兼政治经济学分科主编等职。2008 年 5 月,在病床上委托保姆交了 500 元特殊党费,作为向四川地震灾区的第二次捐款。7 月 18 日,因病在上海逝世。著有《美国经济危机》(1950)、《政治经济学讲话》(1955)、《社会主义经济制度的优越性》(1959)、《论社会主义经济》(1980)、《社会主义经济十论》(1982)、《社会主义经济新论》(1988)、《走向社会主义市场经济的理论思考》(1995)、《蒋学模自选集》(1999)、《蒋学模文集》(2001)、《高级政治经济学:社会主义总论》(2001)等。

焦菊隐　（1905—1975）

戏剧导演、戏剧理论家、翻译家。原名承志,天津人。少时家贫,常以半工半读维持学业。1928 年燕京大学毕业前

夕,他和熊佛西组织了由熊编剧的多幕话剧《蟋蟀》的演出,因讽刺军阀而遭通缉。大学毕业后任北平市立二中校长。1930年任民国政府北平研究院出版部秘书,兼任北平大学女子文理学院英国小说作品讲师。1931年9月,参加筹办北平戏曲专科学校,任校长。1935年秋赴法国留学,入巴黎大学学习。1938年初获文学博士学位后回国,任广西大学文法学院教授。1942年初到四川江安,在国立戏剧专科学校任话剧科教授兼主任。年底到重庆,有近两年的时间处于失业状态。后曾在中央大学和社会教育学院任教。在此期间翻译了左拉的长篇小说《娜娜》,高尔基的《未完成的三部曲》,贝拉·巴拉兹的《安魂曲》,契诃夫的《万尼亚舅舅》和《樱桃园》,聂米诺维奇-丹钦柯的《文艺·戏剧·生活》等。还撰写了《装置设计的基本认识》、《论灯光》、《论戏剧批评》等专著。抗日战争胜利后,任北平师范大学英语系教授兼主任。1947年底,创办北平艺术馆,导演了话剧《上海屋檐下》(夏衍编剧)、京剧《桃花扇》(欧阳予倩编剧)。1949年初,任北京师范大学文学院院长兼西语系主任。中华人民共和国成立后,1950年为北京人民艺术剧院导演老舍的话剧《龙须沟》。1952年6月,北京人民艺术剧院改组成为专业话剧院,任第一副院长兼总导演和艺术委员会主任。曾任中国文学艺术界联合会委员、中国戏剧家协会常务理事兼艺术委员会主任。是第二至四届全国政协委员。1975年2月28日因病在北京逝世。他一生导演了大量的剧作,以"一戏一格",把斯坦尼斯拉夫斯基体系的思想与中国戏剧美学原则融汇于自己的导演创造之中,逐步形成了自己独具风格的导演学派。作为这一学派的代表性剧目是《茶馆》和《蔡文姬》。他的戏剧论著已经编辑出版的有《焦菊隐戏剧论文集》、《焦菊隐戏剧散论》。

焦裕禄 (1922—1964)

山东博山人。出生在一户贫苦农民家中。少年时代上学读书识字。1935年,家乡发生灾荒,不得不辍学帮助父母砍柴、挖野菜,艰难度日。1940年夏,被日军用闷罐车押往抚顺煤矿充当劳工。1943年秋逃回家乡,后又辗转江苏宿迁,给地主扛长工。抗日战争胜利后,回到家乡参加民兵,并担任村民兵队长。1946年初加入中国共产党。后随军南下,先后担任尉氏县副区长、区长,中共区委副书记等职。1954年春,来到河南省洛阳筹建矿山机械厂。在洛阳矿山机械厂工作的八年时间中,历任车间主任、科长。1962年12月,他来到位于黄河故道,长年受风沙、内涝、盐碱"三害"严重影响的河南省兰考县任县委第二书记,不久任书记,领导全县36万人民投入治理"三害",发展生产,建设家园的事业。被人们誉为"县委书记的榜样"。1964年5月14日,在郑州病逝。

居 正 (1876—1951)

原名之骏,号觉生,别号梅山居士,湖北广济(今武穴市)人。1905年赴日本留学,后由日本法政大学毕业,当年12月由宋教仁介绍加入同盟会。1907年加入共进会,出任同盟会机关报《中兴报》编辑。1908 年在缅甸主办《光华日报》,并在仰光建立同盟会支部,进行推翻清朝的革命活动。1911 年武昌起义后,为筹组湖北军政府起了重要作用。二次革命中,任吴淞要塞司令、东北军总司令。民国政府成立后,任内政部次长。1914 年加入中华革命党,负责党内事务,并主编党报《民国杂志》。1916 年袁世凯死后,到北京任国民会议参议员。1919 年 10 月任国民党中央党部总务部长、广州大总统府参议、内务总长、军事委员会委员。国民党改组后,因持异议离广州到上海闲居。1925 年孙中山逝世后,与邹鲁、谢持等在北京西山碧云寺非法召开"国民党一届四中全会",引起国民党的分裂,为西山会议派的主要人物。蒋介石上台后,曾一度遭冷遇被监禁。1931 年 11 月被起用,任立法院副院长,后任院长兼最高法院院长、公务惩戒委员会委员长。是国民党中央执行委员会常委、监察委员、非常委员会委员、中央改造委员会评议委员。1949 年 11 月

到台湾。遗著编为《居正先生全集》。

巨　赞 （1908—1984）

僧人、佛教学者。俗姓潘、名楚桐,江苏江阴人。上海大夏大学肄业。1931年投杭州灵隐寺,于宝华山受具。通多国外语,努力钻研佛经,尤其对唯实和禅宗致力特多,涉猎诸子百家以及康德和黑格尔哲学。1938 年在湖南组织南岳佛道救难协会和佛教青年服务团,投身救亡运动。1944 年冬,在广西北流任无锡国学专科学校教授。1948 年任杭州武林佛教学院院长。中华人民共和国成立后,任全国政协第二至四届委员、第六届常务委员。1950 年在北京开办大雄麻袋厂,组织僧尼劳动生产,提倡恢复农禅生活。同年参与创办《现代佛学》社,任主编。1952 年参与发起成立中国佛教协会,任筹备处副主任;佛协成立后任常务理事。1957 年任中国佛教协会副会长。1984 年 4 月 7 日在北京圆寂。著有《灵隐小志》和百余篇佛学论文。

K

康 生 （1898—1975）

原名张宗可，字少卿，曾用名赵容等。山东胶南人。早年就读上海大学。1925 年加入中国共产党，曾任中共沪中区委书记、江苏省委组织部部长和秘书长。1930 年任中共中央审查委员、中央组织部部长。1933 年 7 月赴苏联，为中共驻共产国际代表团负责人之一。曾积极推行王明"左"倾冒险主义。1937 年冬回到延安。后任中共中央社会部部长、中共中央书记处书记。延安整风运动期间，任中央总学习委员会副主任，曾以"抢救失足者"为名，制造了许多冤案。抗日战争胜利后，任中共中央山东分局书记、山东军区政委、山东省人民政府主席。中华人民共和国成立后，任中共中央书记处书记，全国政协副主席、全国人大常委会副委员长、中共第八届中央政治局候补委员。"文化大革命"中，任中央"文革"小组顾问、中共第九届中央政治局常委、第十届中央副主席。曾与江青等勾结在一起，陷害大批各级领导干部。1975 年 12 月 16 日在北京逝世。1980 年 10 月 16 日被中共中央决定开除党籍，撤销悼词。

康克清 （1912—1992）

女。原名桂秀，江西万安人。1926 年参加妇女协会活动。1927 年冬加入中国共产主义青年团。1928 年春参加万安农民暴动，任乡农民协会秘书。后参加中国工农红军，随部队上井冈山后同朱德结婚。参加了转战赣南闽西和扩大赣西南根据地的斗争。1931 年底转为中国共产党党员。1932 年任红一方面军总部女子义勇队队长，后入瑞金中央军事政治学校学习。1933 年任中国工农红军总司令部交通大队政治委员。参加了中央根据地第一至第五次反"围剿"战斗。1934 年 10 月参加红军长征。1935 年冬随红军总司令部南下川康边,任总司令部直属队政治指导员。1936 年任红四方面军党校(川陕省委党校)总支书记,10 月随红四方面军北上到达甘肃。1937 年入抗日军政大学学习。抗战爆发后随军到前线,历任八路军前方总部直属队政治处主任,晋东南妇女救国会主任,中共中央妇女运动委员会委员等职,参加了敌后抗日游击战争。后回到延安,曾入党校学习,当选为中共七大代表。不久被选为中国解放区妇女联合会筹委会常务委员。1946 年开始的解放战争期间,担任解放区战时儿童保育会代理主席,任中共中央妇委委员。1949 年 4 月当选为中华全国妇女联合会副主席。中华人民共和国成立后,历任全国妇联第二、三届副主席和第四、五届主席,中国人民保卫儿童全国委员会秘书长、副主席,宋庆龄基金会主席,中国保卫儿童委员会主席等职。是中共第十一、十二届中央委员;第四、五届全国人大常务委员;全国政协第二、三届委员,第四届常务委员,第五、六、七届副主席。1992 年 4 月 22 日在北京逝世。

康世恩 （1915—1995）

河北怀安人。1935 年在河北省立北平高中上学时参加"一二·九"学生运动。1936 年考入清华大学地质系学习,参加抗日民族解放先锋队,任清华大学学生救国会常委;10 月加入中国共产党。1937 年抗日战争爆发后,任"山西省牺牲救国同盟会"中共太原中心区委组织部部长,后参加八路军,历任第 120

师民运部工作员、山西朔县战地动员委员会主任、晋绥第八分区行政公署专员。在晋绥地区从事抗日武装斗争和抗日根据地的建设。1946 年开始的解放战争时期,历任晋绥雁门军分区政治部主任、中国人民解放军第一野战军第 3 军第 9 师政治部主任。1949 年 9 月率部队接管玉门油矿,任军事总代表。中华人民共和国成立后,历任西北石油管理局局长、燃料工业部石油管理局局长、全国石油地质委员会主任委员、石油工业部部长助理。在其领导下,玉门油矿建设成为中国第一个初具规模的石油基地。20世纪 60 年代初,任石油工业部副部长兼大庆油田会战指挥部总指挥,与部长余秋里率领石油工业战线的科技人员和工人,于 1963 年底发掘出一个探明地质储量 26 亿吨,累计生产原油 1000 多万吨,国家投资 7.1 亿元全部收回,还为国家积累了 3.5 亿元资金的大油田。造就了中国工业战线上的一面旗帜——"工业学大庆"。后历任华北石油勘探会战指挥部指挥,石油工业部主要负责人、党委书记,湖北省革命委员会副主任兼江汉石油会战指挥部副指挥,燃料化学工业部主要负责人。1975 年 1 月任石油化学工业部部长、党的核心小组组长。1977年 8 月当选中共第十一届中央委员。1978 年 3 月任国务院副总理。1980 年 8月因石油渤海 2 号作业时翻船事故,被国务院记大过一次。1981 年 3 月兼任石油工业部部长。1982 年 5 月,卸任国务院副总理职,退居二线;6 月,大过处分被撤销;9 月,当选中共第十二届中央委员。1987 年 11 月在中共第十三次全国代表大会上,当选中共中央顾问委员会常务委员。1995 年 4 月 21 日因病在北京逝世。他为中国石油工业的发展作出了重要的贡献。著作有《康世恩论中国石油工业》。

柯庆施　(1902—1965)

原名尚惠,安徽歙县人。1920 年加入中国共产主义青年团。1922 年加入中国共产党。不久,前往苏联莫斯科学习。回国后直到 1936 年,在上海、南京、武汉、安徽等地先后从事工运、农运和兵运工作。曾任中共安徽省委书记、红军第八军政治部主任、中共中央秘书长、中共河北省委前委书记和组织部长。抗日战争全面爆发后,到延安担任中共中央统战部副部长。解放战争时期,曾先后担任晋察冀边区行政委员会财委副主任、石家庄市市长、中共中央党校副校长。中华人民共和国成立以后,任中共南京市市委书记、南京市市长、江苏省委书记、中共上海市委书记、市委第一书记、上海市市长。1956 年 9 月,在中国共产党第八次全国代表大会第一次会议上当选为中央委员。11 月,在八大二次会议上又当选为中央政治局委员。他还担任南京军区第一政委、中共中央华东局第一书记、国务院副总理等职。1965 年 4 月 9 日,在四川成都病逝。

孔原　(1906—1990)

原名陈铁铮,化名田夫、田心,江西萍乡人。早年就读于萍乡中学,失学后当手工工人,参加工人运动。1924 年冬加入中国社会主义青年团。1925 年 2 月转为中共党员。同年任萍乡县总工会纠察部部长,被选为萍乡县学生会会长,并兼国民党县党部农工部部长,参与组织萍乡工人运动和学生运动。1927 年 4 月到南昌,任江西省总工会组织部长、中共党团书记。大革命失败后,参加南昌起义,任革命委员会农工委员会宣传科科长,同年冬转至上海,先后任沪西区工会组织员,上海总工会秘书等职。1928 年被派赴苏联入东方大学学习。1930 年秋回国,曾去武汉做兵运工作,不久到上海。1931 年任中共中央组织部秘书长。1932 年 2 月改任中共江苏省委组织部部长。同年底调回临时中央,负责组织局兼组织部工作。1933 年 3 月被派赴华北,任中共中央驻北方代表。在白色恐怖条件下,领导北方地区党的地下工作。1934 年 1 月,在中共六届五中全会上被补选为候补中央委员。1935 年 5 月离天津去上海恢复中央上海执行局工作。不久转赴莫斯科,出席共产国际七大,任中共代表团代表。同时出席少共国际六大,被选为大会代表资格审查委员会委员;参加赤色救济国际扩大会议,被选为委员。1936 年春入列宁学院学习并在东方大学兼课。1937 年抗日战争爆发后,于 1938 年 7 月回到新疆。在红军西路军余部编成的新兵营任主任政治教员、中共总支副书记。1939 年 4 月到延安,任中共中央特别委员会(敌区工作委员会)副主任,并任中共中央职工运动委员会委员、西北工作委员会委员。1940 年 5 月被派至重庆,担任中央南方局组织部部长兼西南工作委员会书记。参与领导大后方的抗日民主运动和抗日统战工作。1943年7月回到延安入中央党校学习。被选为中共七大代表。解放战争时期,历任中共沈阳市委书记、吉林省委宣传部部长兼民运部部长,延边地委书记、吉林市委书记、抚顺市委书记等职。中华人民共和国成立后,历任中央人民政府政务院海关总署署长,对外贸易部副部长,中共中央调查部副部长,中国人民解放军总参谋部顾问等职。被选为中共第八届候补中央委员、第十一届中央委员,第三届全国人大常委,第五届全国政协常委。在中共十二大上被选为中央顾问委员会委员。1990年9月21日因病在北京逝世。

孔伯华 （1885—1955）

中医学家。名繁棣,字伯华,山东曲阜人。自幼学习中医。1907年在河北易县正式行医。1910年应聘到北京外城官医院,任中医内科医官。在为患者诊治过程中,他因善于灵活施用生石膏,被称为"石膏孔"。尤善于汲取各家之长,以精当、明快、果断的医疗风格成为北京四大名医之一。1929年被选为全国医药团体联合会临时主席,率请愿团去南京,请求取消废止中医的命令。中华人民共和国成立后,曾任全国政协委员、卫生部顾问、中国医学科学研究会委员、中华医学会中西医学术交流委员会副主任委员、北京中医学会顾问等职。著有《脏象发挥》《时斋医话》等。

孔繁森 （1944—1994）

中共领导干部的杰出代表。山东聊城人。出生在一个贫苦的农民家庭。

1961年参加中国人民解放军。1966年9月加入中国共产党。1967年复员回到聊城后,历任聊城技工学校革命委员会副主任,共青团聊城地委常委,中共聊城地委宣传部部长。1979年4月,作为援藏干部到西藏工作,任中共岗巴县委副书记。他跑遍全县的乡村、牧区,与群众共同劳动。1988年完成援藏工作回到山东,历任中共莘县县委副书记,聊城行署办公室副主任、地区林业局局长、行署副专员等职。1988年再赴西藏工作,任拉萨市副市长,分管文教、卫生和民政工作。在其工作期间,拉萨的适龄儿童入学率由45%提高到80%。全市56个敬老院和养老院,他走访过48个,给孤寡老人送去了党和政府的关怀。1993年援藏工作期满,他反而去了西藏最偏僻、平均海拔最高,条件更为艰苦的阿里地区工作,任阿里地委书记。在不到两年的时间里,他跑遍了全地区106个乡中的98个乡,深入调查研究,求计问策,寻找脱贫致富的路子。并准备在最有潜力的边境贸易、旅游等方面下工夫,亲自带队去新疆塔城进行边境贸易考察。1994年11月29日,在返回阿里时因车祸不幸殉职。他在西藏工作期间,每次下乡都特意带上几百元的常用药,送给急需的农牧民;还领养了在地震中失去亲人的三个藏族孤儿。他为藏族同胞所做的一切,都得到家庭坚定的支持。所荣获的"全国民族团结进步先进个人"奖章,去世后由亲属代领。1995年4月29日,江泽民总书记题词"向孔繁森同志学习"。政治局常委李鹏、乔石、李瑞环为他题词,政治局常委胡锦涛撰写署名文章,号召全党、全国人民向孔繁森同志学习。国务院追认他为"全国先进工作者"。6月,中共中央组织部追授他为"模范共产党员、优秀领导干部"。7月4日,中共中央宣传部批准在聊城建立孔繁森同志纪念馆。

孔荷宠　(1896—1956)

中共叛徒。别名孔介如、孔庆如,化名曾庆福、曾福生,湖南平江人。早年参加湘军。1926年在平江参加农民运动,任农民自卫军队长,同年加入中国共产党。1927年在平江地区组织游击队,历任队长、大队长、湘赣边游击司令。1928年7月参加平江起义,后任红五军第1纵队队长。1929年任红军独立第1师师长。1930年7月率部参加攻打长沙的战斗。9月,部队扩编为红十六军,他先后任副军长、军长。1931年11月被选为中华苏维埃共和国中央执行委员、中央革命军事委员会委员,任湘鄂赣边区总指挥兼红十六军军长。1932年11月,他因犯盲动主义错误受到朱德的批评,被撤销职务,入中国工农红军大学学习。1933年调中央动员部工作。1934年7月利用去外地巡视工作之机叛逃。投靠国民党后,他供出湘鄂赣边区党组织、红军和苏维埃政权组织的情况,帮助国民党军制定围剿红军和中央苏区的计划,并参加剿共的宣传工作,出任"特别招抚专员"。1935年至1937年间,他组织便衣别动队,专门袭击中央红军长征后留在苏区坚持的红军游击队。抗日战争时期,曾任江北游击副总指挥、第58军暂编54师师长,被授予中将军衔。1943年因贪污薪饷被军法处判处有期徒刑三年。出狱后,在汉口、南京等地经商。中华人民共和国成立后,他先后在四川重庆,云南昆明、建宁等地匿居。1955年2月被公安部门逮捕归案。1956年8月病死在北京公安医院。

L

老 舍 (1899—1966)

作家。满族。原名舒庆春,又名舒舍予,北京人。早年就读于私塾,后来有机会读完了小学。1924 年秋经艾温士介绍去英国,在伦敦大学的东方学院教授中文。1925 年底,长篇小说《老张的哲学》在伦敦脱稿。1929 年夏回国。黑暗中国的苦难现实,激起了他的义愤,改变了他的创作风格。从 1930 年夏到1937 年秋,先后发表、出版了长篇小说《骆驼祥子》、《离婚》和中篇小说《月牙儿》、《我这一辈子》。其中《骆驼祥子》被先后翻译为英、法、德、意、日、塞尔维亚—克罗地亚、俄、西班牙等近 20 种文字出版。抗日战争爆发后,1938 年 3 月27 日,当选为"中华全国文艺界抗敌协会"常务理事兼总务部主任。长篇小说《四世同堂》也是这个时期创作的。全书近百万字,是整个抗战文艺中首屈一指

的鸿篇巨制。1946 年 3 月应邀赴美讲学。1949 年 10 月,在纽约收到周恩来邀请他回国写作的信,不顾疾病未愈,于12 月 12 日回到北京。中国人民的翻身解放,激发了他空前的创作热情。他在热心从事社会活动,帮助青年作家成长的同时,创作出大量优秀的文艺作品,被誉为文艺界的劳动模范。其中以话剧《龙须沟》、《茶馆》和小说《正红旗下》最为著名。话剧《龙须沟》是解放初期我国话剧中的最佳剧作。北京市人民政府于1951 年授予老舍"人民艺术家"的光荣称号。写于 1957 年的三幕话剧《茶馆》被评论界认为是三十年间话剧创作中艺术性最为完美的优秀作品。1979 年文化部授予《茶馆》以"建国三十年话剧创作荣誉奖"。1980 年秋天,北京人民艺术剧院应邀赴西欧演出《茶馆》,受到联邦德国、瑞士、法国观众的高度赞誉,揭

开了我国话剧出国演出的第一页。中华人民共和国成立后,曾任政务院文教委员会委员、第一至三届全国人民代表大会代表、中国人民政治协商会议常务委员、北京市人民政府委员、中国文联副主席、中国作家协会副主席及书记处书记、中国民间文艺研究会副主席、中国戏剧家协会理事、中国曲艺工作者协会理事、北京市文联主席、中朝友好协会副会长等职。1966年"文化大革命"开始后遭受迫害,他选择以自杀的方式进行无声的抗争,于1966年8月24日在北京逝世。1978年6月3日,在北京市八宝山革命公墓隆重举行了老舍的骨灰安放仪式,为他平反昭雪,恢复名誉。

雷 锋 (1940—1962)

湖南长沙人。出生在一个贫苦农民的家庭。7岁便成了孤儿。1949年8月参加儿童团。不久,被送进小学读书。1956年在乡政府当通信员,后又被推荐到中共望城县委任公务员。1958年底,被鞍山钢铁公司招工入选,在鞍钢化工总厂任推土机手。在鞍钢的一年零两个月时间里,他三次被评为先进生产者,十八次被评为标兵,五次被评为红旗手,并荣获青年社会主义建设积极分子称号,出席了鞍山市青年社会主义建设积极分子代表大会。1960年1月,加入中国人民解放军,被编入沈阳军区工程兵某团运输连四班当驾驶员,后任班长。1960年11月8日加入中国共产党。在入伍不到三年的时间里,先后荣立二等功1次,三等功2次,多次受到团营嘉奖,被评为学习毛泽东著作积极分子,艰苦奋斗节约标兵,少先队优秀辅导员,模范共青团员、共产党员,沈阳部队首届共青团代表会议代表。1961年春当选为抚顺市第四届人民代表大会代表。1961年1月,中国人民解放军工程兵政治部发出关于学习雷锋的通报,对其模范事迹给予广泛报道和宣传,在全国引起强烈反响。1962年8月15日,在指挥车辆行进过程中不幸被车身碰倒的木杆砸中头部,抢救无效牺牲。1963年1月7日,国防部批准授予沈阳部队工程兵某部雷锋生前所在的四班为"雷锋班"。2月7日,中国人民解放军总政治部发出宣传和学习雷锋模范事迹的通知。毛泽东、刘少奇、周恩来、朱德、陈云、邓小平等国家领导人先后题词,号召全国人民向雷锋同志学习。

雷廷权 (1928—2007)

材料科学与热处理专家。陕西西安人。1949年毕业于西北工学院机械系。1951年到哈尔滨工业大学进修、工作,任金属材料及热处理教研室主任。1956年赴苏联留学,入莫斯科钢铁学院学习。1960年获技术科学副博士学位后回国。1962年任副教授。"文化大革命"中,研究工作受到冲击,但他埋头著书。1973年主编的《钢的形变热处理》完成,于1978年出版,这项既可以简化加工程序、大量节约资源,又可以充分发挥材料本身潜力的形变热处理基础理论研究成果,获全国科学大会奖。同年任教授。1979年为了让形变化学热处理成果早日应用于生产实践,他用三年时间又主编了《热处理手册》的四个分册,并亲自指导和参加了这项新技术的推广应用，利用这项新技术生产的某型导弹壳体完全达到了国外同类导弹壳体的水平和要求。还在汽轮机叶片、车刀等重要零部件上获得应用，取得了巨大的经济效益。1984 年获国家科学技术发明奖二等奖。他还率先开展了双相钢及双相组织热处理研究，研制的双相钢新品种在汽车零部件中获得应用。1985 年以来，他系统地进行了 ZrO_2 陶瓷中相变过程、相变韧化及晶须韧化等方面的基础研究工作，大力开展了陶瓷复合材料在航天工业的应用研究，利用短纤维及颗粒复合增强石英陶瓷，成功地解决了烧结致密化与析晶的矛盾，为航天防热部件提供了透波型及不透波型两种崭新的材料及工艺。1997 年当选中国工程院院士。是中国共产党党员、黑龙江省劳动模范。曾担任国务院学位委员会材料科学与工程学科评议组成员、中国金属学会理事、材料科学学会常务理事、中国机械工程学会热处理专业委员会理事长、国际热处理联合会主席、《金属热处理学报》和《材料科学与工艺》主编等职。2007 年 12 月 6 日因病在哈尔滨逝世。

黎锦熙　（1890—1978）

语言文字学家。字劭西，湖南湘潭人。早年参加同盟会。1911 年毕业于湖南优级师范学堂史地部之后，开始从事教育工作。1915 年应民国政府教育部之聘，到北京任教科书特约编纂员。1920 年后，历任北京高等师范、北京女子师范大学、北京大学、燕京大学国文系教授。1937 年"七七事变"后，随北京师范大学西迁，历任教授、系主任、师范学院院长。1945 年与许德珩等共同发起组织九三学社。1948 年回北京，任北京师范大学文学院院长兼国文系主任，另兼任中国大辞典编纂处总主任。1949 年与吴玉章、马叙伦等组织中国文字改革协会，任理事会副主席。中华人民共和国成立后，任北京师范大学中文系主任，中国文字改革委员会委员。1955 年当选中国科学院哲学社会科学部委员。是第一至三届全国人民代表大会代表，第一、二、五届全国政协委员，九三学社中央常务委员。1978 年 3 月 27 日因病在北京逝世。他从事语文教学和科学研究近 70 年，影响较大的有三个方面：推广普通话和改革汉字，语法研究和语文教学，辞典编纂。一生撰写论文三百多篇，专著三十余部。

黎秀芳　（1917—2007）

护理学专家、南丁格尔奖获得者。女。湖南湘潭人。出生在南京一个书香世家，因其父的学问被蒋介石赏识视为亲信，后任国民党"励志社"副总干事，领中将军衔。从 5 岁起，五年内其生母、继母和一个妹妹因缺乏科学的医护相继去世，让她刻骨铭心。1936 年夏从南京女子中学毕业，违背父亲让她学法律或新闻的意愿，报考中国唯一的护士学校——南京国立中央高级护士学校。1937 年抗日战争爆发，她拒绝了父亲迁往重庆的安排，随学校边继续学习边辗转迁移。1938 年在长沙与同学听了共产党人吴玉章的演讲，定下了到大西北服务、建设大后方的决心。1940 年 2 月毕业留校任教。同年借道重庆前往兰州，再次违背父亲在中央医院安排她当护士的意愿，抱着"医护救国"的理想奔赴大西北。1942年1月任中华民国政府兰州西北医院护理科实习教员。1943年中华护理学会委托兰州中央医院创办西北第一所公立职业高级护士学校，她因表现突出被聘为专职教员。1945年5月被保送到北平协和医院护理师资专修班进修。1947年9月回到兰州，任高级护士学校教务主任兼护士部副主任。1948年8月任高级护士学校代理校长兼护士部副主任。1949年8月任中国人民解放军西北军区第一陆军医院高级护士学校校长。中华人民共和国成立后，1952年7月递交第一份加入中国共产党的申请书。1954年，鉴于国内战争遗留和抗美援朝战争中的大量伤病员在治疗护理过程中的混乱情况，她和护理学家张开秀共同提出并制定了"三级护理"、"三查七对"、"对抄勾对"等护理规章制度，奠定了中国现代科学护理的基础。这些制度至今仍在沿用。11月，任西北军区后勤部护士专修科主任。1955年与张开秀共同撰写的论文《三级护理》在《中华护理》杂志上发表，后被苏联《护士》杂志刊用。1956年10月任兰州军区总医院附设护士学校校长。1958年秋天被定为"中右"派分子，下放到院办工厂劳动改造。1962年11月任兰州军区卫生学校副校长兼教务科长。"文化大革命"中受到冲击。1970年后历任中国人民解放军第一医院医务处助理员、副主任。1977年7月递交第六份入党申请

书。1978年7月，任兰州军区军医学校训练部副部长；9月，加入中国共产党。1979年整理编写《自卫反击作战护理经验总结》、《自卫反击作战护理工作的体会》。1981年6月，到美国探亲，参观访问了美国6所医院、3所护士大学、1所普通大学和1所小学，收集的资料记了30余本笔记。拒绝亲人留美居住的挽留后回到兰州。撰写了《美国的护士教育及医院管理》；12月，职称定为主任护理师。1983年任兰州军区军医学校专家组成员，同年从校领导岗位上退居二线。1986年12月与张开秀发表《联合言志书》，将4万元捐赠兰州军区，以作护士班优秀毕业生和医院优秀护士奖励之用。兰州军区将其定名为"双秀基金"，每两年评选奖励一次。1987年获全军二级英模奖章。1988年任兰州军区总医院专家组成员、兰州军区护理专业职称评定委员会主任。1990年被卫生部评为全国模范护士。1995年职称评定为军队专业技术一级。1997年获国际第36届南丁格尔奖，成为中国人民解放军医护人员获该奖第一人。1999年获全国归侨、归眷先进个人称号。2000年12月参加香港第三届全球华人医学大会，获医坛杰出人物奖。2001年1月被香港国际医学会授予国际医学成就奖。2002年9月晋升军队文职特级。一生为国家和军队培养了5000多名护理人才。2007年将80万元捐赠兰州军区总医院，设立"为兵服务奖励基金"；7月9日因病在兰州逝世。2009年5月中华人民共和国中央军事委员会主席胡锦涛签署命

令,追授她"爱党为民模范护理专家"荣誉称号。

李 达 （1905—1993）

陕西眉县人。青年时期,先后考入西安市私立东道中学和省立高级师范学校学习。其间受到进步思想的影响,参与了五四运动和五卅运动。1926年考入西北军第二军官学校,毕业后任班长、排长。1931年12月参加宁都起义,参加中国工农红军。1932年9月加入中国共产党。历任红军第五军团连长,湘赣苏区独立第一师参谋长,红十七师参谋长兼团长,红六军团参谋长等职。参加了湘赣苏区第四、五次反"围剿"战斗,荣获二等红星奖章。长征途中,先后任红二军团和红二方面军参谋长。1937年初,任援西军参谋长。抗日战争爆发后,任八路军第一二九师参谋长,后兼太行军区司令员。1946年开始的解放战争时期,历任晋察冀鲁豫军区参谋长,中原军区参谋长,第二野战军参谋长兼特种兵纵队司令员和政治委员。辅助刘伯承、邓小平指挥所部主力在鲁西南战场机动作战;突破黄河防线,千里跃进大别山,揭开了解放战争战略反攻的序幕;淮海战役中,与邓子恢一起,组建各级支前司令部和指挥部。为淮海战役的胜利,提供了坚强的后勤保障;指挥渡江战役;随后向西南进军,解放了四川、云南、贵州、西康四省。中华人民共和国成立后,任西南军区副司令员兼参谋长,后兼云南军区司令员。1953年参加抗美援朝战争,任中国人民志愿军参谋长。1954年后,任国防部副部长兼中国人民解放军训练总监部副部长。1955年被授予上将军衔。"文化大革命"中,被非法关押达四年之久。1972年任中国人民解放军副总参谋长。1973年8月当选中共第十届中央委员。1977年8月当选中共第十一届中央委员。1980年任中央军委顾问。1982年9月在中共第十二次全国代表大会上,当选中共中央顾问委员会委员。是第二、四届全国人大代表,第三届全国人大常务委员。1993年7月12日因病在北京逝世。

李 达 （1890—1966）

字永锡,号鹤鸣,湖南零陵人。1913年、1917年两次东渡日本求学。1918年5月回国参加反对段祺瑞卖国政府的爱国斗争;受十月革命的影响,开始学习和研究马克思主义。6月第三次东渡日本,专攻马克思主义学说,成了马克思主义的忠实信徒。1920年夏,他启程归国后很快与陈独秀、李汉俊、陈望道、施存统等人取得联系,并于8月共同组织了中国共产党上海发起组。11月7日,上海发起组创办了中国共产党第一个党刊——《共产党》月刊,任该刊主编。同时,他还参加了改组后的《新青年》杂志的编辑工作,并创办了《劳动界》周刊。参加了当时关于社会性质问题的大论战,发表了《社会革命的商榷》、《讨论社会主义并质问梁任公》等文章。批判了各种反马克思主义的思想,宣传了马克思主义,成了大论战中的主角。1921年7月出席中共"一大",并当选为党中央宣传主任。1922年5月接受毛泽东的邀请去湖南长沙,参与筹办湖南自修大学,次年毛泽东聘他为该校校长。同时,他创办了湖南自修大学机关刊物《新时代》杂志。1923年夏,与陈独秀在国共合作问题上意见不合,因不满陈的家长式作风而中断了与陈的联系,同年秋脱党。但是,他没有背弃自己的信仰,继续从事着马克思主义宣传工作。北伐战争时任国民革命军总政治部编审委员会主席等职。1926年6月正式出版了他的第一部学术著作《现代社会学》,这是我国第一部研究唯物主义和科学社会主义的著作。大革命失败后,他利用大学的讲堂,坚持向广大青年学生宣传马克思主义。1932年至1937年上半年,在北平法商学院和中国大学任教期间,撰写了《社会学大纲》和《经济学大纲》两部著作。中华人民共和国成立前夕,重新加入中国共产党。1949年9月被任命为湖南大学校长。1951年和1952年,出版了《〈实践论〉解说》和《〈矛盾论〉解说》。1953年2月,调任武汉大学校长,1959年对反右运动中大规模打击和迫害教师的不正常现象进行了坚决的抵制,召回了那些长期在农村劳动的师生,保护好学上进的学生和德高望重的教授。1961年,“高教六十条”刚一颁布,他立刻在武大组织实施,对“教育革命”引起的混乱局面进行了整顿。曾当选中共第八次全国代表大会代表,第一、二届全国政协委员,第一、二、三届全国人民代表大会代表,第三届人大常务委员会委员以及中国科学院哲学社会科学部委员、第一任中国哲学会会长。“文化大革命”中遭受迫害。1966年8月逝世。

李 济 (1896—1979)

考古学家。字济之,湖北钟祥人。中国最早独立进行田野考古工作的学者。1918年毕业于清华学堂,随即赴美国留学。在克拉克大学学习心理学和社会学专业,1920年入哈佛大学人类学专业学习,1923年获博士学位。1924年开始从事田野考古,赴河南新郑对春秋铜器出土地点进行调查清理。1925年任清华学校国学研究院人类学讲师。1926年发掘山西夏县西阴村遗址,这是中国学者第一次自行主持的考古。1929年初任中华民国政府中央研究院历史语言研究所考古组主任。在他的领导下安阳殷墟等项发掘逐步走上科学的轨道,并获巨大成功。同时也造就了中国第一批田野工作水平较高的考古学家。1946年以专家身份,参加中国政府驻日代表团的工作,使战时被日本侵略者劫掠的古代文物回归祖国。1948年当选中央研究院院士,年底到台湾。曾任台湾大学教授并主办考古人类学系,历史语言研究所所长等职。1979年8月1日因病在台北市逝世。著有《西阴村史前遗存》(1927)、《殷墟器物甲编:陶器》上辑(1956)、《李济考古学论文集》(1977)和英文著作《中国民族的起源》(1923)、《中国文明的起源》(1957)、《安阳》(1977)等。

李 纬 (1919—2005)

电影演员。原名李志远,江苏苏州人。出生在石家庄,父亲是受过高等教育在铁路工作的职员,后迁居北平。读书时要经过天桥,那里三教九流,各种民间技艺令他眼花缭乱,首先便迷恋上了京剧。1937 年抗日战争爆发,父亲失业率全家南迁,为求学他离开父母,只身自汉口赴重庆。在船上结识了电影导演孙瑜,因他自幼爱好体育,形体与气质均好,被孙邀其拍电影,但他一心求学辞谢了。赶至重庆时大学招生考期已过,衣食无着,找到孙瑜后被推荐至中央电影制片厂。第一部在沈西苓执导的《中华儿女》中饰演青年学生,第二部在孙瑜执导的《长空万里》中饰演飞行员。虽然违背父愿,但却确定了终身职业。战时胶片匮乏,电影停拍改演话剧,启蒙导演是戏剧家章泯。1942 年任中华剧艺社演员。出演话剧《孔雀胆》《棠棣之花》《离离草》等,这段时间的舞台表演实践,使他积累了宝贵的创作经验。1945 年抗日战争胜利后,在上海除演出话剧外,还在上海实验电影工场、文华影业公司拍摄的影片《浮生六记》《小城之春》中扮演主要角色。中华人民共和国成立后,在上海电影制片厂担任演员。在《我这一辈子》中出演的角色,1957 年使他获文化部 1949—1955 年优秀影评奖个人二等奖。后出演了《护士日记》《51 号兵站》《飞刀华》《舞台姐妹》等影片。"文化大革命"中无作品。1979 年改革开放后,陆续出演了《从奴隶到将军》《许茂和他的女儿们》《阿 Q 正传》《没有航标的河流》《月月》《山林中头一个女人》等影片。1987 年在张艺谋执导的影片《菊豆》中的表演,达到了他艺术创作的巅峰。电视剧《神禾塬》中的角色,使他获电视飞天奖表演荣誉奖。1989 年获第一届中国电影表演学会授予的荣誉奖。他一生除舞台剧外,在 50 余部电影中扮演角色。2005 年 8 月 21 日因病在上海逝世。

李 薰 (1913—1983)

冶金学家。湖南邵阳人。1936 年毕业于湖南大学矿冶工程系。1937 年赴英国留学,入谢菲尔德大学冶金学院学习。1940 年获哲学博士学位,毕业后留院任研究员,后担任研究部负责人。第二次世界大战时期,他研究冷加工对钢组织和性能的影响以及氢在钢中的作用,证明钢的"发裂"是由氢存在引起的,成为该学科领域公认的学者之一。获白朗敦奖章和奖金,谢菲尔德大学授予他冶金学博士学位。中华人民共和国成立后,他于 1950 年回国,在沈阳创建了中国科学院金属研究所,任所长。因对钢中氢的研究,1956 年获国家自然科学奖。历任中国科学院沈阳分院院长,中国科学院副院长,中国科学院技术科学部委员、技术科学部主任。是中国金属学会创始人之一和历届副理事长,《金属学报》创刊人和主编。1978 年后,担任首部《中国大百科全书·矿冶》卷(1984 年出版)编辑委员会副主任,为矿冶卷撰稿审稿作出了贡献。1983 年 3 月 29 日因病逝世。他对中国新型金属材料的开拓、中国钢铁工业、宇航工业及原子能工业的发展,都作出了贡献。他重视基础理论和应用技术的研究,在中国金属学、金属物理和高温物性测试等方面做了大量的组织工作。

李 贞 (1908—1990)

女。湖南浏阳人。出生在一个贫苦

农民家庭,家中 6 个孩子全部是女孩,父亲死后,6 岁时被母亲送人做童养媳。1924 年正式成婚,长期遭受丈夫虐待。1926 年春夏之交,大革命洪流涌入家乡,她毅然参加革命。1927 年 3 月加入中国共产党。随后参加了湘赣边界秋收起义。历任浏东游击队士兵委员会委员长,中共平江、吉安县委军事部部长,中国工农红军第六军团政治部组织部部长。1935 年 11 月参加长征,任红二方面军政治部组织部副部长。1937 年抗日战争爆发后,历任八路军妇女学校校长,第 120 师教导团组织科科长,第 120 师直属政治处主任,陕甘宁晋绥联防军政治部组织部组织科科长。参加了创建敌后抗日根据地和保卫陕甘宁边区的战斗。1945 年抗日战争胜利后,历任晋绥军区政治部秘书长,西北野战军政治部直属政治部主任。参加了解放大西北的战斗。中华人民共和国成立后,任西北军区政治部秘书长。1951 年参加抗美援朝战争,任中国人民志愿军政治部秘书长。荣获朝鲜民主主义人民共和国二级自由独立勋章。回国后,历任中国人民解放军防空军政治部干部部部长、军事检察院副检察长。1955 年 9 月被授予少将军衔。她是同时被授衔中国人民解放军元帅和将军中的唯一女性。"文化大革命"中受到冲击。1975 年任中国人民解放军总政治部组织部顾问。1978 年 2 月当选第五届全国人大常务委员会委员。1982 年 9 月在中共第十二次全国代表大会上,当选中共中央顾问委员会委员。1990 年 3 月 11 日因病在北京逝世。

李葆华 （1909—2005）

又名赵振声,河北乐亭人。中国共产党创始人李大钊之子。1921 年入北京孔德学校学习。1925 年加入中国共产主义青年团。1927 年 4 月父亲牺牲后到日本,入东京高等师范学校学习。1931 年在东京加入中国共产党,任中共东京特别支部书记。"九一八"事变后回到上海,参加上海的反日爱国运动。后到北平等地从事中共秘密工作,历任中共北平门头沟区支部书记,中共冀东特委宣传部部长、书记。1935 年 4 月起,历任中共河北省委宣传部部长、驻冀东地区代表,中共北平市委书记。1937 年春任中共山西省工委组织部部长。抗日战争爆发后,任中共晋察冀省委书记、晋察冀区党委组织部部长。参加了创建晋察冀边区抗日根据地的斗争。1940 年到延安,曾参加中共第七次全国代表大会代表资格审查工作。1942 年入中共中央党校学习,任第三支部书记。1944 年春任中共晋察冀中央分局组织部部长兼分局党校校长。1945 年 6 月当选中共第七届候补中央委员。1946 年后,历任中共晋察冀中央局组织部部长,北岳区党委书记兼北岳军区政委和晋察冀军区第一纵队政委,中共华北局党校副校长。1949 年任中共北平市委第二副书记。中华人民共和国成立后,任政务院水利部党组书记、副部长。1956 年 9 月当选中共第八届中央委员。1958 年任水利电力部党组书记、副部长。1961 年任中共华东局第三书记,后兼任中共安徽省委第一书记、安徽省政协主席,南京军区政委兼安徽省军区第一政委。是第二、三届全国政协常务委员。1973 年任中共贵州省委第二书记。8 月当选中共第十届中央委员。1977 年 8 月当选中共第十一届中央委员。1978 年任中国人民银行行长、党组书记。在党的第十二、十三次全国代表大会上,均当选中共中央顾问委员会委员。2005 年 2 月 19 日因病在北京逝世。

李伯钊 （1911—1985）

女。重庆人。1924 年考入重庆四川省立第二女子师范学校。在萧楚女影响下开始接受共产主义思想,参加学生运动。1925 年加入中国共产主义青年团,随后到上海,任浦东团地委宣传委员,并从事工人运动。1926 年 6 月,因组织和动员青年工人准备参加上海武装起义被捕入狱。后被组织营救出狱。1926 年冬,赴莫斯科中山大学学习。1928 年毕业后在该校做翻译工作。1928 年夏,在少共国际第五次代表大会期间,任少共中国代表团翻译。1929 年在莫斯科同杨尚昆结婚。1930 年奉调回上海,从事工运工作。1931 年春,入闽西革命根据地,同年秋天到中央苏区。同年转为中国共产党党员。先后任中央红军学校政治教员、《红色中华》编辑,高尔基戏剧学校校长,中央苏维埃政府教育部艺术局局长。1934 年参加长征。到达陕北后,继续在总政治部宣传部工作。抗日战争时期,先后担任八路军学兵队女生队队长,中央北方局文委委员,延安鲁迅艺术学院党组成员兼编审委员会主任,

晋东南鲁迅艺术学校党总支书记、校长,中央宣传部文委地方工作科科长,中央党校文艺工作研究室主任。1948 年,任中共中央中华北局文委委员,华北文联副主任。1948 年冬,参加北平军管会工作,任接管委员会文化部部长,华北人民文工团团长。入城后,任北京市文委书记,文联副主席,文教局副局长,北京人民艺术剧院院长,中央戏剧学院副院长、党委书记,中国戏剧家协会副主席。是第一、二、三届全国人大代表,第四届全国政协委员,第五、六届全国政协常委,全国妇联第一、二、三届执行委员、第四届常委。先后独立和与人合作撰写了《战斗的夏天》、《无论如何要胜利》、《为谁牺牲》、《打骑兵歌》、《农村曲》、《老三》、《母亲》、《金花》、《长征》、《北上》等文艺作品,并著有《三过草地》。1985 年 4 月 17 日因病在北京逝世。

李德全 （1896—1972）

女。北京通县人。1919 年参加五四运动,为北京女学界联合会的积极分子。1924 年和北京陆军检阅使冯玉祥结婚。同年 10 月冯玉祥发动北京政变,电请孙中山北上共商国计。孙中山扶病抵京,她带着冯玉祥的亲笔信前往慰问。孙中山赠给冯玉祥部队《三民主义》6000 册,《建国方略》、《建国大纲》1000 册作教材,她在国民军中讲授三民主义。1925 年在北京创办求知学校,让贫苦儿童免费入学。1936 年和妇女界代表共同向国民党政府提出,国民大会代表选举法“应规定男女代表的比例和规定妇女团体有权选举代表参加国民大会”的

要求。抗日战争期间,参加发起组织战时儿童保育委员会,任副理事长。抗日战争胜利后,组织儿童福利事业协进会,从事妇女解放和儿童福利保健事业。1946年1月,参加重庆政治协商会议,反对蒋介石的内战政策,被选为军事考察团成员和陪都各界协进会理事。2月,在校场口事件中被国民党特务殴伤。同年秋,随冯玉祥去美国,受邓颖超委托出席在纽约召开的世界妇女大会,她在会上提出"反对美国援助蒋介石发动内战"的提案,得到与会代表以及国统区五个妇女团体的支持。1948年1月中国国民党革命委员会成立,任中央委员。7月,为响应中国共产党的"五一"号召,她和冯玉祥乘苏联轮船回国,途经黑海因轮船起火,冯玉祥不幸遇难。她只身回国抵达东北解放区后,发表广播演说,号召西北军官兵起义反蒋。1949年3月,参加第一次全国妇女代表大会,被选为全国妇联副主席。9月,出席中国人民政治协商会议,当选为全国政协委员。中华人民共和国成立后,任政务院文化教育委员会委员,中国红十字会会长,中国人民保卫儿童全国委员会副主席。国家体委副主任,中苏友好协会总会副会长,卫生部部长,第二、三届全国政协常委,第四届全国政协副主席。还曾被选为第一、二、三届全国人大代表。1958年12月加入中国共产党。1972年4月23日因病在北京逝世。

李方训 （1902—1962）

物理化学家。江苏仪征人。1925年毕业于南京金陵大学。1928年赴美国留学,1930年获美国西北大学化学博士学位后回国,任金陵大学教授、理学院院长。中华人民共和国成立后,任南京大学副校长、中国化学化工学会理事、中国民主同盟中央委员兼江苏省副主任委员。1955年当选中国科学院学部委员。他在1928年开创了格利雅试剂(曾译葛林亚试剂)非水溶液中一系列性质研究,并首先在世界著名期刊上发表了多篇这方面的论文,如《葛林亚试剂在乙醚溶液中的电导》等。1959年发表的《葛林亚试剂的电池电动势测定》论文,在国际上受到重视。1962年8月2日因病在南京逝世。他的论文还有《溶液离子与晶态离子抗磁化率间的关系》和《离子的极化和半径》等。

李富春 （1900—1975）

曾用名太盛,湖南长沙人。1919年赴法国勤工俭学。1920年2月和李维汉、张昆弟等发起组织旅法青年的进步组织——勤工俭学励进会。1921年加入中国社会主义青年团,与邓小平一起主编旅欧团支部机关刊物《赤光》。1922年加入中国共产党。6月,又参加了赵世炎、周恩来、李维汉等发起组织的"旅欧中国少年共产党"。1924年国共合作后,任中共旅欧总支部负责人之一。1926年北伐战争时期,任国民革命军第二军党代表、政治部主任。1928年5月任中共江苏省委代理书记、宣传部长。1934年10月,随中央红军参加长征。任红军总政治部副主任,红三军团政治委员,后来代理红军总政治部主任。1935年1月,参加了遵义会议,坚决维护毛泽东的正确主张和领导。长征途中,他与张国焘的右倾分裂主义进行了坚决的斗争。9月,又兼任陕甘支队第二纵队政治委员,率部继续北上。到达陕北后,任中共陕甘宁省委书记。抗日战争时期,历任中央组织部副部长,中央财政经济部部长等职。抗日战争胜利后奔赴东北,历任中共中央西满分局书记、东北人民政府副主席、东北军区副政治委员等职务。中华人民共和国成立后,历任中央人民政府政务院财政经济委员会副主任,重工业部长,国家计划委员会副主任、主任,国务院副总理等职。是我国社会主义经济建设和计划工作的奠基人之一。60年代初,他针对大跃进中的经验教训,向党中央、毛主席提出纠正错误,克服困难的重要建议,并具体提出"调整、巩固、提高"的六字方针,受到党中央重视,并增加了"充实"二字,成为八字方针。1956年9月,在中共第八次全国代表大会上,当选为中央委员和中央政治局委员。1958年5月,在中共第八届五中全会上,被补选为中央书记处书记。1965年8月,在中共第八届十一中全会上,当选为中央政治局常委。1969年4月和1973年8月,在中共第九和第十次全国代表大会上,均当选为中央委员。还是第二、三、四届全国人民代表大会代表。"文化大革命"中,与林彪、"四人帮"反革命集团作过坚决的斗争。1975年1月9日在北京病逝。

李国豪 （1913—2005）

桥梁学家、力学家。广东梅县人。5岁在村子里读小学,课余帮助母亲做些家务和农活。13岁插班进入梅县中学二年级学习。1929年未读完中学,到上海考入同济大学学习。1936年毕业后留校任助教。1938年赴德国留学,入达姆施塔特大学学习。1939年以《悬索桥按二阶理论的实用计算》毕业论文,获工学博士学位。从此在德国桥梁界有了"悬索桥李"的美名。第二次世界大战爆发后滞留德国,1940年在达姆施塔特大学克雷帕尔教研室做研究工作。1942年以《求刚架影响线的几何方法》论文,获德国"特许任教工学博士"学位。1943年又发表了《桁架和类似体系的结构分析新方法》。1946年回国后,任上海同济大学教授、土木系主任、工学院院长、教务长。中华人民共和国成立后,20世纪50年代,发表论文《斜交异性板的弯曲理论及其对于斜桥的应用》,被称为"李氏理论"。先后担任武汉长江大桥、南京长江大桥技术顾问和技术顾问委员会主任委员,从事武汉长江大桥晃动机理的研究。1955年当选中国科学院技术科学部委员。1956年任上海同济大学副校长,同年,在同济大学著名教授中,率先申请加入了中国共产党。60年代,承担了结构抗爆的研究任务,主编《防护工程论文集》。70年代,发表了《公路桥梁荷载横向分布计算》专著,以及关于拱桥和斜张桥空间静力与动力分析的多篇论文。"文化大革命"中被囚禁两年多,后在校被监督劳动。1975年《桁架扭转理论——桁梁桥的扭转、稳定和振动》出版,是其大桥晃动机理研究的成果,后发展为系统的桥梁实用空间分析理论。1976 年唐山大地震后,主编了《工程结构抗震动力学》专著。1977 年秋任同济大学校长,同年获上海市教育战线先进工作者称号。80 年代主编了《抗爆结构动力学》专著。1980 年任上海宝山钢铁总厂工程首席技术顾问期间,为解决工程中桩基水平位移问题发表《关于桩的水平位移、内力和承载力的分析》的论文,使工程得以顺利进行,工程质量得以保证。1981 年被国际桥梁及结构工程协会推荐为十位国际著名桥梁专家之一。1983 年《桁架扭转理论——桁梁桥的扭转、稳定和振动》获国家自然科学奖三等奖。当选政协上海市委员会主席。1984 年任同济大学名誉校长。1986 年在国外出版英文《箱梁和桁梁桥分析》专著。1987 年任中国科学技术协会常委。倡议和领导了重点决策咨询课题"中国交通运输发展战略与政策研究",提出了多项有助于中国交通运输事业发展的重要建议。1994 年当选中国工程院土木、水利与建筑工程学部院士。2003 年获上海市教育功臣称号。是第三、五届全国人大代表。曾任中国土木工程学会理事长、中国土木工程学会桥梁及结构工程学会理事长、中国力学学会副理事长、中国高等教育研究会副会长等职。2005 年 2 月 23 日因病在上海逝世。

李济深 (1885—1959)

字任潮,广西苍梧人。出生在一个亦耕亦读的富农家庭。6 岁时父亲去世,跟随叔父读书。1910 年被保送到设在保定的军咨府军官学校(后改名为陆军大学)学习,攻读高等军事学,毕业后留校任教官。1920 年 8 月,参加了孙中山领导的护法军政府,先后任粤军第一师副长官、参谋长。1922 年 5 月,参加了孙中山护法斗争中的攻打赣州之役。后又参与了平叛陈炯明叛变的战斗。1923 年 2 月,任第一军参谋长兼第一师师长,奉命率部驻防西江,并兼任大本营驻西江办事处处长。1924 年 1 月,国共合作实现后,任西江善后督办、梧州善后处处长。5 月,参与筹建黄埔军校的工作,任黄埔军校教练部少将主任。1925 年 7 月,广州革命政府成立后,粤军改编为国民革命军第四军,李济深任军长。10 月,国民革命军举行第二次东征时,任东征军第二纵队纵队长。1926 年 1 月,在国民党第二次全国代表大会上,当选为国民党中央执行委员会委员、常务委员会候补委员;并出任国民政府委员、国民政府军事委员会委员等职。7 月 9 日,国民革命军在广州誓师北伐,任国民革命军参谋长和国民革命军总司令部后方留守主任,并代行总司令职权。还兼任国民革命军第四军军长、黄埔军校副校长、国民党政治委员会广东分会主席、广东省政府主席等职,总揽广东党、政、军大权。1927 年 4 月 15 日,派军队包围袭击中华全国总工会广东办事处和省港罢工委员会,解除工人纠察队的武装,搜查和封闭工会、农会、学生会等革命团体,杀害了邓培、萧楚女、熊雄、李启汉、刘尔松等 2000 多共产党人和大批工农群众。宁、汉、沪三方合流后,任国民党特别委员会委员。12 月,派兵镇压中共领导的广州起义。此后,历任国民政府委员、军事委员会总参谋长兼八路军总指挥和国民党中央政治会议广州分会主席。1929年1月,任广州编外区主任。是年蒋桂战争爆发,被蒋介石怀疑,遭开除党籍、软禁和监视,直到1931年"九一八"事变后,他才获得自由,恢复了党籍,从此走上了反蒋的道路。1932年1月28日,以军事委员会委员和办公厅主任的身份,积极支持上海"一·二八"抗战。上海抗战后,蒋介石把第十九路军调去福建进攻工农红军,李反对这一决定,辞去各项职务,离开南京前往香港。1933年11月18日,由香港到福州,与蒋光鼐、蔡廷锴等人,以第十九路军为基础发动了"福建事变",成立了"福建人民政府",被推为政府主席兼军事委员会主席。失败后,蒋介石下令逮捕他,并再次将他开除出国民党。和陈铭枢、蒋光鼐、蔡廷锴等前往香港,继续进行抗日反蒋活动,组织中华民族革命同盟,被选为同盟主席兼组织部长。1937年"七七事变"后,蒋介石鉴于全国抗日形势,撤销对其通缉令,宣布恢复其国民党党籍,并任命他担任国民党中央军事委员会委员、国民党战地党政委员会副主任委员、国民党中央军事委员会桂林办公厅主任、军事参议院院长等职。1944年桂林沦陷后,他团结一部分军人和进步人士,在他的家乡一带组织了抗日武装,进行敌后游击战。1945年5月,在国民党第六次全国代表大会上,当选为国民党中央监察委员会委员。1946年春,中国国民党民主促进会正式成立,被选为主席。9月,国民党当局下令召开国大,颁布"戡乱"动员令。他拒绝参加会议,公开支持各地学生反内战、反饥饿、反迫害的爱国运动。1947年2月,他以回乡扫墓为名离沪转赴香港,发表了《七项意见》的声明,反对蒋介石发动的反革命内战。1947年11月12日,由国民党民主促进会、三民主义同志联合会及其他民主分子组成中国国民党革命委员会,于1948年1月1日宣布成立。宋庆龄任名誉主席,李济深任主席。1948年5月5日,代表民革与其他民主党派领导人通电国内并致电毛泽东主席,响应中国共产党关于召开新政治协商会议的号召。应中共中央的邀请,由香港出发,于1949年1月10日到达东北解放区。9月,在中国人民政协第一届全体会议上,当选为中国人民政治协商会议全国委员会副主席和中华人民共和国中央人民政府副主席。10月1日参加了开国大典。11月,举行了国民党民主派第二次代表会议,将中国国民党革命委员会、三民主义同志联合会、中国国民党民主促进会及其他国民党爱国民主分子,合并成统一的国民党民主派组织——中国国民党革命委员会,继续当选为主席。1954年9月,在第一届全国人民代表大会上,当选为全国人民代表大会常务委员会副委员长。1959年10月8日因病在北京逝世。

李家发 (1934—1953)

安徽南陵人。1951年6月参加中国人民志愿军,为第六十七军第一九九师第五九五团第一连战士。1952年加入中国新民主主义青年团。1953年7月

13 日,在金城战役反击轿岩山的战斗中,所在连队担负主攻西峰任务,被铁丝网阻挡不能前进。他主动请战,炸掉铁丝网和 3 个地堡。当部队发起冲锋时,敌人一个暗堡又射出枪弹,他挺着七处受伤的身体向敌人枪眼扑去,用自己的胸膛堵住敌人的枪眼,献出宝贵的生命,为部队扫除了前进的障碍,使红旗插上轿岩山。被中国人民解放军领导机关追记特等功,授予一级战斗英雄称号。被朝鲜民主主义人民共和国授予"朝鲜民主主义人民共和国英雄"称号和朝鲜民主主义人民共和国一级国旗勋章及金星奖章。

李坚真 （1907—1992）

女。广东丰顺人。自幼被卖当童养媳。1926 年与组织农民运动的彭湃相识,积极投身农民运动之中,任第四区农民协会委员。1927 年 6 月加入中国共产党;秋天,参加丰顺农民武装暴动,随游击队上山打游击;冬天,当选丰顺县革命委员会副委员长。参加了创建东江根据地的斗争。1931 年任中共长汀县委书记。1934 年 1 月,任中共中央局妇女部部长。后当选第二届中华全国苏维埃政府中央执行委员;10 月,参加中央红军的长征。1935 年 10 月到陕北后,仍任中共中央局妇女部部长。1937 年抗日战争爆发后,任中共江西省委妇女部部长。1938 年冬任中共东南局妇女部部长。1940 年后任中共苏南区党委党校主任,中共溧水县委书记,中共华中局民运部副部长等职。参加了艰苦的敌后抗日游击战争,每到一地都积极发动领导妇女抗日救亡活动。1945 年抗日战争胜利后,任中共华东局妇女部部长、中共山东分局妇女运动委员会书记兼山东省妇女联合会主任。发动领导广大妇女支援华东地区的解放战争。中华人民共和国成立后,历任中共广东省粤中区党委书记、第一书记,中共广东省委副书记、书记等职。1956 年在中共第八次全国代表大会上,当选中央监察委员会委员。1977 年当选中共第十一届候补中央委员。历任中共广东省委书记、中共广东省委纪律检查委员会书记、广东省人大常务委员会主任等职。1982 年在中共第十二次全国代表大会上,当选中央顾问委员会委员。是第一至六届全国人大代表。1992 年 3 月 30 日因病在广州逝世。

李健吾 （1906—1982）

作家、文艺评论家、翻译家、法国文学研究专家。山西运城人。1921 年入国立北京师范大学附中读书。1925 年入清华学校西洋文学系学习,同年加入文学研究会。1931 年赴法国,入巴黎大学研究福楼拜等现实主义作家和作品。1933 年回国后,在中华文化教育基金董事会编译委员会任职。1935 年任暨南大学教授。抗日战争时期,在上海从事话剧活动。1945 年应郑振铎之邀,主编《文艺复兴》杂志。参加筹建上海市立实验戏剧学校,任教授。中华人民共和国成立后,历任中国科学院文学研究所研究员,国务院学位委员会文学评议组成员,中国文化艺术界联合会委员,中国戏剧家协会理事,北京市政协委员,中国社会科学院外国文学研究所研究员。1982

年 11 月 24 日因病在北京逝世。创作、改编剧本近 50 部：《翠子的将来》（1926）、《金小玉》（1944）、《吕雉》（1979）等；翻译作品有：剧本《爱与死的搏斗》和莫里哀喜剧 27 部等，小说《包法利夫人》《司汤达小说集》等；戏剧评论有：《雷雨》《论〈上海屋檐下〉》《读〈茶馆〉》等。

李克农　（1899—1962）

安徽巢县人。1926 年冬加入中国共产党。1928 年到上海，在中共中央特科领导下从事秘密工作，这是他长期担任中共情报领导工作的开始。1931 年 4 月，及时将钱壮飞获得的紧急情报转报上级，使中共中央机关避免了国民党的毁灭性打击。同年冬到中央苏区，任中华苏维埃临时中央政府国家政治保卫局执行部部长，中国工农红军第一方面军政治保卫局局长，红军工作部部长。长征到达陕北后，任中共中央联络局局长，负责与东北军和西北军的联络和白区秘密交通工作。1937 年“七七事变”后，先后任八路军驻南京、上海、桂林办事处处长，八路军总部秘书长，中共中央长江局秘书长，协助周恩来等开展抗日民族统一战线工作。1941 年起，回到延安任中共中央社会部副部长。抗日战争胜利后，曾任北平军事调处执行部中共方面秘书长。后主持中共中央社会部工作。中华人民共和国成立后，任外交部副部长、人民革命军事委员会情报部部长。1951 年曾参加朝鲜停战谈判。1953 年起，任中国人民解放军副总参谋长、中共中央调查部部长。1955 年被授予上将

军衔。1956 年当选中共第八届中央委员。1962 年 2 月 9 日在北京逝世。

李立三　（1899—1967）

原名李隆郅，湖南醴陵人。1919 年赴法勤工俭学。1921 年回国后加入中国共产党，在湖南从事工人运动，并于 1922 年领导安源路矿大罢工。1923 年后，历任中共武汉区委书记、上海区委职工运动委员会书记、上海总工会委员长。1925 年参加领导“五卅”运动，以后任中华全国总工会执行委员、组织部长、秘书长，在武汉领导工人运动。1927 年参加南昌起义，12 月任中共广东省委书记。1928 年至 1930 年任中共中央政治局常委兼秘书长、宣传部长等职，是当时中央领导人之一，其间犯过“左”倾冒险主义错误。1931 年到苏联入共产国际列宁学校学习，先后参加过赤色职工国际和外交出版局工作，任中文部主任，主编过《救国时报》，主持过马列主义经典著作的翻译工作，为传播马列主义做了大量工作。1935 年长征到达陕北后，曾设法恢复中共中央同共产国际的电讯联系。在中共第七次全国代表大会上被选为中央委员。1946 年春回国后，任东北军区政治部联络部部长，中共中央东北局敌工部部长、城工部部长、职工运动委员会书记。1948 年 8 月主持召开第六次全国劳动大会，被选为中华全国总工会常务副主席兼东北总工会主席。中华人民共和国成立后，历任中共中央工委书记、中华全国总工会副主席兼党组书记、中国人民政治协商会议常委、中央人民政府委员、劳动部部长兼党组书记、中央劳动

工资司司长、中央对策讨论委员会委员、中央人民政府财经委会委员。他为中国的工会事业作出了突出的贡献。是中共第八届中央委员。"文化大革命"中遭受迫害。1967 年 6 月 22 日在北京逝世。1980 年中共中央为他平反昭雪。

李六如　（1887—1973）

原名李抱良，又名李宝良，湖南平江人。1908 年到湖北参加新军加入同盟会。1911 年参加辛亥革命，任第七协十三标统带。1912 年赴日本留学，入东京明治大学政治经济科。1918 年回国，先返乡后到长沙教书。并创办《平江旬报》，倡导平民教育运动。任湖南省平民教育促进会副董事长。1921 年秋，经毛泽东、何叔衡介绍加入中国社会主义青年团，不久转为中国共产党党员。1922 年被派往安源考察工人状况，编写出版《平民读本》。1926 年 7 月任国民革命军第二军第四师党代表，参加北伐战争。1927 年 9 月随夏明翰到平江、浏阳一带领导农民暴动。1929 年到香港，在中共广东省委宣传部边养病边工作。1930 年进入闽西革命根据地，参加财经领导工作。1934 年调任中华苏维埃共和国政府国家银行副行长、代理行长。红军主力长征后，留在中央苏区坚持游击战争，任中央政府办事处财经委员会代理主任。1935 年冬被捕入狱。1937 年抗日战争爆发后，获释出狱转赴延安。先后任毛泽东办公室秘书长、延安行政学院代理院长、中共中央财政经济部副部长等职。解放战争时期，历任中共热河省委常务委员兼热河省政府秘书长，东北财经委员会副主任兼财经干部学校校长，东北人民政府司法部部长、法院院长，政法委员会检察长。中华人民共和国成立后，长期担任中央人民政府政务院政治法律委员会委员、最高人民检察署副检察长兼党组书记。是第二、三届全国政协常务委员。1973 年 4 月 1 日因病在北京逝世。著有长篇历史小说《六十年的变迁》等。

李汝祺　（1895—1991）

天津人。早年就学于清华学校，1919 年到美国普渡大学就读。大学毕业后，进入美国哥伦比亚大学动物学系研究院，师从于摩尔根教授。1926 年以优异成绩获得博士学位，当年回国任教。先后任上海复旦大学副教授，燕京大学生物学系教授，中国大学生物学系教授兼系主任，北京大学医学院教授，北京大学动物学系主任兼医预科主任，北京大学生物学系教授。历任民盟中央委员，民盟中央顾问委员会顾问和北京市政协常委，并担任过北京博物学会会长，中国动物学会理事长，中国遗传学会理事长兼《遗传学报》主编以及中国科学院动物研究所学术委员，中央遗传研究所兼任研究员和《中国大百科全书·遗传学》卷主编等职。是第一位把细胞遗传学介绍到中国的学者，培养了一批遗传学界的骨干人才，为我国遗传学事业的发展奠定了坚实的基础。著作甚多，影响较大的有《人类生物学》、《普通细胞学》、《卵子发生》、《受精》、《细胞遗传学基本原理》等，编著的《发生遗传学》一书被誉为我国遗传学的经典巨著。1991 年 4 月 4

日因病于北京逝世。

李四光 （1889—1971）

原名李仲揆，字福生，湖北黄冈人。1901年考入武昌高等小学，1902年春，被派送到日本留学。1905年在东京加入中国同盟会。1911年参加辛亥革命，任湖北军政府实业司司长，1913年赴英国留学。1919年受北京大学校长蔡元培之邀回国任教，此后一直在北京大学从事古生物学、冰川学和地质力学的研究和教学工作。1926年发表《地球表面形象变迁的主因》；1927年出版《中国北部之蜓科》，并因该书获英国伯明翰大学科学博士学位；1929年发表《东亚一些典型构造型式及其对大陆运动问题的意义》；后来，又出版了《地质力学的基础与方法》《地质力学概论》等，用力学观点研究地壳运动，确定了"构造体系"的基本概念，创立了一门新的学科——地质力学。1928年到南京，任国民政府中央研究院地质研究所所长，此后一直担任该职。20年代到30年代，他通过大量实地考察后，提出了中国第四纪冰川学，从根本上否定了外国地质学家认为在第四纪（距今二三百万年）这个全世界大冰期时代中国没有冰川的说法。并于1937年撰写了《冰期之庐山》一书，继续阐述他的学说。1948年3月当选为国民政府中央研究院院士。8月，作为中国地质学会代表参加在伦敦举行的第十八届世界地质学会。中华人民共和国成立后，辗转西欧数国，于1950年4月回到北京。此后，历任中国科学院副院长，中国地质工作指导委员会主任、地质部部长、中国科学技术协会主席等职。是第一、二、三届全国人民代表大会代表，中国人民政治协商会议第一届全国委员会常务委员，第二、三、四届全国委员会副主席。1955年当选中国科学院学部委员。1958年12月加入中国共产党。是中共第九届中央委员。李四光创立的地质力学理论，为我国找到了丰富的石油矿藏，对我国石油工业的发展作出了杰出的贡献。他分析研究了我国东部地质构造的特点，认为新华夏构造体系的三个沉降带具有广阔的找油远景。大庆、胜利、大港等油田就根据这个理论发现的。在地震地质工作方面，他强调在研究地质构造行动性基础上，观测地应力的变化，为地震预报指明了方向。1971年4月29日因病在北京逝世。

李天佑 （1914—1970）

广西临桂人。早年读过两年私塾。1928年在桂林到国民党第七军独立团当兵。1929年被调往南宁张云逸当副主任的军官教导总队，不久加入中国共产党。年底，参加百色起义，任中国红军第七军排长。1931年7月到达中央苏区，次年入红军大学上级干部队学习。1934年任红五师师长。参加了中央苏区第三至五次反"围剿"战斗。10月参加中央红军长征。1935年10月到达陕北后，历任团长、副师长、师长。抗日战争爆发后，任八路军115师686团团长，参加了平型关战斗。1938年任343旅代旅长。参与开辟晋西南抗日根据地。1939年赴莫斯科，入伏龙芝军事学院学习。抗日战争胜利后到东北，1946年任北满军区参谋长、松江军区司令员兼哈尔滨市代理卫戍司令员。1947 年任东北民主联军第一纵队司令员。1948 年任东北野战军第 38 军军长。1949 年任第四野战军第 13 兵团副司令兼第 38 军军长。中华人民共和国成立后,任广西军区副司令员,1951 年任司令员,指挥部队剿匪。1955 年入军事学院战役系学习,同年被授予上将军衔。1957 年后,任广州军区第一副司令员、代理司令员。1962 年任中国人民解放军副总参谋长。1969 年 4 月当选中共第九届中央委员,同年任中央军委委员。是第二、三届国防委员会委员。1970 年 9 月 27 日因病在北京逝世。

李维汉 （1896—1984）

又名罗迈,湖南长沙人。1916 年考入湖南省立第一师范学校。1918 年和毛泽东、蔡和森等组织革命团体新民学会。1919 年 10 月赴法国勤工俭学。1922 年 6 月与周恩来、赵世炎等共同组织旅欧中国少年共产党,负责组织工作,同年 10 月代表中国少年共产党回国接洽加入中国社会主义青年团,年底加入中国共产党。1923 年 4 月任中共湘区委员会(后改称中共湖南省委员会)书记。1925 年 1 月出席中共四大,当选为中央执行委员。1927 年 5 月在中共五大后举行的中央委员会会议上当选为中央政治局委员,还被任命为中央秘书长,但未到任。同年 7 月中共中央改组,成立临时中央政治局常委,是五名常委之一。在中共八七会议上,担任会议主席,并和瞿秋白、苏兆征等被推选组成临时中央政治局。1928 年中共六大后,作为中央巡视员,视察上海工作。1929 年任中共江苏省委兼上海市委组织部长、书记。1930 年任江南省委(管辖江苏、安徽、上海、浙江等地)书记兼上海市委书记。在中共六届三中全会上被补选为中央委员、中央政治局候补委员,随之在 1931 年 1 月中共六届四中全会上被撤销中央委员、中央政治局候补委员职务,会后赴莫斯科学习。1933 年回国到江西苏区,任中央组织部干事,后任部长。1934 年 1 月在中共六届五中全会上被补选为候补中央委员,并担任中央党务委员会书记,同年在中华苏维埃共和国第二次代表大会上当选为中央执行委员、中央政府主席团委员。长征中任军委第二野战纵队司令员兼政治委员,总政治部地方工作部部长。中央红军到达陕北后,仍任中央组织部部长和中央党务委员会书记,1936 年 9 月任中共定边少数民族工作委员会书记,1937 年 1 月任中共陕甘省委书记,3 月任中共中央群众工作委员会书记。不久又任中央党校代理校长,陕北公学副校长和党团书记。1939 年任中央干部教育部副部长,中共中央西北工作委员会秘书长。1940 年 10 月任中央宣传部副部长。1942 年参加延安整风运动,兼任中央研究院新闻研究室和教育研究室主任,同年 9 月调任中共中央西北局委员、陕甘宁边区政府秘书长。1946 年 1 月参加中共代表团赴重庆,出席政治协商会议。是年底,政协中共代表团撤回延安,任中共中央城工部副部长,旋任部长。1948 底至 1949 年 4

月作为中共代表团代表,参与同国民党的和平谈判。10月当选为中国人民政治协商会议全国委员会秘书长。同时,还被任命为中华人民共和国政务院秘书长、民族事务委员会主任委员。1951年5月作为中央人民政府首席全权代表同西藏地方政府全权代表进行谈判,达成了《关于和平解放西藏办法的协议》,促成了西藏的和平解放。1954年11月任国务院第八办公室主任。1956年在中共八大上当选为中央委员。1964年任中央统战部部长,主管党和国家的统战、民族、宗教工作达17年。"文化大革命"中遭受迫害。1979年任中央统战部顾问。1982年在中共十二大上当选为中央顾问委员会副主任。是第一、二届全国人大常委会副委员长,第二、三、五届政协全国委员会副主席。1984年8月11日因病在北京逝世。

李锡九 (1872—1952)

原名永生,别字立三,河北安平人。早年加入中国同盟会。辛亥革命后曾任国会众议院议员、广东非常国会护法委员。曾留学日本。1922年加入中国共产党,同年在天津参加筹建中共顺直省委工作。1927年任武汉国民政府监察院委员兼军事裁判所所长。1930年阎锡山在北平召开"扩大会议"时,被任为陆海空军总司令部总政治部主任。以后便以秘密党员的身份留在国民党内,从事团结争取国民党上层人士的工作,同时参加各地反蒋活动。1931年"九一八"事变后,从事抗日民主活动。1932年,任中央公务员惩戒委员会委员。

1940年2月,任河北省政府委员。1948年任中国国民党革命委员会(简称"民革")中央监察委员。平津战役期间,曾以傅作义方面代表身份,赴河北平山县西柏坡同中共中央代表联系和平谈判事宜,为和平解放北平作出了努力。1949年9月出席中国人民政治协商会议第一届全体会议。

中华人民共和国成立后,曾任中央人民政府委员、河北省人民政府副主席,中国国民党革命委员会中央委员。1952年3月10日在北京逝世。终年80岁。

李锡铭 (1926—2008)

河北束鹿人。1946年先后入清华大学先修班、建筑系、土木工程系学习。1948年3月加入中国共产党。1949年受中共北京市委青委派遣,到石景山发电厂从事建团工作并兼厂党总支部宣传委员。中华人民共和国成立后,历任石景山发电厂党总支部副书记、代理书记。1957年任石景山发电厂党委书记。"文化大革命"中受到冲击。1970年后,先在石景山发电厂生产组协助工作,后任厂革命委员会副主任、党委副书记、党委书记、革命委员会主任。在政治动荡时期为首都的电力保障作出了应有的贡献。1975年后,任水利电力工业部副部长、党组成员,电力工业部副部长、党组成员。1981年在国务院国民经济调整办公室工作。1982年任城乡建设环境保护部部长、党组书记;9月当选中共第十二届中央委员。1984年任中共北京市委书记。1987年10月当选中共第十三届中央政治局委员。1993年当选第八届全国人大常务委员会副委员长。2008年11月10日因病在北京逝世。

李先念　（1909—1992）

湖北红安人。1926年开始从事农民运动。1927年11月参加黄麻起义,同年加入中国共产党。1929年起任中共黄安县高桥区委书记,中共陂安南县委书记、县工农民主政府主席,开辟(黄)陂(黄)安南根据地。1931年11月调入中国工农红军第四方面军任第11师33团政委。率部参加黄安、苏家埠等战役。1932年夏,任红11师政委;10月,随部离开鄂豫皖根据地向西转移。1933年7月任红三十军政委,成为红四方面军的青年将领之一。参加了反“三路围攻”、“六路围攻”及宣达等战役,参与了创建川陕根据地的斗争。1935年5月,参加长征;6月,带领红四方面军先头部队攻击懋功(今四川小金),同红一方面军会师;8月与程世才指挥包座战斗,歼灭国民党军队一个师,为红军继续北上创造了有利条件。1936年10月奉中央军委命令率红三十军西征,兼任西路军军政委员会委员。1937年3月西路军失败后,在处境极其困难的情况下,率西路军余部到达迪化(今乌鲁木齐)。抗日战争爆发后赴延安,入抗日军政大学和马列学院学习。1938年冬调任中共河南省委军事部部长。1939年1月进入豫鄂边区,相继任新四军鄂豫独立游击大队、豫鄂独立游击支队、豫鄂挺进纵队司令员,率部开辟豫鄂边抗日根据地,开展抗日游击战争。1941年1月皖南事变后,任新四军第五师师长兼政委,曾兼任抗日军政大学第十分校校长、政委。率部多次挫败日伪军的“扫荡”、“蚕食”和国民党顽固派军队的挑衅,巩固和扩大了抗日根据地。1942年7月所部由中央军委直接指挥。同年兼任豫鄂边党委书记,统一领导整风、大生产运动和部队整训。1945年6月当选中共第七届中央委员。抗日战争胜利后,任中共中原局副书记,中原军区司令员。1946年6月,当国民党集中30万大军围攻中原解放区时,指挥部队分路突围,并带领主力一部转移到陕南,完成战略转移和牵制敌军的任务,随即到延安。1947年返中原解放区,5月任中共中原局副书记,中原军区副司令员。1948年5月任重新组建的中共中原局委员,中原军区兼中原野战军副司令员。1949年5月起,历任中共湖北省委书记,省人民政府主席,湖北军区司令员兼政委,中共中央中南局副书记,中南军政委员会副主席,中央人民政府人民军事委员会委员。1954年9月任国务院副总理,并先后兼任财政部部长,国务院财贸办公室主任,中共中央财经小组副组长,国家计委副主任等职,参与组织领导社会主义改造和建设,发展社会主义财政、金融和贸易事业。1956年9月当选中共第八届中央政治局委员。1958年5月增选为中央书记处书记。是第一至三届国防委员会委员。“文化大革命”中,曾多次对林彪、江青反革命集团进行了抵制和斗争,1969年后,在非常困难和复杂的情况下,协助周恩来总理主持经济工作。是中共第九、十届中央政治局委员。1976年10月在粉碎江青反革命集团的斗争中起了重要作用。1977年8月任中共中央军委常委。1978年12月当选中共第十一届中央政治局常务委员、中央副主席,成为中共第二代领导集体的重要成员,参与制定和组织实施新的发展时期的路线、方针、政策。1982年9月当选中共第十二届中央政治局常务委员。1983年6月在第六届全国人大第一次会议上,当选中华人民共和国主席。1988年4月当选第七届全国政协主席。1992年6月21日因病在任期内于北京逝世。主要著作收入《李先念文选》。

李向群 （1978—1998）

新时期英雄战士、上等兵。海南琼山人。中学毕业后经商,其家庭资产达百万,但依然于1996年冬参加中国人民解放军。在广州军区塔山守备团一年多的时间里,两次被评为全团训练尖子,两次被评为优秀士兵,一次荣立三等功;并努力学习文化知识,获西南军地两用人才培训中心颁发的法律单科结业证书。很快由一个小商人成长为一名合格的军人。1998年8月随部队开赴长江流域抗洪救灾第一线,主动报名参加抢险突击队,并在抢险前线加入中国共产党。他先后四次晕倒在大堤上,送进医院抢救醒来后,又拔掉输液针管上堤继续奋战。8月28日上午,他带病坚持奋战在荆州长江大堤上,终因劳累过度引发肺部大出血而壮烈牺牲。29日,所在部队批准他为革命烈士,并追记一等功。9月17日,广州军区追授他"抗洪勇士"荣誉称号。1999年3月,中共中央军委主席江

泽民签署命令授予他"新时期英雄战士"荣誉称号,并题词:"努力培养和造就更多李向群式的英雄战士。"共青团中央、全国青联追授他"中国青年五四奖章"。

李一氓 （1903—1990）

又名李民治、李德漠,四川成都人。读中学时开始参加爱国运动,喜爱文学创作。1925年到广州,加入郭沫若组织的创造社。1926年加入中国共产党,同年参加国民革命军,在北伐军总政治部任秘书,参加北伐战争。1927年春任中央军校武汉分校招生委员会委员。第一次大革命失败后参加南昌起义,任起义军总政治部秘书主任。随起义军南征失败后转至上海。1928年在中共中央和江苏省委宣传部工作,曾参加翻译共产国际六大的主要文件。1929年秋任中共中央宣传部文化工作委员会委员。1930年4月参与发起成立中国社会科学家联盟,同时组织成立中国左翼文化界总同盟,是负责人之一。翻译出版了《马克思论文选译》、《马克思与恩格斯合传》及马克思的《哲学之贫困》。1932年被派到中央革命根据地瑞金,在中共苏区中央局宣传部工作。1933年调任中华苏维埃共和国临时中央政府国家政治保卫局执行部部长。1934年2月被选为中华苏维埃共和国候补中央执行委员。同年10月随中央红军进行二万五千里长征。1935年10月到达陕北,11月任中共陕甘省委宣传部部长。1936年7月改任中共陕甘宁省委宣传部部长,参加巩固发展陕甘宁革命根据地的斗争。西安事变后,调任中共陕西省委宣传部部

长,参与领导西安地区抗日救亡活动的宣传和统战工作。抗日战争爆发后,担任中共中央东南分局秘书长兼新四军军部秘书长并兼军法处处长。1938 年 11 月东南分局改为中共中央东南局,仍任秘书长,参与东南地区和新四军抗日斗争的组织领导工作。1941 年 1 月皖南事变后,转移苏北,先后任中共淮海区党委书记、淮海行政公署主任。1943 年后任中共苏北区党委副书记,苏北行政公署主任。参与领导苏北解放区的各项建设事业和抗日斗争。解放战争时期,历任皖苏边区政府主席,中共中央华东局常务委员兼宣传部部长,中共旅大区党委副书记兼财经委员会书记并兼旅大行政公署第一副主席等职。中华人民共和国成立后,历任中国驻缅甸大使,国务院外事办公室副主任,中共中央对外联络部副部长、顾问等职。被选为世界和平理事会常务委员,中国人民外交学会副会长、常务理事,中国人民保卫世界和平委员会副主席,中国国际交流协会会长等。在中共第十一届三中全会上被选为中央纪律检查委员会副书记。在中共十二大、十三大上连续被选为中央顾问委员会常委。1990 年 12 月 4 日因病在北京逝世。

李运昌 (1908—2008)

原名李芳岐,河北乐亭人。早年在乐亭中学学习,1924 年加入中国社会主义青年团。1925 年 10 月考入黄埔军官学校第四期学习,同月转为中国共产党党员。1926 年毕业后转入广东农民运动讲习所(第 6 期)学习。11 月,任广东省农民协会潮梅海陆丰办事处农军部主任。1927 年 5 月任广东潮梅农工救党军第二团党代表。12 月起历任中共乐亭县委书记、滦(县)乐(亭)中心县委书记。1929 年 1 月任中共顺直省委秘书、代理秘书长。同年秋被捕入狱。1930 年 10 月获释,11 月任中华铁路总工会满洲办事处主任。1931 年 10 月任全国铁路总工会特派员。1932 年 9 月在乐亭、滦县主持成立京东御侮救亡会,担任主任。1933 年 6 月任中共京东特委军事特派员,赴迁安组织农民暴动。1934 年起,在乐亭、哈尔滨、古冶、唐山等地从事中共地下工作。1936 年 4 月任中共京东特委书记,恢复、发展冀东中共组织,开展抗日斗争。1937 年 6 月任中共河北省委书记。抗日战争爆发后,于 11 月任中共冀热边特委书记。1938 年夏秋之交,领导发动冀东抗日武装暴动,成立冀东抗日联军,任司令员,开展抗日武装斗争。1939 年 7 月任八路军冀热察挺进军第 13 支队司令员。1940 年 7 月任冀东军分区司令员。1943 年 7 月任中共冀热边特委书记兼冀热行署主任和晋察冀军区第 13 军分区司令员、政治委员。1944 年 9 月任中共冀热辽区党委书记兼冀热辽军区司令员兼政治委员,领导开辟冀东敌后抗日根据地,坚持武装抗日游击战争。1945 年抗日战争胜利后,率部挺进东北,任东北人民自治军第二副总司令员,并任中共晋察冀中央局委员。11 月,任热河省主席。1946 年 6 月解放战争开始后,兼任东北行政委员会冀察热辽办事处主任、冀察热辽军区副司令员、中共冀察热辽分局委员。1949 年 1 月任中共热河省委书记。中华人民共和国成立后,历任政务院交通部党组书记、常务副部长,中共中央监察委员会常务委员(专职),国务院司法部第一副部长等职。1959 年 4 月当选第三届全国政协常务委员。1965 年 1 月当选第四届全国政协常务委员。"文化大革命"中遭受迫害。1978 年中共十一届三中全会后获平反昭雪,恢复名誉。1982 年 9 月在中共第十二次全国代表大会和 1987 年 11 月中共第十三次全国代表大会上,均当选为中共中央顾问委员会委员。2008 年 10 月 24 日因病在北京逝世。

李章达　(1890—1953)

字南溟。广东东莞人。早年加入中国同盟会。1911 年参加武昌起义。曾任孙中山警卫团团长、大元帅府参军。1924 年国民党改组后跟随廖仲恺办理党务。1933 年"福建事变"时参加事件发起者组织的中华共和国人民革命政府,任中央委员兼政治保安局局长。1937 年参加人民革命大同盟。抗日战争爆发后,任第四战区军法执行总监。1941 年后,参加筹建中国民主政团同盟。1948 年在香港任中国国民党革命委员会常委。5 月,被中共中央列为特邀民主党派代表到解放区协商召开新政协会议。并与民主党派各代表联名通电响应中共中央号召。1949 年 9 月,以代表身份出席第一届中国人民政治协商会议。

中华人民共和国成立后,任中央人民政府委员会委员,广东省人民政府副主席、广东省政协副主席、广州市副市长,民革中央常委兼南六总支部主任委员。1953 年 12 月在广州病逝。

李烛尘　(1882—1968)

原名李华揖,土家族,湖南永顺人。幼时读私塾,1902 年中秀才。1912 年东渡日本,考入东京高等工业学校,攻读电气化学。1918 年回国,任天津塘沽久大精盐厂技师、厂长。1920 年任永利制碱公司副总经理。后与范旭东等创立久(大)永(利)黄(海)化工集团。"七七事变"后,拒绝与日本合作,撤至四川,任"永久团体"内迁总负责人。1943 年与许涤新、沙千里、何惧等创办中国经济事业促进会,负责对外工作。并担任迁川工厂联合会、中国工业协进会等组织的常务理事。1945 年 10 月当选为国民参政员。参与了中国民主建国会的发起活动,12 月该会成立,他当选为理事、常务理事。1946 年 1 月,以无党派社会贤达身份,代表产业界参加重庆政治协商会议,主张国共合作,消弭内战,建设和平的民主国家。1949 年初积极开展对国民党天津守军司令陈长捷的策反工作。9 月作为产业界代表,出席中国人民政治协商会议第一届全体会议。中华人民共和国成立后,历任中央人民政府委员,中国贸易促进委员会委员,华北行政委员会副主席,食品工业部部长,轻工业部部长,第一届全国人大常务委员,第二、三届全国政协常务委员及第四届全国政协副主席,中国民主建国会中央副主任委员,中华全国工商业联合会第一、二、三届执委会副主任委员。1965 年任中国民主建国会中央委员会代理主任委员。1968年10月7日在北京逝世。

李宗仁　（1891—1969）

字德邻，广西临桂人。1908年入广西陆军小学堂，学习期间加入同盟会。1912年考入广西陆军速成学校。1916年参加滇军，任护国军排长、连长，参加过护法战争。1922年任广西自治军第二路总司令。1923年加入国民党。1925年在粤军李济深的协助下，打败沈鸿英、唐继尧，完成了以李为首的新桂系对广西的统一。1926年1月，在国民党第二次全国代表大会上，被选为候补中央监察委员；5月，率国民革命军第七军参加了北伐战争。1929年4月，在蒋桂战争中失败，被迫逃亡国外。抗日战争爆发后，被任命为第五战区司令长官，1938年3月，组织指挥了著名的台儿庄战役，毙伤日军2万余人，为抗战以来正面战场的第一次重大胜利。抗日战争胜利后，任国民党军事委员会北平行营主任，指挥对解放区的军事进攻。1948年4月当选为国民党政府副总统，蒋介石被迫下野后，代理总统，主持同中国共产党和谈。1949年4月1日，派出以张治中为团长的国民党谈判代表团到北平进行谈判，但拒绝在《国内和平协定最后修正案》上签字。1949年1月由香港飞抵美国，开始了长达16年的流亡生活。1954年4月，在报纸上看到周恩来总理在万隆会议上阐明中国对台湾问题的严正立场，深感兴奋。于是提出《对台湾问题的具体建议》，反对搞台湾托管和台湾独立，主张国共两党再度和谈，中国问题由中国人自己协商解决。1961年写信给新当选的美国总统肯尼迪，极力促使其转变对华政策，同新中国建立外交关系。1962年发表《对中印边界问题的进一步探讨》，指出西藏自隋唐以来就是中国领土不可分割的一部分。1965年7月20日，终于冲破重重险阻，回到祖国。在北京机场发表了庄严的声明并寄语台湾国民党人和海外爱国人士，希望他们为祖国统一事业作出贡献，此举在海内外产生了巨大影响。他回国后，受到毛泽东、刘少奇、周恩来等党和国家领导人的会见。1969年1月30日因病在北京逝世。著有《李宗仁回忆录》。

梁　希　（1883—1958）

森林学家。字叔伍，笔名阿五、一丁、凡僧，浙江湖州人。出生在一个书香门第家庭，幼读私塾。15岁考中秀才。1905年入浙杭武备学堂学习。1906年被清朝政府选派赴日本士官学校学习海军，次年加入同盟会。辛亥革命爆发后，回国参加浙江湖属军政分府，从事新军训练。不久南北议和，新军被裁撤，复去日本东京帝国大学农林部，改读林业专业。1916年毕业回国后，先后任奉天安东鸭绿江采木公司技师、北京林业专门学校林科主任兼教员。1923年起，自费赴德国萨克森林学院研究林产化学四年。1927年回国后，先后任国立北平农业大学教授兼森林系主任，《中华农学会丛刊》编辑，上海农业研究所研究员，浙江大学森林系主任兼浙江省建设厅技正。1933年到南京，任中央大学森林系主任。1935年被推选为中华农学会理事长,长期主持编辑《中华学报》。抗日战争时期,在重庆继续从事林业教学和科学研究。1941年同中国共产党有了密切接触。1946年5月参与成立九三学社,并被选为监事。1949年8月,任南京大学教务委员会主任。9月,出席第一届全国政协会议,当选政协常务委员。中华人民共和国成立后,任政务院林垦部部长、国务院林业部部长、九三学社副主席、中国林学会理事、中国科协副主席、中华全国科学普及协会主席、第二届全国政协常务委员。1955年当选中国科学院学部委员。1958年12月10日因病在北京逝世。他对我国木材学及林产化学的建立与发展作出了贡献。著有《木材学》等。

梁漱溟　(1893—1988)

原名焕鼎,字寿铭,祖籍广西桂林,生于北京。幼读私塾,后入顺天中学学习。赞成过“君主立宪”,后投身于反清民主革命。1911年加入中国同盟会,中学毕业后任京津同盟会机关报《民国报》编辑兼记者,后参加过反袁世凯的斗争。1916年任司法总长秘书。1917年应蔡元培之聘任北京大学印度哲学教习,从事哲学教学和研究。1924年辞离北大,赴山东主持曹州中学高中部,从事教育和乡村自治探索。1928年任国民党中央政治会议广州分会建设委员会主席。1929年任河南村治学院教务长并接办北平《村治月刊》。1930年6月与梁仲华等在邹平创办“山东乡村建设研究院”,任研究部主任,后任院长,出版《乡村建设》杂志。不久成立中国乡村建设学会,

形成以他为首的乡村建设派、倡导乡村建设运动。抗日战争爆发后,任国民参政会参政员。1938年曾访问延安,会见了毛泽东等中共领导人。1939年在重庆参与发起“统一建国同志会”。1941年与黄炎培商定将该会改组为中国民主政团同盟,任中央常委,并赴香港创办该同盟机关报《光明报》,任社长。香港被日军占领后,撤至广西桂林。此后主持民盟西南支部工作。抗战胜利后,参加争取和平民主的斗争。1946年初作为民盟代表之一,出席重庆政治协商会议。不久,再次访问延安,并以民盟中央秘书长的身份,参与“第三方面”人士调整国共关系活动。李公朴、闻一多被害后,曾挺身而起,痛斥国民党特务的反动罪行。1947年民盟遭解散后退出,在上海创办勉仁文院,从事国学研究、著述和教学。中华人民共和国成立后,1950年应邀到北京。此后历任第一、二届全国政协委员,第五、六届全国政协常委,中华人民共和国宪法修改委员会委员,中国孔子研究会顾问,中国文化书院院务委员会主席兼发展基金委员会主席等职。1988年6月23日因病在北京逝世。他毕生致力于儒家学说和中国传统文化的研究著述,主要著作有《乡村建设理论》、《中国文化要义》、《现代中国政治研究》、《东西文化及其哲学》等。

梁思成　(1901—1972)

建筑学家、建筑史学家,建筑教育家。广东新会人。为近代著名政治家、思想家梁启超长子。1923年毕业于清华学校。1924年赴美国宾夕法尼亚大学学习建

筑,至 1927 年先后获得学士、硕士学位。随后去哈佛大学研究院研究世界建筑史。1928 年回国,创办东北大学建筑系,任主任。他是中国建筑教育的开拓者之一。1931 年"九一八事变"后,到北京任中国营造学社法式部主任。他与夫人林徽因以及营造学社的同事,对 15 个省 2000 多项古建筑和文物,用近代科学的勘察、测量、制图技术和比较、分析的方法进行了调查研究,陆续发表了《正定古建筑调查报告》、《记五台山佛光寺建筑》等调查研究专文。他还对中国建筑古籍文献进行了整理和研究,并根据实物调查和对工匠实际经验的了解,完成了《清式营造则例》(1934 年由中国营造学社出版),该书成为中国建筑史界的教科书;国内外有志于研究中国古代建筑的人,都以此书为必经的门径。1933 年起任民国政府中央研究院历史语言所通讯研究员和兼职研究员。抗日战争爆发后,中国营造学社南迁至四川。在极艰苦的环境中不辍研究,于 1943 年完成《中国建筑史》,第一次对中国古建筑特征及其发展历程作出系统的论述。抗日战争胜利后,于 1946 年在北平创办清华大学建筑系,任主任。1948 年当选民国政府中央研究院院士。1949 年起任北平都市计划委员会副主任。中华人民共和国成立后,任清华大学建筑系教授、系主任,北京市建设委员会副主任。1953 年起任中国建筑学会副理事长。1955 年当选中国科学院技术科学部委员。1959 年加入中国共产党。他是中华人民共和国国徽和人民英雄纪念碑设计的领导人之一。1972 年 1 月 9 日在北京逝世。

梁思永 （1904—1954）

中国现代考古学家。广东新会人。为梁启超次子。1923 年毕业于清华学校留美预备班,随后去美国哈佛大学研究院攻读考古学和人类学。1930 年获硕士学位。归国后在中央研究院历史语言所考古组工作,对中国田野考古走上科学轨道起了积极推进作用。先后主持和参加的重要发掘有:新石器时代的昂昂溪遗址、城子崖遗址和两城镇遗址,安阳殷墟和侯家庄商王陵区以及后冈遗址等。从 40 年代初起,因肺结核病加剧,长期卧床休养。中华人民共和国成立后,被任命为中国科学院考古研究所副所长,在病床上主持日常工作,为该所的建立和考古事业的发展作出了贡献。1954 年 4 月 2 日在北京病逝。

梁思永在学术上的重要成就是:(1)通过后冈遗址的发掘,第一次从地层学上判定仰韶文化、龙山文化和商文化的相对年代关系,解决了中国考古学上的关键性问题;(2)在侯家庄商王陵区主持了中国考古史上少有的大规模发掘,发掘 10 座大型陵墓和上千座"人牲"祭祀坑,为中国古代社会的研究提供了重要的科学资料;(3)1930 年发表的《山西西阴村史前遗址的新石器时代的陶器》,是中国国内对仰韶文化认真进行比较研究的第一篇论著;(4)主持编写的《城子崖》是中国第一部田野考古报告。著有《梁思永考古论文集》。

梁羽生 （1924—2009）

作家、新派武侠小说开创者。原名陈文统,广西蒙山人。出身于书香门第,自幼接受中国传统文化教育。1937年抗日战争爆发后,就读于广西桂林中学,在中学时就喜欢作词,并延续读武侠小说的爱好。1941年太平洋战争爆发后,因日军侵扰回到家乡,适逢广东数位学者避难蒙山,他遂依礼拜太平天国史专家简又文为师学习历史,又向与简在他家同住过的敦煌学及诗书画名家饶宗颐学习文学。1945年抗日战争胜利后,随师返回广州,考入岭南大学国际经济专业学习。1949年定居香港,经校长介绍进《大公报》任副刊助理编辑,后迅速提正,并成为社评委员会成员。1950年底调到附属《大公报》的《新晚报》工作。1954年香港武术界太极派和白鹤派发生争执,先是在报纸上互相攻击,后来相约在澳门新花园擂台比武,经港澳报纸大肆渲染而轰动香港。他的朋友《新晚报》主编知他酷爱武侠小说和其文笔能力,约他创作武侠小说以飨读者。就在比武第二天报纸上就预告有精彩武侠小说连载,第三天《新晚报》上就有《龙虎斗京华》问世,作者梁羽生。从此一发不可收拾,到1984年"封刀"止,共创作武侠小说35部,1000余万字。1987年移居澳大利亚,数年后皈依基督教。是中国作家协会会员,还曾担任深圳市楹联学会名誉会长。他对新武侠小说的文艺观点是:"宁可无武,不可无侠";评价是"开风气也,梁羽生,发扬光大者,金庸"。2009年1月22日因病在澳大利亚悉尼逝世。他的武侠小说代表作为《萍踪侠影录》、《七剑下天山》、《白发魔女传》。还写散文、评论、随笔、棋话(笔名有陈鲁、冯瑜宁、李夫人等),著有《中国历史新活》、《文艺新谈》、《古今漫话》等。

廖承志 （1908—1983）

广东惠阳人。生于日本东京。近代民主革命家廖仲恺之子。1924年8月加入中国国民党。1925年参加广州学生运动并参与领导所在学校岭南大学的工人罢工斗争。6月参加沙基反帝游行示威。1927年蒋介石发动"四一二"反革命政变后,愤而脱离国民党,去日本早稻田大学第一高等学院学习。同年参加中共东京特支组织的社会科学研究会活动。1928年5月,因参加声讨日本帝国主义制造的济南惨案,被日本当局拘捕并驱逐出境。8月加入中国共产党,后在反日大同盟上海分会工作,编辑《反日新闻》。11月受中共派遣到德国做汉堡中国海员工作。1930年夏参加在莫斯科召开的职工国际第五次代表大会。1931年春到荷兰鹿特丹,建立中华全国总工会西欧分会。1932年回国,任中华全国总工会宣传部长,全国海员总工会中共党团书记。1933年3月被国民党当局逮捕,经营救获释。9月参加中国工农红军,任川陕苏省委常委。1934年任红四方面军总政治部秘书长。12月因反对张国焘的错误,被张关押并开除党籍,后被押解参加长征。1936年10月红一、二、四方面军在甘肃会宁会师后,经周恩来解救获释,恢复党籍。1937年4月任中央党报委员会秘书,参加筹备出版中央政治理论刊物《解放》杂志。10月到南京八路军办事处工作。1938年1月任八路军香港办事处负责人,4月任中共广东省委委员,协助宋庆龄领导的保卫中国同盟开展国际反法西斯统一战线工作。皖南事变后,创办和主持香港《华商报》。1942 年 1 月到粤北参加中共南方工委的领导工作。5 月被国民党逮捕,在狱中进行了英勇斗争。1945 年 6 月在中共七大上被选为候补中央委员。1946 年 1 月经中共中央营救出狱,5 月到南京中共代表团协助周恩来工作,9 月任新华通讯社社长。1946 年至 1948 年历任中共中央南方局委员,中共晋冀鲁豫中央局宣传部长,中共中央宣传部副部长。1949 年 3 月在中共七届二中全会上递补为中央委员,4 月被选为中国新民主主义青年团副书记。5 月当选为中华全国民主青年联合会总会主席,10 月任政务院华侨事务委员会副主任委员。1952 年 12 月任中共中央统战部副部长,同年负责领导中日民间友好工作(1963 年任中日友好协会会长)。1953 年 7 月被选为团中央书记处书记,11 月被选为世界和平理事会理事。1958 年 3 月任国务院外事办公室副主任。1959 年任政务院华侨事务委员会主任。1982 年 7 月发表致蒋经国先生信,殷切期望台湾当局捐弃前嫌,以国家民族利益为重,实现祖国统一大业,在国内外产生了广泛影响。在中共第八、十、十一、十二次全国代表大会上当选为中央委员,在中共十二届一中全会上当选为中央政治局委员。他是历届全国人大代表,第一、四届人大常委,第五届人大常委会副委员长等。1983 年 6 月 10 日因病在北京逝世。

廖鲁言　(1913—1972)

江苏南京人。中学时代参加爱国学生运动。1930 年考入北平陆军军医大学,在校学习期间参加中国左翼作家联盟。1932 年加入中国共产党。曾任中共北平市委成立的抗日团体联合会义勇军部部长兼义勇军大队长,是北平学生运动领导人之一,同年在北平组织纪念八一的游行中被国民党当局逮捕,在狱中坚持斗争。1936 年 11 月经党组织营救出狱,被派到山西工作,历任太原抗日军政训练委员会编辑和军政训练班指导员,山西抗日决死队营指导员,总队政治部主任,旅政治部主任。1939 年赴延安,任中共中央统战部科长,中共中央党务研究室研究员。解放战争时期任中共中央政策研究室秘书长、副主任。中华人民共和国成立后,任中共中央政策研究室副主任。1949 年 12 月任政务院参事室副主任。1952 年 8 月任政务院副秘书长。1954 年 9 月起任农业部部长、党组书记,并且担任中共中央农村工作部副部长,国务院第七办公室主任。1956 年当选中共第八届候补中央委员。他是第一、二届全国人大代表,第四届全国政协委员。他就任农业部部长期间,把抓农业生产力作为主要任务,培养了大量农业科技工作者,并建立了一整套比较完善的农业科学和技术推广体系和制度。于 1958 年到 1960 年完成了我国第一次土壤普查,初步弄清了耕地土壤情况。"文化大革命"中遭受迫害。1972 年 11 月 19 日逝世。

林　彪　(1907—1971)

原名育蓉。湖北黄冈人。1924 年

加入中国社会主义青年团，1925 年加入中国共产党。1926 年 1 月考入黄埔军校第四期。北伐战争时，在叶挺独立团当见习排长。1927 年参加八一南昌起义，任第 11 军 25 师 72 团 7 连连长。1928 年初随朱德、陈毅部队上井冈山。历任中国工农红军营长、团长、第四军第一纵队司令员。1930 年以后，先后担任红四军军长和一军团军团长，并兼红一方面军总前委委员，中央革命军事委员会委员和中华苏维埃共和国中央执行委员会委员等职。参加和指挥了中央苏区的历次反"围剿"作战。1934 年 10 月参加长征，任红一军团军团长。1935 年 1 月出席遵义会议。懋功会师后历任左路军司令员、陕甘支队副司令员兼第一纵队司令员。到达陕北后，仍任红一军团司令员兼西北革命军军事委员会委员。1936 年 6 月任中国人民抗日军政大学校长。抗日战争爆发后，任一一五师师长。1937 年 9 月，与聂荣臻一起指挥平型关战役，后负伤到苏联治疗。1945 年 5 月歼灭日军辎重部队千余人。当选中共第七届中央委员。不久赴东北战场，任东北民主联军总司令。1946 年 6 月任中共中央东北局书记。1948 年后任东北野战军司令员、东北军区司令员兼政委。与陈云、罗荣桓等执行中央的正确决策，领导了东北的解放战争。经过辽沈战役的胜利，解放了东北整个地区。是作出了贡献的。1949 年 3 月任中国人民解放军第四野战军司令员，率军入关，参加了平津战役。后又指挥部队渡江作战，继续南下解放了中南广大地区和海南岛。

中华人民共和国成立后，历任中国人民革命军事委员会副主席、中南军政委员会主席、国务院副总理兼国防部长，国防委员会副主席，第一届全国政协常务委员，中央军委副主席等职。1955 年 4 月，在中共七届五中全会上，被补选为中共中央政治局委员。1955 年 9 月被授予元帅军衔。1958 年 5 月，在中共八届五中全会上，被补选为中共中央政治局常委和中共中央副主席。1959 年 9 月主持中央军委日常工作。1966 年 8 月，在中共八届十一中全会上，被确定为中共中央唯一的副主席。1969 年 4 月，在中国共产党第九次全国代表大会上，继续当选为中央委员、政治局委员、政治局常委和中共中央副主席。在"文化大革命"中伙同陈伯达组成反革命集团，并和江青反革命集团相互勾结，诬陷和迫害党和国家领导人，阴谋夺取最高权力。1971 年 9 月 8 日，企图谋杀毛泽东，另立中央。阴谋败露后，于 9 月 13 日乘飞机仓皇出逃，摔死在蒙古温都尔汗。1973 年 8 月 20 日，中共中央通过决议，将他永远开除出党。

林　枫（1906—1977）

原名郑凌风，曾用名罗衡。黑龙江望奎人。1924 年入天津南开中学读书，参加过进步学生运动。1927 年初加入中国共产主义青年团，同年转为中国共产党党员。后在北京、天津一带从事党的秘密工作。1931 年"九一八"事变后任中共北平工学院支部书记。1932 年任河北反帝大同盟党团书记，全国反帝大同盟筹委组织部部长。同年冬任中共北平市委书记。1933 年任中共河北省委巡视员。1935 年冬复任中共北平市委书记。1936 年初任中共天津市委书记,同年夏任中共中央驻北方代表、北方局书记刘少奇的秘书。抗战爆发后,任中共山西省工委(不久改为省委)副书记。1937 年冬任中共中央北方局委员兼组织部部长。1938 年 5 月任晋西南区党委书记兼 11 路军晋西支队政委,和支队长陈士榘等领导该区的抗日游击斗争。1939 年晋西事变后,任晋西区党委书记。1942 年秋起任中共中央晋绥分局副书记、书记。参与领导巩固发展绥晋抗日根据地的斗争。1945 年出席中共第七次全国代表大会,被选为中央委员。同年 8 月与晋绥军区司令员吕正操率第 32 团及 400 名连以上干部开赴东北,任中共中央东北局常委兼组织部长、东满分局书记,东满军区(后改称吉林军区)政委。1946 年 8 月任东北各省行政联合委员会主席。中华人民共和国成立后,任中央人民政府委员,中共中央东北局副书记兼统战部代部长、监察委员会主任和财经委员会主任,东北人民政府副主席兼办公厅主任。1952 年 8 月任中共中央东北局第一副书记。1953 年 1 月任东北行政委员会副主席,后兼东北军区副政委。1954 年 4 月调任中共中央副秘书长,国务院文教办公室主任。1960 年 1 月任国务院业余教育委员会主任。1966 年任中共中央高级党校校长。是中共第八届中央委员。曾被选为第一届全国人大常委,第二、三届全国人大常委会副委员长。1977 年 9 月 29 日因病在

北京逝世。

林伯渠 (1886—1960)

名祖涵,号邃园,湖南临澧人。10 岁时读私塾,不久,入道水书院寄读。1902 年考入湖南西路师范学校。1904 年由师范学校选送到日本留学,就读于东京弘文书院。在此期间,结识宋教仁、黄兴等革命家,并接受孙中山关于推翻清朝统治,建立共和国的政治主张。1905 年 8 月加中国同盟会,开始从事资产阶级民主革命。1906 年回国以后,受同盟会总部派遣,回湖南负责同盟会秘密宣传品《民报》等的发行工作。1907 年被同盟会派到东北活动。1911 年广州黄花岗起义失败,两湖地区又革命在即,他于八九月间被同盟会总部召回湖南,随即和同盟会员一道,分头到各地新军巡防营中从事军运工作,从而推动了湖南新军首先响应武昌起义。1913 年"二次革命"失败后,便被袁世凯通缉,东渡日本,先后进入日华学校、中央大学、正则学校和东亚商业学校学习。1914 年 7 月参加中华革命党,追随孙中山。此时,他结识正在日本留学的李大钊,并成为要好的朋友。1915 年底,被任命为中华革命党湖南支部党务科长。不久,担任湖南护国军总司令部参议。1916 年 8 月,任省公署秘书兼总务科长,随后又代理政务厅长。1917 年 8 月辞去在省公署的职务,参加护法之役,并出任湘南护法军总司令部参议。1920 年任孙中山大元帅府参议。冬天,来到上海,经李大钊介绍,会见了陈独秀,在李、陈的介绍下,加入了上海共产主义小组。1921

年中国共产党"一大"开过不久,几次安排共产党人陈独秀、李大钊同孙中山的会见,共同讨论"振兴国民党、振兴中国"的种种问题。1924年1月,在广州参加了国民党的第一次全国代表大会,并被选为国民党中央执行委员会候补委员、中央农民部部长。1925年6月,任国民党中央执行委员会政治委员会委员兼监察院委员。8月,补选为国民党中央执行委员会常务委员,兼任农民部部长,并负责筹备国民党第二次全国代表大会。1926年1月,在国民党第二次全国代表大会上,当选为中央执行委员会委员、常务委员,并兼任国民党中央党部秘书和农民部长。"整理党务案"后,被排挤出国民党中央,到国民革命军第六军担任党代表兼政治部主任,建立了以共产党员为中心的政治领导。1927年3月,参加筹备并出席了在汉口召开的国民党二届三中全会;会上,当选为中央政治委员会常务委员;不久又被推举为国民政府军事委员会秘书处处长。8月1日,参加南昌起义,任革命委员会委员兼革命委员会财务委员会主席。起义失败后于1928年秋抵达莫斯科,入中国劳动者共产主义大学(原名中山大学)中国问题研究院,开始了新的学习生活。1930年夏天,被派去苏联远东边疆中国苏维埃党校任教,教授中国语文和中国革命史等课程。1933年3月进入中央苏区。4月,任国民经济人民委员部部长,后又兼任临时中央政府财政部部长。在毛泽东的领导下,负责领导根据地的财政经济建设。1934年1月,当选为中华苏维埃共和国中央执行委员会委员和主席团委员。第五次反"围剿"失败后,参加长征。长征期间,担任没收征发委员会主任和总供给部部长,负责筹粮筹款。长征到达陕北后,先后任中华苏维埃共和国临时中央政府西北办事处财政部部长、主席。1937年9月16日中共中央将陕甘宁苏维埃政府改为陕甘宁边区政府,任命林伯渠为边区政府主席。不久,又任命为中共中央驻陕西代表、八路军驻西安办事处主任。1938年7月,作为中共参政员去武汉参加国民参政会一届一次会议,9月,出席中共中央扩大的六届六中全会,被补选为中共中央委员。1941年11月,边区召开第二届参议会,通过了著名的《陕甘宁边区施政纲领》,连任陕甘宁边区政府主席。1945年4月,参加中国共产党第七次全国代表大会,并当选为中共中央委员和中央政治局委员。1946年6月,蒋介石发动了全面内战,林伯渠通过边区政府发布动员令,动员边区人民支援解放战争。1949年3月,出席党的七届二中全会;4月,参加中国共产党代表团,与南京政府派出的和平代表团在北平谈判。此后,悉心投入紧张的召开中国人民政治协商会议和组织中央人民政府的工作。中华人民共和国成立后,任中央人民政府委员兼秘书长,中国共产党八大中共中央委员和中央政治局委员,第一、二届全国人民代表大会常务委员会副委员长。1960年5月29日,因病在北京逝世。

林风眠　(1900—1991)

画家、美术教育家。广东梅县人。14

岁入省立梅县中学学习。1919 年赴法国勤工俭学，先后入第戎美术学院、巴黎高等美术学校学习。1923 年游学德国柏林，创作油画《渔村暴风雨之后》等。1925 年冬回国任北平国立艺术专门学校校长兼教授。1927 年辞职赴上海，应蔡元培之聘任大学院艺术教育委员会主任，并筹办全国美术展览会。1928 年得蔡元培支持，在杭州创办国立西湖艺术院，任院长兼教授。1929 年与潘天寿等赴日本考察美术教育。创作大幅油画《人道》、《痛苦》。抗日战争时期，在重庆潜心绘画创作，创造出新风格的中国画。1945 年后，先后任重庆国立艺术专科学校、杭州国立艺术专科学校教授。1947 年辞职，专事中国水墨画的探索。1949 年任杭州国立艺术专科学校教授。中华人民共和国成立后，再次辞去教职，于 1952 年退居上海专事创作，这是他艺术探索的第二个高潮，艺术上高度成熟。曾任中国美术家协会上海分会副主席，上海市政协委员。"文化大革命"中，被打成"黑画家"挨批斗，许多作品被毁。1977 年出国探亲，先后在香港、巴黎举办个人画展，两年后定居香港，他的艺术探索又达到一个新的阶段。1991 年 8 月 12 日因病在香港逝世。在现代革新中国画的种种实验探索中，他的创造性、开拓性劳动，具有里程碑的意义。作为美术教育家，他的学生有朱德群、赵无极、刘开渠、李苦禅、吴冠中、王朝闻等。他的《艺术丛论》表达了他一系列的艺术主张。

林徽因 （1904—1955）

中华人民共和国国徽主要设计者之一。女，原名徽音，福建闽侯人。出生在一个官僚知识分子家庭，从小受到良好教育。1916 年入北京培华教会女子中学学习。1920 年 4 至 9 月，随父赴欧洲游历。同年入伦敦圣玛利女校学习。1921 年回国复入培华女中读书。1923 年参加新月社活动。1924 年赴美留学，入宾夕法尼亚大学美术学院学习，选修建筑系课程，1927 年毕业，获美术学士学位。同年入耶鲁大学戏剧学院，学习舞台美术设计。1928 年 3 月，与梁思成在加拿大渥太华结婚，婚后赴欧洲考察建筑。8 月回国后，协助梁思成筹建东北大学建筑系。1931 年"九一八"事变后建筑系停办，梁思成受邀担任中国营造学社的法式部主任，她亦参加。从此，开始了他们在中国营造学社长达 15 年的调查研究中国古建筑的艰难而又成果丰硕的生涯。1946 年 8 月，他们回到北京开始筹建清华大学建筑系。但梁受邀赴美讲学、考察，筹建工作实际落在了她的身上。

中华人民共和国成立后，她任清华大学建筑系教授、北京市政协委员、北京市都市规划委员会委员。她的美术才能得以展现：（1）参与国徽设计。为在 1950 年国庆节挂上国徽，全国政协决定分别组成梁思成、林徽因领导的清华大学营建设计小组和以张仃为首的中央美术学院设计小组，展开国徽设计竞赛。因其深厚的中西文化艺术根底和渊博的才学，在设计中提出"国徽"和"商标"的区别这样一个重大原则问题。她不仅是设计小组的领导者，也是小组设计思想的主要源泉。1950 年 6 月 23 日,政协一届二次全体会议上,代表以鼓掌方式通过清华大学设计小组的设计。(2)参与人民英雄纪念碑的设计。1952 年 5 月,她被任命为人民英雄纪念碑建筑委员会委员,不仅承担美术设计方面的任务,对于纪念碑的整体造型、结构都提出了原则性的意见。她亲自为碑座和碑身设计了全套饰纹,特别是小须弥碑座上的一系列花环浮雕。(3)改造传统景泰蓝。她投入较大精力于中国图案边饰和工艺美术的研究,撰写了《景泰蓝新图样设计工作一年总结》《敦煌边饰初步研究》。在这些设计工作中,她一直贯穿着对民族形式的探索与追求。1954 年 4 月 1 日因病在北京去世,北京市人民政府将她安葬在八宝山革命烈士公墓。建筑学著作有:《现代住宅设计参考》《论中国建筑之几个特征》等,与梁思成合著《晋汾古建筑预查纪略》《由天宁寺谈到建筑年代的鉴别问题》等。文学著作有:《九十九度中》《梅真和他们》《窗子以外》《林徽因诗集》等小说、话剧、散文、诗歌作品。

林惠祥 (1901—1958)

人类学家。福建晋江人。1926 年毕业于厦门大学,为该校社会学系第一届毕业生。后考入菲律宾大学研究院,1928 年毕业,获人类学硕士学位。1929 年任国民政府中央研究院特约编辑员,后参加研究院民族学组研究工作。1931 年任厦门大学历史社会学系主任、教授。在重视基础理论研究的同时,他还主张走出书斋,加强考古的发掘和民族的调查研究。1929 年和 1935 年两次身体力行,只身冒险深入日本占领下的台湾省,调查高山族(时称"番族"),获得圆山新石器和高山族文物。1934 年运用自己搜集、发现的考古和民族文物,创办了厦门市人类博物馆筹备处。抗日战争爆发后,他携带文物避难南洋,从事东南亚的考古和民族研究。著有《苏门答腊民族志》《婆罗洲民族志》等。抗日战争胜利后,他拒绝外国资本家的高价收买,将自己的文物带回国。中华人民共和国成立后,任厦门大学历史系主任、人类博物馆(这是他将近万件文物和图书捐赠建立的)馆长、南洋研究所副所长。1957 年加入中国共产党。他对民族文化和中国民族的来源及划分系统等问题,颇多创见。他的《文化人类学》一书确立了中国人类学体系。他的《台湾番族之原始文化》是中国对高山族最早进行调查研究的成果。其他著作还有《民俗学》(1931)、《世界人种志》(1933)、《神话论》(1933)等。

林巧稚 (1901—1983)

女。福建厦门人。1919 年于厦门女子师范学校毕业后留校任教。1921 年考入美国人开办的北京协和医学堂。1929 年毕业,获博士学位。同年受聘于北京协和医院,先后任妇产助理、主院医师、妇产科助教。1932 年赴英国伦敦医学院、曼彻斯特医学院进修。1933 年到维也纳进行医学考察。1935 年回国,后任北京协和医院妇产科主任,成为该院中第一位中国籍女科主任,同年受聘为美国自然科学荣誉委员会委员。1942

年协和医院被日军占领改为陆军医院，她愤然离去，自行开诊。抗战胜利后仍回协和医院继续任妇产科主任，并兼协和医院和北京大学医学院教授。1949年北平解放后，仍在协和医院任原职。1953年当选为中华全国妇女联合会执行委员，北京市妇女联合会副主席。1955年被聘为中国科学院第一届学部委员，是新中国第一位女学部委员。1956年当选为中华医学会副会长，中华医学会妇产科学会主任委员，并任《中华妇产科学杂志》总编辑。1957年被任命为北京妇产医院院长，中国医学院副院长。1965年主持中华医学会第一届妇产科学术会议。1973年受聘为世界卫生组织医学研究顾问委员会顾问。1974年出席日内瓦世界卫生组织专家顾问委员会议。1978年当选为第四届中华全国妇联副主席。她是著名的医学家，是我国妇产科学的开拓者之一。早年对胎儿宫内呼吸、女性盆器结核进行过研究，后来对滋养细胞肿瘤、新生儿溶血症等疾病的诊断作出了贡献。在从事妇产科医学研究的60年中，积累了丰富的临床经验，以精湛的医术和高尚的医德深受人民群众敬爱。她还是第一、二、三、四、五届全国人大代表，第三、四、五届全国人大常委。1983年4月23日因病在北京逝世。

林语堂　（1895—1976）

作家。原名和乐，福建龙溪人。其父为基督教牧师，在乡村传教。他自幼深受西方思想文化的熏陶和影响。1912年入上海圣约翰大学学习。1916年毕业后，在清华学校任英文教员。1919年起，先后赴美国、德国研究语言学，获哈佛大学硕士、莱比锡大学博士学位。1923年回国，在北京大学、北京女子师范大学任教。他是《语丝》周刊主要撰稿人之一。这时发表的杂文，揭露了军阀政府的倒行逆施，抨击文化界一些学者名流的丑恶行径，表现出对封建势力的斗争勇气和对群众革命行动的热情支持。因支持和参加学生爱国运动，受到民国北京政府通缉，于1926年5月回福建，任厦门大学文科主任兼国学院秘书。1927年春去武汉，任民国政府外交部秘书。7月到上海专事著述。他还是语言学家，撰写的《开明英文读本》（1929）和《开明英文文法》（1930），在当时有很大的影响。30年代初期，曾参加中国民权保障同盟。1932年起，陆续创办《论语》半月刊、《人世间》半月刊和《宇宙风》半月刊，提倡"幽默""闲适"的"性灵文学"，成为"论语派"的主要代表人物。1936年居留美国，此后多用英文写作。1947年任联合国教科文组织美术与文学主任。1954年任新加坡南洋大学校长。1966年定居台湾省台北市。1976年3月26日因病在香港逝世。他的小说、传记、散文、论著、文选及词典、译作等共达30余部。著有英文长篇小说《京华烟云》（1939）、《风声鹤唳》（1941）等8部；中文著作有《语堂文存》（1941，上海）、《无所不谈合集》（1974，台北）、《语堂文集》（1979，台北）等。

刘伯承　（1892—1986）

原名刘明昭。重庆开县人。1911

年在万县参加响应辛亥革命的学生军。1912年考入重庆军政府将校学堂。1913年参加四川讨袁（世凯）军。1914年加入中华革命党。在护国、护法战争中，历任连长、参谋长、团长。1916年3月在攻占丰都之役中右眼中弹致残。1923年在讨伐吴佩孚的战争中任东路讨贼军第一路前敌指挥官。被誉为川中名将。1926年5月加入中国共产党。同年12月与杨闇公、朱德等发动泸顺起义，任起义军四川各路总指挥。1927年参与领导南昌起义，任中共前敌委员会参谋团参谋长。1928年留学苏联。1930年夏毕业于伏龙芝军事学院。回国后任中共中央军委委员、长江局军委书记，协助周恩来处理中央军委日常工作。1932年1月进入中央革命根据地，任工农红军学校校长兼政委。10月任中央革命军事委员会参谋总长，协助朱德、周恩来指挥第四次反"围剿"作战。长征中兼中央纵队司令员，指挥先遣部队强渡乌江，智取遵义。1935年1月，参加在遵义召开的中共中央政治局扩大会议，拥护毛泽东的正确主张。5月，指挥干部团一部抢占皎平渡，保证全军顺利北渡金沙江。而后与聂荣臻率先遣队为全军开路，与彝族部落首领小叶丹"歃血为盟"，使全军顺利通过彝族聚居区。5月25日率红一师在安顺场强渡大渡河。红一、四方面军会合以后，坚定地执行中央关于北上抗日的战略方针，同张国焘分裂活动进行斗争。抗日战争爆发后，任八路军第一二九师师长，指挥所部创建了晋冀鲁豫抗日根据地。1940年组织部队参加百团大战。后组织正规军、游击队和民兵相结合的武装集团，多次挫败日伪军的"蚕食"和"扫荡"。同时多次反击国民党顽固派军队对根据地的进犯，巩固和扩大了抗日根据地。解放战争时期，历任晋冀鲁豫军区、中原军区、第二野战军司令员。1945年9月起与政委邓小平指挥了上党战役和邯郸战役，有力地支持了毛泽东、周恩来在重庆同蒋介石的和平谈判。1946年8月后率主力部队赴冀鲁豫前线，组织陇海、定陶、巨（野）金（乡）鱼（台）和豫北等九个大规模的战役，歼灭和钳制了大量国民党军，解放大片地区。1947年6月，与邓小平率12万大军突破黄河河防，组织指挥鲁西南战役，随即远离根据地，千里跃进大别山。9月起与进军皖豫苏的陈（毅）粟（裕）野战军和进军豫西的陈（赓）谢（富治）集团密切协同，在江淮河间大量歼灭敌人，迫使国民党军队陷于被动，对扭转全国战局起了决定性作用。1948年11月参与指挥淮海战役，取得战略决战的重大胜利。1949年4月参与指挥渡江战役，并直接指挥第二野战军放了皖南、浙西、赣东北、闽北的广大地区。同年冬，指挥西南战役，解放四川、云南、贵州、西康四省。中华人民共和国成立后，任西南军政委员会主席。1950年底，领导组建人民解放军军事学院，任院长（后兼政委）。1954年起先后任人民革命军事委员会副主席，国防委员会副主席，军委训练总监部部长。1957年9月任高等军事学院院长兼政委。1959年后还曾负责战略研究工作。为推进人民解放军的现代化、正规化建设作出了重大贡献。1955 年被授予中华人民共和国元帅军衔。是中共第七至第十一届中央委员,第八至十二届中央政治局委员。1966 年 1 月起任中共中央军委副主席。还是第二至五届全国人大常委会副委员长。1982 年辞去党政军领导职务。1986 年 10 月 7 日因病在北京逝世。主要军事论著收入《刘伯承军事文选》(1982)。

刘成基 (1905—1976)

川剧演员。艺名当头棒,四川遂宁人。幼入三益科班学艺,后拜名丑傅三乾为师,又遍访良师益友,融会诸家之长并加以丰富改进,以擅演袍带丑著称。经长期表演实践,他功底深厚,程式严谨,善于运用传统表演手法刻画各种类型的人物,从帝王公卿到贩夫走卒,均各具特色。在《赠绨袍》中饰须贾,通过指爪、眉眼、身法、舞蹈、讲白以及一把椅子的移动,将一个势利小人变化无常的嘴脸,塑造得惟妙惟肖。该剧经其 40 多年的锤炼,成为他的代表作。还擅长演褶子丑(如《胡琏辨钗》),龙箭丑(如《毛延寿奔番》),烟子丑(如《醉隶》)等。中华人民共和国成立后,他将主要精力投入到导演和培养青年演员的工作上。先后导排了传统剧《柳荫记》、《闹齐廷》等,现代剧《丁佑君》、《许云峰》。在被拍摄成电影的《鸳鸯谱》中,他饰演乔太守并担任该片的艺术顾问。曾任成都市川剧院副院长兼艺术委员会主任。1959 年加入中国共产党。“文化大革命”中遭受迫害。1976 年 12 月在成都逝世。著有川剧表演艺术的专著《川剧丑角表演程

式》、《刘成基舞台艺术》。

刘承钊 (1900—1976)

动物学家。原名承诏,字令擎,山东泰安人。少年时在泰安萃英小学、中学读书。1922 年到北京,入汇文大学预科学习。1924 年考入燕京大学;1927 年毕业获学士学位,留校一边当助教,一边进修研究生课程;1929 年获硕士学位,并晋升为讲师。1930 年任东北大学生物系讲师,并从事北方蛙类与蟾蜍第二性征与性行为的研究。1931 年“九一八”事变后,回到燕京大学,继续从事两栖动物的研究。1932 年赴美国,入康奈尔大学留学,主攻两栖爬行动物学;1934 年春毕业,获哲学博士学位。9 月回国后到东吴大学执教,并继续从事两栖爬行动物研究。1937 年 8 月 13 日日军进攻上海,学校不久即关闭。他带领部分生物系学生和职工,辗转于 1938 年 1 月到达成都。1939 年这部分师生并入华西协合大学,他任生物系教授。后兼任该校自然历史博物馆馆长以及《华西边疆研究学会杂志》自然科学部编辑。至 1944 年他在川康一带,兼及陕、甘、青部分地区,行程 8000 余公里,共发现两栖动物 29 个新种,建立 1 个新属,尤其是对许多种类的两栖动物生活史做了详尽的观察与研究。1946 年赴美讲学,在美期间完成英文专著《华西两栖动物》。1947 年被美国鱼类两栖爬行动物学会授予国外名誉会员。同年冬回国,仍任华西协合大学生物系教授。中华人民共和国成立后,1950 年担任燕京大学生物系主任,同时被聘为中国科学院动物标

本整理委员会副主任委员。1951 年夏，被西南军政委员会文教部请回成都，担任华西大学第一任校长。1953 年院系调整，华西大学改称四川医学院，任院长达 23 年。1955 年当选中国科学院学部委员，并任《中国动物志》编辑委员会副主任，四川省科学技术委员会第一届主席。他是中国共产党党员、中国民主同盟盟员，是第一至三届全国人民代表大会代表。1976 年 4 月 9 日因病在成都逝世。1950 年美国芝加哥自然历史博物院将他的《华西两栖动物》出版，该书至今仍被视为研究中国两栖动物的经典著作。与夫人胡淑琴合著的《中国无尾两栖类》(1961)，1987 年荣获国家自然科学奖二等奖。还有论文 57 篇，手册及图谱各一种。在这些著作中，描述两栖动物 72 种及亚种，新属 2 个。他是中国两栖爬行动物学的主要奠基人之一。

刘东生　(1917—2008)

国家最高科学技术奖获得者。地质学家。辽宁沈阳人。天津南开中学毕业。1937 年抗日战争爆发后，考入西南联大学习。1942 年毕业于地理地质气象系，后又旁听生物系课程。1944 年先后任中国地质工作计划指导委员会和地质部工程师，从事矿产勘探、工程地质调查工作。报告有《四川重庆白庙子煤矿地质报告》(与王朝军等合著)、《扬子江水力发电计划和三峡坝址地质工程报告》(与侯德封等合著)等。1945 年抗日战争胜利后，在杨钟健教授指导下，对中国古脊椎动物学进行了研究，并填补了中国在这方面研究工作的空白。论文有

《殷墟哺乳类补遗》、《四川歌乐山哺乳动物群》(与杨钟健合著)等。1949 年在南京大学生物系肄业。中华人民共和国成立后，任中国科学院地质研究所研究员，还担任北京大学、南京大学、中山大学、中国科技大学研究生院教授。20 世纪 50 年代，他对黄土高原进行了大量的野外考察和实验分析，成果反映在《黄河中游黄土》、《中国的黄土堆积》等著作中，形成学术上的"新风成说"。1958 年在黄土地层研究中，发现第四纪气候冷暖交替远不止四次，奠基了环境变化的"多旋回说"，发展了传统的四次冰期学说。1964 年参加了国家组织的科学考察队，攀登希夏邦马峰，同时还对川藏公路波密段泥石流进行了考察。同年还担任中国科学院黄河中游水土保持综合考察队副队长，珠穆朗玛峰登山考察队副队长、队长。"文化大革命"中，他在贵阳中国科学院地球化学研究所受到冲击。1970 年中央成立了一个地方病防治办公室，要攻克"克山病"就必须调查该病中的水土环境问题；年底，他和几位地球化学、土壤方面的专家，奉命赶到黑龙江省克山县开展这项工作。研究表明是水中缺少硒元素，导致群众发病。1976 年任全国食道癌病因综合考察队队长。地质学与医学研究相结合的论文有《环境地质的出现》、《从肿瘤看环境地质学的研究》等。1977 年任中国托木尔峰登山考察队副队长、队长。1979 年调回在北京的中国科学院地质研究所；5 月加入中国共产党。1980 年当选中国科学院地学部委员。80 年代，基于多年对中国黄土

的研究,他重建了 250 万年以来的气候变化历史,使黄土与深海沉积、极地冰芯并列成为全球环境变化研究的三大支柱,为全球气候变化研究作出了重要的贡献。与孙鸿烈院士合作关于青藏高原隆起对自然环境条件影响的报告,1988年获中国科学院特等奖、国家科委自然科学一等奖;1989 年获陈嘉庚奖。1991年在南极的南设得兰群岛中的乔治王岛,进行了为期 1 个月的科学考察。同年当选第三世界科学院院士。1996 年到北极的斯瓦巴德岛进行科学考察。同年当选欧亚科学院院士。2002 年获在国际上有环境科学诺贝尔奖之称的"泰勒环境成就奖"。2004 年获国家最高科学技术奖(2003 年度)和中华绿色科学技术奖特别奖。是第六、七届全国人大常务委员。曾担任第三届中国科学技术协会书记处书记、国务院环境委员会专家组组长、国际第四纪研究联合会主席、中国第四纪研究委员会名誉主任、中国科学院地球环境研究所名誉所长、《地质科学》副主编、《地质学报》和《地质评论》编辑委员会委员等职。2008 年 3 月 6 日因病在北京逝世。他首创黄土"新风成说"和环境演化的"多旋回说",开辟了青藏高原隆升与环境演变研究新领域,建立了全球变化国际对比标准。著有《南京五通系中鱼化石》(合著)、《黄河中游水土保持考察》、《黄土的物质成分和结构》、《黄土与环境》等。

刘海粟　(1896—1994)

　　画家、美术教育家。字季芳,江苏常州人。6 岁入私塾,10 岁入绳正书院读书。14 岁到上海,入布景画传习所学习。课余去外文书店翻阅图籍,购得欧洲名画集以及委拉斯贵支、戈雅等人的专集,反复临摹。半年后回到常州,在一个图画音乐专修馆教画。1912 年 16 岁时,在上海的乍浦路创办上海图画美术院,由此揭开中国现代美术教育的序幕。1915 年 3 月在西洋画科三年级设人体模特写生课。1919 年 8 月展出人体油画,舆论哗然。同年去日本切磋画艺。1920 年 7 月上海美术专科学校开始雇用女模特用于教学。他有教无类,连妓女出身的都可入校学习;他鼓励学生走出校门,走向社会,师法自然,进行旅行写生。1921 年底应蔡元培邀请到北京讲学,并大获成功。在当时的资讯条件下,对未到过欧洲的他来讲,以《欧洲近代艺术思潮》为题进行讲演,实属难得。1923 年参与审定新学制时,亲自编绘美术课本。1927 年再赴日本切磋画艺;并在东京举办画展,还留心考察日本的美术教育。1928 年底至 1931 年 8 月,受中国政府派遣到欧洲考察美术。1933 年底再赴欧洲,于 1934 年 1 月 20 日在德国普鲁士美术院,主持中国现代绘画展的开幕。其后在欧洲进行巡展,每到一地他都要作学术报告,如《中国画之变迁》《何谓气韵》等,介绍中国传统绘画的特点。1937 年抗日战争爆发后,积极投入抗日救亡运动。1939—1941 年间在东南亚一些国家主持中国现代名画筹赈展览,将所得款项悉数汇回国内。1945 年抗日战争胜利后,继续美术教育和创作,并努力保护进步学生。中华人民共和国成立后,任华东艺术专科学校校长。是第

三、四届全国政协委员。"文化大革命"中
遭受迫害。1976 年 10 月得以平反昭雪。
1979 年 6 月,增补为第五届全国政协委
员;10 月,出任南京艺术学院院长,并当
选中国文化艺术界联合会委员。同年中
国美术家协会和中国美术馆联合举办刘
海粟绘画展览,共展出自 1922 年以来他
创作的油画、中国画、书法作品 184 件。
1985 年被推选为全国政协书画室主任。
是第七、八届全国政协常务委员。至 1988
年,他晚年十上黄山作画,其凝重浑茫的
笔墨和鲜艳的泼墨,尽显他中国画的艺术
个性。1994 年 8 月 7 日因病在上海逝世。
理论著作有《海粟黄山谈艺录》、《刘海粟
艺术文选》等;还有《海粟诗词选》及多种
刘海粟画集出版。

刘鸿生 (1888—1956)

民族资本家。浙江定海人。生在上
海,长在上海。在上海圣约翰大学肄业
后,曾做过教员、翻译、推销员。1909 年
起在河北开滦,任开平矿务局经纪人。
第一次世界大战期间,曾包揽开滦煤的
运销业务,几年内便获利白银 129.3 万
两,被称为"煤炭大王"。1919 年捐资 23
万银元建定海公学(今舟山中学);后又
捐资建鸿贞女子中学(后并入定海中
学)、定海时疫医院等。1920 年起任定
海旅沪同乡会会长,先后与人合资或独
资开办了东华煤矿股份有限公司、中华
码头公司、中华煤气公司、上海章华毛麻
纺织公司、大中华火柴公司、上海水泥公
司等企业,任经理或董事长。到 1931 年
投资额达 740 余万元。尤以发展火柴业
为著,至 1935 年左右,年产火柴 15 万

箱,占全国(不含东北地区)年产量的
21％,被称为"火柴大王"。曾任上海公
共租界工部局华人董事。1937 年 8 月
13 日,日本大举进攻上海,他积极参加
抗日救亡运动,命四、五、七子参加伤员
救护队。上海沦陷后,拒绝日本军方要
其出任上海市商会会长的要求,出走香
港。1940 年受蒋介石之邀,到重庆办企
业,投资达 1000 余万元,虽然又成为大
老板,但受尽了官僚资本和国民党军政
要员的挟持。曾任民国政府火柴专卖公
司总经理。抗日战争胜利后,曾任行政
院善后救济总署执行长兼上海分署署
长、国营轮船招商局总经理及全国工业
协会理事长等职。上海解放前夕,被国
民政府挟持到广州,他择机逃到香港。
1949 年 10 月,避开国民党特务的监视,
乘船到达天津,并收到周恩来总理邀他
前往北京的电报。中华人民共和国成立
后,历任上海市人民政府委员、华东军政
委员会委员、全国人大代表、全国政协委
员、全国工商业联合会常务委员、中国民
主建国会中央常委、上海市工商业联合
会副主任委员等职。1956 年 10 月 1 日
因病在上海逝世。

刘靖基 (1902—1997)

民族资本家、社会活动家。江苏常
州人。早年就读于江苏省第二工业专科
学校。肄业后在江苏苏纶纱厂和宝成纱
厂任职员、经营部主任;上海裕靖棉织厂
任经理。1930 年与人合作接办常州大
成纱厂,任经理。1938 年在上海公共租
界创设安达纱厂,任董事兼总经理。
1942 年任上海棉纺同业公会收花处常

务理事、总经理。1945 年抗日战争胜利后，任南京江南水泥厂常务董事、副董事长，全国纺织业联合会常务理事。中华人民共和国成立后，任华东区原棉联购处总经理，上海大隆机器厂董事长。1953 年开始资本主义工商业社会主义改造，他积极响应，在棉纺同业中率先申请公私合营，后任上海棉纺工业公司经理。1956 年后，历任上海市工商业联合会主任委员，中国民主建国会上海市委员会主任委员，中国贸易促进会上海分会主席，上海市政协副主席。"文化大革命"中遭受迫害。1979 年后，历任上海市工商业界爱国建设公司董事长、总经理，中国国际信托公司董事，上海市投资信托公司董事长等职。曾担任第五、六届全国人大常务委员会委员，第五届全国政协常务委员会委员，第六至八届全国政协副主席，上海市人大常务委员会副主任。是中国民主建国会第一届中央委员、第二至四届中央常务委员、第五届中央顾问，中华全国工商业联合会副主席、名誉副主席。1997 年 2 月 15 日因病在上海逝世。

刘开渠 （1904—1993）

雕塑家、教育家。安徽萧县人。1920 年考入北京美术专科学校，后转入大学部学习油画。毕业后任杭州艺术学院图书馆馆长。1928 年赴法国留学，入巴黎高等美术学校雕塑系学习。在留学期间，与吕斯百、常书鸿等人发起组织中国留法艺术研究会，以撰文、译文、发表作品等多种形式，向国内介绍欧洲的绘画和雕塑艺术。1933 年夏回国后，9 月任杭州艺术专科学校教授兼雕塑系主任。1934 年受抗日救亡运动的鼓舞，创作了反映上海抗日战争的巨型雕塑《一·二八淞沪抗战阵亡将士纪念碑》。1937 年抗日战争爆发后，随学校迁往湖南沅陵，后又辗转于贵州、四川等地，于 1938 年到达成都。1939 年与作家赵其文、陈翔鹤、周文、萧军、李劼人等组织中华文艺抗战协会成都分会，进行抗日救亡的宣传活动。在生活条件十分艰苦的情况下，坚持创作并亲自翻制石膏模型和铸铜，完成了一系列纪念雕塑。重要作品有《王铭章骑马铜像》（1943）、《川军抗日英雄纪念像》、《孙中山先生坐像》（1944）、《李家钰骑马铜像》（1945）和表现工人、农民生活的《工农之家》巨型浮雕。1946 年在上海参加反饥饿、反内战的运动。1949 年 9 月任国立杭州艺术专科学校校长。他把西方现实主义雕塑的创作方法与技巧引进中国，并继承中国传统雕塑简练、单纯及线画的表现方法，使其在创作中得以融合，形成了朴素、洗练、沉稳和重于内在生命表现的艺术风格。他众多反映现实生活、歌颂中国人民的雕塑作品，创立了现代中国雕塑的写实风范，成为中国现代雕塑奠基人之一。中华人民共和国成立后，1951 年任中央美术学院华东分院（今浙江美术学院）院长。1953 年奉调北京，参加并领导了人民英雄纪念碑的建造工作，任设计处处长和雕塑组组长。亲自创作完成人民英雄纪念碑主体浮雕《胜利渡江解放全中国》以及《支援前线》、《欢迎解放军》。1959 年任中央美术学院副院长。

1963 年起一直担任中国美术馆馆长,收藏委员会和艺术委员会主任。20 世纪五六十年代,先后完成了《毛泽东主席像》、《工农红军像》以及《马克思恩格斯选集》、《列宁全集》、《斯大林选集》封面上马克思、恩格斯、列宁、斯大林的浮雕像。1976 年以后,又创作了《周恩来总理像》、《萧友梅纪念像》、《蔡元培纪念像》和《妇女胸像》等作品。1982 年任全国城市雕塑组组长。1990 年当选国家教委艺术教育委员会副主任。是第一至三届全国人大代表,全国政协第五届委员、第七届常务委员。曾任中国美术家协会副主席,中国城市雕塑建设指导委员会主任。1993 年 6 月 25 日因病在北京逝世。著有《中国古代雕塑集》、《刘开渠雕塑选集》、《刘开渠美术论文集》、《刘开渠雕塑集》等。

刘澜波 (1904—1982)　辽宁凤城人。早年就读于天津南开中学,后在北京大学肄业。1926 年参加中国共产主义青年团,1928 年转为中国共产党党员。1930 年任东北四洮路局、齐克路局秘书等职。1931 年"九一八"事变后,在辽宁参加东北义勇军抵抗日本帝国主义侵略的活动。1932 年到 1937 年春,先后任党的东北军骑兵二师工委组织部长、上层工作委员会书记、东北军工作委员会书记。1936 年 12 月西安事变后,任西北抗日军政委员会党政处科长、设计委员会委员。1937 年七七事变前后,参加组织东北救亡总会的工作,并任总会党团书记,在武汉积极开展抗日救亡工作。1939 年到延安进中央马列学院学习。

1941 年任中共中央统战部科长。1943年进中央党校学习,参加整风。1945 年参加中共七大。抗日战争胜利后,先后任中共辽东省委委员,安东省人民政府副主席、主席,中共安东省委书记,安东军区政委,四纵队副政委,中共辽东省委副书记、省政府主席等职。1950 年,任中央燃料工业部副部长、党组副书记,分管电力工业。抗美援朝战争期间,曾担任后勤领导工作。1955 年任电力工业部部长、党组书记。1956 年在中共八大上被选为候补中央委员。1958 年起,任水利电力部副部长、党组副书记、书记。1959 年被选为全国政协三届常委。1965 年被选为三届全国人大常委。"文化大革命"中受到迫害。中共十一届三中全会后,于 1979 年任电力工业部部长兼党组书记,并任中共中央纪律检查委员会常委。1981 年 3 月,因年老主动要求退居二线,后任国务院顾问。1982 年3 月 5 日因病在北京逝世。

刘澜涛 (1910—1997)

陕西米脂人。1925 年参加五卅运动。1926 年加入中国共产主义青年团,任米脂县团委委员、宣传部长等职。1928 年 5 月,参加领导了米脂学生运动,后任靖边县团委书记、三边特派员;9月,转为中国共产党党员。任中共陕北特委秘书长、宣传部部长等职。后被捕入狱,经多方营救获释。1931 年 2 月调中共河北省委工作。不久因叛徒出卖再次被捕入狱,与薄一波等被关押在"北平军人反省院",任狱中党支部干事会支部委员。1936 年 9 月经组织营救获释;10

月后任中共天津市委书记。1937 年 10
月到延安,历任中共陕甘宁边区党委常
委兼宣传部部长,绥德特委书记兼统战
部部长、八路军绥德警备司令部秘书长。
1938 年 12 月任晋察冀边区北岳区党委
书记。1941 年 1 月任中共晋察冀分局副
书记兼军区副政委。1945 年回延安参
加整风运动;6 月当选中共第七届候补
中央委员。抗日战争胜利后,任中共晋
察冀中央局副书记、军区副政委,后兼任
中共张家口市委书记。1948 年 5 月后,
历任中共华北局常委兼组织部部长、党
校校长,华北局副书记、第三书记,华北
军区副政委,华北人民革命大学校长等
职。中华人民共和国成立后,任中共中
央华北局第三书记、华北行政委员会主
席、华北军区副政委、政务院华北事务部
部长、国家计划委员会委员。1954 年任
中共中央副秘书长、中央华北地区工作
部部长、中央书记处第四办公室主任。
1955 年任中共中央监察委员会副书记。
1956 年当选中共第八届中央委员、中央
书记处候补书记。1960 年任中共中央
西北局第一书记、兰州军区第一政委、西
北三线建设委员会主任。1965 年 1 月当
选第四届全国政协副主席。"文化大革
命"中遭受迫害。1979 年先后任中央统
战部第一副部长、顾问;7 月,当选第五
届全国政协副主席兼秘书长、机关党组
书记;9 月,在中共十一届四中全会上,
增补为第十一届中央委员。1983 年 6 月
当选第六届全国政协副主席。在中共第
十二、十三次代表大会上均当选中央顾
问委员会常委。1997 年 12 月 31 日因病

在北京逝世。

刘宁一　（1907—1994）

原名史连甲,河北满城人。1924 年
入直隶第四师范学堂学习。1925 年参
加五卅运动,9 月加入中国共产党。
1927 年任中共满城特别支部书记、县委
书记。1929 年任中共唐山煤矿林西区
书记。1931 年在中共顺直省委组织部
工作。1932 年后任中共唐山市委书记
兼组织部部长,中共北平市委组织部长。
曾三次被捕,在狱中坚持斗争,保持了共
产党员的气节。1937 年抗日战争爆发
后,出狱赴上海任上海工人运动委员会
书记,中共江苏省委委员、工运部部长、
保卫部部长。1943 年赴延安中央党校
学习。次年起任中央城市工作部秘书
长,参与中共七大报告起草工作。1946
年后任中央职工运动委员会书记,解放
区工会联合会筹委会主任。曾赴莫斯科
出席世界工联执行委员会会议。1948
年后,任中共欧洲委员会书记,负责领导
中共在欧洲的工、青、妇、学及华侨工作,
向中央建议并协助创办新华社海外分
社;8 月,在中国第六次劳动代表大会上
当选为中华全国总工会副主席、书记处
书记兼国际联络部部长。中华人民共和
国成立后,历任国务院外办副主任,中共
中央对外联络部副部长、代部长,全国总
工会副主席、主席、党组副书记、书记,中
国人民保卫世界和平大会副主席等职。
1956 年当选中共第八届中央委员。
1965 年 1 月当选第三届全国人大常务
委员会副委员长兼秘书长。1966 年在
中共八届十一中全会上当选中共中央书

记处书记。"文化大革命"中遭受迫害。1979 年 7 月后,历任全国政协常务委员会委员、副秘书长,中共中央统战部副部长等职。是中共第七、八、十二大全国代表,第一、五、六届全国政协常务委员,第一、二、三届全国人大常务委员。1994 年 2 月 15 日在因病在北京逝世。

刘青山 （1916—1952）

河北固安人。1931 年加入中国共产党。1932 年参加高阳、蠡县农民暴动,被国民党反动政府逮捕后,在严刑逼供下没有屈服。1950 年后任中共天津地委书记、中共石家庄市委副书记。他在革命取得胜利,由残酷的对敌斗争环境转为和平建设环境,领导机关由乡村转入城市后,经不起资产阶级思想的侵蚀,发展了严重的个人主义、居功自傲、贪图享受的错误倾向,逐渐腐化堕落。同前天津专区专员以"机关生产"为名,擅自盗窃地方粮款 28.9151 亿元(旧人民币,下同),防汛水利专款 30 亿元,救灾粮款 4 亿元,干部家属救济粮款 1.4 亿元,克扣修理机场民工补助粮款 5.433 亿元,窃取治河民工供应粮款 3.7473 亿元,倒卖治河民工粮食从中渔利 22 亿元,以修建为名窃取银行贷款 60 亿元,从事非法经营,以上共计 155.4954 亿元。为贪图暴利,利用蜕化干部冒充解放军军官从东北盗运木材 4000 立方米,勾结私商以 49.4 亿元巨款从汉口贩卖马口铁。生活腐化,意志消沉,竟吸食毒品。在党内欺上压下,宣称,"天下是老子打下来的,享受一点还不应当吗?"对那些与他们持相反态度或对他们行为

表示不同意,或向上级报告的同志,进行谩骂、打击和排挤。1951 年 10 月,全国开展增产节约运动。11 月 29 日,中共华北局向毛泽东并中共中央报告天津地委刘青山、张子善严重贪污情况,引起毛泽东的高度重视。此案成为中共中央和毛泽东下决心发动"三反"运动的直接原因之一。1950 年 12 月被开除党籍。1951 年 2 月 10 日,河北省人民法院遵照最高法院命令,组织临时法庭公审大会,依法判处其死刑,立即执行。

刘少奇 （1898—1969）

原名刘渭璜,曾用名胡服等,湖南宁乡人。1920 年在长沙加入中国社会主义青年团。1921 年赴苏联莫斯科东方共产主义大学学习,同年加入中国共产党。1922 年回国后,在中国劳动组合书记部工作,不久任中共湘区委员会委员、安源路矿工人俱乐部主任,参加领导粤汉铁路工人大罢工和安源路矿工人大罢工。1925 年 5 月,在第二次全国劳动大会上当选为中华全国总工会副委员长,在上海、广州参与领导五卅运动和省港大罢工。1926 年 10 月,任湖北省总工会组织部长兼秘书长。1927 年 1 月,在武汉工人群众争取收回英租界的斗争中,是主要领导人之一。5 月,在中国共产党第五次全国代表大会上当选为中央委员。1928 年 6 月任中共中央驻顺直省委特派员,并参加省委的领导工作。1929 年 6 月,任中共满洲省委书记。1930 年夏赴莫斯科参加赤色职工国际第五次代表大会,被选为执行局委员。会后留赤色职工国际工作,1931 年 1 月在中共六

届四中全会上被选为中央政治局候补委员,同年秋回国,任临时中央职工部部长、全国总工会党团书记。1932年冬进入江西中央革命根据地,先后任中华全国总工会委员长、中共福建省委书记。1934年10月参加长征,曾任红军第八军团、第五军团中央代表和第三军团政治部主任。1935年1月,在遵义会议上拥护和支持毛泽东的正确主张。1936年春任中央代表,前往天津指导中共中央北方局工作,后任中共中央北方局书记,坚决执行党中央关于抗日民族统一战线的政策,系统地批判了关门主义和冒险主义的"左"倾错误,阐述了党在白区工作的基本方针和斗争策略,使华北地区抗日救亡运动获得了蓬勃的发展。领导创建华北抗日根据地的工作。1938年11月,任中共中央中原局书记,坚定地贯彻党中央关于巩固华北、发展华中斗争的方针,开创了华中抗日根据地,组织力量深入敌后,开展游击战争。1939年8月发表《论共产党员的修养》,与后来撰写的《论党内斗争》和《论党》等一系列著作,丰富了马克思主义的党建理论。1941年1月皖南事变后,任新四军政治委员和中共中央华中局书记,与陈毅等迅速扭转了新四军的困难处境,使长江下游的抗日武装力量得到了发展,巩固和发展了华中抗日根据地。1942年底回到延安。1943年3月任中共中央书记处书记、中央军委副主席,参加了中共七大的筹备工作和领导整风运动。1945年在中共第七次全国代表大会上作《关于修改党章的报告》(即《论党》),并对毛泽东思想作了完整的概括和系统的论述。在中共七届一中全会上当选为中央政治局委员和书记处书记。抗日战争胜利后,在毛泽东同志赴重庆与蒋介石谈判期间,代理中共中央主席职务,根据党中央的决策,提出和执行了"向北发展,向南防御"的战略方针。随后,组织华中主力部队迅速北调,控制北上道路,以应付蒋介石随时可能发动的全国性内战。1947年3月,国民党军队占领延安后,任中共中央工作委员会书记,转移到华北同朱德一起负责党中央委托的工作。7月,主持召开了全国土地会议,制定了《中国土地法大纲》,推动了解放区土地改革运动的发展。1949年在中国人民政治协商会议上当选为中华人民共和国中央人民政府副主席、人民革命军事委员会副主席、中华全国总工会名誉主席,参与了党和国家的政治、经济、军事、文化、教育和外交等重大方针政策的制定。1954年9月在第一次全国人民代表大会上作《关于中华人民共和国宪法草案的报告》,并当选为全国人民代表大会常务委员会委员长。1956年9月在中共第八次全国代表大会上作《政治报告》,提出了全国开展社会主义建设的任务,为新时期社会主义事业的发展和建设指明了方向。在中共八届一中全会上当选为中共中央副主席。在1959年4月的第二届全国人民代表大会和1965年的第三届全国人民代表大会上当选为中华人民共和国主席、国防委员会主席。60年代初期,为扭转我国国民经济出现的困难局面,进行了大量的调查研究,参与制定了一系列重要政策和措施，为国民经济的恢复和发展作出了重要的贡献。1962年在扩大的中央工作会议上作报告，初步总结了我国自1958年以来社会主义建设的基本经验教训。作为党和国家的领导人，进行了大量的外事活动，从1963年起，先后访问了亚洲许多友好国家，增强了中国人民同这些国家人民的友谊。1966年"文化大革命"开始即受到错误批判，并遭受林彪、江青反革命集团的政治诬陷和人身摧残，于1969年11月12日在河南开封病逝。1980年2月，中共第十一届五中全会为他彻底平反，恢复名誉。主要著作收入《刘少奇选集》。

刘斐 （1898—1983）

湖南醴陵人。早年就学于广西南宁讲武堂和广东肇庆西江讲武堂。以后受孙中山影响，投身革命。北伐战争期间，曾任国民革命军总司令部主任作战参谋。大革命失败后，赴日本学习军事，先后毕业于日本陆军步兵专门学校和日本陆军大学。回国后主持广西民团干部训练工作。1937年开始的抗日战争期间，历任国民党政府对日作战大本营作战组组长，军令部厅长、次长等职。抗日战争胜利后，曾任国防部参谋次长，因不满国民党政府内战独裁政策而辞职。1949年4月，任国民党政府和平谈判团代表，和张治中等一起到北平进行和谈。他赞同中国共产党提出的国内和平协定最后修正案，希望国民党政府接受，以结束战争、实现和平。当国民党当局拒绝和平协定后，他深为愤慨，决心不回南京。为

了尽最后努力争取李（宗仁）、白（崇禧），于1949年6月自北平抵达香港后只身潜入广州，劝说李、白回心转意，共商和平。在此期间，还为促成湖南和平解放作出了贡献。8月13日在香港联合44位国民党知名人士，发表《我们对于现阶段中国革命的认识与主张》，宣布同国民党政府决裂，旋赴北京，应邀出席中国人民政治协商会议第一届全体会议。中华人民共和国成立后，任中央人民政府人民革命军事委员会委员，中南军政委员会委员兼水利部部长、体育运动委员会主任、文教委员会副主任。是第一、二、三届全国人大代表，第四、五届全国人大常委，第五届人大常委会法制委员会委员；第一、二、三届国防委员会委员；第二、三、四、五届全国政协常委。1981年12月增补为第五届全国政协副主席。还担任过民革中央副主席。1983年4月8日因病在北京逝世。

刘文辉 （1894—1976）

字自乾，四川大邑人。1914年考入保定陆军军官学校第二期炮科。1917年在川军第八师陈洪范部先后任营长、团长。在四川军阀混战中势力迅速发展，终于在1924年形成了与刘湘平起平坐"二刘合作"割据川东、川南的局面。至1928年兼任四川西康边防总指挥。形成了与刘湘、邓锡侯、田颂尧"四巨头"分割四川的局面。1931年被选为国民党中央执行委员，四川省政府主席。1932年在与刘湘争夺四川统治权的作战中失败，退至西康。1934年任西康建省委员会委员。1935年任川康"剿匪"

总司令,率第二十四军阻击中央红军北上。7月,任西康省委员会委员长兼国民党西康省党部筹备委员会主任委员。不久率部参加"围剿"红四方面军。抗日战争时期,为保存实力参与组织"川滇康同盟",共同对付蒋介石的控制。1941年与邓初民、朱蕴山等在成都成立"唯民社",任社长。同中国共产党建立了较密切的关系。1942年6月在雅安设有一个秘密电台与延安中共中央直接通报。1944年冬加入中国民主同盟。抗日战争胜利后,1945年10月任西康省政府主席兼国民党西康省党部主任,并任川康绥靖公署副主任。反对蒋介石的独裁统治,拒绝派兵打内战。1948年1月中国国民党革命委员会成立,被推为该党川康分会主任委员。1949年12月9日与邓锡侯、潘文华在四川彭县联名通电起义,西康省和平解放。中华人民共和国成立后,历任西南军政委员会副主席,四川省政协副主席,国防委员会委员,林业部部长,第一、二、三届全国人大代表,第四届全国人大常委,第一届全国政协委员,第二、三、四届全国政协常委,中国国民党革命委员会第三、四届中央常委,中国国民党革命委员会主任委员。1976年6月24日因病在北京逝世。著有《走到人民阵营的历史道路》一书。

刘文学 （1945—1959）

重庆合川人。出生在一个农民家庭。中国少年先锋队模范队员。刘文学读书以后,学习认真,热爱劳动,关心集体。1959年11月18日傍晚,刘文学参加完劳动回家路过队里辣椒地,看到地

主分子正在地里鬼鬼祟祟地偷摘辣椒,他走过去抓住了地主分子,想将他送到治安委员家。地主分子先是好言相哄,继而威胁,最后堵住刘文学的嘴,将刘文学扑倒在地,残害了刘文学。14岁的刘文学壮烈牺牲了。

刘亚楼 （1911—1965）

原名刘振东,福建武平人。1929年8月加入中国共产党。9月,在闽西参加中国工农红军,参加了中央苏区的历次反"围剿"战争。1934年在长征中任第2师政委,担任前卫,强渡乌江,夺占泸定桥。1936年底,任中国人民抗日军政大学训练部部长、教育长。1939年赴苏联,入伏龙芝军事学院学习。1942年11月起,在苏联红军中实习,参加了苏联卫国战争。1946年回国后,任东北民主联军参谋长、东北野战军和东北军区参谋长,参与指挥临江、辽沈战役等解放东北的主要战役。在平津战役中,任天津前线总指挥,解放天津。1949年4月,任第十四兵团司令员。10月,任中国人民解放军空军司令员。随后,即率中国空军参加了抗美援朝战争和保卫我国沿海领空的战斗。1955年被授予上将军衔。1956年当选为中共第八届中央委员。1959年起,任国防部副部长、国防科学技术委员会副主任。1965年5月7日因病在上海逝世。他通晓俄语,主要译著有《红军野战参谋业务条令》(1947)、《斯大林论克劳塞维茨》(1950)等。

柳大纲 （1904—1991）

无机化学家、物理化学家。江苏仪征人。1925年毕业于东南大学化学系,

留校任物理系助教。1927年任上海吴淞中国公学大学部教员。1928年任中国科学社《科学》杂志编译员。1929年起任民国政府中央研究院化学研究所助理研究员、副研究员、研究员。1946年研究院选送他赴美留学。1949年在美国罗彻斯特大学研究院获哲学博士学位。早年从事中国陶土分析、无机制备和分子光谱学等方面的研究。中华人民共和国成立后,历任中国科学院物理化学研究所、长春应用化学研究所研究员、中国科学院化学研究所和青海盐湖研究所研究员、所长、名誉所长,中国科学院综合考察委员会盐湖科学调查队队长、中国化学会副理事长、《化学通报》主编。1955年当选中国科学院数学物理学化学部委员。50年代,从事卤磷酸钙新型荧光灯材料的试制和推广;对柴达木盆地盐湖资源进行调查研究,并对有关化学基础作了深入的研究。他是中国盐湖化学的开拓者。1957年首次在大柴旦盐湖底发现了大量柱硼镁石,在察尔汗盐滩发现了大面积光卤石接近饱和的晶间卤水,为柴达木地区盐湖资源的综合利用研究和开发奠定了基础。1959年加入中国共产党。是第三、五、六届全国人民代表大会代表,九三学社社员。1991年9月14日因病在北京逝世。60年代,指导研究了核燃料前处理和后处理中的一些化学问题;指导研究了流化床氟化物挥发法处理浓缩铀铝合金元件的研究;领导了稀土化合物制备及性质的研究。该三项研究均获1978年中国科学院重大成果奖。大柴旦大型硼矿的发现及其以后的硼酸盐综合利用研究,获1989年中国科学院自然科学一等奖。

柳亚子 (1887—1958)

原名柳慰高,号安如,江苏吴江人。出生在一个世代书香的绅士家庭。幼年在家中受到父亲、叔叔的影响,尤其在母亲训导下习读了大量儒家典籍和唐代诗词。从11岁便开始吟诗撰文。16岁中秀才。1903年赴上海,进入蔡元培主办的爱国学社求学。不久,他便转学自治学社,未毕业就在健行公学任教。1906年加入同盟会。1912年曾在南京临时大总统府任秘书一职,后厌倦政治,回到老家。创办"南社"是柳亚子早期最重要的革命活动。1924年他以同盟会会员身份重新加入了国民党,被推选为国民党江苏省执行委员会委员和宣传部长。1926年,当选为国民党"二大"中央监察委员。他竭力拥护孙中山先生联俄联共扶助农工的政策,成为国民党内的左派。1927年"四一二"政变后,为免遭蒋介石迫害,被迫前往日本避难长达一年之久。到1928年4月才重新回到上海,拒绝参加南京国民政府。1931年在国民党"四大"上仍被选为中央监察委员。1932年受上海市政府之邀出任通志馆馆长,致力于年鉴、地方史志的编撰工作。1937年"七七事变"后,他中止了手中的工作。在日本侵略军占领上海的几年内,他专心致力收集南明遗族反抗清朝的资料,以表达自己的心志。1940年12月,仓促奔赴香港,以防止汪精卫威迫其参加南京汪伪政权。1941年皖南事变爆发后,从香港致电重庆蒋介石,怒斥国民党破坏抗日统一战线的卑劣行为,结果被开除出国民党。1944 年来到重庆,再次投身政治活动。1945 年加入中国民主同盟。1948 年参加了中国国民党革命委员会。1949 年初,由香港来到北平。

中华人民共和国成立后,担任中央人民政府委员、全国人大常务委员会委员、国务院文教委员会委员等职。柳亚子长期致力于中国古代文学研究,诗词方面成果尤丰。他还是目录学家、书画收藏家。1958 年 6 月因肺病逝世。著有《乘桴集》(1928)、《怀旧集》(1947)、《柳亚子诗词选》(1958)等。

龙　云　(1884—1962)

字志舟。彝族。祖籍四川金阳,生于云南昭通。自幼进私塾并拜师习武术。1911 年辛亥革命后,云南响应起义,与卢汉、邹若衡等入滇军谢汝翼梯团,入川支援川军。回滇后,与卢汉一起被保送至云南陆军讲武堂第四期步兵科。1914 年毕业后被派往昭通独立营任中尉排长,深得云南都督唐继尧赏识,被调任侍从副官,旋升任近卫军中队长、大队副、警卫军副大队长、大队长等职。唐重掌云南大权,任龙云为第 5 军军长,兼滇中镇守使,驻昆明,开始成为滇军中举足轻重的人物。1925 年初,唐继尧趁孙中山北上治病之机,与粤军陈炯明、桂军刘震寰相勾结,假道广西,进军广州"视事"。龙云率第 5 军从南路进攻广西,2 月 23 日占领南宁。因北路军进攻受挫,计划失败。6 月退回云南。1926 年改任昆明镇守使。对此任命,龙深为不满。1927 年 2 月 6 日,联合胡若愚、张

汝骥、李选廷三镇守使发动倒唐政变。3 月 5 日,成立云南省务委员会,任委员兼云南陆军讲武学堂校长。6 月,被蒋介石任命为国民革命军第三十八军军长。嗣后,龙云、胡若愚争权,龙获胜。8 月,代理云南省主席,改组省政府。1928 年 1 月,被南京国民政府正式任命为云南省政府主席兼国民革命军第十三路总指挥,后一度又被委任为讨逆军第七路总指挥。1929 年秋,统一云南省,确立了在云南的统治地位。1930 年中原大战时,任讨逆军第十路军总指挥,出兵广西,助蒋讨伐桂系。1931 年 2 月兵败撤回云南。1935 年红军长征经过黔滇时,就任"剿匪"第二路军总司令。1936 年 3 月又任黔滇绥靖公署主任,参加对红军的"围追堵截",力拒中央红军入滇。1937 年抗日战争爆发后,先后任军事委员会委员长昆明行营主任、军委会驻滇干部训练团副总司令、陆军副总司令等职。1938 年参加了台儿庄战役。后扩编为第 30 军团,年底又扩编为第 1 集团军,龙自任总司令,卢汉为副总司令代行总司令职权(不久卢汉任总司令)。12 月,帮助汪精卫逃往河内。1943 年中共中央南方局派华岗到龙云身边工作。约在 1944 年底,龙秘密加入中国民主同盟。1945 年 10 月 3 日,昆明防守司令杜辛明派兵包围云南省府和龙云住宅,免去龙云省主席等各职,调任军事委员会军事参议院院长。6 日,龙被迫飞往重庆,就任上将院长职。从此结束了其在云南 18 年的统治。1946 年 5 月,随国民政府还都南京。不久,军事参议院撤销,

成立战略顾问委员会,任副主任。事实上被软禁起来,行动不得自由。在此期间,曾策动滇军将领保存实力,等待时机,返回云南,公开反蒋,而不要助蒋发动内战。1948年12月8日,得美国陈纳德将军相助,乘飞机秘密离开南京,经上海赴广州,9日抵达香港。不久加入中国国民党革命委员会。此后,李宗仁、何应钦多次邀他回南京,共商国是和滇事,均被拒绝,并力劝李宗仁接受中国共产党提出的八项和谈条件。同时,多次派人去云南劝说卢汉早日起义。1949年8月,与黄绍竑等44人在港发表《我们对于现阶段中国革命的认识与主张》的声明,表示脱离国民党反动集团,投向人民阵营。9月21日,中国人民政治协商会议第一届全体会议在北平开幕,龙云被列为特邀代表。10月1日,中华人民共和国成立,任中央人民政府委员。1950年1月3日,离开香港,经广州、武汉,于18日到达北京。先后历任人民革命军委员会委员、西南军政委员会副主席、西南行政委员会副主席、第一届全国人民代表大会常务委员会委员、国防委员会副主席、中国人民政治协商会议第二、三届常务委员会委员、中国国民党革命委员会第二届委员、第三届副主席等职。1957年被错划为右派分子。1962年6月27日卒于北京。次日,右派分子帽子被摘去。1980年7月,中共中央决定给予平反。

楼南泉 （1922—2008）

物理化学家。浙江杭州人。1946年在重庆毕业于中央大学化学工程系,获学士学位。1947年在南京永利公司从事化学研究工作。1949年东北解放不久,辗转到大连大学研究所工作,历任助理研究员、副研究员、研究员、研究室副主任、主任。中华人民共和国成立后,与张存浩等人主持了水煤气合成液体燃料科研项目,研制出的催化剂及其工艺达到世界水平。1959年1月加入中国共产党。20世纪60年代,开始了固体火箭推进剂燃料和配方的研究。参与主持研制成功新型推进剂药柱和点火方案,并成功进行了地面模拟高空点火实验,满足了中国国防事业发展的需要,该成果获国防科研荣誉奖章。70年代,与合作者率先在中国开展了中空纤维用于反渗透的研究,这是一项高效节能化工分离新技术。他倡导并组织开展了前期实验室阶段的研究工作,该项技术后来发展成为研究所膜分离技术产业,取得了可观的技术经济效益。1978年后历任中国科学院大连化学物理研究所副所长、所长、学术委员会主任。倡导开展分子反应动力学研究,领导组建了中国第一个分子反应动力实验室。在短期内建设成两套具有国际水平的交叉分子束装置,取得一批可喜的成果,部分成果达到国际先进水平。1982年获中国科学院重大科学技术成果奖一等奖。1986年获中国科学院科学技术进步奖一等奖。1987年获国家自然科学奖二等奖。1991年当选中国科学院化学部委员,并担任常务委员,领导组建分子反应动力学国家重点实验室。1992年以首席科学家身份主持国家攀登计划项目"态—

态反应动力学和原子分子激发态"的研究工作。组织有关七个单位的科学家，经过四年时间，在分子传能规律的研究、原子分子理论、光谱和动力学等方面都取得了创新成果，在国际学术刊物上发表了 400 多篇论文，并出版了论文集。1994 年获中国科学院科学技术进步奖一等奖。1996 年与人合作建成飞秒激光化学实验室，开展飞秒激光控制化学反应的研究，开创了中国应用飞秒激光技术观测原子分子反应过程的新领域。1999 年获中国科学院自然科学奖一等奖，2000 年获国家自然科学奖二等奖，2005 年获辽宁省自然科学奖。曾担任《物理化学学报》副主编、《化学物理学报》主编等职。2008 年 1 月 3 日因病在大连逝世。

卢　汉　（1895—1974）

彝族。原名邦汉，字永衡，云南昭通人。1911 年在龙云带领下加入云南保路同志军。1912 年进云南讲武学堂第四期步兵科学习，1914 年毕业后随滇军入川。1927 年在云南军阀混战中，帮助龙云取得了云南政权。抗日战争爆发后，任以滇军为主力编成的第 60 军军长，1937 年 10 月开赴前线。1938 年 4 月，率第 60 军接守台儿庄。为确保台儿庄，将主力分布在台儿庄的制高点禹王山地区，坚守 20 多天，粉碎了日军进攻徐州的企图。8 月，率部参加武汉保卫战。武汉失守后长期坚持在赣东北湘赣战线抗战。12 月，扩编为第一集团军，任总司令。1940 年 9 月，第 60 军移师云南，成立滇南作战军，任总司令。1945 年 8 月日本投降，率第一方面军往越南受降。当云南主力军入越受降时，蒋介石趁机以武力改组云南省政府，卢汉被削去兵权。1949 年 12 月 9 日，他决定在昆明起义，当天即在昆明五华山通电全国，宣布云南起义。呼吁"全滇自动解放，归向人民民主阵营"，与蒋介石反动政权断绝关系，表示接受中国共产党的领导，为实现新民主主义而奋斗。此后，在中共云南党组织和人民群众支持下，领导了昆明保卫战。1950 年 3 月，任云南省军政委员会主任。后历任西南行政委员会副主席、国防委员会委员、国家体育运动委员会副主任、第一届全国人大代表，第二、三届全国人大常委，第一届全国政协委员，第二、三、四届全国政协常委，中国国民党革命委员会第三届中央委员、第四届中央常委等职。1974 年 5 月 13 日因病在北京逝世。

卢嘉锡　（1915—2001）

化学家。福建厦门人。1930 年入厦门大学化学系学习。1934 年任厦门大学化学系助教。1937 年赴英国留学，入伦敦大学化学系学习，1939 年获哲学博士学位后赴美国，历任加利福尼亚理工学院化学系、加利福尼亚大学化学系研究员，美国国防研究委员会马里兰州研究室研究员。在参加美国国防研究过程中，曾在燃烧与爆炸方面取得可喜成果。1946 年回国后，任厦门大学化学系教授、系主任。中华人民共和国成立后，继续在厦门大学工作，历任理学院院长、副教务长、研究部部长、校长助理等职。1955 年当选中国科学院数学物理学化学部委员。1958 年参与创办福州大学和筹建中国科学院华东物质结构研究所,后任所长。1960 年任福州大学化学系教授、副校长。1981 年任中国科学院院长。还历任福建省人大常委会副主席、省政协副主席,全国政协常务委员,中国农工民主党中央副主席,中国科学技术协会副主席,中国化学会副理事长、理事长,比利时皇家科学院外籍院士。1988 年后,历任全国政协副主席,中国农工民主党中央主席,中国科学院特邀顾问,第三世界科学院理事、副院长。1993 年任全国人大常务委员会副委员长。1998 年 3 月任第九届全国政协副主席。2001 年 6 月 4 日因病在福州逝世。他专长物理化学,特别是结构化学,发表学术论文 60 余篇。他提倡科技人员学习和运用自然辩证法,所著《结构化学研究中若干辩证法问题》的论文,受到哲学界和科学界的好评。

卢作孚 （1893—1952）

民族资本家。原名魁先,别名卢思,重庆合川人。小学毕业即辍学,后自学成才。1911 年辛亥革命初加入同盟会,从事四川的反清保路运动。随后相继担任成都《群报》、《川报》编辑、主笔和记者。1919 年接任《川报》主编辑,积极投身五四运动,参加少年中国学会,主张教育救国。1921 年任泸州永宁公署教育科长,聘请少年中国学会会员王德熙和恽代英分别担任川南师范学校校长和教务主任,开展以民众为中心的通俗教育与新教育试验,影响波及全四川,后因四川军阀混乱而夭折。1924 年到成都创办通俗教育馆,未几,又蹈川南教育实验覆辙。1925 年弃学从商,以实业救国理念,创办民生实业公司,任总经理。经营长江内河航运,兼办其他实业。1927 年到重庆北碚,出任四个地区辖防团务局局长,在清剿匪患的同时,在辖区进行乡村建设实验,大规模兴建公共设施,改善环境,向民众提倡文明生活方式。并创立了中国最大的民办科研机构——中国西部科学院。与此同时,民生公司也健康发展。1929 年任民国政府川江航务管理处长。1935 年民生公司拥有轮船 42 艘,吨位 16884 吨,职工 2836 人,经营了川江航运业务的 61%。先后将美国、英国、日本五家航运公司竞争破产或迫其撤出川江航运。1937 年抗日战争全面爆发,他出任民国政府军事委员会水陆运输管理委员会主任,坐镇武汉、宜昌等地具体指挥。1938 年秋武汉失守,大量后撤重庆的人员和迁川工厂设备、物资近 10 万吨,屯集宜昌无法运走,他组织旗下所有船只和大部分业务人员,不计成本,不顾日军轰炸,经 40 天时间,在宜昌失陷前,将全部屯集宜昌的人员、物资抢运入川。在整个抗日战争期间,民生公司抢运人员 150 余万名,物资 100 万余吨;被日军炸毁船只 16 艘,职工牺牲 100 余人,在民族危亡之际立下大功。他还曾任四川省建设厅厅长、交通部次长、全国粮食管理局局长。抗日战争胜利后,民国政府授予他一等一级奖章,表彰其在抗战中的功绩。此时,他将长江航线的重点移至上海,并创办太平洋轮船公司,购入海轮 3 艘,开始经营远洋航运。到 1949 年,民生公司拥有各类船舶 150 余艘,吨位 72000 吨,职工 9000 余人。中华人民共和国成立后,他于 1950 年 6 月自香港回到北京,任全国政协委员、西南军政委员会委员,在全国私营工商业社会主义改造(1954 年)还未开始前,就将公司交给了国家,实现公私合营。在"三反"运动中他陷入运动旋涡里,后由于从小被他收养的孤儿通讯员,揭发其收买公司的公方代表(后很快查明,只是在北京开会期间,他自费请公方代表吃了顿饭),获得他有问题的重大突破。在群众运动的巨大压力下,1952 年 2 月 28 日自杀身亡以示清白。遗言是让家人把借用的公司桌椅还掉。

陆定一 (1906—1996)

江苏无锡人。1922 年毕业于上海南洋大学附属中学。1925 年在上海南洋大学电机科读书时,参加了五卅运动。同年秋加入中国共产主义青年团,年底转为中国共产党党员。1926 年毕业后,历任共青团上海法南区委书记、团中央宣传部干事。1927 年 5 月任第四届共青团候补中央委员,团中央宣传部部长。1928 年秋任第五届共青团中央委员,团中央宣传部部长,主编《中国青年》;年底赴苏联,任中国共产主义青年团驻少共国际代表、少共国际执委、中共驻共产国际代表团成员。1930 年回国后进入中央苏区,继续担任团中央宣传部部长。次年被撤销职务。1934 年 10 月参加长征。遵义会议后,任红军总政治部宣传部部长,主编《红星》报。1935 年 10 月到达陕北后,任红一方面军政治部宣传部部长、红军前敌总指挥部政治部宣传部部长。1937 年抗日战争爆发后,历任八路军总政治部宣传部部长,八路军前方总部野战政治部副主任。领导《新华日报》华北版的工作。1942 年 8 月任中共中央机关报《解放日报》总编辑。1945 年任中共中央宣传部部长;6 月当选中共第七届中央委员。1947 年 3 月兼任中央直属队政委。中华人民共和国成立后,任中共中央宣传部部长、政务院文教委员会副主任。1954 年 9 月当选第一届全国人大常务委员会委员。1956 年当选中共第八届中央政治局候补委员。1959 年任国务院副总理。1962 年任中共中央书记处书记。1965 年兼任文化部部长。"文化大革命"中遭受迫害。1979 年 6 月,中共中央为他平反昭雪,当选第五届全国政协副主席;9 月,增选为中共第十一届中央委员。1980 年 3 月任中共中央宣传部顾问。1983 年 6 月当选第六届全国政协副主席。在中共第十二、十三次全国代表大会上均当选为中央顾问委员会常务委员。1996 年 5 月 9 日因病在北京逝世。

吕　澂 (1896—1989)

佛教学者。字秋逸,江苏丹阳人。常州高等实业学校肄业,后就读南京民国大学经济系。1914 年在南京金陵刻经处佛学研究部学习佛学。次年,留学日本专攻美术。1916 年任上海美术专科学校教务长。1918 年协助欧阳竟无在南京筹办佛教学院和研究机构——支那内学院。1922 年学院成立后,先后任教务长、院长。中华人民共和国成立后,历任第二至六届全国政协委员，中国佛教协会历届常务理事。还当选中国科学院哲学社会科学部委员。1989 年 7 月 8 日因病在北京逝世。吕居士对印度佛学，中国汉、藏佛学以及佛教因明等都有比较精深的研究，通晓英、日、梵、藏、巴利等多种语文。除早期的《美学概论》、《西洋美术史》等著作外，主要佛学著作有《印度佛教史略》、《西藏佛学原论》、《因明入正理论讲解》等。

吕叔湘 （1904—1998）

语言学家。江苏丹阳人。出生在一个商人家庭。幼时读私塾，1915 年在丹阳县高等小学学习。1918 年考入常州省立第五中学学习。1922 年考入国立东南大学外国语文系学习。1926 年毕业后在丹阳县立中学、苏州中学等校任教。1936 年赴英国留学，先后入牛津大学、伦敦大学学习。1938 年回国，在云南大学文史系任副教授，教授英语。1940 年夏到成都，任华西协合大学中国文化研究所研究员。1942 年任金陵大学中国文化研究所研究员。1946 年随校迁回南京，兼任中央大学中文系教授。1948 年底到上海，任开明书店编辑。中华人民共和国成立后，随开明书店迁至北京。1950 年 2 月任清华大学中文系教授。1952 年调中国科学院语言研究所工作，历任研究员、副所长。1954 年兼任中国文字改革委员会委员。"文化大革命"初期参加劳动学习，后下放到五七干校劳动。1971 年回到北京，无工作可做。1978 年任中国社会科学院语言研究所所长。1980 年任中国文字改革委员会副主任。1982 年任中国社会科学院语言研究所名誉所长。1986 年加入中国共产党。1994 年当选俄罗斯科学院外籍院士。是全国人大第三、四、六届代表、第五届常务委员兼法制委员会委员，第二、三届全国政协委员。曾担任中国语言学会会长、《中国语文》主编、《中国大百科全书》（1978 年版）总编辑委员会委员和语言文字卷编辑委员会顾问等职。1998 年 4 月 9 日因病在北京逝世。他长期从事汉语语法的研究。在近、现代汉语方面的主要著作有《中国文法要略》、《语法修辞讲话》（与朱德熙合著）、《汉语语法分析问题》、《汉语语法论文集》（增订本）、《吕叔湘语文论集》、《近代汉语指代词》等，以及《吕叔湘文集》（6 卷）。他担任第一任主编（1956—1960 年）、由商务印书馆出版的《现代汉语词典》，至 2005 年 6 月已修订至第 5 版，2006 年 7 月已经第 358 次印刷；并于 1994 年获第一届国家图书奖，1997 年获第二届国家辞书奖一等奖。

吕思勉 （1884—1957）

历史学家。字诚之，江苏武进人。1907 年在苏州东吴大学任教。1910 年在南通国文专科学校任教。1912 年在上海任中华书局和商务印书馆编辑。1920 年后，先后在沈阳高等师范学校、上海沪江大学、上海光华大学、安徽大学等校任教授。1921 年出版《白话本国史》4 册，是较早的一部系统的中国通史，对当时的史学界有一定影响。后又著成《中国通史》2 册。1941 年后闭门著作。中华人民共和国成立后，任华东师范大学教授、上海历史学会理事、江苏省政协委员。晚年从事断代史研究,著有《先秦史》、《秦汉史》、《两晋南北朝史》、《隋唐五代史》、《中国民族史》、《史通评》、《燕石札记》等。还有其学生汇编的《吕思勉读史札记》行世。

吕振羽 （1900—1980）

湖南邵阳人。早年入县立中学读书,1919 年参加五四运动,组织县学生联合会,被选为会长。1921 年考入湖南高等工业学校电机工程系。1926 年秋从湖南大学毕业后投笔从戎,加入国民革命军,曾在政府部门先后任秘书、干事、宣传科科长等职,参加过北伐战争攻打江西等战役。1927 年“四一二”政变后转移到上海。1928 年在友人资助下赴日本,入明治大学攻读政治经济学,后因经济窘困返回上海。同年秋到北平,参与编辑《林治月刊》,接触中共地下党员,阅读马克思主义书籍。1929 年应聘在民国大学、朝阳大学讲授经济学与社会学。1930 年 1 月参与创办《新东方》月刊,组织东方问题研究会。1931 年“九一八”事变后,积极投身抗日救亡活动。1932 年任北平中国大学教授,讲授社会科学概论,并任左翼的自由职业者大同盟书记。撰写出版《中日问题批判》、《最近世界之资本主义经济》及《中国古代社会研究》、《史前期中国社会研究》、《中国政治思想史》等书,运用马克思主义阐述经济政治和社会历史发展,1935 年底受中共北平市委派遣赴南京,以红色教授身份(实际上代表中共方面)同国民党中央代表曾养甫秘密谈判国共合作抗日问题。1936 年秋协助周小舟代表中共中央继续在南京进行谈判,同年 3 月加入中国共产党。抗日战争爆发后,在徐特立领导下参与组织湖南省文化界抗敌后援会,任理事兼研究部部长。1938 年 9 月任塘田战时讲学院副院长兼党代表主持院务并讲授中国社会发展史。1839 年 5 月学院被迫解散,被周恩来调到重庆,从事理论、历史研究和文化界统战工作。1941 年皖南事变后,被派到苏北抗日根据地,在中共中央华中局党校任教。1942 年 3 月起担任刘少奇政治秘书,随刘少奇万里行军到延安。1943 年后改任刘少奇学习秘书。解放战争时期,先后担任中共辽东省委常委,大连大学校长兼党委书记,中共中央党校高级教授兼历史教研室顾问等职。被选为第一届全国人大代表,第三届全国政协委员,中国科学院哲学社会科学部委员等。1980 年 7 月 17 日因病在北京逝世。他是我国著名的马克思主义历史学家。主要著作有《中国历史论集》、《殷周时代的中国社会》、《吕振羽史论选集》等。

吕正操 （1904—2009）

辽宁省海城人。出生在一个贫苦农民家庭。1922 年加入张学良的卫队旅,次年考入东北陆军讲武堂学习,毕业后任张学良的副官、秘书。1929 年任东北军第 116 师 16 旅参谋处处长,1932 年任东北军 116 师 647 团团长,率部到热河参加对侵略日军作战。他在与东北军中的中共党员接触中,开始接受中国共产党的抗日主张。1934 年春率部担负北平城防任务,严防侵略日军寻机控制北平城防的企图。1935 年 6 月,在反击投敌叛军妄图与侵略日军里应外合攻占北平城的战斗中,他指挥部队前后夹攻、堵截围歼,将叛军全部消灭,城防部队无一人伤亡。"一二·九"运动中,支持北平学生的爱国行动,指示部队主动配合学生游行示威,援助学生进城,受到学生的欢迎和称赞。1936 年 9 月,在北平建立了东北武装同志抗日救亡先锋队,任总队长。不久即被张学良选调到西安,在张学良公馆担任内勤。12 月 12 日,参加了张学良、杨虎城发动的西安事变,其间多次和来西安共商国共两党合作大计的中国共产党人接触,聆听了周恩来同志的教导,更加深切地体会到中国共产党抗日民族统一战线政策的伟大和正确,更加坚定了对中国共产党的信赖。西安事变和平解决后,重返东北军 647 团任职。1937 年初,由于中共党员在 647 团的革命活动引起东北军上层反动军官的警觉,他们要求把 647 团拆散和其他部队混编。根据中共北方局的指示,他率部接受改编,任新编 691 团团长,继续开展抗日救亡活动。5 月,经中共中央北方局批准,加入中国共产党。抗日战争全面爆发后,率部奔赴抗战前线。10 月 14 日,他在晋县小樵镇主持召开了决定部队前途命运的全团官兵代表会议,决定 691 团脱离东北军,改编为人民自卫军,担任司令员,并在所属各总队都建立了中共组织,部队成为一支在中国共产党领导下的人民武装。10 月底,在中共地方党组织和抗日武装的支持下,率领人民自卫军攻克高阳县城,击毙土匪汉奸头子尹松山,震动了整个冀中地区,使人民群众抗日情绪更加高涨,出现了踊跃参军的热潮,人民自卫军迅速发展到 5000 多人。为了把这支革命队伍带好,他与晋察冀军区取得联系,请求带领人民自卫军接受整训,学习八路军的好传统、好作风和开展抗日斗争的经验。1938 年 5 月,根据晋察冀军区命令,人民自卫军与河北游击军等冀中抗日军队统一整编为八路军第三纵队,成立冀中军区,任司令员兼八路军第三纵队司令员。在晋察冀军区领导下,他带领部队依靠广大人民群众,积极开展冀中平原游击战。半年时间内,指挥部队与日伪军作战 100 余次。在开辟大清河北根据地以后,配合冀中区党委,加快建设冀中抗日根据地,根据地很快发展到几十个县、人口约 700 万,建立了冀中抗战学院,军区部队发展到约 10 万人。1939 年 1 月,八路军 120 师挺进冀中。2 月,根据中共中央指示,成立了由贺龙任书记的冀中军政委员会。他和军政委员会其他同志一起,加强冀中部队的正规化建设,进一步发展了冀中抗日根据地,扩大了晋察冀抗日根据地,有力地打击和牵制了日本侵略者。1940 年秋,根据八路军总部指示,他率领冀中部队英勇作战、不怕牺牲,取得了辉煌战果,为我军夺取百团大战的全面胜利作出了突出贡献,受到八路军总部通令嘉奖。1941 年为了粉碎敌人的"蚕食"进攻和大"扫荡",带领部队官兵和人民群众,在无险可据的平原上和极端残酷的环境中,灵活运用地雷战、地道战、蘑菇战、顶牛战等新战法,使敌人吃尽苦头,时时处于惶恐之中。1943年秋任中共晋绥分局委员(后任常委)。11月,调任晋绥军区司令员。他和时任中共晋绥分局代理书记兼军区政治委员的林枫一道,坚持贯彻中共中央和毛泽东关于"把敌人挤出去"的指示,带领晋绥边区军民迅速开展秋季反"扫荡"作战行动,使边区根据地形势得到根本好转。1945年4月当选中共第七届中央候补委员。1946年开始的解放战争时期,历任中共东北局委员、西满分局常委,东北人民自治军第一副总司令员,西满(辽热)军区司令员,东北民主联军副总司令员,东北军区兼东北野战军副司令员。他积极组织开展剿匪反霸斗争,为建立巩固的根据地作出了主要贡献。从1946年7月中共东北局决定成立东北铁路管理总局,出任总局局长兼政治委员以来,他先后担任东北行政委员会铁道部部长,军委铁道部副部长兼护运司令员,中国人民解放军铁道兵团副司令员,有力地领导和指挥了铁路保障工作。特别是在辽沈战役中,由于铁路损毁严重,他带领东北行政委员会铁道部员工和支前群众,排除万难,紧急抢修抢运,在9天内把近十万大军和大量作战物资运送到前线,为保障辽沈战役胜利起到了关键性作用,为夺取解放战争的胜利作出了重要贡献。中华人民共和国成立后,任铁道部副部长、党组副书记兼铁道兵团副司令员。抗美援朝战争期间,他兼任中央军委军事运输司令员,负责铁路运输和抢修工作。面对敌军的狂轰滥炸,他深入战地现场指挥铁路抢修和物资运输,指导部队创造了"先通后固、先易后难、确保重点、预有准备"等一系列特殊的抢修方法,确保铁路随炸随修、连炸连修、此断彼通、彼断此通,在有限的通车时间内发挥了很高的运输效率,建起了一条打不断、炸不烂的"钢铁运输线",为支援我军作战提供了坚强有力的保障。抗美援朝战争结束后,兼任总参谋部军事交通部部长。他积极协助铁道部部长滕代远工作,参与研究制定了全国"一五"计划铁路建设规划,并参与领导建成了拥有多项世界领先技术的武汉长江大桥,完成了成渝、天兰、湘贵、兰新、宝成、丰沙、鹰厦等一系列干线、支线铁路工程建设任务。1955年被授予上将军衔。1956年9月当选中共第八届中央委员。1958年起,历任铁道部代部长、部长、党组书记,并兼任铁道兵第一政治委员、西南铁路建设总指挥部副总指挥。针对西南地区地形险恶、地质复杂的不利条件,他提出了"抓思想、抓设计、抓部署"的工作思路,深入实地进行考察,广泛听取意见建议,召开工程技术人员座谈会,鼓励大家排除困难,科学施工。在军地各方面的共同努力下,西南铁路大会战取得了巨大成就,川黔线、贵昆线、成昆线相继通车。西南三线铁路的建成,对促进西南地区经济社会发展、提高国防交通保障能力,具有深远的意义。在主持铁道部工作期间,为发展中国的铁路事业作出了卓越的贡献。他还根据中共中央指示,积极做好援助朝鲜和越南铁路建设的工作。"文化大革命"中遭受迫害,从1967年7月起,被非法监护审查、关押达 7 年之久。1975 年重新工作后，历任铁道兵政治委员、第一政治委员。他按照邓小平同志有关指示精神，积极推动铁道兵部队"兵改工"工作。1977 年 8 月当选中共第十一届中央委员，任中央军委委员。1980 年 1 月中共铁道部党组作出了为他平反的决定，并经中央正式批复同意。1982 年 9 月在中共第十二次全国代表大会上，当选为中共中央顾问委员会委员。1983 年当选为第六届全国政协副主席。1991 年 5 月受中共中央委托，专程赴美国看望张学良将军，为改善两岸关系作出了贡献。是第四届全国人大常务委员会委员；全国政协第二、第三届常务委员会委员，第四届委员。从 1956 年起他一直担任全国网球协会主席。1990 年获国际网联最高荣誉奖。2009 年 10 月 13 日因病在北京逝世。著有《冀中回忆录》《吕正操回忆录》《论平原游击战争》等。

罗 明 （1904—1987）

原名罗善培。广东大埔人。潮州金山中学毕业后入厦门集美学校师范部学习。参加学生运动，组织革命协进会。1924 年底任中国社会主义青年团广东区委通讯员。1925 年 8 月考入广东大学理科预科学习，9 月加入中国共产主义青年团，不久转为中国共产党党员。1926 年 3 月以国民党中央农民特派员身份到厦门，举办训练班，开展农民运动，7 月担任中共汕头地委书记。1927 年 1 月中共闽南临时特委成立，任书记，领导了闽西地区的建党工作。1927 年 12 月任中共福建临时省委宣传部长。

1928 年 2 月担任中共福建临时省委书记，领导部署了闽西农民暴动。六七月赴莫斯科出席中共六大。1929 年初回国，2 月任中共福建省委书记，4 月到闽西革命根据地，任中共闽粤赣边特区特委组织部部长。同年 11 月，特委改称省委，仍任组织部部长。1932 年 3 月任中共福建省委代理书记，同时被选为福建省苏维埃政府执行委员。8 月任福建省委组织部部长，以特派员身份到上杭永岩地区领导开展游击战争。1933 年 2 月被"左"倾领导者指责犯了右倾机会主义的"罗明路线"错误。不久被撤职，调任中共中央局党校教务主任。1934 年 10 月参加中央红军长征。1935 年 1 月遵义会议后，调任红三军团政治部地方工作部部长。3 月因负重伤被留在贵州黔北地区养伤。后辗转去上海，因叛徒告密被捕入狱，后经同乡保释出狱回家乡，在大埔百侯中学当教员。抗日战争时期同中共保持组织联系，掩护过党员转移。1946 年夏转至新加坡任教。1949 年 6 月回国，参加革命工作。中华人民共和国成立后，历任南方大学副校长、广东民族学院院长、广东省民族事务委员会主任、广东省人大常务委员会副主任等职，还被选为政协广东省第二、三、四届常委。1987 年 4 月 28 日因病在广州逝世。

罗常培 （1899—1958）

语言文字学家。满族。姓萨克达氏，字莘田，号恬庵，北京人。1916 年秋考入北京大学中国文学系。1922 年任京师公立第一中学代理校长。1923 年后，任西北大学、厦门大学、中山大学教授。1929 年任中央研究院历史语言研究所研究员。1934 年主持北京大学文科研究所乐律实验室工作。1936 年后，任北京大学中文系主任、西南联大中文系主任、北京大学文科研究所所长。1944 年赴美国，先后在朴茂纳大学、加利福尼亚大学、密歇根大学讲学。1949 年拒绝国民党政府去台湾的要求。中华人民共和国成立后，历任民族事务委员会委员、中国文字改革委员会委员、中国科学院语言文字研究所所长、全国政协委员。一生从事语言教学和研究。对汉语音韵学和汉语方言研究卓有成绩，对我国少数民族语言的调查研究也做了不少开创性的工作。1955 年当选中国科学院哲学社会科学学部委员。著有《厦门音系》、《临川音系》、《唐五代西北方言》、《汉语音韵学导论》、《罗常培语言学论文选集》等。

罗东宁 （1973—2009）

全国模范检察官。重庆巫山人。大学本科文化。1995 年参加检察工作后，始终牢记中国共产党的宗旨，认真履行法律监督职责，默默工作在大山中。后任巫山县人民检察院职务犯罪侦查局侦查一科科长。自 2004 年从事职务犯罪侦查工作以来，主办和参与办理各类职务犯罪案件 59 件，涉及 76 人，其中 42 件为大案要案，均出色完成任务，表现出良好的职业素质。成为当地赫赫有名的反贪斗士。2005 年 1 月参与的某案办案组被重庆市检察院记集体二等功。2006 年 7 月 24 日参与的某案办案组被重庆市检察院记集体二等功。2007 年被巫山县人大授予执法模范称号。2008 年 7 月被中共巫山县委授予"优秀共产党员"称号。他的四个精神特别值得学习：一是不怕苦，一丝不苟的精神。为了 10 元钱的取证，就走了四个多小时几十里山路。二是刻苦学习，科学办案。三是拒腐蚀，永不沾。始终廉洁奉公，顶住各种诱惑，坚守共产党人的原则和立场。四是敢碰硬，体现了一个共产党人的浩然正气。2009 年 5 月 8 日因带病连续加班，昏倒在工作岗位上，经抢救无效于 16 日逝世。11 月 5 日最高人民检察院追授他为"全国模范检察官"；中共重庆市委追授他为"优秀共产党员"。

罗隆基 （1896—1965）

字努生，江西安福人。早年就读清华大学，参加过五四运动，任学生代表。毕业后赴美国留学，入威斯康星大学学哲学，获学士学位。后获哥伦比亚大学哲学博士学位。1928 年回国后到上海从事教育工作。曾任中国公学政治经济系主任兼教授、光华大学教授、南开大学教授。1931 年与张君劢等组织再生社，出版刊物《再生》。次年，将再生社改组为中国国家社会党，任中央常委。此后，曾任《新月》杂志主编、北京《晨报》社社长、天津《益世报》主笔。抗日战争时期，随南开大学迁往西南内地，任西南联大教授。1938 年后，曾任国民参政会第一、二届参政员。1941 年参与组织中国民主政团同盟，任中央执行委员，主持建立了昆明支部。1945 年 10 月，离开昆明到重庆，出席中国民主同盟第一次全国代表大会，当选中央委员会常务委员，任中央宣传委员会主任。1947年11月,民主同盟总部被迫解散后转至香港。1948年1月,参与重建民主同盟总部,仍任中央常务委员兼宣传部部长。中华人民共和国成立后,历任政务院政务委员、森林工业部部长、全国政协常委。1953年6月,任中国民主同盟中央副主席。1956年2月,继续担任中国民主同盟中央副主席。他是中国民主同盟的主要领导人之一,一生参政议政。1957年在反右斗争中被定为资产阶级右派分子。1958年1月被撤销领导职务。1965年1月27日因病在北京逝世。1979年后,中国共产党和政府对其"右派分子"予以平反。著有《人权论集》、《政治论文》、《斥美帝国务卿艾奇逊》等。

罗荣桓　（1902—1963）

原名慎镇,字雅怀,号宗人,湖南衡山人。8岁入私塾,12岁进本村罗氏岳英小学读书。1916年夏小学毕业后,又在家乡读了3年私塾。1919年考入长沙协均中学。1924年6月考上了山东私立青岛大学工科预科。在学校里,因受"实业救国论"的影响,曾和张沈川等组织"三民实业社",生产纱布、肥皂等,想以此抵制洋货,振兴中华。1926年6月,考入武昌中山大学理学院。1927年在该校加入中国共产主义青年团,并担任武昌中山大学支部组织干事,不久转为中国共产党党员。大革命失败后,受中共湖北省委派遣,到鄂南通城、崇阳一带组织农民暴动,成立农民自卫军,任党代表。9月初,率领100多人的农民自卫军到达江西省修水县,同未赶上八一南昌

起义而转来修水的原国民革命军第二方面军警卫团合编,任特务连党代表,参加了毛泽东领导的秋收起义。三湾改编时,起义部队缩编为一个团,任工农革命军第一军第一师第一团特务连党代表。1929年12月,在红四军第九次代表大会上当选为前委委员。古田会议以后,调任红四军第二纵队政治委员。1932年3月,红一军团新的指挥机构成立,任政治部主任。1934年10月参加长征。1935年6月,红一、四方面军会合后,又调回红一军团任政治部副主任,负责筹粮和群众工作。1937年1月,中共中央迁往延安,调任红军后方政治部主任,7月10日,任红一军团政治部主任。8月25日,任115师政训处主任。1938年3月,负责115师的全面工作,后任师政治委员。1939年3月,率115师主力挺进山东敌后。1941年8月,任山东军政委员会书记。1943年3月,山东军区成立,任山东军区司令员兼政治委员,并为115师政治委员、代师长。8月,任山东分局书记,集山东党、政、军领导重任于一身。1945年4月,被选为中国共产党七大中央委员。日本投降后,率山东军区主力部队6万余人,地方干部400余人,分三批经海、陆两路挺进东北,任东北局副书记,东北人民自治军第二政治委员。12月,任东北民主联军副政治委员。1946年6月,任东北局副书记,东北民主联军副政治委员。7月下旬,因患肾癌到莫斯科医治,先后动过两次手术,摘除了一个肾脏。1948年1月1日,东北民主联军改称东北人民解放军,任副政治委员。

8月14日,中央军委决定:东北军区和野战军分开,罗荣桓任东北野战军政治委员兼东北军区第一副政治委员。11月,任第四野战军政治委员。他和林彪一起领导第四野战军,指挥了辽沈战役,解放了东北全境。接着,又率部队进行平津战役,解放了华北大部地区。1949年4月,正要准备随大军南下时,病倒在天津。6月,任华中局第二书记兼军区政治委员。9月30日,当选为中央人民政府委员,并担任最高人民检察署检察长。1950年4月,任中国人民解放军总政治部主任。9月,兼任总干部部部长。1954年11月,兼任政治学院院长。

他还担任全国人民代表大会常务委员会副委员长、人民革命军事委员会副主席、国防委员会副主席、中央军委委员、中央军委民兵工作小组组长、中国人民解放军党的监察委员会书记等职。1955年9月,被全国人民代表大会常务委员会授予中华人民共和国元帅军衔。1956年9月,在中国共产党第八次全国代表大会上,当选为中共中央委员;在八届一中全会上,当选为中共中央政治局委员。1963年12月16日下午2时37分在北京逝世。

罗瑞卿 （1906—1978）

四川南充人。1924年在张澜创办的南充中学读书时参加爱国运动。1926年加入中国共产主义青年团,同年冬在武汉入中央军事政治学校学习。1928年10月在上海转为中国共产党党员。1929年春赴闽西,组建训练地方武装,曾任闽西红军第五十九团参谋长。率部配合中国工农红军第四军开辟闽西苏

区。同年6月随该部编入红四军,曾参加古田会议,先后任支队党代表,二纵队政治部主任、政委。1931年任红四军十一师政委,在中央苏区第二次反"围剿"中负重伤。1932年3月任红四军政委。6月任红一军团政治保卫局局长。曾被授予二等红星奖章。长征中曾任红军先遣队参谋长,陕甘支队第二纵队政治部主任。到达陕北后任红一方面军政治保卫局局长。1936年起任中国人民抗日军政大学教育长,西安事变时,曾赴西安协助周恩来工作。1937年起任抗日军政大学教育长、副校长,主持抗大工作。1939年7月率抗大总校和延安其他学校数千名教职员工到华北敌后办学。1940年5月任八路军野战政治部主任,转战于太行山区。1945年6月被选为中共第七届候补中央委员。抗日战争胜利后,任北平军事调处执行部中共代表团参谋长,协助叶剑英工作。后历任中共晋察冀中央局副书记,晋察冀军区副政委兼政治部主任,晋察冀野战军政委,华北军区政治部主任兼第二兵团(后为中国人民解放军第十九兵团)政委。参与指挥正太、石家庄、太原等战役,平津战役中曾与杨得志等率部围歼保安之敌。中华人民共和国成立后,任中央人民政府政务院委员,公安部部长兼北京市公安局局长,人民革命军事委员会委员。1952年任中央人民政府政务院政治法律委员会主任。1953年任人民解放军公安军司令员兼政委。1954年任国务院第一办公室主任兼公安部部长。1955年被授予大将军衔,获一级八一勋章、一

级独立自由勋章、一级解放勋章。1956
年被选为中共第八届中央委员会。1959
年4月任国务院副总理兼公安部部长，
同年9月起任中共中央军委常委、秘书
长、人民解放军总参谋长，国防部副部
长，卸去公安部部长之职。1961年11月
兼任国防工业办公室主任。1962年9月
在中共八届十中全会上被增选为中央书
记处书记。是第一、二届国防委员会委
员，1965年1月任第三届国防委员会副
主席。曾与贺龙、叶剑英等领导全军群
众性练兵运动。他反对把学习毛泽东思
想庸俗化，1965年底遭林彪等人诬陷，
受到错误批判，被解除领导职务，"文化
大革命"中又遭残酷迫害。1975年8月
任中央军委顾问，1977年8月被选为中
共第十一届中央委员，任中央军委常委、

秘书长，协助邓小平等领导军队整顿工
作。1978年8月3日因病逝世。

罗盛教　（1931—1952）

湖南新化人。1946年11月参加中
国人民解放军。1950年加入中国新民
主主义青年团。1951年参加中国人民
志愿军，为第四十七军第一四一师侦察
队文书。1952年1月2日晨，正在成川
郡栎沼河边进行投弹训练时，一个名叫
崔莹的朝鲜少年滑冰时不慎掉进冰窟，
他三次跳进摄氏零下20度严寒冰水中，
将崔莹托出水面，力竭而牺牲。被中国
人民志愿军领导机关追记特等功，授予
一级爱民模范称号。荣获朝鲜民主主义
共和国一级国旗勋章、一级战士荣誉
勋章。

M

马 衡 （1881—1955）

字叔平，浙江鄞县人。1901 年肄业于上海南洋公学。1917 年任北京清史馆纂修。1918 年后，历任北京大学、清华大学、北京师范大学、北京女子师范大学等校考古学教授。1922 年北京大学研究所国学门成立，任考古学研究室主任兼导师，并在历史系讲授中国金石学。1925 年故宫博物院成立，任古物馆副馆长。1930 年任杭州西泠印社社长。1933 年任故宫博物院院长。他毕生致力于金石学的研究，在方法上继承了清代乾嘉学派训诂考据的传统，又注意出土文物的现场考察。曾于 1930 年主持"燕下都遗址"的考古发掘。在中国考古学由金石考证到田野发掘的过渡中有推进之功，因而被誉为"中国近代考古学的前驱"。抗日战争爆发之际，组织抢运故宫珍藏的重要文物 1.7 万多箱到贵州安

江和四川乐山保管，为保护历史文物作出了可贵的贡献。中华人民共和国成立后，继续担任故宫博物院院长。1952 年辞去故宫博物院院长之职，专任北京文物整理委员会主任委员。1955 年 3 月 26 日卒于北京。

他在学术上的主要成就是：扩大了金石学的研究范围，并对宋代以来的金石研究成果进行了比较系统的总结；从文字的演变和有关铭刻的对比，论定"石鼓文"是东周时期秦国的刻石；根据"新莽嘉量"的实际测量，推定王莽时期以至汉唐间的尺度；对"汉魏石经"资料作了收集、整理和全面研究。著有《中国金石学概要》、《石鼓为秦刻石考》、《中国书籍制度变迁之研究》、《凡将斋金石丛稿》等。

马 可 （1918—1976）

作曲家。江苏徐州人。出生在一个

信奉基督教的家庭。早年在当地的中小学校读书。1935年入河南大学化学系学习。在"一二·九"运动的影响下，参加开封当地的救亡运动时，显示了他对音乐的特殊兴趣和才能。1939年冬赴延安，在鲁迅艺术学院音乐系工作。1940年7月，随陕甘宁边区政府民众剧团赴各地巡回演出，对民间音乐有了广泛而深入的接触和了解。1944年与张鲁、瞿维等创作歌剧《白毛女》，是主要作曲者之一。解放战争时期，随"鲁艺"赴东北解放区从事音乐工作。根据东北地区的土地改革斗争，写了歌剧《血海深仇》和《荒火》。中华人民共和国成立后，先后在中央戏剧学院歌剧系、中国戏曲研究院音乐研究室、中国音乐学院、中国歌剧舞剧院、中国歌剧团和《人民音乐》编辑部等单位担任领导工作。还担任中国音乐家协会常务理事和书记处书记。1952年创作歌剧《小二黑结婚》。《白毛女》和《小二黑结婚》这两部歌剧的创作和演出，为中国新歌剧的形成和发展奠定了坚实的基础。1953年为评剧现代戏《志愿军的未婚妻》设计音乐。1959年担任《戏曲音乐》主编。1976年7月27日因病在北京逝世。他是在中国革命斗争中成长起来的一大批音乐家的代表之一。一生共写了各种体裁的音乐作品500多首。其中歌曲有《别让鬼子过黄河》《南泥湾》《咱们工人有力量》等，大型声乐作品有《吕梁山大合唱》，秧歌剧有《夫妻识字》等，管弦乐有《陕北组曲》等。著有《新歌剧和旧传统》《在新歌剧探索的道路上》《戏曲唱腔改革中的几个问题》《关于隋唐时代汲取西域音乐的历史经验》《中国革命歌曲的艺术特点》等理论文章。1978年《马可歌曲选》由人民音乐出版社出版。

马福邦　（1934—2004）

核反应堆工程技术专家。广东顺德人。1951年9月考入北京大学，1952年9月转入清华大学电机系学习。1954年11月参加中国共产党。1955年9月毕业后，分配到第二机械工业部（中国核武器研制的主管部门）原子能研究所，从事中国第一座从苏联引进的研究性重水实验堆的建造、消化吸收和改进提高工作。历任重水堆研究室操纵员、值班主任、技管组组长、总工程师、室主任。20世纪60年代初，创造了堆外在役诊断堆内部件破损的"瞬态流量法"，该方法后推广应用于其他反应堆的检测。1978年"重水反应堆重大技术革新与技术改进"获全国科学大会奖。1979年作为技术负责人，领导主持了重水研究反应堆的改建工程，延长了反应堆的寿命，功率由10兆瓦提高到15兆瓦，最大中子通量增加了一倍，成为当时中子通量最高的以低浓铀做燃料的研究堆。1980年10月任原子能研究所堆工部副主任。1983年重水研究堆全部改用他主持研制的锆包壳 U02 燃料组件，提高了堆的安全性；6月任核工业部原子能研究所副所长。在向阿尔及利亚出口重水反应堆的工程项目中，任技术负责人。1984年7月任核工业部科技核电局副局长。1985年"重水反应堆的改建工程"获国家科学技术进步奖一等奖。1986年6月任核工业部核电局局长。1988 年 6 月任核工业总公司党组成员、总经理助理兼核电局局长。1993 年 5 月任核工业总公司总工程师。1994 年当选中国工程院院士。1999 年 7 月任中国核工业集团顾问。曾担任核电集团秦山联营公司董事长、广东核电合营公司董事。他积极探索直接利用核电站乏燃料元件建造低温供热反应堆,用于城市居民供热或海水淡化方面的工作,在有关研究设计院的配合下,在技术方案、关键技术攻关等方面取得了初步成果。他在出差时,突发心脏病抢救无效,于 2004 年 5 月 30 日在杭州逝世。他为浙江秦山和广东大亚湾核电站的建设,以及在军用核动力科学研究工作中作出了重要的贡献。

马海德 （1910—1988）

祖籍黎巴嫩,生于美国。1933 年日内瓦医科大学毕业,获医学博士学位,同年 11 月到中国行医,参加中国革命活动。先在上海从事医疗工作,后参加上海国际友人组织的马克思列宁主义小组,协助中共地下组织开展秘密革命斗争。1936 年赴陕甘宁革命根据地,不久参加中国工农红军,在中央革命军事委员会总卫生部任职。1937 年加入中国共产党。抗日战争爆发后,长期担任中共中央革命军事委员会卫生部顾问。此后并任中共中央外事组顾问,新华通讯社顾问等职。参加了中国人民的八年抗战和全国解放战争,对人民军队的卫生建设作出了贡献。中华人民共和国成立后,于 1950 年加入中国国籍。此后历任中央人民政府政务院卫生部顾问,中国麻风病防治协会会长,中国麻风病防治研究中心主任等职。长期从事性病和麻风病的防治工作,为中国在 60 年代初基本消灭性病和实现 1977 年在中国基本消灭麻风病的奋斗目标作出了巨大努力。曾先后获得比利时达末恩杜顿麻风病协会授予的 1982 年度奖章、黎巴嫩总统授予的“德科芒德尔”国家勋章和美国 1986 年艾伯特—腊斯克医学奖、印度 1987 年度甘地国际麻风病奖,同年获得美国纽约州立大学布法罗分校授予的名誉理学博士称号。曾被选为政协第五届全国委员会委员,第六、七届全国委员会常委。1988 年 10 月 3 日因病在北京逝世。

马鸿宾 （1884—1960）

回族。字子寅,甘肃临夏人。早年在清政府军队任昭武军骑兵营管带。1921 年任宁夏镇守使兼新军司令。1927 年后,曾任国民革命军第二集团军第 22 师师长、第 24 军军长、宁夏省主席。1930 年后,任国民党南京政府暂编第 7 师师长,甘、凉、肃边防司令,甘肃省主席。1935 年 8 月率部对红 25 军进行“围剿”。同年,又率部与马步芳、马鸿逵的青海、宁夏国民党部队（合称“马家军”）,对西征的红军第四方面军进行残酷的杀戮。抗日战争时期,任第十七集团军副总司令兼第 81 军军长、绥西防守司令。曾率部配合傅作义部抗击日军。1946 年任西北军政长官公署副长官。1949 年在宁夏中卫县率部起义。中华人民共和国成立后,历任银川市军管会副主任、宁夏省人民政府副主席、甘肃省第一副省长、西北军政委员会副主席、国防委员会委员。

马连良 （1901—1960）

京剧演员。回族。字温如,北京人。9 岁入北京喜连成科班学戏,先习武生,后改老生。第二年即登台演出,长期的艺术实践,使他重视角色间相互合作,做派潇洒飘逸,念白韵味醇厚,唱腔甜润酣畅,形成独具风格的京剧"马派"。1951 年由香港返回北京,历任北京京剧团团长、北京市戏曲专科学校校长、北京市政协委员、中国戏剧家协会艺术委员会委员、北京市文学艺术界联合会常务理事等职。系中国民主同盟盟员。曾组团亲赴朝鲜慰问志愿军。晚年唱腔上又有创造和发展。擅演剧目主要有《群英会》、《甘露寺》、《四进士》、《海瑞罢官》、《赵氏孤儿》以及现代戏《杜鹃山》等。为电影专门拍摄了《借东风》、《铡美案》上映。常演剧目编为《马连良演出剧本选集》出版。

马明方 （1905—1974）

曾用名马汝舟、马济民。陕西米脂人。1925 年加入中国共产党。后被派到西安国民军史可轩部做兵运工作。1927 年大革命失败后回到陕北,在绥德、横山、米脂等县任中共区委书记,在白色恐怖中深入农村恢复中共组织。1931 年任中共陕北特委代理书记。1933 年主持召开特委扩大会议,作出开展游击战争、创建农村根据地的决定。会后深入游击区,加强对武装斗争的领导。1934—1937 年,任陕北省长、苏维埃政府主席,中共陕北省委书记,中共西北工作委员会委员。对当时的"左"倾错误路线进行了抵制和斗争,为陕北红军和根据地的创建与发展作出了重要贡献。抗日战争爆发后,任陕甘宁边区政府民政厅厅长。1938 年初赴苏联学习,1941 年归国途中,在新疆被军阀盛世才软禁。1943 年 4 月 2 日被捕入狱。1945 年 6 月在中共"七大"上缺席当选为候补中央委员。1946 年 6 月获释回延安,任中共中央西北局副书记兼中共晋南工委书记。中华人民共和国成立后,任中共陕西省委书记、省人民政府主席。1952 年至 1954 年,任中共中央西北局第三书记,西北行政委员会副主席、财经委员会主任,西北军区副政委。1954 年秋至 1960 年,任中共中央组织部副部长、财贸部部长。在中共第八次全国代表大会上当选中央委员。1960 年冬起,任中共中央东北局第三书记。还曾是第一、二届全国人民代表大会常务委员会委员。"文化大革命"中受到迫害,于 1974 年 8 月 12 日病逝。1979 年 12 月中共中央为其平反昭雪,恢复了名誉。

马思聪 （1912—1987）

小提琴家、作曲家。广东海丰人。1923 年随兄赴法国学习小提琴,就读于巴黎音乐学院。1929 年回国后,在上海、南京、广州等地举行独奏音乐会。1930 年再次赴法国,随毕能蓬学习作曲。次年回国,先后在广州、南京、上海从事音乐教育、演奏及创作。1937 年抗日战争爆发后,他辗转于西南各地,受到新音乐运动的影响,作品中表现了爱国主义思想。他注意音乐作品的民族化,努力汲取民间音调,创作了小提琴独奏《第一回旋曲》（1937）、《内蒙组曲》

(1937)、《西藏音诗》(1942)、《牧歌》(1944)和《小提琴协奏曲》(1944),管弦乐《第一交响曲》(1941),以及男中音独唱《永生》(1937)和《二十首抗战歌曲》等。1946年指挥台湾交响乐团,并在台北、台中、台南等地举行独奏音乐会。1947-1948年先后在广州和香港教学。由于民主运动和解放战争胜利的影响,创作出《民主大合唱》(1946)、《祖国大合唱》(1947)和《春天大合唱》(1948)三部歌颂祖国,向往光明的作品。1949年离开香港赴解放区。中华人民共和国成立后,任中央音乐学院院长、中国音乐家协会副主席。除担任教学和演出外,主要从事创作。其主要作品有:话剧《屈原》配乐(1953),管弦乐《山林之歌》(1954)和《第二交响曲》(1960),大型声乐曲《淮河大合唱》(1956),以及一些民歌改编曲、室内乐和小提琴独奏曲。"文化大革命"开始不久,他于1967年出走外国,一直从事音乐创作、教学和演出。1987年5月20日在美国费城逝世。他是中国最早的小提琴演奏家之一,其演奏和作品,对中国小提琴事业的发展起到了促进作用。其他像管弦乐作品,在民族风格和西欧作曲技巧的结合上,作过有益的探索。对中国音乐的发展有一定贡献。

马叙伦 (1884—1970)

字夷初,号石翁、寒香,晚年别号石屋老人。浙江杭州人。1911年夏赴日本留学,经章太炎介绍加入同盟会。辛亥革命后任浙江省都督府秘书、印铸局局长、公报处总理等职。1915年在北京大学文学院兼课。1919年五四运动中被选为北京大学教职员会和北京中等以上学校教职员联合会书记、主席,参加学生运动。1921年6月参加请愿"索薪"斗争,被徐世昌总统府卫兵殴伤。1924年第一次国共合作时,任国民党北京特别党部宣传部长,拥护三大政策。1931年"九一八"事变后,积极领导北方教育界的抗日救国运动。抗日战争期间,困居上海,专事著述。拒绝出任华北伪政府的北京大学校长。抗日战争胜利后,在《民主》、《文萃》等刊物上发表大量文章,反对独裁内战,呼吁和平民主。1945年12月30日参与发起成立了中国民主促进会,任常务理事。1946年5月,当选为上海68个人民团体组成的上海人民团体联合会理事、常务理事。6月,参加上海人民和平请愿团并任团长,去南京请愿,在下关火车站被殴伤。同年底,在中共地下党组织的安排下从上海转移到香港,参与筹划成立中国民主促进会港九分会。1949年6月参加中国人民政治协商会议的筹备工作,任人民政协筹备处副主任。9月出席中国人民政治协商会议第一届全体会议。中华人民共和国成立后,任中央人民政府委员会委员,政务院文教委员会副主任,中央教育部部长,高等教育部部长,中国文字改革研究委员会主任,第一、二届全国人大常务委员,第一、二、三届全国政协常务委员,第四届全国政协副主席,中国科学院哲学社会科学部委员,中国民主促进会第一、二届中央常务理事,第三届中央理事会主席,第四、五届中央主席,中国民主同盟中央副主席。1970 年 5 月 4 日在北京病逝。著有《说文解字六书疏证》《石屋余沈》《石屋续沈》《读金器刻词》《石鼓文疏记》《我在六十岁以前》等。

马寅初 （1882—1982）

浙江嵊县人。1906 年毕业于天津北洋大学,后留学美国攻读经济学,获经济学博士学位。1915 年回国后开始在北京大学任教。1919 年被选为北大第一任教务长,协助校长蔡元培改革北大封建教育制度,起了重要作用。1920 年辞去教务长职后致力于经济学的研究和教学,曾先后出版《中国国外汇兑》《中国关税问题》《中华银行论》等经济学著作及演讲集。1927 年后离开北大任浙江省政府委员。1928 年起任南京国民党政府立法委员兼立法院财政、经济委员会委员长。1929 年起先后兼任南京大学、上海交通大学教授。在此期间,因不甘做驯服工具遭到国民党的排挤与打击。1938 年任重庆大学商学院院长。曾在立法院提出对发国难财者征收“临时财产税”的议案,在社会各界引起强烈反响,1940 年后,因揭露和抨击国民党政府的贪污腐败和战时经济政策,被蒋介石幽禁达数年之久。1944 年冬恢复人身自由后,不顾国民党当局在政治上、经济上的限制,挺身参加民主运动,在文章及演讲中大声疾呼“打倒官僚资本”。抗日战争胜利后,又积极投入反对内战独裁、争取和平民主的运动。1948 年在中国共产党的帮助下,冲出国民党统治区,经香港到达东北解放区,参加新政协的筹备工作。1949 年 5 月杭州解放后任浙江大学校长。9 月,参加中国人民政治协商会议第一届全体会议,当选为政协第一届全国委员会委员。中华人民共和国成立后,担任中央人民政府委员,政务院财政经济委员会副主任,华东军政委员会副主席,北京大学校长等职,为发展我国文化教育与经济事业作出了贡献。1955 年以后,提出“新人口论”,遭到错误批判。1959 年被迫离开北京大学。1979 年 9 月,中共中央为他平反,同时任命他为北京大学名誉校长。是第一、二、五届人国人大常委,政协第二、三、四届全国委员及第二、四、五届常委,中国科学院哲学社会科学部委员,并任中国人口学会名誉会长,中国银行常务董事等职。发表过《联系中国实际来谈谈综合平衡理论和按比例发展规律》、《我国资本主义工业的社会主义改造》等十几篇论著。1982 年 5 月 10 日因病在北京逝世。

马约翰 （1882—1966）

教育家。福建厦门人。13 岁读私塾,18 岁到上海读中学,22 岁进圣约翰大学预科,两年后升入本科,1911 年毕业。1914 年应聘到清华学校（1925 年设大学部、1928 年改为国立清华大学）任教,先后任助教、教授、体育部主任。在清华大学一直工作了 52 年。1919 年至 1920 年及 1925 年至 1926 年两次到美国斯普林菲尔德学院（春田学院）进修体育,于 1926 年获硕士学位。1927 年任第八次远东奥林匹克运动会田径委员会主席。1936 年担任中国田径总教练,到德国参加第 11 届奥林匹克运动会。抗日战争时期，任西南联大体育部主任。在长期的体育教学实践中，深入地研究了体育运动的规律，参考外国经验，摒弃其不合理部分，创造出生动活泼而有力的徒手操编组的程序和方法。又根据田径、球类等项运动的特点和训练需要，编制出各种不同内容的徒手操。中华人民共和国成立后，于1952年当选中华全国体育总会副主席。1953年任中华人民共和国体育运动委员会委员。1954年当选第一届全国人民代表大会代表。1956年当选中华全国体育总会主席。1966年10月31日因病在北京逝世。他是"体育疗法"的积极倡导者和推行者。1950年发表的《我们对体育应有的认识》，比较全面地阐述了体育的科学基础、运动对生理的影响、技能的训练方法以及体育和生物学、心理学、哲学之间的关系。至今，清华大学每年都要举办以"马约翰"命名的群众体育运动会。

马占山　（1885—1950）

字秀芳。祖籍河北丰润，生于辽宁怀德（今属吉林）。因家贫自幼为地主放牧。1903年丢失马匹逃亡在外，沦为胡匪。1905年被清军收编并委任为怀德县游击队哨官，后为清军直属队哨官。辛亥革命后，所在部队改编为中央骑兵第三旅，任该旅第三团下属连长。1918年升任营长。1920年转赴黑龙江并升任骑兵团团长。1925年起任东北陆军第十七师骑兵第五旅旅长、黑龙江陆军步兵第三旅旅长。1928年东北易帜后，被南京国民政府任命为黑龙江省"剿匪"司令。1929年改任黑龙江省骑兵总指挥。1930年调任黑河镇守使兼警备司令。1931年"九一八事变"后，任黑龙江省代主席兼黑龙江省军事总指挥。11月4日，日军对洮昂铁路的嫩江桥发起全面进攻，他率部奋起抵抗，打响了"九一八"事变后中国人民抗日的第一枪。17日，任黑龙江省政府主席。1932年2月，一度投降日本，就任伪黑龙江省省长、伪满军政部长。4月，通电反正，联络省内抗日武装力量组织东北救国抗日联合军，不断给日伪军以有力打击。1936年西安事变期间赶往西安，在张学良、杨虎城提出的"八项主张"上署名。抗日战争爆发后，任东北挺进军总司令兼理东北四省招抚事宜。1938年5月挺进军司令部移至哈拉寨，坚持抗日。1940年任国民党黑龙江省政府主席。1945年8月日本投降后，任东北行营政治委员会委员、东北保安副司令、东北"剿匪"副总司令等职。后因感到国民党军队在东北败局已定，遂以治病为由留在北平。1949年1月与傅作义、邓宝珊等在北平宣布起义，脱离国民党。中华人民共和国成立后寓居北京。1950年11月29日病故。

毛岸英　（1922—1950）

湖南湘潭人。毛泽东的长子，1922年生于长沙。1930年11月母亲杨开慧牺牲后，领着弟弟流落上海街头，后经组织营救，1937年到苏联学习。1939年加入苏联共产主义青年团。1942年后，先后在苏雅士官学校、莫斯科列宁军政学校、伏龙芝军事学院、莫斯科东方语言学院学习。曾担任过苏军坦克连的党代表,参加了苏联的反德国法西斯战争。1946 年回国后,在山西、山东等地参加土地改革工作。1950 年 10 月参加中国人民志愿军,任志愿军总部秘书,赴朝鲜作战。11 月 25 日,在朝鲜平安北道志愿军总部,遭美机轰炸,不幸牺牲。牺牲后葬于朝鲜。

毛泽东　（1893—1976）

字润之,湖南湘潭人。8 岁在韶山入私塾读书。1911 年考入湘乡驻省中学,在研究同盟会政纲之后,开始接受资产阶级民主革命派的思想。辛亥革命爆发后在起义的新军中当了半年兵。1913 年在长沙考进湖南省立第四师范（1914 年春并入第一师范）,受到杨昌济等进步教师的影响,积极参加反帝反封建的活动。1918 年 4 月和蔡和森、何叔衡等发起组织进步团体新民学会,确定了“改造中国与世界”的宗旨。五四运动爆发时,他积极参与领导湖南学生的爱国运动。1920 年确立了对马克思主义的坚定信念和追求,在湖南创办文化书社、湖南俄罗斯研究会,组织社会主义青年团和共产主义小组,还领导了湖南人民驱逐军阀张敬尧的斗争。1921 年 7 月,出席中国共产党的第一次全国代表大会。会后回湖南,先后任中国劳动组合书记部湖南分部主任、中共湘区委员会书记等职,领导长沙、安源等地的工人运动。1923 年 6 月,出席在广州召开的中国共产党第三次代表大会,被选为中央执行委员。会后当选为中央局成员并任秘书,参加中共中央领导工作。1924 年国共合作后,在国民党第一、二次全国代表大会上都当选为候补中央执行委员,曾在广州任国民党中央宣传部代理部长,主编《政治周报》。1925 年 12 月 1 日在《革命》半月刊上首次发表《中国社会各阶级的分析》。1926 年主办第六届农民运动讲习所。11 月,到上海任中共中央农民运动委员会书记。1927 年 8 月 7 日,出席了中共中央在武汉召开的紧急会议,提出了“枪杆子里面出政权”的著名论断,当选为中央政治局候补委员。会后领导了湘赣边界秋收起义。接着率起义部队上井冈山,发动土地革命,创立了第一个农村革命根据地。1928 年 4 月,同朱德领导的起义部队会师,成立工农革命军第四军,任党代表、前敌委员会书记。他撰写的《中国的红色政权为什么能够存在》、《井冈山的斗争》、《星星之火、可以燎原》等著作,从理论上阐述了中国共产党人从中国实际出发,在国民党政权统治比较薄弱的农村发展武装斗争,开创以农村包围城市、最后夺取城市和全国政权的道路。1930 年 8 月,红军第一方面军成立,任总前委书记兼总政委。1931 年 11 月,中华苏维埃共和国临时中央政府在瑞金成立,被选为主席。1933 年被补选为中共中央政治局委员。从 1930 年 12 月开始,和朱德、周恩来领导红军连续粉碎国民党军队的四次大规模军事“围剿”。第五次反“围剿”失败后,于 1934 年 10 月随红一方面军开始长征。1935 年 1 月,中共中央政治局在贵州遵义召开扩大会议,被确立为新的党中央的领导。在他的正确领导下,红军摆脱了国民党军队的围追堵截,克服了张国焘的分裂主义,1935 年 10 月中共中央和红一方面军胜利抵达陕北。1936 年 12 月 7 日他当选为中央革命军事委员会主席。西安事变发生后,在他的正确领导下,共产党促使这一事变得到和平解决。1937 年夏,撰写了《实践论》、《矛盾论》。抗日战争爆发后,又撰写了《论持久战》、《新民主主义论》等重要著作。以他为首的中共中央坚持统一战线中的独立自主原则,开辟了抗日根据地,领导八路军和新四军击退了国民党顽固派发动的大规模的反共高潮。他领导全党开展整风运动,使全党在思想上、政治上、组织上达到空前的统一,为争取抗日战争的胜利奠定了基础。1943 年 3 月,当选为中共中央政治局主席。1945 年 4—6 月,在延安主持召开中共第七次全国代表大会。在七届一中全会上当选为中共中央主席,成为中国共产党第一代领导集体的核心。抗日战争胜利后,针对蒋介石的和谈骗局和内战阴谋,提出了"针锋相对"的斗争方针。1946 年夏,蒋介石发动全面内战后,他领导解放区军民经过一年的战略防守转入战略进攻,又经过辽沈、淮海、平津三大战役和渡江作战,推翻了国民党政府的反动统治。1949 年 3 月,主持召开七届二中全会,并作重要报告。会议决定把党的工作重心从农村转到城市,规定了党在全国胜利后的各项基本政策。9 月,主持召开中国人民政治协商会议第一次全体会议,当选为中央人民政府主席。10 月 1 日,他在开国大典上向全世界庄严宣告中华人民共和国成立。以后他同刘少奇、周恩来、朱德、陈云、邓小平等领导中国人民进行社会主义革命和建设。新中国成立后的头三年,迅速恢复了国民经济,同时还完成了社会改革和进行了抗美援朝的战争。1953 年,按照他的建议,中共中央宣布了过渡时期的总路线。1954 年,第一届全国人民代表大会第一次会议通过了由他主持起草的《中华人民共和国宪法》,他当选为中华人民共和国主席。1956 年,发表了《论十大关系》,对适合中国国情的社会主义道路进行了初步的探索。1957 年 2 月,他作了《关于正确处理人民内部矛盾的问题》的讲话,提出正确区分和处理社会主义社会中人民内部和敌我两类矛盾的学说。中国共产党在领导全国建设社会主义的十年中取得了很大成就,但是也犯有错误,毛泽东负有主要责任。如 1957 年的反右派斗争严重扩大化;1958 年,在社会主义建设总路线提出后轻率地发动"大跃进"和人民公社化运动;1959 年错误地发动了对彭德怀的批判,使党内民主制度遭到破坏等。1960 年冬,毛泽东为纠正农村工作中和其他方面的"右"的错误,提出了一系列措施,中共中央决定对国民经济实行"调整、巩固、充实、提高"的方针,初步纠正了"大跃进"和人民公社化运动中的错误,使得国民经济得到恢复和发展。但是不久,他又把主要注意力转向他所认为已经再次成为国内主要矛盾的新的阶级斗争,以致在 1966 年错误地发动了"文化大革命"运动。这场运动被林彪、四人帮两个反革命集团所利用,以致形成了长达十年之久的内乱,给党、国家和人民带来了严重的灾难。70年代,他提出了三个世界划分的理论,从而使中国的外交工作取得了重大成就,为社会主义现代化建设创造了有利的国际条件。1976年9月9日因病在北京逝世。他在晚年虽然犯有严重的错误,但是,就他的一生来看,他对中国革命的功绩,仍然是第一位的,他是中国共产党和中国各族人民的伟大领袖。由全党智慧结晶而成的毛泽东思想,依然是党的指导思想。其主要著作收入在《毛泽东选集》、《毛泽东文集》等。

茅　盾(1896—1981)

作家。原名沈德鸿,字雁冰,笔名茅盾,浙江桐乡人。8岁入乌镇小学读书,随后在浙江省立第三中学、第二中学以及杭州安定中学就读。1913年中学毕业后考取北京大学预科。1916年预科毕业后,因家庭经济困难,到上海商务印书馆编译所工作。1920年11月任《小说月报》主编。年底与周作人、郑振铎、叶圣陶等人发起组织文学研究会。1921年在上海参与建党的筹备工作,先后参加共产主义小组和中国共产党。1923年曾在党创办的上海大学任教。国共合作实现以后,以左派国民党员身份参加国民党二大,会后在国民党宣传部任秘书。1926年底到武汉,先后任中央军事政治学校武汉分校政治教官,汉口《民国日报》主编。从五四运动至大革命期间,他的文学活动主要是从事文艺评论。1927年蒋、汪叛变革命后,受到通缉。在严重的白色恐怖下,一度比较苦闷和悲观,这时期写的《幻灭》、《动摇》、《追求》等小说反映了这种思想状况。1928年夏到日本,与党失去联系,但仍继续从事文化革命活动,创作了长篇小说《虹》。1930年4月回到上海,参加中国左翼作家联盟,并任"左联"执行书记。此后一个时期,与鲁迅等人一起,对国民党的文化"围剿"进行了不懈的斗争。他创作的长篇小说《子夜》,短篇小说《林家铺子》、《春蚕》等名篇,成为左翼文艺运动的重要收获。抗日战争爆发后,在周恩来领导下,团结国民党统治区的进步文化人士开展救亡工作,曾主编《文艺阵地》等杂志。1938年3月,党领导下的中华全国文艺界抗敌协会在武汉成立,被选为理事。1938年冬应杜重远之邀,赴新疆学院任教。1939年春到迪化,除任教外,还任新疆各族文化协会联合会主席等职。1940年,新疆督办盛世才逐渐走向反动,遂离开新疆,途经延安,在鲁迅艺术学院讲学,后赴重庆,在国民政府文化工作委员会任常委。1941年皖南事变后,赴香港办《笔读》杂志,任邹韬奋主编的《大众生活》的编委,并在《大众生活》上连载长篇小说《腐蚀》。日军占领香港后,辗转至桂林,创作长篇小说《霜叶红于二月花》。1943年到重庆,创作了剧本《清明前后》及一些短篇小说、杂文等。抗战胜利后,不顾国民党的压制与迫害,坚持反对国民党独裁专制和内战政策。1946年12月应苏联对外文化协会邀请,赴苏访问。1947年4月回国后,写了《苏联见闻录》、《杂谈苏联》等书,介绍苏联社会主义建设成就。由于国民党的迫害,于1947年底离上海赴香港.坚持革命文艺活动,任《小说月刊》编委,并开始在《文汇报》发表长篇小说《锻炼》。1948 年底,由香港地下党组织安排赴东北,北平解放后又转赴北平,在1949 年 7 月召开的第一届全国文艺工作者代表大会上当选为全国文联副主席,中华全国文学工作者协会(后改名为中国作家协会)主席。建国后任文化部部长,并当选为历届全国人大代表,历届全国政协常委和全国政协第四、五届副主席,曾主编《人民文学》和《译文》等杂志,还多次代表中国作家出席有关国际会议,为中外文化交流作出了贡献。1981 年 3 月 27 日因病在北京逝世。临终前要求中共中央在他逝世后追认他为中共党员。中共中央决定恢复他的党籍,党龄从 1921 年算起。生平著作丰硕,人民文学出版社于 1984 年开始,陆续出版《茅盾全集》。

茅以升 (1896—1989)

桥梁工程专家。字唐臣,江苏镇江人。1916 年毕业于唐山工业专门学校,同年考取清华官费赴美留学。1917 年毕业于美国康乃尔大学研究院桥梁专业,获硕士学位。1919 年获美国加利基理工学院工学博士学位。1920 年回国,先后任唐山工业专门学校教授,南京东南大学教授、工科主任,南京河海工科大学教授、校长,北洋大学教授,天津北洋工学院院长兼教授。1933 年受命主持建造钱塘江大桥,任大桥工程处处长,克服重重困难,完成了我国自行设计、建造的第一座现代化铁路、公路两用双层大桥,该桥在抗战中的军事运输中发挥了重大作用。1938 年任交通大学唐山工程学院院长、教授。1943 年创建中国桥梁公司,任总经理兼总工程师,先后进行重庆西大江大桥、武汉长江大桥、上海黄埔越江工程等的规划与设计。1946 年任南京中央研究院评议员,后为院士。1947 年任中国工程师学会会长。抗日战争胜利后,目睹国民党反动派摧残民主、发动内战,认识到只有中国共产党领导人民才能救中国。上海解放前夕,拒绝去台湾,根据中共地下组织指示,利用担任上海市政府秘书长的机会,为保护上海的工厂、机关、学校,为保护被关在龙华监狱的 300 名进步学生作出了贡献。1949 年 9 月应邀赴北京参加中国人民政治协商会议第一届全体会议,同年任上海科联主席,中国交通大学校长。后任铁道科学研究院院长,武汉长江大桥技术顾问委员会主任。1955 年被选为中国科学院学部委员。1958 年被选为中国科学技术协会副主席。1959 年被选为九三学社中央副主席。是第一至第六届全国人大常委,第一至第六届全国政协委员,1984 年 5 月增补为第六届全国政协副主席。1986 年 1 月加入中国共产党。他担任过北京市科学技术协会主席、名誉主席,中国土木工程学会理事长、名誉理事长,欧美同学会会长,中国科协名誉主席。1982 年被选为美国国家工程科学院外籍院士。1984 年被选为加拿大土木工程学会荣誉会员。1989 年 11 月 12 日因病在北京逝世。

梅兰芳 (1894—1961)

名澜,又名梅鹤鸣,字畹华。江苏泰

州人。1894 年 10 月 22 日出生在北京一个梨园世家。8 岁就开始学艺,从师于其祖父生前的好友吴菱仙。1904 年 8 月 17 日,10 岁的梅兰芳首次在北京广和楼参加斌庆班登台演出。1907 年正式搭班"喜连成"(后改名"富连成")一边演出一边学习,演技进步很快。除向师傅吴菱仙学青衣外,还向姑父秦雅芬等学唱花旦,武功得力于琴师茹来卿的传授,此外,他还到处求教,博采各家之长,著名京剧教育家王瑶卿、京剧演员路三宝、钱金福、陈德霖、李寿山等,对他的技艺进步都有过较大影响。他还喜好绘画,以提高自己的艺术修养。1913 年与王凤卿结伴第一次去上海演出,以《彩楼配》、《玉堂春》、《武家坡》轰动上海。接着,他打破青衣、花旦的角色分行,出演了《穆柯寨》、《虹霓关》等旦角戏,为观众所认可。回京后,他又大胆尝试排演古装新戏,在舞台树立起一些新的艺术形象,如《孽海波澜》、《宦海潮》、《一缕麻》、《邓霞姑》等以表现反对封建婚姻,揭露官场之黑暗。《嫦娥奔月》、《天女散花》、《黛玉葬花》等歌颂了追求自由和幸福的青年妇女形象。从 1915 年 4 月至 1916 年 9 月,共创演了 11 出新戏,对京剧艺术的革新起了不小的作用。同时,他还注意整理和上演传统戏,如《宇宙锋》、《花木兰》、《拷红》等。1921 年他编演的《霸王别姬》,以对虞姬细腻深刻的表演,而成为其优秀的保留剧目之一。他还注意在配器上尝试创新。1931 年"九一八"事变后,梅兰芳创演的《抗金兵》、《生死恨》表达了对敌人的恨和对祖国的爱。抗战

全面爆发后,他蓄须明志,不为日本人唱戏。

1949 年 5 月上海解放。应邀到北平参加了第一次全国文学艺术工作者代表大会。1951 年 3 月,任中国戏曲研究院院长。1953 年,他还亲率"梅剧团"到朝鲜慰问志愿军指战员。回国后,又去广州和福建为解放军战士演出。1959 年加入了中国共产党。梅兰芳从 1919 年到 1950 年,多次率团出国演出,把京剧艺术介绍给了日本、美国、苏联等国观众。1929 年出访美国期间,荣获美国波莫纳大学和南加利福尼亚大学授予的文学博士学位。1961 年 8 月 8 日因心脏病在北京逝世。

梅贻琦 (1889—1962)

字月涵,天津人。出生在一个盐务官员之家。幼年家道中落,依靠自己的勤奋聪颖,15 岁入天津敬业中学堂(南开学校的前身)第一班学习。1908 年以第一名的优异成绩被送入保定直隶高等学堂学习。次年,考取庚子赔款留美生。1910 年进入麻省吴士脱工学院学习电机专业。1914 年获工学学士学位。1915 年春回国,受聘于北京清华学校。在校期间,他先后教授数学、英文、物理课。并主讲过测量、工程事业、运输等课,并与陶行知和清华校长曹云祥等一起组织了"中国科学教员促进研究会",任管理部长。1921 年他利用休假 1 年的机会再次赴美入芝加哥大学深造,获机械工程硕士学位。次年秋,赴欧洲各国考察教育。1928 年清华学校改名为"国立清华大学",他代理校长一职。1931

年 10 月 10 日被正式任命为清华大学校长。在任长达 17 年之久。

在他主持下,到抗战全面爆发前,清华大学的建设取得了突出的成就。到 1935 年,清华大学已拥有了 3 个研究所 10 个研究部。"九一八"事变以后,他公开抨击国民党的不抵抗政策。在 1935 年"一二·九"运动前后,一方面几次出面保释被捕的进步学生,另一方面又痛心地以触犯校规之由签署过开除进步学生的布告。1937 年清华大学初迁长沙,再西迁昆明,与北大、南开合组为国立西南联合大学,任校长。"西南联大"在政治、经济、生活条件极端困难的情况下,仍为国家培养了一批高级人才。1940 年 9 月,在清华大学服务满 25 周年之际,为表彰和崇敬他对清华建设的突出贡献,美国麻省吴士脱工学院授予他名誉工程博士的称号。1941 年是清华大学 30 周年大庆年,4 月,在校庆学术讨论会上作了《大学一解》的学术报告,对自己的教育思想进行了总结,提出了"通才教育"观。抗日战争的胜利,使梅贻琦先生极其欣悦,日本投降后 3 个月,他便先期北上视察清华园,为复校作准备。1946 年 10 月,清华大学师生全部重返北平。他此时正值年富力强的中年,非常想按照自己的教育思想,把清华大学切实地再向前发展一步。然而,国内政局的发展,与他的期望相矛盾,充实计划受到很大干扰。1945 年昆明"一二·一"惨案和 1946 年 7 月闻一多教授的遇难,给他很大打击,一个正直知识分子的良知使他在怒斥便衣特务暴行的同时,又

为国家前途深感忧虑。他在力所能及的范围内,先后掩护了一些进步师生免遭特务迫害,如对吴晗教授的保护等。同时,他对国民党当局存有幻想,不愿开罪当局。1949 年 6 月飞往巴黎,参加联合国教科文组织会议。12 月飞赴纽约,处理清华基金保管、运用事宜。1951 年在纽约成立了"清华大学在美文化事业顾问委员会",利用基金资助在美学人进行研究。1955 年由美国抵达台湾,选定新竹成立了"清华原子科学研究所",后在此基础上成立了新竹清华大学,任校长。1958 年曾出任"台湾政府,教育部部长"。1961 年因病辞去新竹清华大学校长职务。1962 年 5 月 10 日因患癌症逝世。

孟　泰 （1898—1967）

全国劳动模范。河北丰润人。1926 年进入日本人在辽宁省办的鞍山制铁所炼铁厂当配管工。1948 年东北地区解放,鞍山钢铁公司进入恢复时期。他带动工人刨冰雪、扒废料、收集材料和零件,建立起"孟泰仓库",利用这些材料,先后修复了第二和一、三号高炉,为国家节约了大量资金。1949 年 8 月加入中国共产党。中华人民共和国成立后,于 1950 年起连续获得全国劳动模范和全国先进生产者称号。是第一至三届全国人民代表大会代表。1964 年任炼铁厂副厂长。建立"孟泰储槽",每年为国家节约上万吨焦炭。他还积极进行技术革新改造,成功地改造了热风炉底部双属燃烧筒,使炉底使用寿命延长近百倍。"文化大革命"中遭受迫害。1967 年 9 月

30 日在北京逝世。1989 年 9 月 28 日，国务院总理李鹏在全国劳动模范和先进生产者表彰大会上讲话，再次号召发扬孟泰精神。

闵智亭 （1924—2004）

中国道教领袖。号玉溪道人，河南南召人。抗日战争时期，因日寇侵略辍学，1941 年 2 月入华山毛女洞出家修道，宗奉全真华山派。1945 年任西安八仙宫知客、行堂执事。1946 年开始的解放战争时期任武汉长春观高功、巡寮等执事。1947 年任杭州玉皇山福星观知客，研习书画及古琴弹奏。在各地游历，不仅交流、研习了道法，也提高了文化修养。中华人民共和国成立后，先后住西安八仙宫和华山玉泉院。参加学习和生产劳动，努力适应新社会、服务社会主义中国。1956 年后，他在华山玉泉院和华阴县文史馆任会计、出纳、文史研究员。1985 年秋，到北京主持中国道教协会道教知识专修班的教学工作，并当选第四届中国道教协会常务理事、副秘书长；11 月，当选第一届陕西省道教协会副会长兼秘书长。1987 年底当选第一届西安市道教协会会长。1989 年在北京白云观担任全真传戒大师。1992 年当选第五届中国道教协会副会长。1998 年当选第九届全国政协常务委员，同年当选第六届中国道教协会会长，兼任中国道教学院院长和陕西省道教协会名誉会长、西安市道教协会会长、西安八仙宫监院。建议中国道教协会向全国道教界发出了"情系灾区、为国分忧"的倡议，并带头捐款，全国道众向洪水灾区一次性捐款 560 多万元。他重视道教文化研究，促进道教界与学术界的交流、合作。由其任总顾问的《中华道藏》出版发行后，被学术界和道教界称为当代中国文化史和道教史上的巨著。2003 年当选第十届全国政协常务委员、民族宗教事务委员会副主任委员；4 月，在他的建议下，中国道教协会向全国道教界发出倡议，在甘肃省民勤县 1500 亩荒沙上建立了"中国道教生态林基地"。他强调要加强道风建设、信仰建设和组织建设，注重人才培养，完善道教教制。亲自主持修订和完善了《宫观管理方法》《宫观方丈、住持任退职的试行办法》《关于对外国道士授箓试行办法》等有关规制。是第八至十一届西安市政协常务委员。曾任中华海外联谊会理事。2004 年 1 月 3 日因病在北京逝世。他倡导道教文化"与现代结合"、"与社会适应"。著有《全真正韵谱辑》、《五祖七真高道传》、《道教杂讲随笔》等，《道德仪范》被国务院宗教局批准作为全国道教院校教材。

缪云台 （1894—1988）

字嘉铭，云南昆明人。1913 年留学美国，先后就读于康萨斯州西南大学、伊利诺大学，1919 年毕业于明尼苏达大学矿冶系。1920 年回国后，历任云南锡务公司总经理，云南省政府高级顾问，省政府委员兼农矿厅厅长，劝业银行经理，富滇新银行行长，云南省经济委员会主任委员，国民参政会参政员。抗日战争胜利后，出任国民政府行政院政务委员、处理美援物资救济委员会主任委员、国大代表、立法委员。1949 年去香港，1950

年赴美国。1979 年回国定居,任第五届全国人大常委、第五届全国政协常委、第六届全国政协副主席。他是著名的爱国民主人士、实业家和理财家。一生追求民主,期望国家富强,并为此作出了种种努力。在主持云南财经工作中,提出成立进口特捐局,对进口商品征收特捐;禁止法国东方汇理银行在云南发行越币,并实施外汇管理。抗战时期,代表云南省政府与缅甸方面商定修筑滇缅公路,勘探地形,催促兴工。为美国盟军入滇做了大量工作。先后在云南建立了四十多个中小企业,发展地方实业,使云南由入超的省份变为出超。后又将这些中小企业联合组成"云南人民企业公司",每户以一股的形式,将企业公司转为"民有、民营、民享"的地方经济集团。试图达到"经济民主"和"富民新滇"的目的。1979 年回国后,曾兼任对外经济贸易部特约顾问、中国国际信托投资公司董事。1988 年 9 月 3 日因病在北京逝世。

穆 青 (1921—2003)

回族。原名穆亚才,河南周口人。全家随祖父迁至安徽蚌埠谋生,5 岁随祖父习古文,9 岁祖父死后回到河南祖母娘家杞县。1933 年小学毕业升入杞县大同中学学习。1937 年抗日战争爆发后,在山西临汾参加八路军。1939 年 5 月加入中国共产党。1940 年 7 月考入延安鲁迅艺术学院文学院学习。1942 年 8 月,进入中共机关报《解放日报》工作,开始了新闻记者职业;9 月,与张铁夫一同采写了《人们在谈说着赵占魁》、《赵占魁同志》,再现了陕甘宁边区工业劳动模范的风采。1943

年 8 月发表《雁翎队》,反映了华北平原白洋淀游击队打击日寇的战斗生活。1945 年抗日战争胜利后,10 月随《解放日报》社、新华通讯社先遣队前往东北。1946 年 2 月,调入《东北日报》社工作;3 月,采写了长篇通讯报道《一部震天撼地的史诗——中国共产党与东北抗日联军十四年斗争史略》;年底,任《东北日报》编辑委员会委员兼采通部部长。1949 年 4 月调新华通讯总社任特派记者,随第四野战军南下采访。后几十篇通讯、特写汇编为《南征散记》出版。中华人民共和国成立后,1950 年 7 月任新华通讯社编辑委员会委员、农村编辑组组长。1951 年 11 月任新华通讯社华东总分社第一副社长。1955 年 4 月任新华通讯社上海分社社长。1958 年 6 月任新华通讯社内部主任。1959 年 8 月任新华通讯社副社长。1966 年 2 月 7 日《人民日报》发表他与冯健、周原合写的长篇通讯《县委书记的榜样——焦裕禄》。"文化大革命"开始后受到冲击。1972 年 9 月任新华通讯社副社长、党的核心小组成员。1977 年 1 月任新华通讯社党的核心小组副组长,10 月任总编辑。1980 年 6 月兼任新华通讯社解放军总社社长。1982 年 4 月,任新华通讯社社长;7 月,任新华通讯社党组书记;9 月,当选中共第十二届中央委员。1987 年 10 月在中共第十三届全国代表大会上,当选中共中央顾问委员会委员。2003 年 10 月 11 日因病在北京逝世。著有《新闻工作散论》(1983)、《穆青散文选》(1984)、《九寨沟》(摄影集,1988)、《彩色的世界》(国际散文和摄影集,1989)等。

N

纳　忠（1909—2008）

阿拉伯历史学家、阿拉伯语教育家。回族。原名纳寿恩，字子嘉，阿拉伯名阿布杜·拉赫曼，云南海通人。6 岁到昆明，先后在永宁清真寺经堂学校、省立师范附小、昆明法文学校、云南高等中阿学校、昆明明德中学等学校学习。受到很好的基础文化、经学的训练。1931 年赴埃及留学，入伊斯兰学术中心的最高学府爱资哈尔大学学习。1936 年获得最高文凭"学者"证书，是中国穆斯林第一人。1937 年抗日战争爆发，除在《金字塔日报》等阿拉伯报刊和电台发表文章揭露日本侵华罪行外，还与留学生朝觐团对日伪派往沙特阿拉伯朝觐的民族败类作斗争。1940 年回国后，历任昆明明德中学教务长、代校长兼《清真铎报》主编。1942 年底到重庆，任中央大学历史系教授。次年编写出中国第一本阿拉伯语教材，开设阿拉伯语课。1945 年开设伊斯兰历史及文化课程，填补了中国教育史上的空白。1947 年 7 月，到云南大学任教，并被推荐至云南省教育厅兼任督学，后又被聘为云南省政府文化教育顾问。同年，所著 40 万字的《回教诸国文化史》出版。中华人民共和国成立后，历任云南大学历史系教授、系代主任，图书馆副馆长，世界史教研室主任，校学术委员会常务委员兼文科组组长等职。1958 年调北京工作，入外交部主管的外交学院创办阿拉伯语专业，兼任"德日西阿语"系主任、院学术委员会委员。亲自编写《阿拉伯语课本》、《阿拉伯语语法》教材，为外交部培养出一批急需的懂阿拉伯语并熟悉阿拉伯文化的人才。1960 年他负责的外交学院"德日西阿语"系被评为首都高教战线先进单位，个人被评为北京市先进工作者。1962 年调北京外国语学院,创办阿拉伯语系。历任亚非语系主任、系务委员会主任委员兼阿拉伯语教研室主任、教授,院务委员会委员等职。主编《阿拉伯语》(10 册)和《基础阿拉伯语语法》(4 册),成为全国各院校教授阿拉伯语所广泛采用的教材。"文化大革命"中受到冲击。1981 年成为中国第一位阿拉伯历史、文化专业的博士生导师。1982 年当选第六届全国政协委员。20 世纪 80 年代,先后到巴基斯坦、阿尔及利亚、马来西亚、沙特阿拉伯等国参加各类文化交流活动。1991年被国务院评为"对高等教育事业有突出贡献"的专家。1995 年 9 月抗战胜利 50 周年时,获中国政府授予的"抗日老战士纪念奖章"。2001 年获联合国教科文卫组织颁发的"沙迦阿拉伯文化贡献奖"。2008 年 1 月 24 日因病在北京逝世。著有《埃及近现代史》、《阿拉伯通史》(2000 年北京市哲学社会科学优秀成果一等奖)等 20 余部著作;发表了《历史上的中国与近东》、《清代云南穆斯林对伊斯兰学的教学与研究》等论文 200多篇;翻译了《伊斯兰教》、《黎明时期的阿拉伯文明》等著作。

南汉宸 (1895—1967)

原名南汝箕,山西洪洞人,1926 年10 月加入中国共产党。1927 年 6 月任河南省政府秘书主任兼第一科科长,党内受中共河南省委负责人任作民领导。1929 年夏,在开封就任省政府秘书、行政人员训练所主任和区长训练所教育长等职。他释放了关押在监狱中的中共河南省委负责人任作民等近 100 名中共党员。1930 年 7 月被杨虎城委任为陕西省政府秘书长,利用职权释放并安置了大批被关押的中共党员,并在陕西省推行新政,委派共产党员主办《西安日报》和《西北文化日报》。因此受到南京国民党当局的敌视,遂向杨虎城辞职,避难日本。1933 年 8 月回国。次年 4 月奉中共上海中央局指示,到泰山与冯玉祥共商抗日大计。不久被冯任命为中国人民反法西斯大同盟秘书长。西安事变前后,在周恩来的直接领导下,做团结张学良、杨虎城促蒋抗日的工作。1937 年 10 月在太原任第二战区总动员委员会委员兼组织部副部长,不久即主持总动员委员会工作。1938 年 9 月到延安任中共中央统战部副部长。1941 年历任陕甘宁边区参议会参议员、边区政府委员兼财政厅厅长。抗日战争胜利后,任晋察冀边区政府财政处长,领导晋察冀边区的财政工作。后历任中共中央工委财委副主任,华北财经办事处副主任,华北银行总经理。1948 年 12 月 1 日,中国人民银行成立,任行长,发行统一货币,是中国人民金融事业的创建人之一。1949 年 8 月中国民主建国会北平分会成立,被选为常务理事、理事长。中华人民共和国成立后,历任中央财经委员会委员,中国人民银行行长,中国民主建国会第一、二届中央副主任委员,中华全国工商业联合会第一届执行委员会副主任委员。是第一、二、三届全国人大常务委员。1952年春任中国国际贸易促进会主席。他多次率中国代表团出访亚、非各国,并访问了拉美国家和日本。"文化大革命"中遭受迫害。1967 年 1 月 27 日逝世。1979 年 1 月 24 日中共中央为他平反昭雪。

聂荣臻 （1899—1992）

中国人民解放军创建人和领导人之一，军事家。重庆江津人。1919 年底赴法国勤工俭学。1922 年夏就读于比利时沙洛瓦大学化学工程系；8 月参加旅欧中国少年共产党。1923 年春转为中国共产党党员。曾任旅欧社会主义青年团执行委员、团训练部副主任。1924 年10 月到苏联莫斯科，入东方大学学习，后转入红军学校学习军事。1925 年 8 月回国，任黄埔军校政治部秘书兼政治教官。1926 年任中共广东区委军委特派员，中共湖北省委军委书记，后在中共中央军委工作。1927 年 7 月中旬，被指定为中共前委军委书记，赴九江准备组织武装起义。南昌起义中组织张发奎部第25 师两个团起义，后任起义军第一军党代表；12 月，参与领导广州起义。在起义军受挫的紧急情况下，与叶挺果断决定撤退，保存了部分革命武装力量。1928 年任中共广东省委军委书记。1930 年初，任中共顺直省委组织部部长；5 月，到中共中央特科和中央军委工作，先后在香港、天津、上海等地坚持秘密斗争。1931 年 12 月进入中央根据地，历任红军总政治部副主任、红一军团政委。当选中华苏维埃共和国中央执行委员。1932 年 4 月作为红军东路军政委参与指挥漳州战役。同年冬起，与军团长林彪率部参加了第四、五次反"围剿"战斗。1934 年 10 月参加长征。在遵义会议上，支持毛泽东的主张。过金沙江后，

与刘伯承率先遣队为全军开路，通过彝族区，强渡大渡河，随后和林彪率红一军团翻雪山，过草地，攻占腊子口。1935 年 10 月到达陕北后，率部参加直罗镇和东征、西征战役。1936 年 11 月参与指挥了山城堡战役。1937 年抗日战争爆发后，任八路军第 115 师副师长、政委。与林彪一起指挥平型关战斗，取得全国抗战开始后的第一个大胜利；11 月，任晋察冀军区司令员兼政委，率 3000 人武装深入敌后抗战。1939 年冬指挥雁宿崖、黄土岭战斗，给日军以沉重打击，所辖杨成武部击毙日军中将旅团长阿部规秀。1940 年春，率主力一部参加反击国民党顽固派朱怀冰部的进攻；8 月，在百团大战中组织指挥部队在正太、津浦、平汉、北宁等路线进行破袭战。1941 年秋指挥平西反"扫荡"，粉碎了日军围歼晋察冀领导机关及主力部队的企图。1942 年起组织多支武装工作队，袭击和夺取日伪军据点，扩大游击区。领导指挥了创建晋察冀抗日根据地的斗争。1943 年秋回到延安参加整风运动。1945 年 6 月当选中共第七届中央委员。1946 年开始的解放战争期间，根据中央的战略意图，陆续抽调大量晋察冀部队和干部支援东北战场。1947 年 4 月，指挥正太战役，以大踏步进退的行动，攻占正太铁路沿线七座城市及井陉矿区，使晋察冀与晋冀鲁豫解放区连成一片；11 月，在取得清风店战役胜利后，又组织晋察冀野战军乘胜发起石家庄战役，创攻克坚固设防大城市之范例。1948 年 5 月任中共华北局第三书记、华北军区司令员。

1949 年 1 月，参与指挥平津战役；2 月，任中国人民解放军副总参谋长、平津卫戍区司令员；9 月，任北平市市长。1950 年初任中国人民解放军代总参谋长。这一时期主要完成了以下任务：①协助中央军委领导人部署解放军解放西南地区、东南沿海岛屿，清剿国民党军残余武装和土匪；②参与抗美援朝战争的组织工作；③军队精简整编，组建各军种、兵种领导机构和军事院校，制订军事条令、条例等大量工作。1954 年任人民革命军事委员会副主席，主管军队武器装备工作。1955 年被授予元帅军衔。1956 年 9 月，当选中共第八届中央委员；11 月，任国务院副总理，主管科技工作。1958 年兼国务院科学技术委员会主任。1959 年起任中央军委副主席，参与领导人民解放军的革命化、正规化、现代化建设；同年兼任国防科学技术委员会主任。

领导科技攻关，组织全国大协作，仅用五年时间就研制成功原子弹和导弹，不久又研制成功氢弹，并在研制常规武器和民用科研项目方面取得显著成果。1966 年 8 月当选改组后的中共第八届中央政治局委员。"文化大革命"期间，同林彪、江青反革命集团进行了斗争。是中共第九、十届中央委员。1975 年 1 月当选第四届全国人大常务委员会副委员长。1977 年 8 月当选中共第十一届中央政治局委员。1978 年 3 月当选第五届全国人大常务委员会副委员长。1982 年 9 月当选中共第十二届中央政治局委员。1983 年 6 月被任命为中华人民共和国中央军事委员会副主席。1985 年 9 月中共十二届四中全会批准了他辞去党内职务的要求。1992 年 5 月 14 日因病在北京逝世。著有回忆录《抗日模范根据地——晋察冀边区》和《聂荣臻回忆录》。

O

欧阳海 （1940—1963）

湖南桂阳人。出生在一个贫苦农民家庭。1959 年 1 月，参加了中国人民解放军，7 月，加入中国共产主义青年团。1960 年加入中国共产党。在部队四年中，三次荣立三等功，两次被评为五好战士。1963 年 11 月 18 日，随部队进行野营拉练途中，一匹驮着炮架的马受惊，窜上铁路。此时一列客车由远处驶来，在火车与马即将相撞的危急关头，欧阳海奋不顾身拼命将马推出了铁轨，而自己却倒在了车轮之下，以自己的生命保障了全体旅客的安全。所在部队追记他一等功，追认为"爱民模范"。国防部命名其生前所在班为"欧阳海班"。

欧阳钦 （1900—1978）

号惟亮，化名杨清、杨文渊，湖南宁乡人。长沙长郡中学毕业后，入北京高等法文专修馆学习法文。1919 年春赴法国勤工俭学，在印刷厂、汽车厂做工，曾入里昂中法大学旁听，并参加留法学生爱国请愿活动。1924 年 2 月加入中国共产主义青年团，同年 5 月转为中国共产党党员。1925 年 8 月去苏联，入莫斯科东方大学军事训练班学习。1926 年 6 月回国，被派到湖南叶挺独立团当见习军官，参加北伐战争。9 月调任中共湖北省委军委秘书，兼任武汉《国民日报》编辑。1927 年初改任中共中央军事部组织科科长。大革命失败后，留武汉做收容工作。同年 11 月到上海，任中共中央组织部秘书。1928 年秋任中央军事部组织科科长。1929 年 10 月兼任中央军事部秘书。1930 年春改为中共中央军委秘书长，8 月兼任中共中央长江局军委秘书长。参与组织指导各地建立红军和开展白区秘密军运活动等。1931 年春夏被党中央派至中央革命根据地巡视,兼任中共苏区中央局秘书长,曾回到上海书面如实报告所了解的情况。1932年调任瑞金红军学校中共总支书记兼政治保卫局特派员,不久任校政治部主任。1933年秋改任红一方面军政治部组织部部长,同年底调任红三军团政治部组织部部长。1934年春改任第六师政治部主任。参加了中央革命根据地第二至第五次反"围剿"斗争及长征。1935年先后任红三军团政治部组织部长,陕甘支队第二纵队供给部政治委员。10月长征胜利到陕北后,调任中共中央秘书长,不久后又改任中央组织部科长,陕甘省委组织部长。1936年秋陕甘省委改为陕甘工委,专做东北军西北军工作,任工委主席。西安事变后,历任中共陕西省委西北军工委书记,省委组织部部长、统战部长、宣传部长,主编《西北》杂志。1939年5月任中共陕西省委书记。1941年9月起,历任中共中央西北局调查研究局副局长,西北局副秘书长、秘书长等职。抗日战争胜利后,历任中共冀热辽分局秘书长,中共旅大地委书记,旅大区党委书记等职,参加了东北解放战争和旅大地区的接管工作。中华人民共和国成立后,历任中共旅大市委书记兼旅大市市长,中共黑龙江省委第一书记兼黑龙江省省及国务院东北协作区主任,中共中央东北局第二书记等职。被选为中共第八届中央委员,第五届全国人大常委,第五届全国政协副主席。"文化大革命"中受到诬陷和迫害。后中共中央予以平反,恢复名誉。1978年5月23日因病在北京逝世。

欧阳予倩 (1889—1962)

戏剧家、戏剧教育家。原名立袁,号南杰,艺名莲笙、兰客等,湖南浏阳人。出生在一个书香官宦家庭。从小受到良好的古典文学教育。1904年赴日,入东京成城中学读书。后往返日本与国内,回国结婚,入明治大学学习,于1908年考入早稻田大学文科。1911年回国后至1948年即开始了话剧、京剧、电影的演出、创作与经营活动。1932年加入中国左翼戏剧家联盟广州分盟。他编写过40余部话剧,导演过50余部话剧,其中最成熟的是1947年创作的话剧《桃花扇》。这出戏至今仍是中国话剧舞台的保留剧目。1949年3月,应邀到北京参加中国人民政治协商会议,并在第一届中华全国文学艺术工作者代表大会上当选为中国文联常委会委员、中华全国戏曲改进委员会筹备委员会主任。中华人民共和国成立后,曾是第一、二届全国人民代表大会代表,历任中国文联副主席、中国戏剧家协会副主席、中国舞蹈家协会主席。1950年4月出任第一任中央戏剧学院院长。1955年加入中国共产党。1959年发表的《黑奴恨》一剧,可称他的压卷之作。1962年9月21日病逝。著有《欧阳予倩剧作选》、《电影半路出家记》、《唐代舞蹈》等。

P

潘汉年 （1906—1977）

江苏宜兴人。生于世代书香之家。早年在和桥彭城中学和武进延陵公学读中学。1924年秋到无锡国学专修馆学习。此前，加入创造社。1925年秋加入中国共产党。1926年后，在南昌、武汉等地任《革命军日报》总编辑、国民革命军总政治部宣传科科长。大革命失败后，被派到上海从事革命文化活动，后任中共中央宣传部工作委员会书记。他代表党组织与鲁迅建立联系，在1928年至1929年的革命文学论争中对论战双方都做了大量工作，并发表了《普罗文艺运动的自我批判》等文章，为纠正革命文艺界宗派倾向起了一定作用。1929年10月，代表中共中央宣传部召集论战双方及有关人员开会，传达了中央关于停止论争的意见，同时进行"左联"的筹建工作。在"左联"及不久后成立的左翼文化界总同盟中任中共党组书记，对左翼文化运动的发展作出了重要贡献。这一时期，他还担任过保卫自由反帝大同盟、中国自由运动大同盟等进步组织的领导工作。1931年4月起调到中共中央保卫部门工作。1933年赴中央革命根据地，先后任中共苏区中央局宣传部部长、赣南省委宣传部部长等职。福建事变前后，代表中华苏维埃共和国临时中央政府和中国工农红军，与福建的十九路军和国民党广东省政府主席陈济棠的代表进行谈判，促成了中共与国民党内地方实力派反蒋抗日统一战线的建立。红军长征开始后，任红军总政治部宣传部部长兼地方工作部部长。1935年1月遵义会议后，被派往苏联做联络工作。1936年奉命参加中共驻苏代表团与国民党驻苏大使馆关于合作抗日的谈判。不久回国，作为中共正式代表去南京，与国民党当局进行谈判,为促成第二次国共合作做了大量工作。在此期间,他还代表中共与宋庆龄建立了联系,取得了宋庆龄对中共各项工作的配合与协助。抗战初期,先后任中共上海办事处主任,上海八路军办事处主任,参与了地下工作的恢复和整顿。此后直到解放战争时期,主要在上海、香港等地领导对敌隐蔽斗争和从事统战工作。他多次为党取得重要的战略情报,并为掩护敌占区地下党组织和工作人员做了大量工作。他曾于1938年、1945年两次去延安,分别参加中央社会部的领导工作和出席中共七大。解放战争期间,先后组织20多批共350余名爱国民主人士离开香港,转赴东北或华北解放区。1949年5月随解放军进驻上海,担任军事管制委员会秘书长。此后,先后担任了中共中央华东局和上海市委社会部部长、统战部部长,上海市委第三书记,上海市副市长等职。1955年4月3日,因所谓"内奸"问题被捕,后被判刑并被开除党籍。1977年3月在湖南含冤去世。1982年8月中共中央发出通知,为他平反昭雪。

潘天寿 （1897—1971）

画家,美术教育家。原名天授,字大颐,号寿者,浙江宁海人。7岁入私塾,课余就自学绘画,自此不辍。14岁入宁海县国民小学读书。19岁考入浙江第一师范学习。五年后毕业回乡教书。1923年到上海,任教于民国女子工校。不久,任教于上海美术专科学校国画系,教授中国画及中国绘画史。同时,参与创办上海新华艺术专科学校,任艺术教育系主任。1925年编写出《中国绘画史》。1928年春到杭州,任国立西湖艺术院中国画主任教授。1929年与林风眠等赴日本考察美术教育。1930年后,兼任上海三所专科学校的中国画教职,往返于沪杭之间。抗日战争爆发后,随校迁至重庆。1942年兼任东南联合大学、暨南大学艺术专修科及英士大学教授。1944年任国立艺术专科学校校长。1947年辞去校长职务,专事教学和创作。中华人民共和国成立后,先后任中央美术学院华东分院副院长、浙江美术学院院长。是第一至三届全国人民代表大会代表、中国美术家协会副主席兼浙江分会主席,还被聘为苏联艺术科学院名誉院士。1971年9月5日在杭州逝世。他的中国画雄怪、势壮力强,博大而静穆,近于壮美乃至崇高。他还是杰出的指画家,尤其至晚年常以指墨作巨幅大障。其书法、印章篆刻的技艺也独具风格。著作有多种版本的《潘天寿画集》以及《听天阁诗存》、《听天阁画谈随笔》、《潘天寿谈艺录》等。

裴文中 （1904—1982）

考古学家、古生物学家。字明华,河北滦县人。1927年毕业于北京大学地质系。1929年12月2日在北京周口店发现"北京人"完整头盖骨化石,为人类发展史提供了重要的证据。1933—1934年主持发掘山顶洞遗址,又获得旧石器时代晚期的古人类化石及其文化遗物。后留学法国攻读旧石器时代考古学,1937年获巴黎大学博士学位。回国后任中国地质调查所新生代研究室研究员,兼该室周口店办事处主任,并在北京大学、燕京大学和中法大学讲授史前考古学。中华人民共和国成立后,历任文化部文物事业管理局博物馆处长,中国科学院古脊椎动物与古人类研究所研究员,北京自然博物馆馆长。当选中国科学院生物学地学部委员、中国古生物学会名誉理事、中国考古学会副理事长、中国自然博物馆学会主席。50 年代以来,在广西发掘巨猿下颌骨和牙齿化石,旧石器时代中期的山西襄汾丁村遗址,旧石器时代晚期的四川资阳人化石地点,并对内蒙古萨拉乌苏遗址的地层堆积作了深入的分析。他在总结中国旧石器时代文化的基础上,又对中石器和新石器时代作了综合研究,对中国石器时代考古学的发展作出了积极贡献。1982 年 9 月 18 日因病在北京逝世。著有《周口店洞穴层采掘记》(1934)、《中国史前时期之研究》(1948)、《柳城巨猿洞的发掘和广西其他山洞的探查》(1965)等。

彭　真　(1902—1997)

原名傅懋恭,山西曲沃人。因家境贫寒,12 岁始在私塾读书。1919 年考入曲沃县立第二高等小学。1922 年考入山西省第一中学。1923 年加入中国社会主义青年团;同年转为中国共产党党员,是山西省共产党组织创建人之一。历任中共太原支部委员、书记,青年团太原地委书记,中共天津市委二、一、三部(区)委书记,中共天津地委组织部部长、职工运动委员。1925 年后任正太铁路总工会秘书。1927 年大革命失败后,历任中共天津市委代理书记、书记,中共顺直省委常委、组织部部长、代理书记。是中共在北方地区的主要领导人之一。1929 年因叛徒出卖被捕入狱。1935 年刑满出狱后,任中共天津工作组负责人。1936 年任中共北方局代表、组织部部长。1937 年 5 月,在延安参加中共全国代表大会,任大会主席团成员。抗日战争爆发后,参与部署中共在北方地区扩充抗日武装、开展游击战争、创建敌后抗日根据地的工作。1938 年任中共晋察冀分局书记。1941 年回到延安,任中央党校教育长、副校长,中共中央组织部代部长、城市工作部部长。1945 年 6 月,当选中共第七届中央政治局委员;8 月,增补为中央书记处候补书记;9 月任中共东北局书记。开赴东北执行中央"向北发展"的战略决策。后任东北民主联军政治委员。1946 年 6 月任中共东北局副书记。1947 年任中共中央工作委员会常务委员。1948 年任中共中央组织部部长、政策研究室主任;12 月兼任中共北平市委书记。1949 年 9 月当选全国政协委员、中央人民政府委员。中华人民共和国成立后,历任政务院政治法律委员会副主任、党组书记,中央政法小组组长,中共北京市委书记、北京市市长。1954 年起,历任第一至三届全国人大常务委员会副委员长,第二至四届全国政协副主席。1956 年当选中共第八届中央政治局委员、书记处书记。"文化大革命"中遭受迫害。1979 年 2 月,中共中央为他平反昭雪;6 月,补选为第五届全国人大常务委员会副委员长;9 月,增选为中共第十一届中央政治局委员。1980

年任中央政法委员会书记。1982 年 9 月当选中共第十二届中央政治局委员。1983 年 6 月当选第六届全国人大常务委员会委员长。1997 年 4 月 26 日因病在北京逝世。他为社会主义中国的法制建设作出了重要贡献。主要著作收入《彭真文选》中。

彭德怀 （1898—1974）

原名得华，号石穿。湖南湘潭人。1916 年入湘军服役。1922 年考入湖南军官讲武堂。1923 年毕业，任湘军连长。1926 年任营长。不久所在部队改编为国民革命军，参加北伐战争。1927 年冬任代理团长。1928 年 1 月任团长，4 月加入中国共产党。7 月与滕代远、黄公略率部发动平江起义，成立中国工农红军第五军任军长，开辟了湘鄂赣革命根据地。11 月率领红五军主力赴井冈山，与毛泽东、朱德领导的红四军会师。1930 年 6 月任红三军团总指挥。8 月与一军团会师后，任第一方面军副总司令。1931 年 11 月任中央革命军事委员会副主席。他参与指挥了第一、二、三次"围剿"，在保卫中央革命根据地的战斗中屡建功勋。1934 年 1 月在中共六届五中全会上，被选为中共中央候补委员。10 月率部参加长征。1935 年 1 月参加遵义会议，拥护毛泽东的正确主张。红一、四方面军会合后，同张国焘的反党分裂活动进行了坚决斗争。9 月任红军北上抗日先遣队（即陕甘支队）司令员。11 月任西北革命军事委员会副主席、中国工农红军第一方面军司令员，参与指挥了直罗镇战役。1936 年被补选为中共

中央政治局委员，先后任抗日先锋队司令员、西北野战军司令员兼政治委员，参加指挥了东征和西征。抗日战争时期，任八路军副总指挥，继任第十八集团军副总司令，协助朱德指挥八路军深入敌后，开展游击战争，开辟华北抗日根据地。1940 年秋，在华北组织发动了百团大战，使日本侵略军受到沉重打击。1942 年 8 月，任中共中央北方局代理书记。1943 年 9 月回延安，协助毛泽东、朱德指挥华北敌后抗战。1945 年在中共七届一中全会上，当选为中共中央政治局委员，任中共中央军事委员会副主席兼总参谋长。解放战争时期，任中国人民解放军副总司令，西北野战军（后为第一野战军）司令员兼政治委员。在毛泽东和中央军委的直接领导下，指挥部队在陕北地区与十倍于己之敌作战，连战皆捷，粉碎了国民政府军对陕北的重点进攻。在战略决战阶段，率部解放了西北五省。中华人民共和国成立后，任中央人民政府委员、人民革命军事委员会副主席、西北军政委员会主席、中共中央西北局第一书记、西北军区司令员。1950 年 10 月，出任中国人民志愿军司令员兼政治委员，指挥中国人民志愿军赴朝作战。1952 年回国主持中央军委日常工作。1954 年后任国务院副总理兼国防部长、国防委员会副主席，对中国人民解放军的现代化、正规化建设，作出了卓越贡献，1955 年被授予元帅军衔。1956 年在中共八届一中全会上，当选为中共中央政治局委员。1959 年 7 月在中央政治局扩大会议被错误地定为"右倾

机会主义反党分子",免去副总理和国防部长职务,并在实际上被停止了一切领导工作。1965 年重新工作,被任命为中共中央西南局的"三线"(即战略大后方)建设委员会副主任。"文化大革命"期间遭受迫害。1974 年 11 月 29 日在北京逝世。1978 年中共中央为他平反昭雪,彻底恢复了名誉。

彭桓武 (1915—2007)

"两弹一星"元勋。理论物理学家。湖北麻城人。1935 年毕业于清华大学物理系,后入研究生院读研究生,师从周培源教授。1937 年夏到昆明云南大学任教。1938 年赴英国留学,入爱丁堡大学理论物理系学习,师从量子力学奠基人 M.玻恩。1940 年以固体理论方面的论文《电子之量子理论对于金属力学和热学性质的应用》获哲学博士学位。第二次世界大战使回国的交通中断,1941年到爱尔兰都柏林高等研究院做博士后研究学者,和 W.H.海特勒合作进行介子理论方面的研究。1943 年回到爱丁堡大学做卡内基研究员,和 M.玻恩等合作进行场方面的研究工作。1945 年以《关于量子场论的发散困难和辐射反作用的严格处理》的论文获科学博士学位。同年,与 M.玻恩共同获得爱丁堡皇家学会的麦克杜加耳-布列兹班奖。随后又到都柏林高等研究院任教授两年,继续做场论和介子理论方面的研究。1947年底回国,任云南大学物理系教授。1948 年当选皇家爱尔兰科学院院士。1949 年 5 月任清华大学物理系教授。中华人民共和国成立后,于 1950 年任中国

科学院近代物理研究所研究员、理论组组长,1952 年 4 月任副所长。1955 年当选中国科学院数学物理学化学部委员。1961 年后,任第二机械工业部(核武器研制主管部门)第九研究所副所长、第九研究院副院长。领导并参加了原子弹、氢弹的原理突破和战略核武器的理论研究、设计工作。在中子物理、辐射流体力学、凝聚态物理、爆轰物理等多种学科领域取得了对实践有重要指导意义的一系列理论成果。与此同时,为中国核事业培养了一批优秀人才。1972 年任中国科学院高能物理研究所副所长、研究员。1978 年后,历任中国科学院理论物理研究所所长、名誉所长。1982 年获国家自然科学奖一等奖。1985 年获两项国家科学技术进步奖特等奖。1995年获香港何梁何利基金"科学与技术成就奖"。1999 年被中共中央、国务院、中央军委授予"两弹一星功勋奖章"。是第一至三届全国人大代表,第五届全国政协委员。2006 年 6 月 13 日,经国际天文学联合会小天体命名委员会批准,将中国科学家发现的、国际永久编号为第48798 号小行星,正式命名为"彭桓武星"。2007 年 2 月 28 日因病在北京逝世。

彭泽民 (1877—1956)

字锦泉,号镛希,广东四会人。1902年去马来西亚,初在吉隆坡当塾师,后入矿场任文书。1906 年参加中国同盟会,并任吉隆坡支部书记。1911 年武昌起义后,任吉隆坡中国青年益赛会会长。1915 年 9 月被孙中山委为中华革命党

雪兰峨副支部长。1919 年参与中国国民党芙蓉总支部工作,发起创办吉隆坡《益群报》。1925 年因支持香港工人大罢工,被当地政府驱逐回广州。12 月任广东国民政府参事。1926 年 1 月,当选为国民党第二届中央执行委员兼海外部部长。9 月,任国民政府侨务委员会委员。1927 年 3 月,任武汉国民政府委员,是当时著名的国民党左派。8 月,参加南昌起义,被推为革命委员会委员,主持党务委员会工作。起义失败后,寓居香港。1928 年 2 月,被国民党开除党籍,并被通缉。1930 年参加中国国民党临时行动委员会,并被选为中央干部会干事。1933 年"福建事变"失败后仍回香港。在香港曾向名医陈伯坛学中医,并挂牌行医。抗战爆发后,于 1938 年在香港创办《抗战华侨》杂志。1941 年 3 月,参加中国民主政团同盟。抗战胜利后,任民盟南京总支部主委和反战大同盟常委。1947 年 2 月当选为中国农工民主党中央监察委员会主席。4 月,被选为民盟南方总支部主任委员。1948 年 12 月去东北解放区。1949 年 9 月以代表身份出席第一届中国人民政治协商会议,被选为中国人民政治协商会议全国委员会常务委员。

中华人民共和国成立后,任中央人民政府委员。1954 年 9 月,当选为第一届全国人民代表大会常务委员会委员。并曾担任中国民主同盟中央常委,中国农工民主党中央副主席,中华全国归国华侨联合会主席,中国红十字会副会长,中医研究院名誉院长。1956 年 10 月 18 日在北京病逝。

皮漱石 （1897—1978）

天主教神父。1909 年起在沈阳教区小修道院和大修道院学习。1927 年祝圣为神父。后从事修道院教育工作,历任沈阳大修道院教职和小修道院、预修院代理院长。1942 年起历任大连天主堂本堂神父。1949 年被罗马教廷封为沈阳主教区总主教。中华人民共和国成立后,罗马教廷执行敌视中国人民的政策。1950 年中国天主教内的帝国主义势力,在各地破坏土地改革、抗美援朝和镇压反革命运动,从而激起广大爱国的天主教徒的义愤。1952 年底,在全国 72 个教区中,先后成立了 98 个基于"自力更生,建立自治、自养、自传的新教会"的爱国组织。1957 年 7 月,中国天主教友代表会议在北京召开。全国 100 多个教区,241 位主教、神父、教徒出席会议,成立中国天主教爱国会,当选为第一届主席。他领导中国天主教徒继续开展反帝爱国运动,走独立自主、自办教会的道路。1958 年主礼祝圣首批自选主教。1962 年第二届中国天主教友代表会议上,总结了中国天主教反帝爱国运动的经验,提出彻底实现独立自主自办的任务。并继续当选中国天主教爱国会主席。是全国政协第三至五届委员。1978 年在北京逝世。安葬于北京八宝山革命公墓。

溥 仪 （1906—1967）

满族。字浩然,姓爱新觉罗,笔名植莲,北京人。是醇亲王载沣的儿子,光绪皇帝的侄子,中国历史上最后一位皇帝。

1908 年入嗣清宫为皇位继承人。1909 年登极为清入关后第十代皇帝,年号宣统。1912 年,隆裕太后接受中华民国给予清室的优待条件,颁布《退位诏书》。从此,他开始了在紫禁城里的"小朝廷"生活。1917 年张勋复辟,他又第二次"登极",当了 12 天皇帝。1924 年 11 月 5 日,被迫接受冯玉祥将军的《修正清室优待条件》,移出紫禁城,迁入"北府"。旋即逃往日本公使馆,又移居天津日租界,在那里度过了七年寓公生活。1931 年"九一八事变",日本占领我国东北后,于 1932 年 3 月制造了伪满洲国政权,溥仪出任"执政",1934 年改任伪满洲国皇帝,年号"康德"。对东北人民犯下了罪行。1945 年日本投降后,他在逃往通化的路上,第三次颁布《退位诏书》,在沈阳机场被俘,押往苏联伯力关押。1946 年 8 月曾出席远东国际军事法庭,为审判日本战犯作证。1950 年 8 月,苏联政府将其移交给中华人民共和国政府。回国后,被送往抚顺战犯管理所改造。1953 年,在对战犯罪行调查过程中开始认罪,并把自己随身携带的文物财宝献给了国家。1959 年 12 月,中华人民共和国最高人民法院根据中华人民共和国主席特赦令,将其予以释放。1960 年 3 月,溥仪被分配到中国科学院植物研究所的北京植物园,开始了每天半日劳动半日学习的生活。1961 年 3 月,在全国政协文史资料研究委员会担任专员职务。1964 年任政协第四届全国委员会委员。1967 年 10 月 17 日因病在北京去世。有回忆录《我的前半生》、《从皇帝到老百姓:爱新觉罗·溥仪自传》留世。

Q

齐白石　（1863—1957）

原名纯芝,字渭清,号兰亭,后改名璜,字濒生,号白石。湖南湘潭人。出生在一个贫苦农民家庭。齐白石自幼喜爱画画。9 岁时因家贫辍学,他仍一边帮父母劳动,一边坚持写生。13 岁时学木匠,后改学雕花木匠,长达 11 年之久。同时,也坚持绘画达 11 年,为他日后走上绘画和篆刻的创作道路,打下良好的基础。1889 年,齐白石结识了颇有才学的塾师胡沁园和陈少蕃,在胡沁园教导下,画技大长,开始卖画养家。陈少蕃教他读书,让他结识了许多学识广博的朋友。到 1901 年的长达 12 年读书和创作生活,使齐白石完成了由雕花木匠到画家、篆刻家和诗人的转变过程。1902年,齐白石开始走出故乡,踏上了游历祖国名山大川,结识天下同行以吸收各家之长的路程,他先后到了北京、西安、桂林、梧州、广州、香港、上海、苏州、南京等城市及南北名山大川,开阔了胸怀,扩大了眼界。其间创作山水画稿甚多。1909年秋,齐白石结束游历生活,回到了故乡,定居于风景秀丽的湘潭茹家冲。齐厚积薄发,刻苦磨炼,基本形成了自己明快而自然的独特画风。1919 年,齐再次离开故乡,迁居北平,以卖画和篆刻为生。到抗日战争前的 10 多年中,他创作了 10000 余幅画和 3000 多方印章。他向陈衡恪、吴昌硕、黄宾虹等名画家学习。以继续提高自己的技艺。1929 年,齐白石受聘为国立北平艺术学院和京华美术专科学校教授。1937 年“七七事变”后,日本侵略军占领了北平。年已70 多岁的齐白石辞去了北平艺术学院和美术专科学校教授,闭门不出,宣布概不会客、不赴宴、不照相。不为日本人做事。

中华人民共和国成立以后，齐白石被聘为中央美术学院名誉教授、中央文史馆馆员，并当选为中国文学艺术界联合会主席团委员，中国画研究会和中国美术家协会主席、中国画院名誉院长。1953年，文化部授予他"中国人民杰出的艺术家"光荣称号。1954年，当选为全国人大代表。在进行创作活动的同时，齐白石还以其崇高声望从事国际和平活动。1955年，获德意志民主共和国艺术科学院通讯院士衔。1956年，获世界和平理事会颁发的1955年度国际和平奖金。齐白石一生勤于创作，留下的画稿数以万计，还有大量印章、书法和诗作。他为中国传统绘画艺术的发展，作出了杰出的贡献。1957年9月，齐白石在北京病逝。人民美术出版社整理了他的诗词、篆刻、书法和绘画作品，出版了《齐白石作品集》。

齐燕铭　（1907—1978）

蒙古族。本名齐利特氏，又名齐震、齐振勋，笔名齐鲁。北京人。1924年考入北京大学预科，两年后升入北京大学国语系。曾参加学生爱国运动。1930年大学毕业后，先后在北平大同中学、光华女子中学和保定第六中学任教。1931年"九一八事变"后，支持并参加抗日救亡运动。1933年起在北平中国大学任讲师，并到中法大学、东北大学授课，讲授中国文学史等课程，参与编辑《文史》杂志。1935年参加"一二·九"学生爱国运动，加入新学联，主编《盍旦》及《时代文化》杂志。1937年赴山东济南到十三路军干部训练班任教，并任济南《救国时报》总编辑。抗日战争爆发后，从事抗日救亡宣传工作。1938年加入中国共产党。同年冬参加鲁西北聊城抗战，任范筑先将军中校秘书。此后任鲁西北区《抗战日报》主编、政治干部训练班教务长、冀南主任公署太行办事处主任等职，参加创建鲁西北抗日民主根据地和敌后抗日游击战争。1940年到延安，在中共中央党校任教，后任中央研究院历史研究室研究员，并到鲁迅艺术学院兼课。1943年起参与创作新编平剧《逼上梁山》《三打祝家庄》，对推进戏曲改革起了带头作用。1945年7月任中国解放区人民代表会议筹备委员会副秘书长。抗日战争胜利后，先后任中国共产党赴重庆代表团和赴南京代表团秘书长，随毛泽东、周恩来工作。1947年春返回华北，先后任中共中央城工部秘书长和统战部秘书长。1949年参加召开新政协建立新中国的筹备工作。中华人民共和国成立后，历任中央人民政府办公厅主任，政务院副秘书长，中共中央统战部副部长，国务院副秘书长，周恩来总理办公室主任兼国务院专家事务管理局局长，文化部党组书记、副部长兼国务院科学规划委员会古籍整理出版规划组组长，中共中央统战部副部长，中国科学院顾问兼国家计划委员会经济研究所顾问，中国社会科学院顾问，第五届全国政协秘书长，中国戏剧家协会常务理事等职。1978年10月21日因病在北京逝世。

钱　骥　（1917—1983）

中国"两弹一星"元勋。空间技术和空间物理学家。江苏金坛人。祖辈务农,父亲是镇上的小职员。他在金坛县中学读完初中后,因家贫无力读高中,后来总算在无锡师范读完高中。1937年日寇占领金坛,他孤身一人逃难到四川,后考入中央大学师范学院理化系。由于成绩优秀,毕业后留校当了四年助教,后调入中华民国政府中央研究院气象研究所工作。1948年任气象研究所所长时,他和赵九章毅然拒绝国民党政府迁台要求。中华人民共和国成立后,历任中国科学院地球物理研究所副主任、主任、二部卫星设计院业务负责人。1952年加入中国共产党。1968年后,历任第七机械工业部第五研究院卫星总体设计部主任、第五研究院副院长、科技委副主任。1979年任中国空间技术研究院副院长。曾担任中国宇航学会理事、中国空间科学学会副理事长等职。1983年8月28日因病在北京逝世。他是我国空间技术的开拓者之一,领导过卫星总体、结构、天线、环境模拟理论研究。1964年获国家科技进步奖二等奖;1985年获国家科技进步特等奖。著有《国际通信卫星四号》《宇宙航空辞典》和译著《测震学的几个理论问题》等著作。1999年被中共中央、国务院、中央军委追授"两弹一星功勋奖章"。

钱 宁 (1922—1986)

泥沙专家。浙江杭州人。抗日战争时期在重庆求学,1939年毕业于南开中学,1943年毕业于中央大学土木工程系。后赴美国留学,1948年获艾奥瓦州立大学硕士学位;1951年获加利福尼亚大学伯克利分校博士学位。曾任加利福

尼亚大学工程研究所副研究员。在美期间,与H.A.爱因斯坦合作,发展了高度不均匀沙的输沙理论,并在河工模型率和挟沙水流结构的理论方面作出了贡献。1955年回国后,历任中国科学院水工室研究员、水利电力部水利水电科学研究院河渠研究所副所长。1973年起,任清华大学水利系教授、泥沙研究室主任。1980年当选中国科学院学部委员。1981年加入中国共产党。1984年任国际泥沙培训研究中心顾问委员会副主任。1986年获全国五一劳动奖章。1986年12月6日因病在北京逝世。他致力于黄河等重大泥沙问题的研究,为黄河的治理指明了重点,提供了科学依据。"集中治理黄河中游粗沙来源区"的成果,1982年荣获国家自然科学二等奖。参加、组织了如葛洲坝和三门峡水库等重大工程建设中的泥沙研究,为有关工程的泥沙处理提供了依据。著有《泥沙运动力学》《河床演变学》《高含沙水流运动》《动床变态河工模型率》等。1987年水利电力部在国际泥沙研究培训中心设立"钱宁泥沙科学技术奖",该项奖已成为中国泥沙界公认的崇高荣誉。

钱 瑛 (1903—1973)

女。湖北咸宁人。1923年考入湖北省女子师范学校学习。1925年参加五卅运动。1927年3月,加入中国社会主义青年团,不久转为中国共产党党员。7月,任江西九江市总工会组织干事。后调任中共广东省委宣传部干事,并从事兵运工作。1928年夏到上海,任中华

全国总工会秘书兼交通。1929 年春赴苏联，入莫斯科劳动大学和列宁学院学习。1931 年初回国，任中共湘鄂西分局职工工作委员会委员兼省总工会常委、秘书长。1932 年冬，红三军主力撤离洪湖地区，她化装突围到上海。1933 年初，任中共江苏省委妇女委员会秘书长。4 月，被国民党逮捕。1937 年 9 月经组织营救出狱。10 月任中共湖北省委组织部部长兼妇女委员会书记，后曾代理省委书记。1939 年 2 月，任中共鄂中区党委书记。10 月，任湘鄂西区党委书记。在组织抗日武装、发展壮大中共党组织方面，作出了重大贡献。此后，长期在国民党统治区从事秘密工作。1940 年 10 月后任中共南方局驻川西、川康特委代表，中共西南工作委员会书记。1942 年 2 月任中共南方局党务研究室主任兼管地下党的工作。1943 年夏到延安参加整风运动。1945 年冬任中共重庆局、南京局组织部部长。1946 年 12 月任中共上海分局委员。她坚持党在白区工作的正确方针，为在白区开辟第二条战线作出了卓越的贡献。新中国成立前夕，赴香港训练干部。1949 年 4 月，奉命带干部由香港经烟台、济南赴北平。5 月起，历任中共华中局常委兼组织部第一副部长、部长、妇女委员会书记、纪律检查委员会副书记、中南军政委员会委员、人事部长等职。1953 年任中央纪律检查委员会副书记兼政务院监察委员会副主任。1954 年 9 月任监察部部长。1956 年当选中共第八届中央委员。1960 年冬任内务部部长、中央监察委员会副书记。1961 年后主持中央监察委员会工作。在长期从事党的纪检、监察工作中，她公正无私，维护党和人民的利益，敢于向违法乱纪行为作斗争。1964 年 10 月调任中共贵州省委第二书记。"文化大革命"中遭受迫害。1973 年 7 月 26 日因病在北京逝世。1978 年 3 月 23 日中共中央为她平反昭雪。

钱昌照（1899—1988）

字乙藜，江苏常熟人。早年就读于上海浦东中学，1918 年毕业。1919 年赴英国留学，入伦敦大学政治经济学院。1922 年毕业后考入牛津大学深造，研究政治经济学。1923 年曾参加北洋政府考察团，赴美、英、日等国考察，回国后从事工业建设。1928 年任南京国民政府外交部秘书；1929 年任国民政府秘书；1930 年任国民政府教育部常务次长；1932 年任南京国防设计委员会副秘书长，后该会改为资源委员会，仍任副主任委员。抗日战争时期，他与主任委员翁文灏合作，吸收和培养了大批建设人才，在大后方兴办了一批工矿企业。抗日战争胜利后，任国民政府资源委员会委员长，计划开发资源，增强国力，但因国民党反动派发动内战无法实现，1947 年辞职。1948 年秋出国，赴英、法、比利时考察，后在香港加入中国国民党革命委员会。1949 年 6 月，在中央有关方面帮助下经香港进入解放区到达北平。9 月以特邀代表身份参加中国人民政治协商会议第一届全体会议。中华人民共和国成立后，历任政务院财经委员会委员兼计划局副局长；第一届全国人大常委会法

案委员会委员；法制委员会委员。民革
第三、四届中央委员；民革第四届中央常
委兼社会联系工作委员会副主任；对台
工作委员会副主席；民革第五、六届中央
副主席。第五、六、七届全国政协副主席
等职。还被选为第一至第四届全国人大
代表、中华诗词学会会长等。1988 年 10
月 14 日因病在北京逝世。

钱崇澍 （1883—1965）

植物学家。字雨农，浙江海宁人。
出生在一个书香门第家庭。幼时读私
塾。1904 年在清朝举行的最后一次科
举考试中考中秀才。1909 年被保送到
唐山路矿学堂学习。1910 年考取清华
留美公费生，先在伊利诺伊大学学习农
学，后又主攻植物学，于 1914 年毕业，获
理学士学位。随后到芝加哥大学进修一
年，学习植物生理学和植物生态学。
1916 年回国后，曾任南京甲种农业学
校、金陵大学、东南大学、清华大学、厦门
大学、复旦大学等校教授及中国科学院
生物研究所所长。1916 年和 1917 年发
表的《宾州毛茛的两个亚洲近似种》、
《钡、锶、铈对于水绵属植物的特殊作
用》，是我国植物分类学和植物生理学方
面的最早著作。1927 年发表的《安徽黄
山植物之初步观察》，是我国植物学和区
系学方面的最早著作之一，对植物学在
我国的建立和发展作出了贡献。1948
年当选国民政府中央研究院院士。中华
人民共和国成立后，任中国科学院植物
研究所所长、中国植物学会理事长。
1955 年当选中国科学院生物学部委员。
1965 年 12 月 28 日因病在北京逝世。晚

年他与陈焕镛一起主持《中国植物志》的
编纂和出版工作。在 1959—1965 年任
主编期间，共出版了 3 卷（全书预计 80
卷 125 册，约 4000 万字）。其他重要著
作有《中国森林植物志》、《中国植被区划
草案》等。

钱令希 （1916—2009）

工程力学家。江苏无锡人。出身于
书香门第。9 岁到家乡附近的梅村镇高
小住读，1928 年 10 月考入上海中法国立
工学院高中部。1936 年 9 月，毕业于上
海中法国立工学院土木科；10 月，被保
送去比利时留学。1938 年获布鲁塞尔
自由大学"最优等工程师"学位。回国后
正值抗日战争时期，从事铁路桥梁工程
设计工作，参加了大后方叙昆铁路的建
设。1942 年任云南大学教授。1943 年
11 月任内迁贵州遵义的浙江大学教授。
1946 年他的《悬索桥近似分析》论文，经
内迁重庆的北平图书馆推荐，在美国《土
木工程学报》上发表；《关于梁与拱的函
数分布与感应》论文，获中华民国政府颁
发的科学奖。中华人民共和国成立后，
1950 年任浙江大学土木工程系主任。
1952 年从浙江大学调到大连工学院任
教授，历任数理力学系主任、科学研究部
主任、工程力学研究所所长。1954 年担
任武汉长江大桥工程顾问。1955 年当
选中国科学院技术科学部委员。1958
年参加了南京长江大桥的规划工作。
1959 年还参加了长江三峡水利枢纽的
规划会议。从中国实际出发，他提出新
型支墩坝型—梯形高坝的建议（后为浙
江湖南镇 128 米高坝及其他几个水电工

程所采用）。20 世纪 60 年代初,他毅然承担了潜艇结构锥、柱结合壳在静水压力下的稳定分析任务,并和助手们一起,研究出复杂形状锥、柱结合壳的有利和不利形式及理论分析方法。该方法成功应用于中国核潜艇的研制,并被纳入国家设计规范。1974 年 11 月领导了大连新港海上栈桥的设计和建造工作。1978 年他领导完成的《潜水耐压的锥柱结合壳的强度和稳定性》论文及项目和"百米跨度空腹桁架全焊接钢栈桥"方案及项目获全国科学大会奖。1979 年任大连工学院副院长;6 月加入中国共产党,同年被评为全国劳动模范。70 年代末,他在中国国内倡导计算结构力学和结构优化设计。将结构力学理论用于许多建筑、桥梁、船舶等结构工程中的大型计算任务。1980 年被评为大连市特等劳动模范。1981 任大连工学院院长。1982 年他领导完成的《潜水耐压的锥柱结合壳的强度和稳定性》论文及项目获国家自然科学奖三等奖。同年当选中国科学院技术科学部常务委员。1983 年所著《工程结构优化设计》一书,获全国优秀科学技术著作一等奖。他领导开发的结构优化设计 DDDU 系统,在为火车、汽车、特种车及雷达天线等进行优化设计时均取得良好效果,在实用性上处于国际领先地位。1985 年获国家科学技术进步奖。该系统经进一步优化后,集体获 1990 年国家教育委员会科学技术进步奖一等奖和 1991 年国家自然科学奖二等奖。1992 年当选中国科学院学部主席团成员。1994 年获辽宁省功勋教

师称号。他是杰出的教育家,培养出胡海昌、潘家铮、钟万勰、程耿东等国内外著名的力学与水利工程大师。由他担任名誉理事长的"钱令希力学奖励基金会"自 1993 年成立以来,已奖励了 600 多名优秀的青年力学人才,有力地推动了力学学科的持续发展。是第二、三届全国政协委员,第三至六届全国人大代表。曾担任大连理工大学(前身为大连工学院)顾问、中国力学学会理事长、中国高等教育学会副会长、《计算结构力学及其应用》杂志主编等职。2009 年 4 月 20 日因病在大连逝世。他长期从事结构力学方面的研究,在钢结构架分析、悬索桥分析、余能理论、结构极限分析和板壳理论等方面成果丰硕。发表论文 50 余篇,散见于《中国科学》、《科学记录》、《力学学报》等国内外期刊。著作有《超静定结构学》(1951)、《静定结构学》(1952)。

钱三强　(1913—1992)

中国"两弹一星"元勋。核物理学家。浙江湖州人。中国新文化运动干将钱玄同之子。1936 年毕业于清华大学物理系。1937 年赴法国留学,在约里奥-居里夫妇指导下,在巴黎大学镭学研究所居里实验室和法兰西学院原子核化学实验室进行原子核物理的研究工作。1940 年获法国国家博士学位。先后任法国国家科学研究中心研究员、研究导师。1946 年获法国科学院亨利·德巴微物理学奖金。他在原子核物理学领域中不断获得成果,对核裂变现象的研究成果,为各国物理学界所重视。他与何泽慧等人合作,发现铀的三分裂和四分

裂现象,深化了人类对核裂变的认识。1948年夏回国,历任清华大学物理系教授、中华民国北平研究院原子学研究所所长。中华人民共和国成立后,积极参加中国科学院和各学部,以及原子能科学研究基地的组建。历任中国科学院近代物理研究所所长、计划局局长、学术秘书处秘书长、院副秘书长;第二机械工业部(核武器研制的主管部门)副部长、中国科学院副院长、浙江大学校长、国务院学位委员会副主任、全国自然科学奖励委员会副主任、全国自然科学名词审定委员会主任。1954年加入中国共产党。历任第二机械工业部党委委员、中国科学院党组成员等职。1955年当选中国科学院数学物理学化学部委员。"文化大革命"中受到冲击。他是第一、三、四、五届全国人民代表大会代表,第一、六、七届全国政协常务委员会委员。曾担任中国科学技术协会副主席、中国物理学会副理事长、理事长、中国核学会名誉理事长等职。1992年6月28日因病在北京逝世。他为中国原子能科学事业的创立和"两弹"的成功爆炸,作出了卓越的贡献。1999年被中共中央、国务院、中央军委追授"两弹一星功勋奖章"。

钱学森　(1911—2009)

人民科学家、"两弹一星"功勋。浙江杭州人。1923年9月进入北京师范大学附属中学学习。1929年9月以优异成绩考入上海交通大学机械工程系。1934年6月大学毕业后,考取清华大学公费留学生。1935年9月赴美国留学,入麻省理工学院航空系学习,此前已到杭州

笕桥飞机场和南京、南昌飞机修理厂实习1年。1936年9月转入美国加州理工学院航空系,在世界著名力学大师冯·卡门教授指导下,从事航空工程理论和应用力学的学习研究,先后获航空工程硕士学位,航空、数学博士学位。1938年7月起,历任美国加州理工学院航空系助教、讲师、副教授,麻省理工学院航空系副教授、教授,加州理工学院航空系教授和喷气推进中心主任等职。从事空气动力学、固体力学和火箭、导弹等领域的研究。他与导师共同完成的高速空气动力学问题研究课题和建立的"卡门—钱近似"公式,使他在28岁时成为世界知名的空气动力学家;独立完成的《关于薄壳体稳定性的研究》,使他在航空技术工程理论界获得很高声誉。他提出的火箭与航空领域中的若干重要概念、超前设想和科学预见,尤其是执笔撰写的有关美国战后飞机和火箭、导弹发展展望的报告,奠定了他在力学和喷气推进领域的领先地位。他开创了工程控制论、物理力学两门新兴学科,为人类科学事业的发展作出了重要贡献。他在美国学习工作期间,始终心系祖国,密切关注国内局势变化,决心早日学成报效祖国。1948年为了准备回国,他退出美国空军科学顾问团,辞去海军军械研究所顾问职务。1949年中华人民共和国成立后,他回国的心情更加急迫。1950年夏为了顺利返回祖国,他向加州理工学院提出回国探亲,但临行前被以莫须有的罪名拘捕,遭受无理羁留达5年之久。他不屈不挠、顽强斗争,在中国共产党和国

家领导人的亲切关怀下,经过中国政府的严正交涉和国际友人的热心援助,冲破重重阻力,于1955年10月回到祖国,并立即投入到社会主义中国建设的热潮中。11月起,为筹建中国科学院力学研究所,他深入东北地区有关厂矿、大学和研究所考察调研,召集国内科研院所的领导和专家座谈讨论,统一建所思想,明确建所方针,在不到3个月的时间,领导组建了力学研究所。1956年1月,担任中国科学院力学研究所所长。2月,在周恩来总理鼓励和支持下,他起草了《建立我国国防航空工业的意见书》,为中国火箭和导弹技术的创建与发展提供了极为重要的实施方案。3月,中共中央、国务院决定制定中华人民共和国第一个科学技术发展远景规划纲要(1956—1967),他担任综合组组长,主持起草建立喷气和火箭技术项目的报告书,为推动社会主义中国的科学技术、工业、农业、国防发展起到了重要作用。同时,参与筹备组建中国导弹航空科学研究领导机构航空工业委员会,受命负责组建中国第一个火箭、导弹研究机构——国防部第五研究院。10月,任国防部五局第一副局长、总工程师兼国防部第五研究院院长,后又兼任国防部第五研究院一分院院长,担负起中国导弹航天事业技术领导工作的重任。研究院成立之初,在组建液体导弹研制队伍的同时,他预见性地组织科技人员探索固体复合推进剂,为后来研制固体火箭发动机和固体地地战略导弹打下了良好基础。同时,他还设立空气动力研究室,组建了中国第一个空气动力学专业研究机构。同年获中国科学院自然科学奖一等奖。1957年9月他作为科学技术顾问随国务院副总理聂荣臻赴苏联访问,为中苏新技术协定的顺利签订做了大量卓有成效的工作。访苏归来后,遵照中共中央提出的国防工业发展方针,突出抓了技术消化、科研协作和制度建设等工作,参加了导弹卫星发射试验基地勘察选址,负责运载火箭、人造卫星以及卫星探测仪器的设计、协调及研究机构建立等工作。中苏关系破裂后,面对苏联撕毁协定、撤走专家的困难局面,他团结带领科技人员艰苦奋斗,联合攻关,依靠中国自身力量,实现了导弹武器研制试验一系列重大突破。同年被增选为中国科学院数学物理学化学部委员。1958年10月加入中国共产党。1960年2月,他指导设计的中国第一枚液体探空火箭发射成功。11月,协助聂荣臻成功组织了中国第一枚近程地地导弹发射试验。1964年6月,作为发射场最高技术负责人,同现场总指挥张爱萍将军一起组织指挥了中国第一枚改进后的中近程地地导弹飞行试验。1965年1月任第七机械工业部副部长、党组成员,主持制定了《火箭技术八年(1965—1972)发展规划》,组织领导地地导弹、地空导弹、岸舰导弹和固体火箭发动机、固体燃料导弹、运载火箭以及卫星研制试验等任务。1966年10月,他作为技术总负责人,协助聂荣臻组织实施了中国首次导弹与原子弹"两弹结合"试验,把国防现代化建设向前推进了一大步。1968年2月兼任新成立的中国空间技术研究院院长,在周恩来总理等中央领导同志的支持下,他努力排除"文化大革命"的干扰,狠抓研究院机构组建、工作规划、基础设施建设和卫星研制质量,指导地面发射和跟踪测量系统建设。1969年4月当选中共第九届中央候补委员。1970年4月,他牵头组织实施了中国第一颗人造地球卫星发射任务,成为社会主义中国科技发展史上的一座重要里程碑。6月,任国防科学技术委员会副主任、国防科工委科学技术委员会副主任。他全身心投入国防科学技术领导工作,参与组织实施中国导弹航天技术领域重大型号研制和发射试验,并开始从更高层次思考其他领域诸多重大科学和技术问题,提出了许多创新、超前的思想。1971年3月组织完成"实践一号"卫星发射试验,首次获得中国空间环境探测数据,为研制应用卫星、通信卫星积累了经验。1972年起,在"文化大革命"干扰破坏十分严重的情况下,他参与组织领导了运载火箭和洲际导弹研制工作,提出了建立导弹航天测控网概念;领导设计制造了中国第一艘核动力潜艇;组织启动了远洋测量船基地建设工程;指挥成功发射了中国第一颗返回式卫星,使中国成为继美国、苏联之后第三个掌握卫星回收技术的国家。1973年8月当选中共第十届中央候补委员。1977年8月当选中共第十一届中央候补委员。1978年进入改革开放新时期,他先后于1980年5月、1982年10月、1984年4月参与组织领导了中国洲际导弹第一次全程飞行、潜艇水下发射导弹和地

球静止轨道试验通信卫星发射任务,为实现中国国防尖端技术的新突破建立了卓越功勋。他潜心研究的工程控制论、系统工程理论,广泛应用于军事、农业、林业乃至社会经济各个领域的实践活动,在中国现代化建设中发挥了重要作用。他敏锐把握信息技术对人类社会发展的深远影响,积极倡导信息技术研究应用和信息产业发展,为推动军队信息化建设作出了重要贡献。1982年9月当选中共第十二届中央候补委员。1985年获国家科技进步特等奖。1986年起,历任中国人民政治协商会议第六、第七、第八届全国委员会副主席,其间曾负责全国政协科学技术委员会的工作,在团结广大科技工作者进行政治协商、民主监督和参政议政方面发挥了重要作用,为巩固和加强中国共产党领导的多党合作和政治协商制度作出了积极贡献。1989年6月获得"小罗克韦尔奖章"和"世界级科学与工程名人"、"国际理工研究所名誉成员"称号。他从1980年起,历任中国科学技术协会副主席、主席,1991年5月担任中国科学技术协会名誉主席。其间,他积极践行科学技术是第一生产力的战略思想,开创、推动面向企业的"讲理想、比贡献"竞赛活动,引导企业科技工作者把振兴中华的理想与企业发展目标和个人理想有机结合起来,促进群众性技术创新活动蓬勃开展;积极推动科技兴农活动,倡导发展沙草产业,支持开展多种形式的送科技下乡活动,帮助农民依靠科学技术脱贫致富;倡议设立"中国科协青年科技奖"(1994年

更名为"中国青年科技奖"),促进优秀青年科技人才脱颖而出,培养造就了一批优秀的青年学术和技术带头人;他主持成立中国科学技术讲学团,倡导学科交叉融合,促进自然科学与社会科学联盟,支持编纂出版《中国科学技术专家传略》,充分发挥科协组织在社会主义精神文明建设中的重要作用。他高度重视科协工作的理论研究,推动理顺科协管理体制,加强科协工作制度化规范化建设,为发挥好科协组织横向联系广泛、组织网络健全的独特优势,促进科学技术的繁荣发展和普及推广、促进科技人才的成长和提高,作出了突出贡献。他对社会科学研究也投入了很大精力。他深入学习和研究马克思主义哲学,并用以指导研究工作,在自然科学与社会科学的结合点上,诸如系统工程与系统科学、思维科学、科学技术体系与马克思主义哲学等研究领域,作出了许多开创性的贡献。1991 年 10 月被国务院、中央军委授予"国家杰出贡献科学家"荣誉称号,被中央军委授予一级英雄模范奖章。1994年当选中国工程院首批院士。1999 年 9月被中共中央、国务院、中央军委授予"两弹一星"功勋奖章。2001 年国家主席江泽民号召"向人民科学家钱学森同志学习"。他是第二届全国政协委员。还曾担任中国力学学会、中国自动化学会第一届理事会理事长,国际自动控制联合会第一届理事会常务理事,中国宇航学会、中国力学学会、中国系统工程学会名誉理事长等职。2009 年 9 月被评为"100 位新中国成立以来感动中国人物"。10 月 31 日因病在北京逝世。著有《工程控制论》、《物理力学讲义》、《星际航行概论》、《论系统工程》等。

秦基伟　(1914—1997)

湖北红安人。1927 年加入农民赤卫队,参加黄麻起义。1929 年 8 月参加中国工农红军。1930 年 4 月加入中国共产党。历任红四方面军经理处监护连排长、总部手枪营连长、少共国际团连长。参加了鄂豫皖苏区的历次反"围剿"斗争。1933 年后,历任中共四川红江县委委员兼军事指挥长、红四方面军总部警卫团团长、红 31 军 274 团团长等职。参加了开辟川陕根据地的斗争。1935 年 5月参加红四方面军长征,任补充师师长、后方梯队梯队长。1936 年任红四方面军总部第四局参谋。参加红军西路军与回族"马家军"军阀在河西走廊的战斗,失败后被俘;后与被俘战友机智逃脱。1937 年 7 月抗日战争爆发后,历任游击武装"秦赖支队"司令员、晋冀豫军区第一分区司令员、晋冀豫军区作战科长、参谋处处长、新编 11 旅副旅长、太行军区第一分区司令员兼中共太行地委书记等职。参加了创建太行地区敌后抗日根据地的斗争。1945 年 8 月任太行军区司令员,后任军事调处执行部石家庄执行小组中共代表方组长。1947 年 8 月任晋冀鲁豫野战军第九纵队司令员。1949 年 2月任第二野战军第四兵团 15 军军长。参与了第二野战军在解放战争时期的历次重大战役。中华人民共和国成立后,于 1950 年 2 月率部挺进云贵高原,参加解放大西南的战斗。1951 年参加抗美援朝,任中国人民志愿军第 15 军军长。1952 年 10 月直接指挥了上甘岭战役。该战役胜利结束后,迫使以美国为首的联合国军,于 1953 年 4 月 26 日同意恢复被他们数次中断的停战谈判。荣获朝鲜民主主义人民共和国一级国旗勋章和两枚二级国旗勋章。1953 年后,任云南军区副司令员、昆明军区副司令员。1955 年被授予中将军衔。1957 年南京军事学院战役系毕业后,任昆明军区司令员、中共云南省委常委兼书记处书记。1960 年完成了中缅边境勘界警卫作战。是第三届国防委员会委员。"文化大革命"中受到冲击。1973 年 7 月,任成都军区司令员;8 月,当选中共第十届中央委员。1975 年 10 月后,历任北京军区第二政委、第一政委、司令员等职。1977 年 8 月当选中共第十一届中央委员。1982 年 9 月当选中共第十二届中央政治局候补委员。1987 年 10 月当选中共第十三届中央政治局委员。1988 年 4 月任国务院国务委员兼国防部部长,中央军事委员会委员。同年被授予上将军衔。1993 年 3 月当选第八届全国人大常务委员会副委员长。1997 年 2 月 2 日因病在北京逝世。

邱少云 (1931—1952)

重庆市铜梁人。1949 年 10 月参加革命。1951 年参加中国人民志愿军,为第 15 军第 29 师第 87 团第 9 连战士。1952 年 10 月,在平康前线反击 391 高地战斗中,所在连队担任突击任务。战前潜伏时,不幸被敌人打来的燃烧弹击中。为了部队的安全和胜利,忍受了烈火烧身的剧痛,一动不动直至献出年轻的生命,保证了潜伏的成功。反击部队当晚胜利攻占了 391 高地,全歼守敌一个加强连。被所在部队党委追认为中国共产党党员。被中国人民志愿军领导机关追记特等功,授予一级战斗英雄称号。被朝鲜民主主义人民共和国授予"朝鲜民主主义人民共和国英雄"称号和朝鲜民主主义人民共和国一级国旗勋章及金星奖章。

邱竹贤 (1921—2006)

有色金属冶金专家、教育家。江苏海门人。少年时随父学习中医,14 岁时父亲病故后,入海门中学半工半读。1937 年抗日战争爆发,考上暨南大学公费生,上海沦陷学校要迁移,于 1939 年重新考入交通大学唐山工程学院矿冶系,年底转赴贵州平越县学习。1943 年毕业后,进入中华民国资源委员会在重庆綦江的电化冶炼厂任技术员。1945 年参加冶炼铝试验工作。抗日战争胜利后,奉调到中华民国资源委员会在高雄的台湾铝厂任工程师。1949 年春回到大陆。中华人民共和国成立后,在浙江省立台州中学任英语教师。1950 年到抚顺铝厂任工程师,从事建设铝厂和培训技术人员的工作。除了苏联专家他是中国唯一有冶炼铝经验的工程师,为中国铝工业的发展作出了重要贡献。1955 年调入东北工学院(今东北大学)从事教学和研究工作,建立起了中国第一个有色金属冶金学科,任轻金属冶金教研室主任、副教授,1962 年任有色冶金系主任,1978 年任教授。他对熔盐湿润、渗透、阳极效应和金属雾等四种界面现象提出了新的见解和理论,形成了一门新学科,并组建了学术队伍,为中国铝工业的技术进步、节省电能作出了重要贡献。1986年被评为全国冶金教育先进工作者。1987年当选挪威技术科学院外国院士。1989年"金属溶解和电流效率研究"获国家教育委员会科学技术进步奖二等奖;被评为辽宁省优秀教师;当选挪威科学院外国院士。1990年"铝电解中的界面现象和界面反应研究"获国家教育委员会科学技术进步奖一等奖。1991年"铝电解中若干物理化学问题的研究"获国家自然科学奖三等奖;被评为全国高等教育有突出贡献的专家。1995年当选中国工程院院士。2006年7月28日因病在沈阳逝世。他是中国铝冶金的奠基人。著有《铝冶金物理化学》、《预焙槽炼铝》、《铝电解》(教材,合著)等。

裴法祖 (1914—2008)

外科医学家、教育家。浙江杭州人。出生在一个书香门第家庭。1932年之江大学附属中学毕业,考入上海同济大学医学院预科班学习(外语为德语)。1936年医学院前期结业后赴德国留学。1939年获慕尼黑大学医学院医学博士学位后,先后在慕尼黑大学附属医院、慕尼黑市立医院、都尔市立医院工作,历任医师、副主任医师,获德国外科专科医师证书。1945年任都尔市立医院外科主任。1946年10月回国,任上海同济大学医学院附属中美医院外科副主任、主任、教授。开展了多种复杂的普通外科手术乃至脑外、矫形等手术,开创了中国外科

手术的新局面。中华人民共和国成立后,继续在上海工作,1955年支援内地建设,任武汉医学院第二附属医院外科主任、教授。1957年在上海、武汉两地开展中国最早的肝切除手术。1958年又率先尝试器官移植动物实验,为中国开展临床肝移植奠定了坚实的基础,是中国最早开展临床肝移植手术者之一。20世纪60年代,他担任全国晚期血吸虫病外科治疗组组长,深入农村推广开展脾切除手术,使绝大多数病人手术后不同程度地恢复了劳动能力。他在1960年首创胃底环扎术和胃底横断的基础上,于1972年又创造了贲门周围血管离断术,为治疗晚期血吸虫病肝硬化致门静脉高压症、食管静脉曲张大出血开创一种崭新的断流型手术,并在国内得到广泛应用。1978年任武汉医学院副院长兼器官移植研究所所长;其"门静脉高压症外科治疗"方法获全国科学大会奖;当选全国科学技术先进工作者。1979年他的肝移植研究获卫生部科技成果甲等奖。1981年任武汉医学院院长。1984年任同济医科大学名誉校长。1985年获联邦德国政府"大十字功勋"勋章。1993年当选中国科学院生命科学和医学部院士。2000年任华中科技大学同济医学院名誉院长;获中国医学科学院中国医学科学奖。2001年获中国医学基金会医德风范终身奖。2004年湖北省政府授予他"人民医学家"称号;将历次所获奖金140万元,捐出设立"裴法祖普通外科医学青年基金",以奖励45岁以下作出成绩的外科医生;获德

国宝隆奖章、中国肝胆外科"突出贡献金质奖章"。他医术精湛，对脑外科、泌尿外科、矫形外科造诣精深，尤其擅长腹部及基本外科。改进的手术操作有"局部麻醉下甲状腺大部切除术"、"胃大部切除术"等20余种，他是中国普通外科及肝胆外科、器官移植外科的主要创始人和奠基人，有"中国外科之父"之称；其刀法以精准见长，被医学界称为"裘氏刀法"。20世纪90年代中期以来，他致力于胆道流体力学与胆结石成因的研究。在其具体指导下，自体外牛胆汁中研制培育出"体外培育牛黄"，已被批准为国家一类新药并投入生产。他是第三届全国政协委员，第四至七届全国人大代表。曾担任《中华器官移植》杂志主编、《中华外科》杂志副主编、《腹部外科》杂志总编辑、《大众医学》杂志主编、《同济医科大学学报》（英、德文版）主编、《德国医学》（中文版）主编等职。2008年6月14日因病在武汉逝世。他发表的医学论文有200余篇。主编了《一般外科手术学》、《外科学》等教材，培养了大批外科医学人才，获国家最高科学技术奖的吴孟超院士就出自其门下。

屈　武（1898—1992）

陕西渭南人。早年在西安私立成德中学学习。1919年五四运动时，作为陕西学生联合会会长，被推举为陕西学生代表赴北京请愿；9月，因参加学生运动在西安被捕，后被营救出狱。1920年考入天津南开中学读高中。1922年夏考入北京大学学习，不久任进步组织共进社常务主席。1923年春加入中国社会主义青年团，任北京大学团支部书记、青年团北京地委候补委员。1924年任国民党北京特别市党部核心成员。1925年初加入中国共产党。1926年1月当选国民党中央候补执行委员。同年赴苏联，入中山大学学习。毕业后入伏龙芝军事学院学习军事。1938年回国，历任国民党军事委员会顾问处处长、中华民国立法委员、少将参议、中苏文化协会秘书长、陕西省政府委员兼建设厅厅长等职。1941年皖南事变后，与王昆仑、王炳南、许宝驹等人在重庆成立中国民主革命同盟。1945年抗日战争胜利后，任新疆省政府委员兼迪化（今乌鲁木齐）市市长。1949年初，任中华民国政府代表团顾问，赴北平参加国共和谈；9月返回新疆，全力投入促成新疆和平解放的工作，为新疆和平解放作出了贡献。中华人民共和国成立后，历任西北军政委员会委员、新疆迪化市市长、政务院副秘书长兼参事室副主任等职。1950年重新加入中国共产党。后任国务院对外文化联络委员会副主任、第一届全国人大常务委员会副秘书长、中苏友好协会会长等职。"文化大革命"中受到冲击。1979年任中国国民党革命委员会第五届中央副主席，后任代主席、主席、名誉主席。是第一、二、五届全国人大代表，第三至五届全国政协常务委员。1983年6月当选全国政协第六届副主席、祖国统一工作组组长。1988年4月当选全国政协第七届副主席。曾担任孙中山研究会名誉顾问。1992年6月13日因病在北京逝世。

R

饶漱石 （1903—1975）

曾用名梁朴,江西临川人。1923 年加入中国社会主义青年团。1925 年加入中国共产党。长期从事党的地下工作。1927 年曾作为中共中央代表,到赣东北巡察地方党的工作。1928 年任共青团浙江省委书记。1929 年任共青团满洲省委书记,一度代理中共满洲省委书记。1930 年在奉天(今沈阳)被国民党当局逮捕,1931 年出狱。1932 年后任上海工会联合会党团书记,中华全国总工会秘书长,全总上海执行局党团书记。1935 年赴苏联,任全总驻赤色职工国际代表。1936 年被派到美国工作,抗日战争爆发后回国。1940 年夏任中共中央东南局副书记。1941 年 1 月皖南事变中成功突围。5 月,任中共中央华中局副书记兼宣传部长、中共中央军委华中军分会常委。1942 年后任华中局代理书记、新四军代理政治委员、新四军政治部主任。参与领导华中敌后抗日斗争,为新四军和华中抗日根据地的发展做了许多工作。1945 年 6 月当选中共第七届中央委员,同年底任新四军兼山东军区政治委员。解放战争时期,任中共中央华东局书记、第一书记;第三野战军及华东军区政治委员。中华人民共和国成立后,任中共中央华东局第一书记、华东军政委员会主席、中央人民政府人民革命军事委员会委员。1952 年任华东行政委员会主席。1953 年 4 月调任中共中央组织部部长。在中央财经工作会议和组织工作会议期间,与担任国家计委主任的高岗勾结在一起,进行大量非组织活动,妄图以阴谋手段分裂中共中央,篡夺党和国家最高领导权。次年 2 月在中共七届四中全会上,与高岗的反党活动被揭露出来,受到了批判,但毫无悔改之意。1955 年 3 月被中国共产党全国代表会议开除党籍，撤销党内外一切职务；4 月，以包庇反革命等罪名被公安部逮捕。1965 年 8 月，被最高人民法院判处有期徒刑 14 年，剥夺政治权利 10 年。1975 年 3 月 2 日病死狱中。

任弼时　（1904—1950）

湖南湘阴人。原名培国。中学时代在长沙参加进步学生运动，并加入毛泽东组织的俄罗斯研究会，在湖南青年中颇负盛名。1920 年秋，加入中国社会主义青年团。1921 年春，同刘少奇、萧劲光等赴莫斯科东方大学学习。1922 年 1 月转入中国共产党。1924 年秋回国。1925 年 1 月，当选为青年团中央执行委员兼任团中央组织部长，5 月后，任代理总书记、总书记。在青年团第四次全国代表大会上继续当选为中央执行委员，并任团中央书记。是中共五大、六大中央委员，是“八七”会议成立的临时中央政治局委员。1928 年至 1929 年曾两次被捕，获释后于 1930 年春到武汉担任中共长江局委员、湖北省委书记兼武汉市委书记。1931 年 1 月，中共六届四中全会上当选为政治局委员；3 月，被派往中央革命根据地。历任中共苏区中央局委员兼组织部长、中共湘赣省委书记兼湘赣军区政治委员、中国工农红军红六军团军政委员会主席。1934 年 8 月，与萧克、王展率领红六军团作为中央红军战略转移的先遣队突围西征；10 月，与贺龙率领的红三军（后恢复红二军团番号）会合，开创了湘鄂川黔革命根据地，并任中共湘鄂川黔边省委书记兼军区政治委

员。1935 年 11 月，奉命率红二、六军团突围长征。1936 年 7 月到达西康甘孜地区与红四方面军会合。红二、六军团与红三十二军组成红二方面军，任政治委员。同朱德、贺龙、刘伯承等一起对张国焘分裂党和红军的活动进行了坚决斗争，促使红四方面军与红二方面军共同北上，为维护党的统一和红军的团结作出重要贡献。1937 年 7 月后任八路军政治部主任、中央军委总政治部主任等职。1938 年春，受中共中央委派赴莫斯科，任中共驻共产国际代表团负责人。1940 年 3 月回到延安，参加中共中央书记处工作。1941 年 9 月，任中共中央秘书长。在抗日战争最困难时期，参与领导整风运动和陕甘宁边区大生产运动。1943 年 3 月，中央政治局会议决定，由毛泽东、刘少奇、任弼时组成中央书记处，根据政治局决定的方针处理日常工作。1944 年 5 月，参加中共六届七中全会，主持起草《关于若干历史问题的决议》并负责中共第七次全国代表大会的筹备工作，为七大确立毛泽东思想为全党指导思想发挥了重要作用。1945 年 6 月 19 日，中共七届一中全会上当选为政治局委员、书记处书记。1946 年 4 月，主持研究解放区土地问题和财政、金融、贸易问题的会议，中共中央根据这次会议讨论的情况，发出了“五四指示”，开始了解放区的土地改革运动。1947 年 3 月，中共中央主动撤出延安后，同毛泽东、周恩来继续留在陕北主持中央工作，并任中央直属支队司令员。1948 年 1 月，代表中共中央在西北野战军前委扩大会议上作

《土地改革中的几个问题》的报告,中共中央把这个报告作为土地改革运动的指导文件转发全党,为保证土地改革的正确进行发挥了重大作用。1949年4月,带病主持新民主主义青年团第一次全国代表大会,在向大会作政治报告时,因身体支持不住,未能把报告作完,被大会推举为青年团名誉主席。1949年10月1日,因病未能登上天安门城楼参加开国大典。1950年5月,病情稍有好转即恢复工作。10月25日,因劳累过度突患脑溢血,27日病逝于北京。主要著作编为《任弼时选集》。

任长霞 （1964—2004）

模范基层警察、一级警督。女。河南睢县人。1981年9月在河南省人民警察学校学习。1983年毕业后任郑州市公安局中原分局预审科科员。1992年11月,在郑州市公安和政法系统岗位练兵大比武中,获两个系统的冠军;12月加入中国共产党。1994年8月,任郑州市公安局中原分局预审科副科长;11月,在河南省预审岗位练兵大比武中,夺得第一名。她直接审理了各种刑事案件1072件,追捕逃犯950名,创造了河南省预审战线的辉煌一页。1996年4月,任郑州市公安局中原分局法制室主任;10月,任郑州市公安局法制室副主任。1998年11月任郑州市公安局技侦支队支队长。多次化装侦查深入一线,先后打掉七个涉黑团伙,抓获犯罪嫌疑人370多名,被誉为"女神警"。2001年4月任登封市公安局党委书记、局长。2002年10月,兼任郑州市公安局副县级侦查员,12月,自学考试公安大学管理专业本科毕业,获学士学位。她整顿队伍,严肃警风,严格执法,解决了登封市十多年来的控申积案,共办理查结230多件;破获各种刑事案件2870多件,抓获犯罪嫌疑人3200余名,有力地维护了登封的社会治安和政治稳定的大局。参加公安工作多年,荣立个人一、二等功各1次,三等功4次,还荣获全国五一劳动奖章、全国青年岗位能手、中国十大女杰、全国三八红旗手、全国优秀人民警察、河南省优秀人民警察等荣誉称号。2004年4月15日因车祸殉职;6月公安部追授她"全国公安系统一级英雄模范"。

任继愈 （1916—2009）

哲学家、宗教学家、历史学家。字又之,山东平原人。出生在一个封建大家族中。少小离家,进入北平大学附属高中读书。1934年考入北京大学哲学系学习。1937年抗日战争爆发,北京大学、清华大学和南开大学奉命迁到湖南长沙,半年后又奉命迁往云南昆明,成立西南联合大学。他报名参加了由长沙出发步行到昆明的"湘黔滇旅行团"。在这次历经六十余天、七百多公里路的旅行中,充分接触到了社会最底层的普通民众。国难当头,生活于困顿之中的民众却能舍生取义,拼死抗敌,此种精神使他深受震撼。1938年毕业,1939年考取西南联大北京大学文科研究所第一批研究生,师从汤用彤和贺麟教授,攻读中国哲学史和佛教史。1941年毕业获硕士学位。1942年在北京大学哲学系任教,历任讲师、副教授、教授，先后在北京大学讲授中国哲学史、宋明理学、中国哲学问题、朱子哲学、华严宗研究、佛教著作选读、隋唐佛教和逻辑学等课程，并在北京师范大学担任中国哲学史课程。1956年起兼任中国科学院哲学研究所研究员，为社会主义中国培养第一批副博士研究生。1964年负责筹建国家第一个宗教研究机构——中国科学院世界宗教研究所，任所长。"文化大革命"中受冲击。1978年起招收宗教学硕士生、博士生，1985年起与北京大学合作培养宗教学本科生，为国家培养了大批宗教学研究人才。1987年任国家图书馆馆长，兼北京大学教授。1999年当选为国际欧亚科学院院士。2005年1月任国家图书馆名誉馆长。他把总结中国古代精神遗产作为自己一生的追求和使命，致力于用唯物史观研究中国佛教史和中国哲学史。其学术成果：（一）在中国古代诸子百家中，他最初相信儒家。中华人民共和国成立后，接受了马克思主义。在用马克思主义总结中国古代哲学的工作中，他是做得最好的一位。由他主编的《中国哲学史》（四卷本）从20世纪60年代开始，就是大学哲学系的基本教材。40年来，培养了一代又一代哲学工作者。（二）20世纪50年代，他把对佛教哲学思想的研究作为研究中国哲学的组成部分。连续发表了几篇研究佛教哲学的文章，受到毛泽东的高度重视。这些论文后来以《汉唐佛教思想论集》出版，成为社会主义中国用马克思主义研究宗教问题的奠基之作。（三）提出了"儒教是教说"，这一判断根本改变了对中国传统文化性质的看法，是认识中国传统文化本来面貌的基础性理论建树。"儒教是教说"逐渐得到学术界的理解和赞同。（四）领导了大规模的传统文化的资料整理工作。从20世纪80年代开始，领导了《中华大藏经（汉文部分）》的整理和编纂工作。全书106册，1.02亿字。目前，《中华大藏经（下编）》也已经启动，预计2亿—3亿字。同时，又主持编纂《中华大典》，预计7亿字。（五）始终坚持以科学无神论为思想基础的马克思主义宗教观，坚持宗教研究中的马克思主义立场，坚持用无神论思想批判形形色色的有神论，抵制各种打着科学和民族文化旗号的土洋迷信。在他的领导下，创办了中华人民共和国成立以来、也是迄今为止唯一的以宣传无神论为宗旨的杂志——《科学与无神论》。曾担任中国哲学史学会会长，中国社科基金宗教组召集人，中国无神论学会理事长、学术界的代表，王羲之艺术研究院学术顾问等职。2009年7月11日因病在北京逝世。著作——专著有《汉唐佛教思想论集》、《中国哲学史论》、《任继愈学术论著自选集》、《任继愈学术文化随笔》、《老子全译》、《老子绎读》等；主编有《中国哲学史简编》、《中国哲学史》（4卷本）、《中国佛教史》（8卷本，已出第1、2卷）、《宗教词典》、《中国哲学发展史》（7卷本，已出第1、2卷）等；主要论文收集在《汉唐佛教思想论集》和《中国哲学史论》中。

荣德生　（1875—1952）

民族资本家。名宗铨，江苏无锡人。

其子荣毅仁 1993—1998 年担任中华人民共和国副主席。荣德生幼年入私塾。十四五岁与其兄荣宗敬到上海钱庄学生意。后其父在上海鸿升码头自家开办广生钱庄，他负责管正账。1899 年秋，到广东任河补抽税局总账房。工作之余看书练字，阅读了介绍西方经济发展的书刊《事业杂志》、《美国十大富豪传》等。1902 年与其兄在无锡创办保兴面粉厂（后改名茂新面粉厂）。从此，荣氏兄弟开始创办实业。1903 年在上海又创建福新面粉厂。1908 年广生钱庄歇业，从此荣氏兄弟专心致力发展实业。1910 年 2 月，使用新设备后，面粉质量大幅度提高，第一次打出了"兵船"牌商标，扭转了近三年的亏损局面。此后，"兵船"牌面粉大量出口国外。1915 年在上海创办申新纱厂。至 1932 年，荣氏企业已拥有茂新、福新、申新三大系统二十一间工厂（不包括公益铁厂，济南、郑州打包厂等）。1918 年后，他先后当选江苏省议员和北洋政府国会议员。1927 年后，出任国民党政府工商部参议、中央银行理事、全国经济委员会委员。1946 年 4 月 25 日，荣德生遭绑架。在匪窟待了 34 天，身心受到严重摧残；回到家后，又被索要酬金、捐款、借钱，甚至恐吓所困扰，搞得心力交瘁，认为国民党和日本人实属一丘之貉。这也就是上海解放前夕他坚持不走的原因，与工人一起制止了国民党政府拆迁工厂去台湾的行动。中华人民共和国成立后，历任全国政协委员、华东军政委员会委员、苏南行政公署副主任。1952 年 7 月 29 日，这位以"戒欺"为信条，以"立上等愿，结中等缘，享下等福"为座右铭的爱国民族资本家，在无锡寓所病逝。

容国团 （1937—1968）

中国体育史上第一个世界冠军获得者。广东珠海市人。出生在香港一个普通工人家庭。他自幼酷爱乒乓球运动，5 岁时得到爱好乒乓球运动的舅父的启蒙。由于家景贫寒，15 岁被迫辍学，进入鱼行当童工。1955 年 10 月 1 日，在父亲的支持下参加香港爱国工会举办的乒乓球表演赛，受到鱼行老板的训斥和刁难，便毅然辞职。1956 年得到了香港海员工会领导的关心，被安排到工会下属的一个单位工作，不久又调到"工联康乐馆"进行较系统的乒乓球训练，球技进步很快。在此期间，他多次参加爱国工会组织的工人体育团体回内地访问比赛，大大加深了对社会主义祖国的了解和认识。1957 年他代表公民队参加香港乒乓球埠际赛，一举夺得了男子团体、双打、单打 3 项冠军，创下香港乒坛纪录。不久他又以顽强的毅力，一举战胜了来香港访问的世界单打冠军日本选手荻村伊智郎，震惊世界乒坛。他的突出表现引起了贺龙元帅的注意，在其关心下，渴望为国效力已久的容国团于 1957 年从香港回到了广州，进入广州体院学习。1958 年代表广东省乒乓球队，参加全国乒乓球锦标赛，夺得男子单打冠军，随后被选入国家队。1959 年 3 月参加在德国多特蒙德举行的第 25 届世界乒乓球锦标赛。在决赛的前夕，向组织发出豪迈的誓言："人生能有几次搏，此时不搏更待何时！"他以坚忍不拔的意志，先后击败了多名世界乒乓球名将,夺得了男子单打冠军,成为中国第一个世界冠军获得者。1961年4月,在北京举行的第26届世界乒乓球锦标赛中,他和队友共同努力摘下了男子团体桂冠。1964年担任中国乒乓球队女队的主教练。他把自己长期积累的经验和技术战术运用到女队的训练实践中,经过短时间的苦练,在第28届世界乒乓球锦标赛上,中国女子乒乓球队荣获团体冠军。他为提高中国的乒乓球技术水平作出了卓越的贡献。为表彰他的杰出贡献,国家体育运动委员会于1961年和1964年两次给他记特等功,并多次授予他体育运动荣誉奖章和奖状。"文化大革命"中,以"特务嫌疑"的罪名遭受诬陷。1968年6月20日他选择自杀的方式,进行无声的抗争。1978年国家体育运动委员会为他平反昭雪,恢复名誉。1987年在其家乡珠海市建立了一座容国团铜像。1989年在社会主义中国40年杰出运动员评选中,他荣膺其中。2009年9月14日他被评为中华人民共和国成立以来感动中国人物之一。

荣毅仁　(1916—2005)

江苏无锡人。出生在一个民族资本家家庭。1920年进家族在无锡办的公益第一小学读书。后在自家花园"豁然洞读书处"读初中,1931年修完高中课程,但因不是政府立案中学,毕业生不能直接考大学,只能入省立无锡中学补读半年,取得高中学历。1932年夏考入上海圣约翰大学学习,因患偏头痛读了五年,1937年毕业于历史专业,获学士学位。毕业后,历任家族无锡茂新面粉厂经理,上海申新纺织印染厂第二、三、五厂总管理处总经理。作为新一代民族资本家,艰难地维持家族企业度过日伪统治和国民党统治时期,而存活下来。中华人民共和国成立后,任上海申新印染公司总经理。1950年任上海市工商业联合会副主任委员。1954年4月积极响应国家对资本主义工商业实行社会主义改造的政策,将家族全部企业实行公私合营。1957年任上海市副市长。1959年任纺织工业部副部长。在1966年开始的"文化大革命"中受到严重冲击,但对社会主义、中国共产党仍然充满信心。1978年底中共十一届三中全会后,国家开始了以经济建设为中心的改革开放新时期,他于1979年10月创办个人集资又归国务院直属的中国国际信托投资公司,出任董事长兼总经理,开始了一种经济模式的探索,也充分体现了中共第二代领导集体对他的信任。至1992年底,公司资产已经超过600亿元。1993年3月,在第八届全国人大第一次会议上,当选中华人民共和国副主席。是全国人大第一至四届代表、第五至七届常务委员会副委员长,全国政协第二至四届委员、第五届副主席。曾担任中华全国工商业联合会副主席、主席;宋庆龄基金会副主席;中国残疾人福利基金会名誉理事;中国和平统一促进会会长;海峡两岸关系协会名誉会长;暨南大学董事会董事长;对外经济贸易大学名誉主席;江南大学名誉董事长;中国孔子基金会名誉顾问;中国太平洋经济合作全国委员会名誉会长等职。2005年10月26日因病在北京逝世。

S

萨空了　（1907—1988）

蒙古族。四川成都人。1927 年开始在北京从事新闻工作。先后任《北京晚报》、《世界日报》编辑、记者,《世界画报》总编辑。1935 年冬赴上海,先后任《立报》副刊主编、总编辑兼经理。1937 年抗战爆发后,转移至香港重新创办《立报》。1938 年秋同杜重远赴新疆从事抗日救亡活动。途经武汉会晤周恩来等,同中共建立起密切联系。曾任《新疆日报》社社长。1940 年到重庆任《新蜀报》经理,主动配合《新华日报》进行坚持团结、抗战、进步,反对投降、分裂、倒退的宣传。1941 年皖南事变后被迫去香港,同年秋任中国民主政团同盟机关报《光明报》总经理,积极宣传民盟的政治主张。1943 年 5 月被国民党特务逮捕,先后关押于桂林和重庆的集中营。1945 年 6 月经营救获释,旋赴香港任《华商报》总经理,积极从事民主活动。1949 年夏转移回到北平,协助胡愈之创办中国民盟机关报《光明日报》,任秘书长,并积极参与新政协的筹备工作。中华人民共和国成立后,历任中央人民政府新闻总署副署长兼新闻摄影局局长、出版总署副署长,国务院民族事务委员会副主任、全国政协副秘书长、民盟中央副主席等职。1960 年加入中国共产党。被选为第一、二届全国人大代表,第二届全国政协委员,第三至第六届全国政协常委。负责主编《中国大百科全书·新闻出版卷》。1988 年 10 月 16 日因病在北京逝世。

萨镇冰　（1859—1952）

字鼎铭,福建闽侯人,11 岁考入马尾船政学堂学驾驶,三年后毕业,派往扬武等舰见习。1877 年 3 月赴英国留学,入格林尼茨海军学院,毕业后在英舰实习。回国后任澄庆兵船大副。1882年调任天津水师学堂教习。1886年升任威远兵船管带。1888年升为参将。甲午战争爆发时,奉命守卫日岛,参加威海卫之役,受革职处分,回乡执教。1896年任吴淞炮台官,后又任通济舰管带。1899年升任北洋水师帮统,兼任海圻舰管带。1902年升总兵,翌年调充北洋水师统领。1905年任广东水师提督。1909年任筹办海军大臣,后任海军提督。1910年任海军部副都统。武昌起义后,任袁世凯内阁海军大臣,未到任,迨清帝退位,改任吴淞商船学校校长。1912年,授海军上将。1914年任北京参政院参政兼全国兵工厂督办。1916年8月,任闽粤巡阅使,同月任驻沪海军总司令。1917年6月任海军部总长。7月,张勋复辟时,被任命为海军部尚书,未就。1919年重任海军总长。1922年2月至5月曾兼代国务总理职。10月,任福建省省长,至1926年去职。1933年11月参与"福建事变",被中华共和国人民革命政府聘为政府委员和延建省省长。该政府失败后,即蛰居福州。抗战爆发后,奉派前往南洋宣慰侨胞。1946年11月,被国民党政府授海军上将衔。1949年9月,以中国人民政治协商筹备委员会特邀代表身份出席会议,并当选为第一届全国政协委员。

中华人民共和国成立后,任中央人民政府军事委员会委员、华侨事务委员会委员、福建省人民政府委员。1952年4月10日在福建逝世。

赛福鼎·艾则孜　（1915—2003）

维吾尔族。新疆阿图什人。少年时在阿图什宗教小学学习经文。1932年参加南疆农民武装暴动。1934年任阿图什小学教师、校长。1935年赴苏联,在塔什干中亚大学学习。1937年毕业回国,在乌鲁木齐盛世才办的政治训练班学习。1938年在塔城报社工作,历任缮写员、校对、编辑、主编。还担任塔城专区反帝联合会干事,塔城维文会秘书长、副会长。1944年参加伊犁、塔城、阿勒泰三区革命,历任临时政府委员,教育厅副厅长、厅长,三区民族军事法庭秘书、庭长。1945年加入三区革命青年团,任中央委员。1946年加入三区人民革命党,任中央委员、宣传部部长;7月,与中华民国政府达成和平协议,成立新疆省民主联合政府后,到迪化(今乌鲁木齐)任政府委员、教育厅厅长。1947年中华民国政府撕毁和平协议后,回伊宁继续担任三区临时政府委员、教育厅厅长。1948年加入新疆人民民主同盟,任宣传部部长,《前进报》总编辑,新疆人民民主同盟主席。1949年中华人民共和国成立后,任新疆特区特邀代表团团长,到北京出席中国人民政治协商会议第一届全体会议,当选全国政协委员、中央人民政府委员、法律委员会委员、中央民族事务委员会副主任,随即加入中国共产党;12月,任新疆省人民政府副主席,新疆军区副司令员。1951年任中共新疆分局委员、常委、民族部部长和统战部部长,新疆省干部学校校长、中苏友好协会副会长、中巴友好协会会长。1952年7月任中共新疆分局第四书记。1953年1月,任西北行政委员会副主席;8月任新疆军区党委第三书记、副司令员。

1954 年 12 月任新疆军区党委第二书记、副司令员。1955 年被授予中将军衔；10 月后，任中共新疆维吾尔自治区党委书记、自治区人民委员会主席、中共中央西北局委员。1956 年当选中共第八届候补中央委员。1958 年任中共新疆维吾尔自治区党委第二书记。"文化大革命"时期，1969 年 4 月当选中共第九届中央委员。1972 年 7 月任中共新疆维吾尔自治区党委代理第一书记、自治区革命委员会主任。1973 年 6 月，任中共新疆维吾尔自治区党委第一书记，新疆军区第一政委、党委第一书记；8 月，当选中共第十届中央政治局候补委员。1977 年 8 月当选中共第十一届中央政治局候补委员。是第一至七届全国人大常务委员会副委员长，中共第十二、十三届中央委员。1993 年 3 月当选第九届全国政协副主席。2003 年 11 月 24 日因病在北京逝世。

沙可夫 （1903—1961）

艺术教育家、剧作家。原名陈维敏，号有圭、克夫、微明等，浙江海宁人。1926 年去法国学习音乐，同年加入中国共产党。曾参加北伐后援委员会。1927 年受派赴苏联莫斯科中山大学学习。1931 年回到上海，被捕入狱，后经党组织营救出狱。1932 年到中央苏区，任中央苏维埃临时政府教育人民委员部副部长、中央苏维埃临时政府机关报《红色中华》主编中华苏维埃大学副校长。1934 年参加长征。1937 年在延安任鲁迅艺术学院副院长。1939 年任晋察冀边区文化界抗日联合会主任。1941 年任华北联合大学文艺学院院长。1948 年任华北大学三部（文艺学院）主任。中华人民共和国成立后，历任文化部办公厅主任；中央戏剧学院党委书记、副院长；中国文学艺术家联合会第一届委员、秘书长；中国作家协会第一届理事；中国戏剧家协会第二届理事。从在中央苏区时起，他就是革命艺术教育的奠基人之一。1961 年 9 月 1 日逝世。创作的剧本有：《明天》（1928）、《武装起来》（1934）、《血祭上海》（1937）、《团圆》（1938）等；译著有：普希金的诗《渔夫和金鱼的故事》，小说《埃及之夜》，高尔基的小说《意大利童话》，莫里哀的戏剧《伪善者》以及理论著作《艺术家与艺术科学》、《苏维埃戏剧创作的道路》等。

沙孟海 （1900—1992）

浙江鄞县人。从小研习书法，亲历自民国以来现代书法的发展，卓然成家。他在书法实践、书法理论和书法评论等方面均有极高造诣。他的书法特点是刚健有力、雄浑遒劲。沙孟海先生是一位德高望重、治学严谨和学理渊博的学者，对书法学、古典文学、古文字学、篆刻学、金石学、考古学等都有独到研究，一生著述甚多。1992 年 10 月 10 日，因病逝世于杭州。

沙千里 （1901—1982）

上海人。青年时期受五四运动影响，积极参加爱国运动。中学毕业后，考入上海法科大学，曾主编《青年之友》刊物。大学毕业后在上海、重庆从事律师工作。1931 年"九一八事变"后参加中共地下外围组织，先后参与发起成立上海市职业救国会、上海市各界救国联合会、全国各界救国联合会等进步团体,被选为常务理事、常务委员,主编《生活知识》《救亡周报》,积极宣传中共抗日主张。1936年同沈钧儒、史良等著名爱国人士因积极参加抗日救国活动被国民党反动当局逮捕入狱,是著名的"七君子"之一。1938年加入中国共产党。抗日战争时期,和沈钧儒等救国会领导人发起宪政运动,组织中国经济事业协进会,为坚持团结抗战而斗争。解放战争时期,筹建救国会上海分会,参与组织上海人民团体联合会,推进民主运动,并以律师身份为遭受迫害的进步人士辩护,反对国民党的反动统治。1947年后潜赴香港,参与中国人民救国会的领导工作。1948年冬进入东北解放区。1949年随中国人民解放军接管上海,任市军管会副秘书长、人民政府副秘书长。9月作为救国会代表赴北平出席中国人民政治协商会议第一届全体会议。中华人民共和国成立后,历任贸易部副部长、政务院财政经济委员会第六办公厅副主任、地方工业部部长、轻工业部部长、粮食部部长、中华全国工商业联合会秘书长、副主任委员等职。还被选为第一届全国政协委员、第五届全国政协常委、第六届全国政协副主席;第一至第五届全国人大代表、第四届全国人大常委兼副秘书长、全国人大法制委员会副主任、民建中央常委、民盟中央委员等。1982年4月26日因病在北京逝世。

邵力子　(1882—1967)

原名闻泰,又名凤寿,字仲辉,浙江绍兴人,1906年10月赴日本学新闻,拜访了孙中山并加入了同盟会,半年后归国。1910年与于右任等创办《民立报》,任编辑,同时兼任《民生日报》记者。1915年加入中华革命党。1919年加入中国国民党。1920年参加陈独秀等人发起的上海共产主义小组。中国共产党成立后,党组织批准他为特别党员。1924年参加国民党改组工作,当选为第一届候补中央执行委员,兼任上海执行部农工部秘书。1925年夏赴广州,任黄埔军校秘书长兼政治部副主任。10月任黄埔军校政治部主任。1926年1月,被选为国民党第二届中央监察委员。北伐战争时,任国民革命军总司令部秘书长。8月,退出中国共产党,以国民党代表身份到莫斯科参加共产国际第七届扩大会议。1928年2月,再任国民革命军总司令部秘书长、陆海军总司令部秘书长,1931年12月任甘肃省政府主席。1932年改任陕西省政府主席,因同情张学良、杨虎城的抗日主张,"西安事变"后被蒋介石免去陕西省政府主席职务。1937年2月被任命为国民党中央宣传部长。1939年2月,《文摘》旬刊因译载抨击鼓吹德、意、日轴心国的文章遭查封,愤而辞去国民党中央宣传部长职务。1940年5月任驻苏大使,力主联苏抗日。"皖南事变"爆发之后,急电蒋介石,痛陈苏方关心中国团结统一的局势。1945年9月,和张群、王世杰、张治中作为国民党代表,在重庆与中共代表会谈,为达成《双十协定》起了重要作用。1946年11月拒绝参加国民党当局在南京包办的"国民大会"。1949年4月,作为国民党政府和平代表团成员,赴北平与中共谈判。在国民党政府拒绝签订国共双方代表拟定的《国内和平协定(最后修正案)》之后,脱离国民党政府,留居北平。9月,应邀参加中国人民政治协商会议第一届全体会议。中华人民共和国成立后,历任政务院政务委员,中苏友好协会副会长,社会主义学院副院长,国务院文字改革委员会委员,第一、二、三届全国人大常务委员会委员,第一、二、三、四届全国政协常务委员,中国国民党革命委员会第二、三、四届中央常委,中国国民党革命委员会和平解放台湾工作委员会主席等职。1967年12月25日因病在北京逝世。

邵荃麟 (1906—1971)

原名骏远,曾用名逸氏,笔名夫力,荃麟,浙江慈溪人。早年就读于复旦大学。1926年加入中国社会主义青年团。同年转入中国共产党。曾任共青团杭州地委组织部长、上海杨树浦和法租界区委书记、江苏省委常委、浙江省委书记等职。曾参加上海工人三次武装起义。1928年任浙江省委常委兼共青团浙江省委书记。1934年任上海反帝反法西斯大同盟宣传部部长。抗日战争爆发后,任中共桂林文化工作组组长、中共中央南方局文委委员、《文艺杂志》主编等。1946年到香港,曾主编《大众文艺丛刊》。历任中共香港工委副书记、中共中央南方局文委主任等。中华人民共和国成立后,历任政务院文教委员会计划局长、副秘书长、党组成员中共中央宣传部副秘书长、中国作协副主席兼党组书记

和创作委员会第一副主任、中国文联委员。1971年6月10日因病在北京逝世。他是现代文艺理论批评家、作家。著有短篇小说集《英雄》、《宿店》、《喜酒》,剧本《麒麟寨》,译有《被侮辱与被损害的》,评论集有《大众文艺丛刊评论文集》、《邵荃麟评论文集》等。

邵式平 (1900—1965)

字守一,江西弋阳人。出生在一个贫苦农民的家庭。7岁进入村中私塾学习。1916年考入县高等小学校继续学习。在校期间,结识了方志敏,成为至交。1919年北京五四运动的消息传到了弋阳,邵式平与方志敏带头响应,组织学生上街游行演讲,向市民介绍各大城市学生的斗争情况,同年夏考入南昌第一中学,仍与在江西第一甲等工业学校就读的方志敏过往甚密。在方志敏的影响下,开始接触《新青年》等进步书刊,初步认识和接受了马克思主义。1923年秋,经过初试、复试,以全省第一名的成绩,免费进入北京师范大学地质系学习。来到北京后,逐步结识了许多进步青年和中共党员,对马克思主义有了更深入的了解。1925年在陈毅、黄道介绍下,加入中国共产党。1926年他担任了北师大党支部书记,又参与组织了“三一八”大游行。“三一八”惨案后,他成为段祺瑞政府要抓的“暴徒”之一。5月,以北京沪案后援会湘鄂赣特派员的身份,回到沪西开展工作,从此走上职业革命家的道路。9月,北伐军占领南昌,被任命为国民党江西省党部常委兼秘书长。后孙传芳部队反扑回来,邵式平与方志

敏回到赣东北。他在老家弋阳县筹建中共组织，任特别支部书记。又帮助筹建了国民党弋阳县党部。同年冬，在中共弋阳县特别支部领导下，爆发了著名的漆工镇暴动，打响了赣东北农民暴动的第一枪。1927年1月1日，参加国民党江西省第三届代表大会，当选为监察委员。蒋介石叛变革命后，他在贵溪县召开万人反蒋大会。6月，离开南昌到了景德镇，任中共景德镇市委书记。1927年八一南昌起义之后，他与组织失去联系，潜回弋阳开展工作。10月，与潜回弋阳的方志敏取得联系，得知了中共八七会议精神。11月下旬，他和方志敏、黄道等在弋阳召开弋阳、横峰、贵溪、铅山、上饶五县党员会议，在会上决定年关暴动，成立了起义领导机构，邵式平为党委委员，参与领导工作。不久弋阳、横峰农民革命团掀起暴动，一个月内两县大小村镇成了革命团的天地。1928年2月，到上海向周恩来汇报弋横暴动的情况。4月，返回赣东北。主持赣东北根据地的军事工作。1930年7月，与方志敏等率领江西红军独立团一千多人，攻克景德镇市。随后，他与方志敏等以游击战方式出击赣北，使红十军得到人员和物质的扩充。11月，他们采用声东击西的战术，粉碎了国民党3万正规军对根据地的"围剿"。12月，担任新成立的赣东北军区司令员。1933年5月，当选为闽赣省苏维埃革命委员会主席。1934年10月，奉调到中央。在长征途中，当张国焘在阿坝提出南下川康边的分裂主张时，他表示拥护张的路线，后在朱德教

育下，认识了张国焘的面目，毅然与之决裂。1937年9月，出任陕北公学教育长。后来出任抗大二分校副校长。1940年到晋察冀平山专区工作，任专员，后又出任晋察冀边区粮食局局长。1945年出席中共七大。1946年1月，到东北任中共辽吉省委副书记、军区副政委兼政治部主任。1949年2月，奉命率几千名干部南下江西。6月，出任江西省人民政府主席兼南昌市军管会副主任。中华人民共和国成立后，一直在江西工作，担任中共江西省委第二书记、江西省省长、中共华东局委员、中共第八届中央候补委员等职。1965年3月24日，因病在南昌逝世。

沈　鸿（1906—1998）

机械工程专家。浙江海宁人。7岁时在镇上小学读书四年，这是他一生中接受的全部正规教育。1919年到上海协泰新布店学徒，三年学徒期满后做过店员、司账。他上夜校和自学，补习英文和初中数学、物理、化学等课程，阅读了大量书籍。凭着对机械的喜好，借钱于1931年在上海开办利用五金厂，任经理，该厂制造弹子锁，并在与洋货竞争中，在上海站住了脚。1937年上海"八一三事变"后，将厂迁往大后方。到达武汉后，由于对政府的抗日态度不满，于是带领七名青年工人、十部机床到了延安。在抗日战争的大部分时间，在安塞县山沟里的茶坊兵工厂（陕甘宁机器厂）担任总工程师，设计制造了供子弹厂、迫击炮、枪厂、火药厂和前方游动机械厂使用的成套设备134种型号，数百台（套）。

还为民用工业,如医疗器械、炼铁、炼焦、石油等工厂设计制造了成套机器设备、单机和重要部件 400 多台(件),被评为陕甘宁边区特等劳动英雄和模范工程师。1946 年开始的解放战争时期,到晋察冀解放区工作,历任张家口龙烟煤矿代经理、兵工局华北企业部工程师。1947 年加入中国共产党。中华人民共和国成立后,历任中央财经委员会处长、副局长;第三机械工业部部长助理;电机工业部副部长;煤炭工业部副部长;农业机械工业部副部长等职。1958 年秋担任 1.2 万吨自由锻造水压机总设计师,完成了制造并投入生产。1961 年底任第一机械工业部副部长,主持了国防工业所需九大设备的设计制造工作。后又主持设计制造成功中国第一套火车车轮轮箍轧机、3 万吨模锻水压机、1700 毫米薄钢板连续式热轧机、4200 毫米厚钢板轧机以及攀枝花钢铁公司成套生产设备等装备制造业急需的重型装备,为中国机械工业的发展作出了重要贡献。这些设备的制造均获 1978 年全国科学大会奖。他还主持编写了《机械工程手册》和《电机工程手册》,全书 25 卷、3000 万字。1980 年当选中国科学院学部委员,堪称自学成才的典范。1982 年初任国家机械工业委员会副主任。主持编写了《中国大百科全书·机械工程》Ⅰ、Ⅱ卷(1987),计 250 万字。1988 年 6 月离职休养。是第三、四届全国人大代表,第五届全国人民代表大会常务委员,第六届全国人民代表大会常务委员、法律委员会副主任。曾担任中国机械工程学会理事长、《中国大百科全书》总编辑委员会副主任、机械工程卷编辑委员会主任。1998 年 5 月 20 日因病在北京逝世。著作有《沈鸿论机械科技》。

沈钧儒　(1875—1963)

字秉甫,号衡山,浙江嘉兴人,出生在一个封建官僚家庭。1891 年考中秀才;1904 年又考中举人;30 岁时考中进士。1905 年到日本东京私立政治大学学习法律。留日期间与蔡元培、章太炎、杨度等人积极从事立宪救国活动。1907 年回到浙江杭州,按照自己立宪救国的理想从事立宪运动。受聘担任浙江两级师范学堂校长和浙江省咨议局副局长。1909 年,作为浙江省咨议局代表,到北京参加了各省代表组成的国会请愿代表团,结果遭到清政府的镇压。辛亥革命爆发后,浙江省宣告脱离清政府独立,任临时警察局局长。1912 年 5 月加入同盟会。8 月,参加柳亚子创立的"南社"。1914 年为反对袁世凯复辟帝制,愤然辞去在浙江省担任的各职。1917 年随国民党议员南下,加入孙中山在广州组织的护法政府。五四运动期间,积极投身于新文化运动,撰文抨击封建传统文化。1922 年到北京被委任为参议院秘书厅秘书长。次年,参加反对曹锟贿选总统的活动。1924 年国民党在广州改组,他竭诚拥护孙中山的三大政策和国共合作。当北伐军挥师北上时,他积极响应,与褚辅成、蔡元培等发起成立苏、浙、皖三省联合会,反对盘踞在东南的军阀孙传芳,以配合北伐。并担任北伐军克复浙江后临时政府政务委员会委员兼秘书长,与共产党员密切配合处理临时政府常务,使他对共产党的主张有了具体深入的了解。1927年冬,离开杭州来到上海,出任上海法科大学教务长。次年,他在上海执行律师事务。1933年参加宋庆龄等组织的中国民权保障同盟,任上海分会法律委员,积极营救共产党员和进步人士。1935年12月,与邹韬奋、马相伯等发起组织上海文化界救国会,响应中共建立抗日民族统一战线的号召。1936年7月,又和章乃器、邹韬奋、陶行知联名发表《团结御侮的几个基本条件与最低要求》一文,要求国民党立即停止内战,联合红军,共同抗日。11月,上海日本纱厂工人举行罢工后,及时与全国各界救国联合会其他负责人组织了罢工委员会,积极声援支持纱厂工人的罢工。22日深夜,国民党当局以莫须有的罪名,将沈钧儒、邹韬奋、章乃器、李公朴、史良、王造时、沙千里等7人逮捕。这就是震惊中外的"七君子事件"。抗日战争全面爆发后,沈钧儒与邹韬奋一道通过办刊物《全民抗战》发动民众,宣传抗日。1938年与邹韬奋、史良、陶行知等救国会负责人被聘为国民参政员。1941年"皖南事变"爆发后,以其为首的救国会参政员宣布拒绝出席参政会,以抗议国民党制造摩擦搞分裂的暴行。同年3月,参与创立中国民主政团同盟(中国民主同盟的前身)。1945年抗战胜利后,继续担任中国人民救国会主席,积极参加争取和平民主的斗争。1946年以民盟代表身份参加了在重庆召开的政治协商会议。6月,国民党挑起战争,全面内

战爆发。与民盟其他领导人发表声明,拒绝参加拟于11月召开的"国大"。1947年国民党宣布民盟为"非法团体",迫使其停止公开活动。他秘密离开上海来到香港,并于1949年1月,在香港主持召开了民盟一届三中全会。发表《紧急声明》,决定同中共密切合作,共同为推翻蒋介石独裁统治和驱逐帝国主义在中国的势力而斗争。9月,在北京出席了新政协第一届全体会议,被选为全国政协副主席和中央人民政府委员会委员。12月,宣布救国会的主张已全部实现,声明解散。

中华人民共和国成立后,历任民盟中央副主席、主席;第一、二届全国人民代表大会常务委员会副委员长;最高人民法院院长。1950年率"中央西北少数民族访问团"访问了西北各省。1951年出席了在柏林召开的"国际民主法律工作者协会"第五届代表大会,当选为该会副主席。1963年6月11日,在北京病逝。

沈韫芬　(1933—2006)

原生动物学家。女。上海人。1950年考上金陵女子大学医学预科,1952年全国院系调整后在南京大学生物系学习。1953年毕业后于7月进入中国科学院水生生物研究所工作,师从中国原生动物学研究奠基人王家楫。1956年赴苏联留学,1960年获苏联科学院动物研究所副博士学位。她主持调查了中国22个省、自治区的原生动物的区系与分布,鉴定近2000种,发现35个新种。在《西藏水生无脊椎动物》中,描述原生动

物 458 种,80％为新纪录,含 12 个新种。首次探讨地理分布,得出了优势种随水平地带气候变迁而有更迭特点的结论。是中国第一部淡水原生动物地方志,被国内外同行誉为"原生动物的经典"。开展了从南到北不同温度带土壤原生动物调查,获得种类组成特点和季节变动规律,填补了中国土壤原生动物学研究领域的空白。为了发展中国的生物监测手段,从 1970 年起组织人员先后到近 40 个有代表性的工厂进行现场调查,发现水中微型生物群落的变化与水质变化有着直接的关系。根据微型生物群落结构和功能的参数变化,可以对水质进行科学的评价,据此编著的《废水生物处理微型动物图志》获 1978 年湖北省科学大会奖。1980 年到美国弗吉尼亚州立大学环境中心,加入 PFU 法实验室作研究。她的研究奠定了 PFU 法预报化学品的危害性安全浓度的基础。与 PFU 法创立者凯恩斯教授共同撰写的论文,在国际上产生了很大影响。1983 年回国,决心将 PFU 法用于国内受水污染的地方。同年获全国三八红旗手称号。1985 年加入中国共产党。经 30 余年观察,揭示了武汉东湖富营养化过程中原生动物群落结构与功能的演变过程。她将微型生物群落监测方法不断改进和推广,使之成为一种准确、经济、快速的水质评价方法。1991 年她主持起草的《水质——微型生物群落监测——PFU 法》,作为中华人民共和国国家标准正式公布。1995 年当选中国科学院生命科学和医学部院士。1997 年在第十届国际原生动物学大会上获柯利斯奖。2003 年以 70 岁高龄到云南采集水生物样本,一个月内到澜沧江、怒江、金沙江和 9 个湖泊取了水样,到了大理、丽江、德钦、宝山等地,行程五千多公里。在结束考察返回昆明途中遭遇车祸,身体严重受损,至此也结束了她坚持 50 年的野外科学考察。曾担任中国科学院水生生物研究所研究员、中国动物学会副理事长、中国动物学会原生动物学分会理事长、国际原生动物学会理事、华中科技大学环境科学与工程学院院长等职。2006 年 10 月 31 日因病在武汉逝世。一生发表论文 219 篇,著作 7 部,译著 1 部。

施复亮 （1899—1970）

原名施存统,又名伏量,浙江金华人,1919 年在杭州参加五四运动,发起创办《浙江新潮》杂志。1920 年 6 月和陈独秀、李达、李汉俊等人发起纪念五一国际劳动节集会,并参与发起组织上海共产主义小组,参加起草党纲。后去日本留学,被陈独秀指派为旅日共产主义小组负责人。1921 年 12 月被日本当局驱逐回国。次年 5 月在广州参加中国社会主义青年团第一次全国代表大会,当选为青年团中央执行委员会书记。1923 年后任中共上海区执委会委员长、青年团上海市委书记,1925 年 9 月,离开上海赴广州,执教于中山大学、黄埔军官学校、广州农民运动讲习所,讲授政治经济学,宣传国民革命理论。1927 年 2 月受党派遣赴武汉任武汉中央军事政治学校政治教官,后任政治部主任。与此同时,他和陈毅、恽代英三人组成了中共武汉军事政治学校党委。大革命失败后,声明脱离中国共产党。1928 年至 1936 年先后执教于上海大陆大学、北京师范大学、北京大学、民国大学。其间翻译了一批马克思主义和革命理论著作,主要有《资本论大纲》、《经济科学大纲》、《社会意识学大纲》、《唯物史观经济史》、《现代唯物论》、《社会进化论》、《苏俄政治制度》等二十余种。1931 年"九一八"事变后,积极参与文化界救国会的抗日救亡活动,是领导人之一。1945 年 8 月国共重庆谈判期间,受到毛泽东、周恩来的接见,聆听了他们关于我国要发展工商业、民族资产阶级也要有一个自己的组织的教诲,深受鼓舞。此后,与黄炎培、胡厥文等人商谈,经过积极筹划,同年 12 月 16 日在重庆成立了中国民主建国会,当选为常务理事。1948 年 12 月代表中国民主建国会赴华北解放区参加新政治协商会议筹备工作。1949 年 1 月和李济深、沈钧儒、马叙伦、郭沫若等联名发表《对时局的意见》,公开表示拥护中国共产党的领导。同年 4 月随人民解放军南下,参与接管上海的工作,并任华东军政委员会顾问。9 月出席中国人民政治协商会议第一届全体会议。中华人民共和国成立后,历任政务院劳动部第一副部长;第一、二、三届全国人大常委会委员;第一、二、三、四届全国政协常务委员兼第一届全国政协副秘书长;中国民主建国会第一、二届中央副主任委员兼组织委员会主任委员;中华全国工商业联合会第一届执行委员会委员、第二、三届执委会常务委员等职。1952 年率领中国民主建国会、中华全国工商业联合会干部赴沪调查劳资关系问题,宣传党的"劳资两利"政策,因操劳过度而致半身瘫痪。1970 年 11 月 29 日在北京病逝。

石筱山 （1904—1964）

中医学家。原名瑞昌,字熙侯,江苏无锡人。石氏伤科第三代传人。早年就读上海神州中医专科学校,肄业后即随父行医。1929 年在上海与其弟石幼山共设诊所。在继承家传治伤经验的基础上,努力钻研,创造了"内外兼治、动静结合,全体与局部相关连而又重在内治固本"的医疗原则,从而以善治骨折伤痛闻名江浙一带,创石氏伤科一大流派。中华人民共和国成立后,曾当选全国政协委员、中华医学会理事、上海市中医学会副主任委员兼伤科学会主任委员。1956 年上海中医学院成立后,任伤科教研组主任兼附属龙华医院伤科主任并担任上海市卫生局伤科顾问、上海市第一医学院伤科顾问、华东医院伤科顾问。被评为上海市一等一级中医师。1958 年公开了石氏秘方。至今,龙华中医院凭借石氏秘方形成了石氏中药治疗颈椎病、整颈三步九法等中医特色技术,于 2009 年被国家中医药管理局确定为中医学临床研究基地,曾担任两个病种之一骨退行性病变的治疗和研究。著有《祖国伤科内伤的研究》、《脑震伤的理论探讨》（与石幼山合著）、《伤科讲义》、《石筱山医案》等。

史 良 （1900—1985）

女。江苏常州人。1913 年起先后入常州女子师范附小、常州女子师范学校读书,受新文化影响参加了五四运动。1923年考入上海法政大学学习法律。1925年积极参加反帝爱国的五卅运动。1927年大学毕业后,在南京政治工作人员养成所任指导员。因反对国民党的专横,被指控为"共产党嫌疑"被捕入狱。两月后,由蔡元培先生保释出狱。1931年开始在上海做律师,前后共20年,曾冒着生命危险营救了不少受国民党政府迫害的共产党人和民主人士。在从事律师职业的同时,积极参加上海妇女界的各种社会活动。1935年12月,为响应中共八一宣言书,与沈兹九、王孝英、胡子婴等人共同发起成立了上海第一个救国组织上海妇女救国会,任理事。随后又被选为上海文化界救国会执行委员。1936年1月,上海各界救国联合会成立,任理事。5月,任全国各界救国联合会执行委员。7月,为了推动国民党抗日,作为救国会代表之一到南京请愿。11月22日,和救国会其他六位领导人沈钧儒、章乃器、邹韬奋、沙千里、李公朴、王造时一起被捕。是为震惊中外的"七君子"事件。1937年抗日战争爆发后,经营救出狱,随即到港澳等地进行抗日宣传。1938年6月,以救国会领导人身份任第一届国民参政会参政员。7月任全国新生活运动妇女指导委员会委员兼联络委员会主任委员,中国战时儿童保育会常务理事。为团结各方面力量进行抗日,做了很多卓有成效的工作。1941年1月国民党制造皖南事变后,毅然宣布拒绝出席参政会,以示抗议。1942年加入中国民主政团同盟。1944年9月,中国民主政团同盟改组为中国民主同盟,当选为民盟重庆市支部委员兼组织部长。1945年10月当选为中国民主同盟第一届中央执行委员。1946年1月作为中国民主同盟代表的顾问参加政治协商会议,后回到上海,在从事律师业务的同时继续参加民主运动。1948年1月民盟一届三中全会后,受总部委托,在上海秘密建立民盟华东执行部,任主任。领导民盟成员,坚持斗争。1949年6月到北平参加新政治协商会议的筹备工作。9月以民盟代表的身份参加中国人民政治协商会议第一届全体会议,当选为中国人民政治协商会议全国委员会委员。10月被任命为中华人民共和国司法部部长,政务院政治法律委员会委员。1950年当选为全国妇联副主席。1953年2月起任中国人民政治协商会议历届全国委员会常委。1953年6月当选为民盟中央副主席。1959年4月起连任第二、三、四、五届全国人大常委。1978年3月任全国政协副主席。1979年7月被选为全国人大常委会副委员长。10月任民盟中央主席。1985年9月6日因病在北京逝世。

史东山 （1902—1955）

原名匡韶,后改名东山。浙江海宁人。1922年参加上海晨光美术会,任上海影戏公司美工师。1924年担任导演,他导演的第一部影片是《杨花恨》,于1925年公映。1926年转入大中华百合公司任导演,先后编导了《国民之爱》、《儿孙福》、《王氏四侠》等影片。1931年"九一八"事变后,加入中国左翼作家联盟,同年进联华影业公司。1932年与蔡楚生等合作拍摄《共赴国难》,以后又拍摄了故事片《奋斗》、《女人》、《长恨歌》、《人之初》、《狂欢之夜》、《青年进行曲》等。1937年抗日战争爆发后,任上海电影界工作人协会常务委员,同年11月,任中国电影制片厂编导。1938年1月,任中华全国电影界抗敌协会理事,后又转赴重庆,任中国电影制片厂编导委员会委员。在抗日战争期间,摄有抗战四部曲《保卫我们的土地》、《好丈夫》、《胜利进行曲》、《还我故乡》等影片。

抗战胜利后,于1946年初回到上海,与阳翰笙等人组织联华影艺社,编导了《八千里路云和月》。此后又拍摄了《新闻怨》等片。1948年冬赴香港,1949年北平解放后来到北平,出席第一次全国文代会。

中华人民共和国成立后,历任全国人民代表大会代表、中国人民政治协商会议代表、中国剧协常务理事、文化部电影局技术委员会主任等职。1951年他编导的故事片《新儿女英雄传》,在第六届国际电影节上获导演奖。1955年2月23日病逝。著有《电影艺术表现形式上的几个特点》。

史来贺 （1930—2003）

中共优秀农村基层干部。河南新乡人。1949年加入中国共产党。中华人民共和国成立后,1952年12月当选中共新乡县七里营乡刘庄村党支部书记,并立下誓言:"跟党走,拔掉穷根,让老百姓过上好日子。"1957年带领群众获得皮棉高产纪录,平均亩产量达到全国平均

亩产量的3倍。先后被评为河南省和全国劳动模范,多次受到中共中央领导人的接见。由于他坚持中共实事求是的思想路线方针,带领一班人无论是在大跃进时期,还是"文化大革命"时期,都使刘庄的群众生活好于周边地区,集体经济不断发展壮大。1978年改革开放后,他根据刘庄的实际情况,没采用家庭承包制,继续带领刘庄群众走共同富裕的道路,大力发展工副业生产。1980年引进具有国内先进水平的生物工程项目,使全村农业总产值和人均收入大幅度增长。随着社会主义市场经济的建立,刘庄的集体经济也走向市场化的经营和管理,成立了农工商公司,他出任总经理。1990年全村工农业总产值和公共积累分别比1978年增长38倍和17倍;人均集体分配比1978年增长7.6倍,个人存款720万元,户均2.5万元;每户分配一幢两层楼房,子女入学、群众医疗以及养老病葬全部免费,由村集体经济支付。在他的带领下,刘庄党总支部被评为全国先进基层党组织。他几十年的实践,深刻地诠释了中国特色社会主义理论、"三个代表"重要思想以及科学发展观的内涵。是全国人大第二、三届代表,第五、六、七届常务委员会委员。还曾获全国民兵英雄、全国植棉能手光荣称号。2003年4月23日因病在河南新乡逝世。

舒新城 （1893—1960）

教育家、出版家、辞书编纂家。又名维周、心怡,湖南溆浦人。1917年毕业于湖南高等师范学校。后在长沙福湘女学等校执教。曾办《湖南教育月刊》。

1921年应张东荪之邀至上海吴淞,主持中国公学中学部校务。他改革学校制度和教学方法,推行道尔顿制。1923年任东南大学附中研究股主任。11月,加入少年中国学会。1924年任国立成都高等师范学校教育系教授。1925年返回南京,专事著述。1928年应中华书局之邀,赴上海主编《辞海》。1930年任中华书局编辑所所长兼图书馆馆长。中华人民共和国成立后,先后当选全国人大代表、政协上海市副主席。1957年秋,毛泽东倡议重新修订旧版《辞海》,并把这项任务交给上海,他则着手负责筹备。1958年春,成立中华书局辞海编辑所,任所长。1959年夏,成立辞海编辑委员会,担任主编,主持《辞海》(1936版)的修订工作。1960年冬在上海逝世。编著有《中华百科辞典》、《道尔顿制研究集》、《近代中国教育史料》、《教育通论》、《中国教育辞典》、《近代中国留学史》等。

帅孟奇 (1897—1998)

女。湖南汉寿人。1926年2月加入中国共产党。任汉寿县妇女协会党团书记、中共第一届汉寿县委委员、妇女部长、组织部代部长。1928年初赴苏联莫斯科学习。1930年回国后,历任中共长江局秘书处机要秘书;中共上海浦东、沪西区委妇女部部长;中共江苏省委妇女部部长。1932年10月领导上海丝厂工人罢工时,被捕入狱。在狱中严守党的机密,坚贞不屈。1936年西安事变后,被组织营救出狱。历任中共湖南省工委秘书长、省委委员兼中共常益中心县委书记。1939年12月到延安,历任中共中央农民运动委员会政治秘书兼党总支书记、陕甘宁边区政府党委委员兼物资局党支部书记。延安整风运动后期,任陕甘宁边区政府甄别委员会主任,复审"抢救运动"中出现的错案。在1946年开始的解放战争时期,任中共中央妇女委员会委员、秘书长、代理书记。1949年参与组建中华全国民主妇女联合会的工作。3月,当选联合会常务委员兼组织部部长;7月,调中共中央组织部工作。中华人民共和国成立后,一直从事党的组织和干部工作。历任中共中央组织部处长、副部长,中央监察委员会常委,第三届全国人民代表大会常务委员。1956年当选中共第八届候补中央委员。"文化大革命"中遭受迫害。1978年12月中共十一届三中全会后,当选中共中央纪律检查委员会常务委员。1978年当选第五届全国政协常务委员,并任中共中央组织部顾问。1982年9月在中共第十二次全国代表大会上,当选中央顾问委员会委员。是中共第十三至十五次全国代表大会特邀代表。1998年4月13日因病在北京逝世。

司徒美堂 (1868—1955)

原名羡意,字基赞,广东开平人。1880年赴美国,曾做过厨师、小贩。1904年起,追随孙中山进行革命活动,在美负责筹集资金工作。1937年抗战爆发后,在美组建纽约华侨抗日筹饷总会,发动华侨捐款支持国内抗日。1941年冬返国,被第二届国民参政会聘为华侨参政员。1942年5月任国民政府赈济委员会委员;10月,任第三届国民参政会参政员;同年返回美国。1945 年 3 月将美洲洪门致公堂改为洪门致公党,并当选为主席。1946 年 4 月回国,在上海任中国洪门民治党中央执行委员会主席。1947 年 7 月赴香港。1948 年 8 月,在建国酒家举行记者招待会,发表"临别赠言"。返美之前,曾上书毛泽东,表示接受中国共产党领导,拥护召开新政治协商会议的主张。10 月抵美后,即于同年将中国洪门致公党改组为中国致公党,仍任党的主席。1949 年 8 月回国,以美洲华侨代表身份出席中国人民政治协商会议第一届全体会议,并当选为政协第一届全国委员会委员。

中华人民共和国成立后,任中央人民政府委员、政务院华侨事务委员会委员、广东省人民政府委员。1954 年 9 月,当选为第一届全国人民代表大会常委;11 月,任中国银行董事;12 月,任政协第二届全国委员会委员;同年任归国华侨联谊会副主席。1955 年 5 月 8 日在北京逝世。著有《祖国与华侨》。

司徒乔　（1902—1958）

画家。广东开平人。少时受父亲和堂叔父影响而喜欢绘画。1924 年到北京,免费入燕京大学神学院学习,业余时间坚持写生作画。1926 年在北京中山公园展出作品,鲁迅买了其中的《五个警察一个○》和《馒头店门前》。后来,鲁迅写了《看司徒乔的画》,说他"不管功课,不寻导师"的自学之路。11 月,他又以10 幅作品参加万国美术展览会。1927 年 2 月在北伐战争中,来到武汉在苏联顾问鲍罗廷办公室工作,绘制了许多宣传画,号召铲除军阀,打倒列强和国民革命。当年夏,脱下军装到了上海。此时期的作品,多表达了对时局的迷惘。1928 年他自办的乔小画室春季展览会受到鲁迅和徐悲鸿的称赞。同年,赴法国勤工俭学,曾受教于法国写实主义画家比鲁。1931 年任教岭南大学。1933 年参加粤东各界慰劳团,北上张家口慰问抗日将士。1936 年鲁迅在上海病逝,他用竹笔画了三张鲁迅遗容,送殡行列中的一幅画在丈余白布上的鲁迅像也出自他的手笔。同年秋冬,为南京陵园藏经楼画宽约 4.33 米、高 2 米的孙中山像。1938 年初,随夫人冯伊湄辗转到缅甸仰光,先后画了《泼水节》、《缅甸古琴图》等作品。1940 年在新加坡看到抗日戏剧,创作了《放下你的鞭子》。1942 年回到重庆,创作了歌颂阵亡将士的高达 6.33 米的壁画《国殇图》。1943 年赴新疆等西北地区考察写生,于 1945 年在重庆举办新疆画展。1946 年抱病赴粤、桂、湘、鄂、豫五省画灾情写生,画了《义民图》、《荒村》等 70 余幅作品,在南京、上海举办了灾情画展。同年因肺病赴美国治疗,1950 年初病愈回国。在归程的船上画了《三个老华工》。同年底,在北京参加中国革命历史博物馆的筹备工作。同时为鲁迅小说《故乡》、《药》、《一件小事》等画插图。1957 年为纪念俄国十月革命 40 周年,创作《秋园红柿图》。1958 年 2 月 16 日在北京逝世。出版作品有《司徒乔画集》。

斯行健　（1901—1964）

古植物学家。浙江诸暨人。1926

年毕业于北京大学地质系。1928年赴德国留学。1933年回国后,先后任清华大学、北京大学、中山大学、重庆大学、中央大学教授和中央研究院地质研究所研究员。中华人民共和国成立后,历任南京大学教授、中国科学院古生物研究所和地质古生物研究所所长。1955年当选中国科学院地学部委员。他毕生从事我国各地质时代植物化石的研究,对古植物的分类和演化、陆相地层的划分和对比,及地质时代的鉴定和古植物地理的分区等都有重要贡献。为我国古植物学和古生代、中生代陆相地层研究的发展奠定了基础。著有《陕西、四川、贵州三省植物化石》、《鄂西香溪煤系植物化石》、《中国中生代植物》、《中国上泥盆纪植物化石》、《中国古生物代植物图鉴》等。

宋庆龄 (1893—1981)

广东文昌人,生于上海。早年在上海中西女中读书。1908年到美国佐治亚州梅岗市威斯理安女子大学学习。1913年任孙中山的秘书,随孙中山致力于民主革命事业。1914年参加中华革命党。1915年10月与孙中山在东京结婚,从此成为孙中山的亲密战友和得力助手。1922年6月陈炯明在广州发动叛乱时,掩护孙中山离开险地,表明了献身革命事业的坚强意志和卓越胆识。以后在孙中山与共产国际和中国共产党磋商第一次国共合作过程中,做了大量积极的、卓有成效的工作。1924年在国民党第一次全国代表大会上,坚决拥护孙中山的联俄、联共、扶助农工三大政策和改造国民党的措施。1925年3月孙中山逝世后,坚持国共合作,积极投身于两党共同领导的大革命。1926年1月在国民党第二次全国代表大会上,坚决执行孙中山的三大政策,同中国共产党紧密合作,同国民党右派进行了斗争,被选为国民党中央执行委员。以后历任国民党第三、四、六届中央执行委员,第五届中央候补执行委员。国民党"二大"后,立即从事北伐战争的准备工作。1927年2月,在汉口开办妇女政治训练班,培养妇女干部。3月,在国民党二届三中全会上坚持国共合作的革命原则,当选为国民党中央政治委员会委员、国民政府委员。蒋介石、汪精卫相继叛变后,和许多国民党左派人士以及中国共产党人站在一起,多次发表通电、声明、宣言,揭露和反对蒋、汪的叛变行为。8月下旬,为寻求中国革命的胜利道路访问苏联。从1927年到1931年在苏联和欧洲期间,积极参加国际反对帝国主义、保卫世界和平的运动。1927年12月和1929年8月在比利时和德国召开的两次国际反帝国主义同盟大会上,均被选为大会名誉主席,其后又成为世界反法西斯委员会主要领导人之一。1931年6月回国。"九一八事变"后,积极支持中国共产党"停止内战、一致抗日、建立抗日民族统一战线"的主张,坚决反对蒋介石对日采取的不抵抗政策。1932年12月与鲁迅、蔡元培、杨杏佛等人在上海发起组织中国民权保障同盟,任全国执行委员会主席,同国民党反动派进行了针锋相对的斗争,保护和营救了大批中国共产党党员和爱国民主人士。1934 年领衔发表中国共产党提出的《中国人民对日作战的基本纲领》。1935 年与何香凝等率先响应中共中央发表的八一宣言。1936 年 5 月与沈钧儒、邹韬奋等在上海发起成立全国各界救国联合会，当选为执行委员。1937 年六七月间，为营救被国民党当局逮捕的"七君子"，发起"救国入狱"运动。抗日战争爆发以后，于 1938 年 6 月在香港发起组织保卫中国同盟，向国外和华侨宣传中国抗日战争和中共的抗日主张，为八路军、新四军和抗日根据地募集医药和其他援助物资等。1941 年皖南事变发生后，与何香凝等联合通电斥责国民党政府的倒行逆施。1941 年 12 月太平洋战争爆发后，离开香港到达重庆。抗日战争胜利后回到上海，从事社会福利事业，创建中国福利基金会（前身即保卫中国同盟，1950 年 8 月改名为中国福利会），任主席，并继续支持人民革命事业。1948 年 1 月，中国国民党革命委员会在香港成立，担任名誉主席。1949 年 9 月应邀参加中国人民政治协商会议第一届全体会议，当选为中华人民共和国中央人民政府副主席。10 月任中苏友好协会副会长，后任会长。12 月被推选为中华全国妇女联合会名誉主席。以后历任第二、三、四届全国妇女联合会名誉主席。1950 年 4 月被选为中国救济总会执行委员，不久任执行委员会主席。11月在第二届世界保卫和平大会上当选为世界保卫和平委员会执行委员。1951 年 9 月，获得 1950 年"加强国际和平"斯大林国际奖金。11 月任中国人民保卫

儿童全国委员会主任。1952 年 10 月当选为亚洲及太平洋区域和平联络委员会主席。1954 年 9 月当选为一届全国人大常委会副委员长。12 月任政协第二届全国委员会副主席。1959 年 4 月和 1965 年 1 月在第二、三届全国人民代表大会上当选为中华人民共和国副主席。在第四、五届全国人民代表大会上当选为人大常委会副委员长。根据她多年的愿望，1981 年 5 月 15 日中共中央接受她为中国共产党正式党员。并被五届全国人大常委会授予中华人民共和国名誉主席荣誉称号。5 月 29 日在北京病逝。主要著作有《为新中国奋斗》等。

宋任穷　（1909—2005）

原名宋韵琴，湖南浏阳人。1926 年 6 月，加入中国共产主义青年团；12 月，转为中国共产党党员。1927 年任浏阳县工农义勇队第四团队中队党代表。后参加湘赣边秋收起义部队，任连文书，随部队参加创建井冈山根据地的斗争。1930 年任红四军第三纵队大队政委、红十二军团政委。1932 年 9 月任红五军团第 38、13 师政委和军团政治部地方工作部部长。参加了中央苏区第一至五次反"围剿"战斗。1934 年入红军大学学习；10 月参加长征，任红军干部团政委。1935 年 6 月，任红军大学特科团政委、红军学校政委；11 月，任红二十八军政委、军长。率部参加了东征、西征战役。1937 年 3 月，任援西军政治部组织部部长、政治部副主任。抗日战争爆发后，任八路军第一二九师政治部副主任、主任。1938 年 3 月率骑兵团到冀南与陈再道

部会合,任东进纵队兼冀南军区政委、冀南军区司令员兼政委、冀南军政委员会书记,参与领导创建冀南抗日根据地的斗争。1942 年秋任中共冀南区党委书记。1944 年 5 月任中共冀鲁豫分局组织部部长、代理书记,冀鲁豫军区司令员兼代政治委员。1945 年 6 月当选中共第七届候补中央委员。抗日战争胜利后,任晋冀鲁豫野战军第二纵队政治委员。1946 年任中共晋冀鲁豫中央局组织部部长。1948 年春,历任中共豫皖苏分局书记兼豫皖苏军区政委、华东野战军第三副政治委员。参加淮海战役、渡江战役的后勤供给的组织工作。后任中共安徽省委书记、中共南京市委副书记兼军管会副主任。中华人民共和国成立后,率领西南服务团接管解放后西南各地的地方工作。1950 年任中国人民解放军第二野战军暨西南军区副政治委员、第四兵团政委兼云南军区政委、中共云南省委书记。1952 年任中共中央西南局第一副书记、西南军政委员会副主席。1955 年任中共中央副秘书长,中国人民解放军总干部部副部长;9 月被授予上将军衔。1956 年当选中共第八届中央委员。历任第三、二机械工业部(核武器研制的主管部门)部长。1960 年任中共中央东北局第一书记兼沈阳军区第一政治委员。1965 年 1 月当选第四届全国政协副主席。1966 年 8 月任改组后的中共第八届中央政治局候补委员。是第一至三届国防委员会委员。"文化大革命"中受到冲击。1977 年 10 月任第七机械工业部部长。1978 年 2 月,当选第五全

国政协副主席;12 月,增选为中共第十一届中央委员,出任中共中央组织部部长。1980 年 2 月任中共第十一届中央书记处书记。1982 年当选中共第十二届中央政治局委员。在中共第十二、十三次全国代表大会上,均当选中共中央顾问委员会副主任。2005 年 1 月 8 日因病在北京逝世。

宋时轮 (1907—1991)

湖南醴陵人。1926 年春入广州黄埔军校学习,同年加入中国共产主义青年团,1927 年转为中国共产党党员。1929 年在湖南浏阳、醴陵和江西萍乡边界地区组建游击队,任萍醴边区游击队队长,后编入中国工农红军第六军。1930 年起,历任湘东南第二纵队政治委员、红军军校第四分校校长、第 35 军参谋长、独立第 3 师师长、第 21 军参谋长兼第 61 师师长同时任苏区第六军参谋长以及红军大学教员、二大队大队长、军基干部团教员等职。参加了第二至第五次反"围剿"和长征。1935 年冬,调任第 15 军团司令部作战科长。1936 年任第 30 军、第 28 军军长,率部参加了东征和西征战役。1937 年抗日战争爆发后,任八路军第 120 师第 358 旅第 716 团团长、雁北支队支队长兼政治委员,率部开赴雁门关以北地区创建抗日根据地。1938 年 5 月,任八路军第四纵队司令员兼第 20 支队司令员。1940 年到达延安,先后在马列学院、中共中央党校学习。解放战争时期,于 1945 年 9 月到山东革命根据地工作,任津浦前线指挥部参谋长、山东野战军参谋长。1946 年 1 月,调

任北平军事调处执行部中共方面执行处处长。10月,任渤海军区副司令员兼第七师师长,1947年1月任华东野战军第十纵队司令员。1949年2月任第三野战军第九兵团司令员。率部与第十兵团解放了上海。随后,兼任淞沪警备区司令员。新中国成立后,任华东军政委员会委员、第九兵团司令员。1950年11月参加抗美援朝,任中国人民志愿军第九兵团司令员兼政治委员,后任中国人民志愿军副司令员兼第九兵团司令员和政治委员,参加指挥了第二、第五次战役和上甘岭战役。1952年回国后,任总高级步兵学校校长,后兼政治委员。1955年被授予上将军衔。1957年11月调任军事科学院第一副院长,并先后兼任计划指导部、外国军事研究部部长。"文化大革命"中,曾遭受林彪、"四人帮"的迫害。1972年10月,担任军事科学院院长、院党委第二书记、书记。1977年至1980年任中央军委教育训练委员会主任。1980年以后任《中国大百科全书》总编辑委员会副主任、《中国大百科全书》军事卷编审委员会主任、《中国军事百科全书》编审委员会主任。曾当选为第四、第五届全国人民代表大会代表;中共第八、第十届中央候补委员;第十一届中央委员和中央军委委员;第一、第二、第三届国防委员会委员。在中共十二、十三大上被选为中央顾问委员会委员、常务委员。1991年9月17日因病在上海逝世。

宋之的 （1914—1956）

原名汝昭,笔名怀昭、宋一舟、艾淦等,河北丰南人。1931年考入北京大学法学院,1932年在北平加入中国左翼戏剧家联盟,1933年春,赴上海组织新地剧社;曾因参加游行及革命活动两次被捕,1935年出狱后,任太原西北剧社及西北电影公司编剧。1936年被阎锡山所逐,重返上海;6月,与鲁迅、巴金、曹禺等人署名发表《中国文艺工作者宣言》。抗战爆发后,联合上海剧作家组织中国剧作者协会,同时兼上海戏剧界救亡剧队第一队队长,从事抗日宣传工作,曾率队前往南京、武汉、郑州、西安等地演出。1938年武汉沦陷后,转赴重庆,组织重庆业余剧人协会,1939年5月,任中华全国文艺界抗敌协会作家战地访问团副团长,率团赴晋、豫前线访问,同年任文协理事。1941年1月,由重庆至香港,组织旅港剧人协会。太平洋战争爆发后,回重庆组织中国艺术剧社。抗战胜利后返回上海,1946年率队去苏北解放区,任山东大学文科教授并从事创作。1947年1月,转往东北,任哈尔滨东北文协工作队队长、东北文协《生活报》社长。1948年3月加入中国共产党;11月,随中国人民解放军第四野战军入关,负责平津战役采访工作,后任"四野"南下工作团研究室主任。

中华人民共和国成立以后,任全国文联委员、全国作协委员、中国戏剧家协会常务委员。1950年,任解放军总政治部文化部文艺处处长。1951年6月,兼任《解放军文艺》总编。1953年10月,任中国文联第二届全会委员兼中国作家协会理事。1956年4月17日病逝。著有

《出路》、《罪犯》、《一四一七》、《罂粟花开的时候》等短篇小说；《1936年春在太原》、《从仇恨里生长出来的》等报告文学；《赐儿集》散文；《武则天》、《雾重庆》、《民族光荣》等剧本。

宋子文 （1893—1971）

海南文昌人。早年在上海圣约翰大学读书，毕业后留学美国。1915年，毕业于哈佛大学经济系，并获得经济学硕士学位。去纽约任职于国际银行，并在哥伦比亚大学深造，获经济学博士学位。1917年学成归国，先后任汉冶萍公司上海办事处秘书、汉阳总公司会计处科长、联华商业银行总经理，并办有大洲实业公司。1923年孙中山大元帅府成立，宋任英文秘书、两广盐务稽核所经理。1924年8月，孙中山在广州创立中央银行，宋任行长。11月，随孙中山北上。1925年3月，他因亲戚关系，是孙中山遗嘱的见证人之一。1925年7月，广东国民政府成立，宋子文任商务厅长。9月，廖仲恺被刺后，他继任广东政府财政部长，并兼任广东省财政厅厅长。1928年1月，任南京国民政府财政部长。10月，又兼任中央银行总裁。1932年2月任行政院副院长兼财政部部长。1935年全国最大的私人银行——中国银行改组，宋又兼任董事长。1936年12月，西安事变发生，宋作为蒋的亲戚和张学良的朋友，为西安事变的和平解决、第二次国共合作、共同抗日政治局面的出现，作出了贡献。1945年3月，他率领中国代表团到美国旧金山参加联合国成立会议，并当选为会议的四名主席之一。解放战争时期，宋子文仍任行政院院长兼全国最高经济委员会主席，积极追随蒋介石发动内战。1947年3月，因挽救日益崩溃的国统区经济无效，辞去行政院院长之职。1949年初，辞去广东省政府主席去了香港。他是中国官僚资产阶级的典型代表。是"四大家族"中宋家的代表人物。国民党败退台湾后，因与蒋介石互有恩怨，而去了美国纽约定居。1959年和1963年曾两次回台湾探亲。1971年9月26日病逝于美国旧金山。

苏步青 （1902—2003）

数学家、教育家。浙江平阳人。幼年入私塾读书。1916年考入温州中学，对数学充满兴趣。1919年中学毕业后赴日本留学，先后在东京高等工业专科学校电机系、东北帝国大学数学系和研究生院学习，1931年毕业获理学博士学位；3月回国后，任浙江大学理学院数学系教授、系主任。主讲并撰著《微分几何学》。1937年抗日战争爆发后，随校迁至贵州遵义坚持办学和研究。1941年后，任中华民国政府中央研究院研究员、《中国数学学报》总主编；是中央研究院院士兼学术委员会常委。1946年浙江大学迁回杭州，任教授会主席，积极支持学生民主运动。1947年1月，不顾特务的恐吓，发动全校教师罢课。1948年任浙江大学训导长。1949年3月拒绝迁往台湾。中华人民共和国成立后，历任浙江大学教务长，上海复旦大学数学系教授、教务长、数学研究所所长、研究生部主任、副校长、校长、名誉校长等职。1955年当选中国科学院数学物理学化学部委员。1959 年加入中国共产党。是第五、六届全国人大常务委员会委员，第六届全国人大科学教育文化卫生委员会副主任委员；第七、八届全国政协副主席。还曾担任中国对外友协上海分会会长，中国数学会副理事长、名誉理事长，《数学年刊》主编等职。2003 年 3 月 17 日因病在上海逝世。他的主要研究领域为微分几何，20 世纪四五十年代开始研究一般空间微分几何学；60 年代又研究高维空间共轭网理论，获得系统而深入的成果；70 年代以来，注意把微分几何运用于工程中的几何外形设计，在中国开创了新的研究方向，即计算几何。他和陈建功教授共同把浙江大学和复旦大学的数学系建成一个具有相当高水平的教学和科研基地。教学一生，有谷超豪、李大潜等中国科学院院士出自其门下。他共发表论文 168 篇，《苏步青论文选集》于 1983 年出版。还著有《射影曲线概论》、《射影曲线面论》、《一般空间微分几何学》、《计算几何》等。

苏振华 （1912—1979）

原名苏七生，湖南平江人。1928 年曾参加平江农民扑城暴动。1929 年 8 月加入中国共产主义青年团，1930 年 8 月转为中国共产党党员。同年 6 月参加中国工农红军，在第 3 军团 5 军 1 师 3 团当战士、班长，参加了两次攻打长沙的战役。1933 年夏任红四军 10 团总支书记。1934 年 4 月任红五师 13 团政委。参加了中央革命根据地历次反"围剿"和长征。1935 年 2 月任红四师 12 团政委。到陕北后，于 1936 年 5 月入中国人民抗日红军大学高级班学习。同年 12 月任红大二科科长。1937 年抗日战争爆发后，任抗日军政大学队长。1940 年 6 月起任八路军第 115 师 343 旅政委，7 月兼鲁西军区政委。参加了百团大战。1941 年 7 月任 11 路军第二纵队兼冀鲁豫军区政委。1944 年冀南军区与冀鲁豫军区合并后任冀鲁豫军区副政委。参与领导冀鲁豫边区军民挫败日军"扫荡"，击退国民党顽固派军队的进攻，坚持和发展了抗日根据地。解放战争时期，自 1945 年 8 月起任晋冀鲁豫野战军第一纵队政委，中共晋冀鲁豫中央局委员。1949 年 1 月任人民解放军第五兵团政委。先后与杨得志、杨勇等率部参加了邯郸战役、张家口保卫战。进军大别山和淮海、渡江、西南等战役。中华人民共和国成立后，先后任贵州军区政委，司令员兼政委，中共西南局委员，中共贵州省委书记。1954 年任海军副政委兼政治部主任，海军党委副书记。1957 年 2 月任海军政委。"文化大革命"中被解除职务。1973 年 1 月任海军第一政委，1975 年 8 月任海军党委第一书记。1976 年粉碎"四人帮"后任中共上海市委第一书记，上海市革命委员会主任。是中共第八届中央候补委员，第十届中央委员、政治局候补委员，第十一届中央委员、政治局委员。1959 年后任中共中央军委委员、军委副秘书长，1975 年 1 月任军委常委。还是第一至三届国防委员会委员。1955 年被授予上将军衔，获二级八一勋章、一级独立自由勋章、一级解放勋章。1979 年 2 月 7 日因病在北京逝世。

粟　裕　（1907—1984）

侗族。湖南会同人。1926 在常德湖南第二男子师范学校读书时加入中国共产主义青年团，1927 年在叶挺为师长的国民革命军第 24 师教导队任学员班长时，转为中共党员。同年 8 月参加八一南昌起义，11 月任连指导员。1928 年1 月参加朱德、陈毅领导的湘南暴动。4月参加巩固井冈山革命根据地的斗争。先后在工农革命军第一师任连长、营党代表。1929 年夏任第一师支队长。1930 年 9 月任工农红军第 22 军第 64 师师长。1931 年任红 64 师师长兼政委。1932 年 5 月任红四军参谋长，7 月任红一军团教导师政治委员兼政治部主任，同年又调任红十一军参谋长。1933 年任红七军团参谋长。参加了创建中央革命根据地的斗争和第一至五次反"围剿"作战。1934 年 7 月任红军北上抗日先遣队参谋长。11 月任红十军团参谋长。1935 年 1 月任闽浙赣挺进师师长，挺进浙南地区，开创了浙南革命根据地，同年任闽浙军区司令员。1937 年抗日战争爆发后，任新四军第二支队司令员。1939 年 11 月任新四军江南指挥部副指挥。1940 年任新四军苏北指挥部副指挥。参与创建苏浙敌后抗日根据地。1941 年皖南事变后，任新四军第一师师长兼政委、苏中军区司令员兼政委，同时任中共苏中区党委书记，为坚持和巩固苏中抗日根据地作出了贡献。1944 年12 月率部南下，任苏浙军区司令员兼政委、中共苏浙区党委书记。开创了浙西抗日根据地。1945 年 10 月任华中军区副司令员。1946 年任华中野战军司令员。7 月与谭震林等一同指挥了著名的七战七捷的苏中战役。1947 年 1 月任华东野战军副司令员，参与指挥了莱芜战役、孟良崮战役。7 月任华东军区副司令员。1948 年 5 月任华东野战代理司令员、代理政委。1948 年 11 月参加指挥了淮海战役。1949 年 1 月，华东野战军改称第三野战军后任副司令员兼第二副政委，并任华东军区副司令员。5 月任上海市军管会副主任，南京市军管会主任、南京市市长。12 月任华东军政委员会副主席。1951 年 12 月任中国人民解放军副总参谋长。1954 年 10 月任总参谋长，国防部副部长。1955 年被授予大将军衔。1958 年任国防部副部长，同年 10月任军事科学院副院长，并任中央军委常委。1972 年 11 月任军事科学院第一政委、中共军事科学院党委第一书记。曾任国务院业务组成员。是中共第七届候补中央委员；第八、九、十、十一届中央委员；第三、四届全国人大常委；第五届全国人大常委会副委员长。1982 年 9 月任中共中央顾问委员会常委。1984 年 2月 5 日因病在北京逝世。

苏子衡　（1905—1996）

化学家、社会活动家。台湾彰化人。1927 年赴日本留学。1928 年在日本加入中国共产党。1937 年毕业于东京帝国大学工学院应用化学系，同年回到台湾任工程师。1941 年到北平，任日伪统治下的北京大学理学院化学系副教授。1945 年抗日战争胜利后，到解放区张家口任晋察冀军区工业部化学研究所主任兼研究员，在解放区开创化学实验工作。1949 年任大连大学化学研究所室主任、研究员。担任台湾民主自治同盟旅大特别支部副主任。中华人民共和国成立后,1952 年历任中国科学院计划局理化组组长、化学研究所和感光化学研究所研究员。在菲那西汀的合成、羰基化合物的催化加氢,以及照相胶片用增感剂、稳定剂、防灰剂等方面的研究都取得了成果。1979 年后历任台湾民主自治同盟第二届总部理事会副主席,第三届总部理事会主席,第四、五届中央名誉主席。1995 年重新加入中国共产党。是全国政协第三届委员、第四至七届常务委员。1996 年 5 月 31 日因病在北京逝世。

孙 科 (1891—1973)

孙中山之子。字哲生,广东香山人。1910 年加入中国同盟会。1912 年赴美国加利福尼亚大学学习,获文学学士学位。1916 年 8 月,入纽约哥伦比亚大学研究院,获经济学硕士学位。1917 年回国,曾任大元帅府秘书兼国会书记、《广州时报》总编辑。1925 年 3 月,孙中山在北京病逝时,他是《遗嘱》签证人之一。1925 年 7 月,国民政府正式成立,任国民政府委员兼交通部长。1926 年 1 月,在国民党第二次全国代表大会上当选中央执行委员,以后在国民党第三、四、五、六次全国代表大会上均连任此职。1927 年 7 月,支持汪精卫在武汉"清党"反共。1931 年 11 月 13 日,蒋介石、汪精卫、胡汉民各派分别在南京、上海、广州召开国民党第四次全国代表大会,孙科当上中央执行委员,后又当上行政院长。不久,

蒋、汪合作。1932 年 1 月 25 日,他被迫辞职。6 月,出任立法院院长,起草了"五五宪法"草本。抗日战争开始,以蒋介石特使的身份三次访问莫斯科,洽谈军事、外交事宜。1947 年 4 月,出任国民政府副主席,这是他一生中最高的官衔。1948 年 3 月,竞选副总统败于李宗仁之手,改任立法院院长。1948 年 11 月,又出任行政院院长。随后,一则是为了反对李宗仁代总统与中国共产党会谈,另一则是自感对国民党军事上的失败无法交代,1949 年 3 月 8 日,在中国人民解放军攻占南京前夕,辞去行政院院长职务。然后,经香港到法国、美国定居。1965 年到台湾参加庆祝孙中山 100 周年诞辰。10 月,孙科夫妇结束国外生活迁台湾定居。年底,蒋介石任命他为"总统府资政"。1966 年 6 月,出任"考试院院长"。1967 年 8 月,兼任"中华文化复兴运动推行委员会副会长"。1969 年 3 月,在国民党第十次"全国"代表大会上,当选为中央评议委员和中央评议会主席团第一主席。1973 年 9 月 13 日在台北病故。

孙德和 (1911—1981)

钢铁冶金专家。安徽安庆人。1934 年毕业于清华大学化学系。1935 年赴德国留学,入亚琛大学学习冶金专业。1943 年获博士学位,被授予博尔歇斯奖。主要从事钢中含氢的研究,他所创造的真空和保护气体下取样的新方法和设备,对以后钢的真空处理有直接的启发作用。中华人民共和国成立后,主持第一个自建特殊钢厂——大冶钢厂的总

体设计。1958 年后,参加和指导氧气顶吹转炉、连续铸钢和钢水真空处理的设计和实验工作。为中国冶金工业的建设、发展先进技术作出了贡献。历任上海同济大学教授、上海钢铁公司副总经理、北京钢铁设计研究院副总工程师、中国科学院技术科学部委员。1978 年后,担任首部《中国大百科全书•矿冶》卷(1984 年出版)的编辑委员会副主任,虽身患沉疴,仍坚持工作,为矿冶卷的编纂工作奠定了基础。1981 年 7 月 21 日因病在北京逝世。

孙连仲 （1892—1990）

字仿鲁,河北雄县人。早年入保定府中学堂就读,毕业后投冯玉祥部,历任连长、营长、团长等职。曾入北洋政府陆军检阅使署高级军官教育团深造。毕业后任冯玉祥部国民军旅长、师长。1926 年任国民联军东路军第二军司令员,9 月率部参加冯玉祥"五原誓师",加入中国国民党。参加响应北伐的东征作战。1927 年任国民联军第十四路军总司令。1928 年 4 月任国民革命军第二集团军第二方面军总指挥兼平汉路前敌总指挥,率部参加南京政府的第二期北伐。随后奉命移师西北,兼任陕甘"剿匪"总指挥,并任青海省政府主席。1929 年担任甘肃省政府代理主席,主持甘、青、宁三省军务。后投靠蒋介石集团。1930 年冬任西北军余部改编的第二十六路军总指挥。1931 年兼江西省"清乡"督办,率部参加第二、三次"围剿"。7 月担任右翼集团军第二军团总指挥兼第二十五师师长。同年 12 月,任国民党第五路军

司令官。1933 年任重建的第二十六路军总指挥。1935 年兼第一绥靖区司令官,并被选为国民党第五届中央监察委员会委员。1937 年任庐山军官训练团副团长及总队长。1937 年抗日战争爆发后,任国民革命军第一军团军团长。10 月任第二集团军副总司令。1938 年 3 月任第五战区鲁南兵团司令兼第二集团军总司令,率部参加了台儿庄战役。1939 年 1 月任第一战区副司令长官。同年 11 月任第五战区副司令长官,均兼第二集团军总司令。1944 年担任第六战区司令长官。1945 年 6 月改任第十一战区司令长官。抗日战争胜利后,负责主持平津地区日军投降事宜。10 月底率部进攻解放区,在邯郸战役中遭到沉重打击。1947 年 7 月任保定绥靖公署主任,旋又改任南京卫戍总司令部总司令兼总统府参军长。1949 年逃至台湾。先后任台湾国民党中央监察委员、"国民政府战略顾问委员"、"总统府国策顾问",国民党第九至十三届中央评议委员会委员。1990 年 8 月 14 日在台北病逝。

孙　犁 （1913—2002）

作家。原名孙树勋,河北安平人,12 岁在安国县城上小学。14 岁考入保定育德中学学习。毕业后无力升学,流浪北平,在图书馆看书或到大学旁听,努力自学。这段时间还先后在市政机关和小学做职员。1936 年暑期后,到河北安新县小学教书,开始对白洋淀一带人民群众的生活有了初步了解。1937 年抗日战争爆发后,在冀中抗日根据地从事文化工作。1938 年秋任冀中抗日根据地

抗战学院教员。1939 年春到阜平,在晋察冀通讯社工作。后在晋察冀文联、《晋察冀日报》、华北联合大学当编辑做教员,同时进行文学创作。1941 年回到冀中抗日根据地,参加群众性大型报告文学集《冀中一日》的编辑工作,并出版了《区村和连队的文学写作课文》(后改名为《写作入门》、《文艺学习》)。1944 年赴延安,在鲁迅艺术文学院工作和学习。发表了《荷花淀》、《芦花荡》等作品,以其清新的艺术风格引起延安文艺界的注意。1945 年抗日战争胜利后,回到冀中农村从事写作,写有《钟》、《碑》、《嘱咐》等短篇小说和散文。参加了土地改革工作。中华人民共和国成立后,在《天津日报》工作,同时继续文学创作。20 世纪50 年代初,长篇小说《风云初记》出版。1956 年,中篇小说《铁木前传》出版。以后因病长期搁笔。但以《天津日报》副刊"文艺周刊"为阵地,发现和培养了不少青年作家。1958 年出版的《白洋淀纪事》,是最负盛名和代表其创作风格的一部小说与散文合集。文艺界甚至以其为现代文学的一种风格流派的标志,视为"荷花淀派"的主要代表作。"文化大革命"中无作品。1977 年以后主要写散文和评论。1989 年《孙犁散文集》获新时期全国优秀散文(集)荣誉奖。是中国作家协会第二、三届理事,第四届顾问。历任中国作家协会天津分会副主席、主席、名誉主席。2002 年 7 月 11 日因病在天津逝世。著有《晚华集》(1979)、《秀露集》(1981)、《澹定集》(1981)、《耕堂杂录》(1981)、《尺泽集》(1982)、《孙犁文集》(5 册/1982)等。

孙晓村 (1906—1991)

浙江余杭人。1921 年入上海震旦大学预科,1925 年入北平中法大学。毕业后回南方从事教员、编辑工作。1930年开始探讨中国农村经济问题。1933年出任国民政府行政院农村复兴委员会专员,主持浙、苏、豫、陕、滇、桂六省农村调查,积极参与中国农村经济研究会的发起和筹备工作,任理事,并任《中国农村》月刊发行人。1935 年筹建南京各界救国会,并任全国各界救国联合会常委。1936 年 11 月因救国会案在南京被捕入狱,1937 年后任武汉军事委员会农户调整委员会专员,经济部农本局专员,第三战区购粮委员会副主任委员,军粮巡回督察团主任委员等职。1945 年参加中国民主革命同盟,任国内工作委员会主席,1946 年任上海法政学院教授,1949年加入中国民主建国会,出席中国人民政治协商会议第一届全体会议。新中国成立后,任上海市工商联筹备委员会秘书长;政务院财经委员会委员、计划局副局长;北京农业大学校长;中越友好协会副会长;中国民主建国会中央秘书长、副主席;全国政协副秘书长;全国政协副主席。还曾任全国工商联常委、中华职业教育社常务理事、中国银行常务董事、中国国际信托投资公司董事。是第一、二、三届全国人大代表;第三、四、五、六届全国政协常委。1991 年 5 月 4 日因病在北京逝世。

孙冶方 (1908—1983)

原名薛萼果,又名宋亮,江苏无锡

人。少年时代入俟实学堂读书。1923年9月加入中国社会主义青年团,1924年初转为中国共产党党员,成立中共无锡支部,任支部书记。7月考入公益商业中学。1925年被派赴苏联,入莫斯科中山大学学习。1927年毕业后,在莫斯科东方大学执教政治经济学兼做翻译。1930年9月回到上海,任人力车工会筹备会副主席。不久调任沪东区工会联合会筹备会主席,从事工会工作。1931年春因党组织被破坏,失掉组织关系。后到上海中央研究院社会科学所从事资料整理工作。后结识史沫特莱,担任英文《中国论坛》通讯员。1933年参加广东农村经济调查。1934年秋赴日本东京访问。1935年9月回到上海,继续从事中国农村经济问题的研究,撰写《农村经济学的对象》等文章,批驳中国托派分子否定中国革命反帝反封建性质的谬论。1937年春重新恢复党组织关系。抗日战争爆发后,任中共江苏省委文化工作委员会书记。1941年春到达苏北抗日根据地,任中共中央华中局宣传部教育科科长,不久调任华中局党校教育科科长,曾就理论与实践的关系问题与刘少奇通信。1943年4月任中共苏北路西地委宣传部部长。1944年参加华中局整风运动。抗日战争胜利后,任中共中央华中局财经委员会委员、苏皖边区政府货物管理局副局长。1946年后任华东财经委员会秘书长。中华人民共和国成立后,历任上海军管会重工业处处长、华东军政委员会工业部副部长、统计局局长、国家统计局副局长、中国科学院经济

研究所代理所长、所长等职。他写的《关于全民所有制经济内部的财政制度问题》、《关于等价交换原则和价格政策》等研究报告,受到康生、陈伯达等人批判。"文化大革命"受到迫害监禁。1977年后得到彻底平反,任中国社会科学院顾问兼经济研究所顾问。中共十二大上被选为中共中央顾问委员会委员。他是中国现代马克思主义经济学家,对中国社会主义经济建设中的许多重大理论和实际问题提出了一系列独创见解。1983年2月22日因病在北京逝世。主要著作有《社会主义经济论》、《社会主义经济的若干理论问题》及其续集、《孙冶方文集》。

孙越崎 （1893—1995）

中国现代能源工业的奠基人之一。原名毓麒,浙江绍兴人。1913年入上海复旦公学学习,1916年毕业后考入天津北洋大学采矿科学习。1919年任学生会会长时,参加五四运动被校方开除。经蔡元培帮助,转入北京大学矿冶系学习,1921年毕业。1923年创办吉林省中俄官商合办穆棱煤矿,这是他投身中国现代能源工业的开始。1929年赴美国留学,先后在斯坦福和哥伦比亚大学研究院攻读矿科。1932年2月,赴英、法、德等国考察采矿业;8月回国后在国防设计委员会任职。1933年任陕北油矿勘探处处长,组建了中国第一支油矿钻井队,并打出油井。1934年10月任河南焦作中福公司总经理兼总工程师,用一年时间使濒临破产的煤矿起死回生。1937年抗日战争爆发,组织员工将煤矿

设备迁至四川。1938年5月后,与当地人合办天府、嘉阳、威远、石燕四个煤矿,任总经理。同年加入中国国民党。1940年后兼任资源委员会甘肃(玉门)油矿总经理。1942年夏,鉴于他办矿成绩卓著,中国工程师学会颁给他金质奖章以示奖励。他为中国的抗日战争提供能源保障,作出了积极的贡献。1945年5月当选国民党第六届中央候补执行委员。1946年起,任中华民国政府资源委员会副委员长、委员长、经济部部长。1949年他秘密主持制定"坚守岗位,保护财产,迎接解放,办理移交"的方针,拒绝迁移台湾,将资源委员会所属近千个大、中型厂矿和设备,以及三万多技术管理人员完整地交给人民,建立了历史性功绩。同年被国民党开除党籍,被中华民国政府以叛国叛党罪通缉。中华人民共和国成立后,任中央财经委员会计划局副局长。1952年任开滦煤矿总管理处副主任。1979年当选河北省人大常务委员会副主任。1980年任河北省政协副主席。1981年任煤炭工业部顾问。是第二、三、四、八届全国政协委员;第五、六、七届全国政协常务委员;中国国民党革命委员会中央副主席、名誉主席。1995年12月9日因病在北京逝世。1997年9月,绍兴市政府投资建设的"越崎中学"和"孙越崎纪念馆"竣工。

孙占元 (1925—1952) 河南林县人。1946年2月参加中国人民解放军。1948年加入中国共产党。1951年参加中国人民志愿军,任第十五军第四十五师第一三五团第七连排长。多次立功。1952年10月14日在上甘岭战役中,带领突击排反击597.9高地一个阵地,双腿被炸断,来回爬行指挥,并用缴获的两挺机枪掩护战士爆破敌人三个火力点。在突击部队继续推进时,敌人从侧后反扑过来,用机枪打退敌人两次冲击,毙伤敌80余人。子弹打光后,拉响最后一颗手榴弹炸死冲上阵地的敌人,自己壮烈牺牲。被中国人民志愿军领导机关追记特等功,授予一级战斗英雄称号。被朝鲜民主主义人民共和国授予"朝鲜民主主义人民共和国英雄"称号和朝鲜民主主义人民共和国一级国旗勋章及金星奖章。

T

谈家桢 （1909—2008）

生物学家、教育家、社会活动家。浙江宁波人。1926 年高中毕业后被保送到东吴大学主修生物学。1930 年毕业后到燕京大学读研究生，在李汝祺教授指导下进行异色瓢虫鞘翅色斑遗传的研究。1932 年获硕士学位后回东吴大学任教。1934 年赴美国留学，入加利福尼亚理工学院摩尔根实验室做研究工作。在多布然斯基教授指导下从事果蝇进化遗传研究，利用当时研究果蝇唾腺染色体的最新方法，分析了果蝇近缘种之间的染色体差异和染色体的遗传图，促进了"现代综合进化论"的形成。先后单独或与美、德等国学者合作发表论文 10 余篇，1936 年获博士学位。1937 年回国后任浙江大学生物系教授。不论在抗日战争期间随学校辗转各地，还是抗日战争胜利后学校返回杭州，除教学外还继续着果蝇和瓢虫遗传方面的研究。1946 年在亚洲异色瓢虫中发现色斑嵌镶显性遗传现象，被认为是经典遗传学发展的重要补充和现代综合进化理论的关键论据，受到国际遗传学界的重视。中华人民共和国成立后，1951 年加入中国民主同盟。1952 年到复旦大学工作，历任生物系主任、遗传学研究所所长。1961 年任复旦大学副校长。"文化大革命"中受到冲击。1979 年当选第五届上海市政协副主席。1981 年当选中国科学院生物学部委员。1985 年被美国科学院授予外国院士。是全国政协第三届委员、第五至八届常务委员；上海市第八至十届人大常务委员会副主任；中国民主同盟第五至七届中央副主席、第八、九届中央名誉主席、第七至十届上海市委员会主任委员。曾担任中国生物工程学会理事长、上海农学院名誉院长、第十五届国际遗传学会副会长、上海市自然博物馆馆长、国际未利用植物开发委员会委员等职。1999 年经国际天文学联合会小天体命名委员会批准，将国际永久编号为第 3542 号小行星，正式命名为"谈家桢星"。2008 年 11 月 1 日因病在上海逝世。著作收入《谈家桢文选》。

谭平山 （1886—1956）

名鸣谦，广东高明人。清末入两广优级师范学校，并加入中国同盟会。毕业后任雷州中学校长、广东省政府参议。1917 年入北京大学。在校期间曾参加马克思学说研究会和五四运动。1920 年毕业后，任教于广东高等师范学校，同时与陈公博、谭植棠在广州合办《群报》。1921 年加入中国共产党。1923 年 12 月，任国民党临时中央执行委员，参与改组国民党工作。1924 年 1 月，任国民党第一届中央执行委员会常务委员兼中央组织部部长；同年任中共广东区委执行委员。1926 年 1 月，任国民党二届一中全会中央常务委员兼中央组织部部长，中山舰事件后离职。1927 年 3 月，与陈独秀、瞿秋白等五人组成中共中央，筹备召开中共五大。同月被选为国民党中央党部常务委员、政治委员会七人主席团成员、武汉国民政府委员和农政部部长。8 月，参加南昌起义，任国民党革命委员会主席，起义失败后，出走苏联。1928 年组织中华革命党，后改称中国国民党临时行动委员会（1947 年改名中国农工民主党）。抗战爆发后回国，1938 年 6 月任第一届国民参政会参政员，后连任第二届、第三届和第四届国民参政会参政员。抗战期间曾参与三民主义青年团工作。抗战胜利后，1945 年 10 月当选为三民主义同志联合会主席。1947 年 7 月，任国民党中央第六届中央监察委员；同年由上海至香港。1948 年 1 月，与李济深、蔡廷锴等在港组织中国国民党革命委员会，任中央常务委员。9 月，离港赴东北解放区，参加筹备召开新政协工作。1949 年 9 月，以代表身份出席第一届中国人民政治协商会议，并当选为全国政协第一届委员会委员、政协主席团成员、主席团常务委员，政协组织法整理委员会委员兼召集人。

中华人民共和国成立后，任中央人民政府委员、政务院政务委员、政务院人民监察委员会主任委员。1954 年 9 月，任一届人大常委。12 月，任政协第二届全国委员会委员。1956 年 3 月，任民革中央副主席。4 月 2 日，在北京病逝。主要著作被编成《谭平山文集》。

谭其骧 （1911—1992）

历史、地理学家。字季龙，浙江嘉兴人。在辽宁皇姑屯火车站站长宿舍出生，1912 年回浙江嘉兴。1918 年入嘉兴谭氏慎远小学学习。1923 年入兴秀州中学学习。1926 年考入上海大学社会系，1927 年转入上海暨南大学中文系，后转入外文系、历史系学习。1930 年毕业后进北平燕京大学研究生院学习，师从历史学家顾颉刚。1932 年春，任北平图书馆管理员、辅仁大学兼任讲师；8 月毕业后任燕京大学、北京大学（代顾颉刚）讲师。1934 年春协助顾颉刚筹办禹贡学会，主编《禹贡》半月刊。1935 年到广州任学海书院导师。1936 年回到北平，任燕京大学、清华大学讲师。抗日战争爆发后，1940 年辗转到贵州遵义，历任内迁至此的浙江大学历史系副教授、教授。1945 年抗日战争胜利后，随浙江大学迁回杭州。1947 年兼任上海暨南大学历史系教授，奔波于沪、杭两地，以解物价飞涨带来的生计之危。中华人民共和国成立后，1950 年到上海，任复旦大学历史系教授。1955 年到北京主编《中国历史地图集》，以清末民初杨守敬的《历代舆地图》重编改绘。1957 年回到复旦大学，任历史系主任，1959 年兼任中国历史地理研究室主任。其间，主编《中国历史地图集》的工作一直在进行，就是在"文化大革命"非常混乱的时期，也未停止。他除了熟读大量古代有关典籍，还去天山南北、中原各省实地考察，并对长江水系和黄河古道进行了考察。初稿于 1974 年完成，后陆续内部发行，1980 年起修订。同年当选中国科学院地学部委员。1982 年任复旦大学中国历史地理研究所所长。同年《中国历史地图集》公开出版。1986 年《中国历史地图集》获上海（1979—1985）哲学社会科学特等奖。1988 年《中国历史地图集》（8 册）出版完成。该巨著共 20 个图集、304 幅地图；收录了清代以前全部可考的县级和县级以上的行政单位、主要居民点、部族名以及河流、湖泊、山脉、山峰、运河、长城、关隘、海洋、岛屿等约 7 万余地名；除历代中原王朝外，还包括在中国历史范围内各民族所建立的政权和活动区域。该书在学术上的权威性，使

它为维护国家的统一作出了重大贡献。他对历史自然地理的研究也有独特的见解，如对历史上黄河河道的变迁及多灾的原因、各历史时期洞庭湖和鄱阳湖的变化、海河水系的形成和演变、上海地区成陆的过程等都有深入的研究，具有重大的理论价值和现实意义。主编的《中国自然地理·历史自然地理》具有学科开创意义。是第三、四、五届全国人大代表，第八届上海市政协委员。曾担任中华人民共和国国家历史地图集编辑委员会副主任委员、总编辑，中国历史大辞典编辑委员会主任，中国史学会理事，中国地理学会理事等职。1992 年 8 月 28 日因病在上海逝世。他长期从事中国历史地理的研究，并培养了这方面的大批人才，是中国历史地理学的主要奠基人。著有《辞海·历史地理分册》（主编，1978）、《长水集》（上、下册，1987）、《简明中国历史地图集》（主编，1991）、《长水集续编》（1994）、《长水粹编》（2000）等。

谭绍文 （1929—1993）

四川成都人。1936 年先后在四川新津、成都的小学和中学读书。1948 年相继在成都铭流学院纺织工程系、西北工学院纺织工程系学习。1952 年 9 月大学毕业后，分配到天津国营第三棉纺厂担任技术员。1953 年在天津纺织工业学校机织科任教师、副主任；5 月加入中国共产主义青年团。1955 年 5 月加入中国共产党。1958 年任河北纺织工学院教务处副处长。"文化大革命"初期受到冲击，下放劳动。恢复工作后，任天津纺织工学院教务处处长、党委常委。1978

年任天津纺织工学院副院长、党委副书记、院长。其间在中央党校学习一年。1981年任天津市文教委员会副主任、党组副书记、主任。1982年5月任中共天津市委常委、秘书长。1983年3月任中共天津市委副书记。1988年5月当选天津市政协主席。1989年9月任中共天津市委书记、天津警备区党委第一书记。他是中共第十二次全国代表大会代表。1992年10月当选中共第十四届中央政治局委员。1993年2月3日因病在任期内于天津逝世。

谭震林 （1902—1983）

湖南攸县人。青少年时期当过装订工人、书店学徒。1925年参加革命。1926年加入中国共产党,同年在茶陵县从事工人运动。1927年秋上井冈山,任中共茶陵县委书记、县苏维埃主席。1928年9月任中共湘赣特委代理书记、不久任书记。1929年任中国工农红军第四军第二纵队党代表,第四纵队政治部主任、司令员、政委等职。1931年初任十二军政治委员,1932年任福建军区司令员。1933年在王明“左”倾教条主义开展的反“罗明路线”斗争中受到打击。1934年10月红一方面军主力长征后留在闽西,任闽西南军政委员会军事部长。1936年1月任军政委员会副主席兼军事部长,在极端艰苦条件下,坚持南方游击战争。抗战爆发后,任新四军第三支队副司令员,是皖南抗日根据地创建人之一。1940年春任江南人民抗日救国东路指挥部司令员兼政治委员。1941年任新四军第六师师长兼政委,并

兼中央苏南区党委书记。1943年至1945年8月任新四军第二师政委,中共淮南区党委书记,领导淮南抗日根据地的斗争。1945年6月在中共七大上当选为中央委员。解放战争初期任中共中央华中局副书记、华中军区副政委、华中野战军政委,1946年七八月间,与粟裕指挥华中野战军在苏中地区同国民党军队作战,取得七战七捷的重大胜利。1947年1月,任华东野战军副政委,参与指挥了莱芜、孟良崮战役。同年冬兼任山东兵团政委,与许世友指挥部队在山东内线作战,和华东野战军外线作战兵团相配合,粉碎了国民党军队对山东根据地的重点进攻。1948年11月,华东野战军整编为第三野战军,任第一副政委兼第七兵团政委。在淮海战役中任前敌委员会委员,参与领导与指挥了战役。1949年5月后任中共浙江省委书记、省人民政府主席、省军区政委。1951年11月任中共中央华东局企业工作委员会主任。1952年秋任华东局第三书记、华东军政委员会副主席、治理淮河委员会主任等职。1954年12月调任中共中央副秘书长兼中央书记处第二办公室主任。1956年9月在中共八届一中全会上被选为中央书记处书记。1958年5月在中共八届五中全会上被选为中央政治局委员。1959年4月任国务院副总理,1962年10月后兼任国务院农林办公室主任、国家计划委员会副主任等职。“文化大革命”中,同林彪、江青反革命集团的倒行逆施进行了针锋相对的斗争,受到迫害。1974年重新出来工作,当选为第四、五

届全国人大常委会副委员长。他是中共第八、十、十一届中央委员,在中共十二大上当选为中央顾问委员会委员,并在中顾委第一次全体会议上当选为副主任。1983 年 9 月 30 日因病在北京逝世。

汤用彤　(1893—1964)

佛学史家、哲学史家。字锡予,湖北黄梅人。1917 年毕业于清华学堂。1918 年赴美留学,先在汉姆林大学攻读哲学,继又入哈佛大学研究院深造,获哲学硕士学位。1922 年回国后,历任东南大学、南开大学、北京大学、西南联大教授,并被选为中央研究院院士、评议员。中华人民共和国成立后,历任北京大学校务委员会主席、副校长,全国政协常委,第一至三届全国人民代表大会代表。1955 年当选中国科学院哲学社会科学学部委员。他通晓梵语、巴利语等多种外国语言,熟悉中国哲学、印度哲学、西方哲学,毕生致力于中国佛教史、魏晋玄学和印度哲学的研究。他在《印度哲学史略》中采录了中国所保存的不少重要史料,并作了考证和评价。还著有《汉魏两晋南北朝佛教史》、《隋唐佛教史稿》、《汤用彤学术论文集》等。

唐敖庆　(1915—2008)

物理化学家、教育家。江苏宜兴人。初中毕业后因家境贫困无力读高中,遂考入无锡师范学校继续学习。毕业后到宜兴县官林镇凌霞小学教书,一年半后到省立扬州中学大学补习班学习。1936 年夏考入北京大学化学系学习。1937 年抗日战争爆发后,随校迁至云南,继续在西南联合大学化学系学习。1940 年毕业后留校任教。1945 年抗日战争胜利后,他以助手身份随中国政府代表团于 1946 年赴美国考察原子能技术。后被推荐入哥伦比亚大学化学研究院做研究生,1949 年 11 月获博士学位。1950 年回国后,任北京大学化学系副教授、教授。1951 年底加入中国民主同盟。1952 年任东北人民大学(吉林大学前身)化学系教授。1955 年当选中国科学院数学物理学化学部委员。1956 年任吉林大学副校长。同年他以论文《分子内旋的阻碍势函数问题》的研究成果,获中国科学院自然科学奖三等奖。1958 年 6 月加入中国共产党。"文化大革命"中受到冲击。1978 年任吉林大学校长。1981 年当选中国科学院主席团成员并被评选为国际量子分子科学院院士。他在有关分子内旋转、高分子化学反应统计理论、配位场理论、分子轨道图形理论及分子轨道对称守恒原理等方面的研究成果,均分别受到国家奖励。其中集体关于"配位场理论"的研究,于 1982 年获国家自然科学奖一等奖。1986 年初任国家自然科学基金委员会主任,兼任吉林大学名誉校长。1987 年他的"分子轨道图形理论方法及其应用"的研究成果获国家自然科学奖一等奖。1989 年他的"缩聚、加聚与交联反应统计理论"的研究成果获国家自然科学奖二等奖。1995 年获香港何梁何利基金"科学与技术成就奖"。是中共第十至十二大全国代表,第二、三届全国人大代表,全国政协第六、七届委员、第八届常务委员。曾担任中国科学技术协会副主席、中国化学会理事长、中国高等教育学会副会长、《高等学校化学学报》主编、《中国科学》和《科学通报》编辑委员会委员、《化学学报》编辑委员会常务委员、《国际量子化学》编辑委员会顾问等职。2008 年 7 月 15 日因病在北京逝世。作为教育家，他对吉林大学的建设和发展作出了卓越的贡献，特别是其创办的理论化学研究所，已经成为享有盛誉的理论化学研究中心；他培养的学生中已经有十余位院士。他专长物理化学和高分子物理化学，特别是量子化学，是中国现代理论化学的开拓者和奠基人。已经发表的学术论文有 140 余篇，出版的著作有《配位场理论方法》、《分子轨道图形理论》、《量子化学》、《高分子反应统计理论》。

唐生智　（1889—1970）

字孟潇，湖南东安人，早年入湖南武备学堂第一期学习，毕业后入湖北武昌南湖第三陆军中学和保定陆军军官学校入伍生队学习。参加过辛亥革命和讨袁、护法战争。1923 年任湘军第四师师长兼湘南和水口山善后督办，大力扩充实力，训练军队，成为湘军中装备最好、训练有素、号称有五万之众的队伍。1926 年 6 月在衡阳就任国民革命军第八军军长兼北伐前敌总指挥，率部北伐。7 月攻占长沙，成立湖南省政府，任主席兼军事厅厅长，并率全军宣誓参加国民党。1927 年初任北伐军西路军总指挥。还曾任武汉国民党中央政治委员会委员、军事委员会委员、国民政府委员。4 月被武汉国民政府任命为北伐总指挥。4 月 12 日蒋介石集团发动反革命政变，

他极力主张东征讨蒋。当时武汉政府决定先进行北伐，他率部执行继续北伐的命令，在河南大败奉军。"七一五事变"后，出席庐山"分共"会议，指挥武汉政府军队沿江东下讨蒋。大革命失败后，投身于军阀混战之中。1929 年 3 月桂系李宗仁等反蒋，出任讨逆军第五路军总指挥，替蒋介石击败桂系军队。10 月蒋冯（玉祥）战争爆发，又替蒋击败冯。"九一八"事变后，宁粤组成统一的国民政府，任军事委员会委员兼军事参议院院长。后任训练总监部总监。1935 年被授予陆军上将。"八一三"上海抗日战争爆发后，主张固守南京，与日本侵略军血战到底。1937 年 11 月任南京卫戍司令。南京保卫战失败后，仅挂名军事委员会委员，闲居湖南东安和重庆。抗日战争胜利后，不愿参加内战，在家乡办学，阅读了一些毛泽东、刘少奇的著作，思想开始转变，重新选择自己的道路。1946 年力劝蒋介石停战言和，在国民党上层人士及各党派中宣传和平的主张，并组织湖南和平自救运动。11 月拒绝参加国民党政府召开的伪国大。淮海战役期间，到南京、上海劝说国民党将领起义，脱离蒋介石。1949 年拒绝了李宗仁、白崇禧的任职邀请。中华人民共和国成立后，历任湖南省人民政府主席、副省长，政协湖南省委员会副主席，中南军政委员会和中南行政委员会委员，国防委员会委员，第一、二、三届全国人大常委。第一届全国政协委员；第二、三、四届全国政协常委；中国国民党革命委员会第三、四届中央常委等职。他十分关心祖国的统

一大业,多次发表对台广播,致信在台湾的故旧,盼望台湾早日回归祖国。1970年4月6日因病在长沙逝世。

陶　勇　（1912—1967）

原名张道庸,安徽霍邱人。1929年2月加入中国共产主义青年团,4月加入中国工农红军。历任红军游击队班长、排长、连长。1930年任红一军连长。1931年转为中国共产党党员,任鄂豫皖苏区政治保卫局保卫队队长。1932年任红四军第12师第35团副连长、连长、1营副营长。参加了鄂豫皖苏区历次反围剿战斗;10月后,历任中国工农红军第四方面军第10师第28团2营营长、副团长。参加了创建川陕苏区的战斗。1935年5月参加长征,任第28团团长。1936年1月,入红四方面军红军大学学习;5月,任红九军教导师师长;9月,任红九军第27师第81团团长;10月,参加了红军西路军在甘肃、青海同回族"马家军"军阀所进行的残酷战斗,最终失败。1937年抗日战争爆发后到延安,入抗日军政大学学习。后历任新四军第一支队副参谋长、第二支队第4团团长、苏皖支队支队长兼政委。1940年任新四军苏北指挥部第三纵队司令员兼政委。1941年任新四军第1师第3旅旅长兼苏中军区第四军分区司令员。1942年入中共华中局党校学习,任学员大队长。1945年1月任苏浙军区第三纵队司令员。参加了创建苏中抗日根据地的斗争。解放战争时期历任华中野战军第八纵队司令员兼政委、新四军第1师副师长、华东野战军第四纵队司令员、中国人民解放军第三野战军第23军军长。参加了解放华东广大地区的战斗。中华人民共和国成立后,任第三野战军第9兵团副司令员。1950年参加抗美援朝战争,任中国人民志愿军第9兵团副司令员、代司令员兼政治委员。1952年回国,历任华东军区海军司令员、中国人民解放军海军副司令员兼东海舰队司令员、兼任南京军区副司令员。1955年被授予中将军衔。为中国海军现代化的建设作出了贡献。"文化大革命"开始遭受迫害,他选择自杀的方式进行抗争,于1967年1月21日在上海逝世。1975年中共中央为他平反昭雪。

陶　铸　（1908—1969）

原名陶际华,字剑寒,又名任陶。湖南祁阳人。1926年考入黄埔军校,同年参加了中国共产党。1927年参加了南昌起义和广州起义。1928年回湖南做兵运工作。1929年到1933年在福建从事秘密工作期间,先后担任了中共福建省委秘书长、书记、中共漳州特委书记、中共福建省委组织部长、中共福州中心市委书记等职。曾组织和指挥全国闻名的厦门劫狱斗争,先后建立了闽南工农红军游击总队和闽东地区的人民武装力量。1933年5月,由于叛徒出卖在上海被国民党逮捕,被判处无期徒刑。在南京监狱中坚定信念、顽强不屈。1937年9月26日,经党组织同国民党当局交涉被营救出狱。出狱后任中共湖北省委常委兼宣传部长。工作中贯彻执行党中央关于建立和发展抗日民族统一战线和发展抗日武装的方针,开辟了鄂中抗日游击区。后游击区和游击队扩大为鄂豫边区和新四军鄂豫挺进支队,任政治委员。1940 年到延安,先后担任中央军委秘书长、总政治部秘书长兼宣传部长等职。1945 年 4 月,出席了中国共产党第七次代表大会。解放战争时期,历任中共辽宁省委书记、辽吉省委书记、辽北省委书记、东北野战军第七纵队政委、东北野战军政治部副主任、沈阳市军管会副主任兼市委书记等职。在平津战役中,受中央委托,化装进入北平,同国民党华北"剿匪"总司令傅作义进行谈判,为北平和平解放作出了重要的贡献。随后担任改编起义部队以及组织和领导南下工作团的工作。武汉解放后,担任武汉市军管会副主任。1949 年 10 月赴广西,主持广西剿匪工作,同时担任中共广西省委代理书记。1951 年,被任命为中共中央华南分局第四书记兼中国人民解放军华南军区第二政委。11 月被调往广东工作。先后担任广东省省长、中共广东省委第一书记、中共中央中南局第一书记。1956 年 9 月当选中共第八届中央委员。1964 年任国务院副总理。1966 年 6 月,任中共中央书记处常务书记兼中共中央宣传部部长及中央文化革命领导小组顾问。8 月,在中共八届十一中全会上,当选为中共中央政治局委员和中央政治局常务委员,并分工协助周恩来处理党和国家的日常事务。1967 年 1 月遭到江青等人的诬陷,受到残酷迫害。1969 年 11 月 30 日在安徽合肥逝世。1978 年 12 月中共中央为他平反昭雪。著有《理想·情操·精神生活》。

滕代远 （1904—1974）

原名龙兆,湖南麻阳人。1923 年考入常德省立第二师范学校,接触马列主义,参加了进步学生运动。1924 年 10 月加入中国社会主义青年团,次年转为中国共产党党员。1926 年春,任平江县团委书记,长沙近郊农民协会委员长,领导开展农民运动。1927 年 8 月任湖南省委委员、省农民协会委员长、中共湘东特委书记兼醴陵县委书记。1928 年 7 月,受省委指示,同彭德怀等领导平江起义,成立中国工农红军第五军,建立湘鄂赣边区革命根据地。1928 年 12 月与红四军会师于宁冈,任红四军副党代表兼团党代表。参加了中央苏区历次反"围剿"的斗争。1934 年 9 月赴莫斯科学习。1937 年回到延安任中央军委参谋长。1940 年 5 月任抗日军政大学副校长兼副政委、中共中央北方局常委。1942 年 5 月调任八路军参谋长。1945 年当选中共第七届中央委员。8 月,任晋冀鲁豫军区副司令员、中共晋冀鲁豫中央局常委。1948 年 6 月任华北军区副司令员。1949 年初,中国人民革命军事委员会成立军委铁道部,被任命为铁道部部长兼党委书记。在铁道部成立的一年中,率领全国铁路职工和铁道兵团的全体指战员,以惊人的速度修复了八千多公里铁路干线,通车全程 2.1 万多公里。中华人民共和国成立后,继续任铁道部部长,并被任命为中央人民政府政务院政务委员和政务院财政经济委员会委员。是中共第八、九、十届中央委员,第四届全国政协副主席。他在铁道部工作了 16 年,把全部身心倾注在铁路工作上,为人民铁路的建设和发展奠定了扎实的基础。1974年12月1日因病在北京逝世。

天　宝　(1917—2008)

中共优秀的少数民族干部。藏族。原名木尔加·桑吉悦西,四川阿坝马尔康人。1935年春参加革命,秋天加入中国共产党,历任中共马尔康县党坝特委少先队副队长、红军第五军团骑兵连指导员、大金川博巴联邦政府青年部部长、红军藏族独立师青年部部长、博巴独立师党代表、红四方面军党校班长。1936年2月参加了张国焘分裂中国共产党后的红四方面军的长征。1937年抗日战争爆发后到达陕北,任中共中央党校少数民族班班长、党支部书记、校党总支委员。1938年5月到八路军新疆新兵营学习,任俄文班学生队队长。1940年春到中共西北工作委员会工作,任西南民族组组长。1941年7月中共中央民族学院在延安成立,任第三班班长、学生会主席、校党总支委员、西南民族区区长,还担任陕甘宁边区政府民族事务委员会委员。1943年到内蒙古伊克昭盟工作,任八路军三边分区伊克昭盟蒙汉支队第三大队教导员,中共伊西工委委员。1949年2月,到中共西北局城工部工作;3月,作为藏族代表赴北京出席中国人民政治协商会议第一届全体会议,并在会议上当选全国政协委员。中华人民共和国成立后,从中共中央西北局调到西南局工作。任西南军政委员会委员;西南民族事务委员会委员、副主任。1950年3月,奉调中国人民解放军第十八军先遣支队,任中共先遣支队党委委员、西藏工作团团长、中共西藏工作委员会委员,参与了西藏的和平解放。尤其在安顿班禅办事处的过程中,作为唯一的藏族全国政协委员,在贯彻落实中央的民族政策方针时,起到了不可替代的作用。1953年2月到西康省工作,历任西康省委员会委员、西康省人民政府委员、康定藏族自治区人民政府主席、阿坝藏族自治区人民政府主席、甘孜藏族自治州委员会书记、康定军分区政委、国务院三省边界工作团团长。1955年9月调到成都市工作,任四川省副省长、四川省民族事务委员会副主任、中共四川省委民族工作委员会副书记。1956年7月后,历任中共四川省委常务委员,四川省民族事务委员会党委书记、主任,中共甘孜州委第一书记等职;9月,当选中共第八届候补中央委员。在平息川西地区黑水叛乱中,他表现出了大无畏的革命精神和政治家的智慧,在军事平乱的同时,把参与叛乱的绝大部分人争取到了政府一边,使叛乱得以迅速平息。"文化大革命"中遭受迫害,在泸定监狱被关押三年。1967年5月周恩来总理派人接他出狱。1968年5月恢复工作,任四川省革命委员会常委、四川省革命委员会党的核心领导小组成员、四川省革命委员会副主任。1969年6月历任西藏自治区革命委员会副主任、主任;自治区革命委员会党的核心领导小组副组长。是中共第九、十届中央委员。1978年8月当选中共第十一届中央委员。任中共西藏自治区党委书记、自治区政府主席、西藏军区第二政治委员。在西藏工作了 11 年,为西藏的稳定作出了贡献。1980 年 10 月任中共四川省委书记、副省长。在中共第十二、十三届全国代表大会上,均当选中共中央顾问委员会委员。是第一至五届全国人大代表。1994 年 12 月离职休养。2008 年 2 月 21 日因病在成都逝世。

田 汉 （1898—1968）

剧作家。字寿昌,曾用过陈瑜、伯鸿、高明、汉仙等笔名。湖南长沙人。1914 年进长沙师范学校,毕业后到日本,进东京高等师范学习。1921 年回上海,创办了创造社。1922 年 5 月在第一期《创造》季刊上发表了《咖啡店之夜》、《午饭之前》两个剧本。被人们公认为是一个有才华的剧作家。1926 年下半年,他创办了南华电影戏剧社,编导了他的第一部电影《到民田去》。田汉是南国艺术学院、南国社的创办者。主编了当时的《南国周刊》、《南国月刊》等杂志,推动了中国新兴戏剧运动的发展。1930 年,他参加了中国民权保障同盟、左翼作家联盟、左翼戏剧家联盟,发表《我们的自我批判》,思想和艺术有了新的进步,并于 1932 年加入中国共产党,担任左翼戏剧家联盟党团书记等职。其间他先后写有《乱钟》、《扫射》、《暴风雨中的七个女性》、《第五号病室》、《扬子江暴风雨》、《战友》、《中国的怒吼》、《一九三二年的月光曲》、《回春之曲》等剧作和《三个摩登女性》、《母性之光》、《民族生存》、《黄金时代》等以宣传抗日为题材的电影。他还创作了大量的歌词,他和聂耳合作的《义勇军进行曲》(电影《风云儿女》主

题歌),极大地鼓舞了全国人民的抗日斗争,在 1949 年 9 月被定为中华人民共和国国歌。1935 年因《回春之曲》在上海上演而被国民党逮捕,由徐悲鸿、宗白华保释出狱后软禁于南京。抗日战争爆发后,他积极从事抗日救亡的文化宣传活动。抗日战争胜利后,他在上海参加反对国民党反动统治的民主运动。写了话剧《丽人行》,电影《忆江南》、《梨园英烈》等剧本。中华人民共和国成立后,田汉先后担任文化部戏曲改进局局长、文化部艺术事业管理局局长、中华全国文学艺术界联合会副主席、中国戏剧家协会主席兼党组书记等职。他还是第一、二届全国人民代表大会代表和第四届政协全国委员会委员。他后期创作的高峰是历史题材的话剧《关汉卿》、《文成公主》,戏曲《白蛇传》、《西厢记》、《谢瑶环》等。田汉既是一个多产的作家,又是一个戏剧界的实践家,他对现代中国戏剧的最大贡献是鼓励采取新的教学方法和训练方法并坚持改进中国舞台演出的技术。"文化大革命"中遭受迫害。1966 年被关押监狱,1968 年 12 月 10 日在狱中逝世。

田家英 （1922—1966）

原名曾正昌,笔名田家英,四川成都人。1936 年初入成都中学读书,接受了进步思想和中国共产党地下组织领导,参加海燕社和中华民族解放先锋队,还参加了成都文化界救亡协会、学生救亡联合会、成都各界救国联合会筹备进步组织的活动。1938 年加入中国共产党。1939 年到马列学院学习,毕业后留院任

问题研究室研究员、中国现代史助教。1941 年到中央政治研究室工作。1943 年夏调中央宣传部历史组工作，其间发表了大量历史文章。1943 年被选为模范工作者。1947 年随中央撤出延安，到达晋绥解放区，参加了土地改革运动。1948 年 8 月起任毛泽东秘书。中华人民共和国成立后，历任中华人民共和国主席办公厅副主任、中共中央政治研究室副主任、中共中央办公厅副主任、中国共产党第八次代表大会代表、第三届全国人民代表大会代表等。1951 年参加《毛泽东选集》一至四卷以及毛泽东其他著作的编辑、注释、出版工作。1954 年参加我国第一部宪法的起草工作。1956 年参与中国共产党第八次全国代表大会文件起草工作，为毛泽东撰写了大会开幕词。曾多次深入农村调查研究，向中共中央和毛泽东如实地反映过许多重要情况，提出了不少正确的有价值的意见和建议。在主持中共中央办公厅信访部门工作时，为人民群众解决了大量的实际问题。较早看出了江青、陈伯达的恶劣品质，同他们进行了长期不妥协的斗争。在"文化大革命"初期遭受迫害，他选择自杀的方式进行无声的抗争，于 1966 年 5 月 23 日在北京逝世。

田奇㻩 （1899—1975）

地质学家、古生物学家。土家族。字季瑜，湖南大庸人。13 岁小学毕业后到长沙求学，18 岁考入北京大学。1923 年毕业于北京大学地质学系。1927 年回湖南，先后任湖南地质调查所技正、所长，民国政府中央研究院地质研究所研究员，湖南大学教授。1940 年获得中国首届地学界最高奖——丁文江先生纪念奖。他主要研究古生物和矿产资源，首次查明中国泥盆纪地质发展史和古生物、沉积物的分布规律，奠定了中国泥盆系分类基础。对华南地区各种金属和非金属矿产的成因及分布规律有较深的研究。中华人民共和国成立后，历任中南地质调查所所长、全国矿产储量委员会副主任、地质部总工程师、地质部矿产司副司长、全国政协委员。1955 年当选中国科学院学部委员。50 年代以后，他专门从事地质业务技术的管理工作，指导了湖北大冶铁矿、新疆铬矿等矿床的勘探评价，为中华人民共和国成立后的大规模经济建设，提供了资源保证，作出了贡献。1975 年 9 月 15 日因病在北京逝世。合著有《湖南铁矿志》（1934）、《湖南钨矿志》（1937）、《中国之汞矿》等；专著有《湖南泥盆纪腕足类》（1938）、《中国之泥盆纪》（1938）等。

童　铠 （1931—2005）

卫星导航测控和卫星应用专家。江苏泰州人。1949 年考入山东大学电机系。1950 年 11 月加入中国共产党。1952 年 8 月因成绩优异提前毕业，留校工作。后随院系调整到济南，在山东大学工学院任教。1953 年被保送到留苏研究生预备部学习。1954 年在上海交通大学进修一年。1955 年赴苏联，入列宁格勒电信工程学院读研究生。1959 年 6 月获副博士学位后回国，分配到国防部第五研究院，在西安军事电信工程学院微波教研室任主任。1960 年 12 月参加中国人民解放军，获授技术上尉军衔。率先开展了连续波测速定位系统研究，主持并参加了远程导弹无线电制导系统的研制，为该项技术在中国的发展奠定了坚实的基础。1961年8月任第七机械工业部第一研究院第12所制导总体室副主任。主持完成了中近程地地导弹米波偏校正控制系统大型山地校飞试验。1965年8月任第七机械工业部第二研究院第23所雷达总体室副主任、高级工程师。主持研制成功了反导弹精密制导"101"雷达。1978年获全国科学大会重大科技成果奖。1980年3月紧急调任航天工业部450办公室副主任兼微波测控工程副总设计师，后任总设计师。在实现对高速目标快速可靠捕捉跟踪、精确测定卫星轨道和上行信道对卫星的可靠控制上解决了五项关键技术难题，扭转了工程研制的被动局面。该项工程在无全球测控网的支持下，在国内用单站测控通信卫星进入地球静止轨道，引起国际宇航界的震惊。1985年获国家科学技术进步奖特等奖。1986年7月任航天工业部第五研究院第503所所长、研究员。1989年6月任航空航天工业部第五研究院科学技术委员会常务委员、副主任。同年任CDAS站总设计师。1994年任导航卫星应用系统总设计师。1997年风云二号气象卫星一经发射入轨，CDAS站一次开通成功，并立即接收和处理出高质量的卫星云图，达到20世纪90年代国际先进水平；11月当选中国工程院信息与电子工程学部院士。1998年领导中继星的预研工作，负责跟踪与数据中继星大系统设计和卫星总体优化，对于星间链路捕获跟踪技术等关键内容进行了大量的分析、复算和技术把关，取得了一系列显著成果，为工程立项发挥了重要作用；6月后连续两届当选中国工程院信息与电子工程学部常务委员。同年，"CDAS站"技术成果获国家科学技术进步奖三等奖。2001年6月任中国航天科技集团第五研究院科学技术委员会顾问。2004年作为"北斗一号"卫星导航应用系统总设计师，研制成功地面应用系统。2005年获国家科学技术进步奖一等奖。2005年8月10日因病在北京逝世。他为中国空间技术的发展作出了突出的贡献。发表和指导撰写了50余篇论文。

童第周 （1902—1979）

字蔚孙，浙江鄞县人。中学毕业后曾参加过北伐战争，后考入上海复旦大学。1930年毕业后，赴比利时、法国留学，获博士学位。1934年回国，到青岛山东大学任教，并从事文昌鱼和鱼类胚胎学研究。此后历任山东大学、中央大学医学院、同济大学、复旦大学教授，并任中国心理生理研究所研究员。他对脊椎动物、鱼类和两栖类动物卵子发育能力方面有独特发现，被聘为英国剑桥大学研究员。抗日战争胜利后，重回山东大学任教授。积极支持学生爱国民主运动。第一个在"反饥饿、反内战"抗议书上签名，后应邀赴美国讲学，任美国耶鲁大学研究员。1949年得到人民解放军节节胜利的消息，立即返回祖国。中华人民共和国成立后，历任山东大学教授、副校长;中国科学院生物学学部委员及主任、实验生物研究所所长、海洋研究所所长、动物研究所所长、中科院副院长等职。被选为第一至四届全国人大代表,第三至五届全国人大常委,中国民主同盟中央委员、中央常委等。1978年3月被选为第五届全国政协副主席,同年加入中国共产党。他是驰名中外的生物学家,是中国实验胚胎学的主要创始人。长期从事发育生物学研究,在系统研究文昌鱼卵子发育规律、研究鱼类和两栖类细胞核和细胞质在个体发育、细胞分化和性状遗传中的关系等方面做出了创造性贡献,使中国在这项研究工作中达到国际先进水平。1979年3月30日因病在北京逝世。主要著作有《生物科学与哲学》等。

涂长望 （1906—1962）

气象学家。湖北武汉人。1929年毕业于沪江大学。1932年毕业于英国伦敦大学气象专业,后入英国利物浦大学气象专业读研究生。1934年回国后,任中央研究院气象研究所研究员(1935—1938)、清华大学(1935—1936)、浙江大学（1938—1942）、中央大学(1943—1949)气象学教授。他对气象的长期研究,开辟了中国长期天气预报的研究领域。在竺可桢气候分类的基础上,对中国气候区划和各区的特点提出了新的见解,更细致地划定了中国气候区域。中华人民共和国成立后,历任中央气象局局长、中国科协书记处书记、中华全国自然科学专门学会联合会秘书长、中国气象学会副理事长、国际科学工作者联合会名誉秘书。1955年当选中国科学院学部委员。1962年6月9日因病在北京逝世。著有《中国气候区域》(1936)、《我国低气压之成因与来源》(1936)、《大气运行与世界气温之关系》(1937)、《中国天气与世界大气的浪动及其长期预告中国夏季旱涝的应用》(1937)、《中国之气团》(1938)、《中国夏季风之进退》(与黄士松合著,1944)、《关于二十世纪气候变暖问题》(1961)等。

涂光炽 （1920—2007）

矿床学家、地球化学家。湖北黄陂人。出生在北京,祖父是清末翰林,父亲曾留学美国,是中华民国政府官员。高中在天津南开中学就读。1937年抗日战争爆发后,不满政府消极抗战政策,与一批同学到了延安,入抗日军政大学学习。1938年春,他被分配到陕西一个县以教师身份作掩护,从事中共地下工作。由于叛徒出卖,中共组织遭到破坏,考虑到如果返回延安,在路上极有可能被捕,为保存这部分革命力量,上级决定他和其他一些人以学生身份返校继续读书。在西南联大他边读书边参加学生运动,多次引起特务的注意,只因他父亲是中国政府驻缅甸大使,才未对其采取行动。1944年毕业于地质系。1945年抗日战争胜利后,决定赴美国留学,既能丰富知识又能摆脱特务纠缠。1948年在美国秘密加入中国共产党。1949年与侯祥麟、朱光亚等人在芝加哥成立留美学生科学协会,为中国留学生返回祖国服务做了很多工作。同年获明尼苏达大学博士学位后,即被宾夕法尼亚大学地质系聘为地球化学副研究员。中华人民共和国成立后,冲破美国政府阻挠于1950年底回国,任清华大学副教授。为了社会主义中国大规模经济建设的需要,国家派他到苏联继续攻读,1955年获莫斯科大学博士学位,回国后在中国科学院地质研究所工作。20世纪60年代,为了发展核武器,他参与了铀矿资源的调查和研究,提出了第四种成矿机制——改造成矿,并正式提出将矿床成因分类的三分法改为四分法。在多年的研究中,提出中国层控矿床甚为发育的原因,与地壳固结较晚,具多旋回演化并在地质历史晚期有强烈的构造岩浆活动有关。同时,总结了中国层控矿床的七大特点及时空分布规律,并提出了七条找矿原则和标志,在找矿时极具可操作性。1978年"矿床成因四分法"获全国科学大会奖。1980年当选中国科学院地学部委员,并任地学部主任。1988年由他主编并主笔的《中国层控矿床地球化学》(3卷)获国家自然科学奖一等奖,被专家誉为"在我国矿床学及地球化学史上是一部里程碑的巨著"。1993年当选第三世界科学院院士。1995年9月抗战胜利50周年时,获中国政府授"抗日老战士纪念奖章"荣誉。2003年获贵州省最高科学技术奖。曾担任中国科学院地球化学研究所所长、名誉所长;贵州省人大常务委员会副主任等职。六十多年来,除了西藏、台湾,他跑遍了全国各地,把全部精力倾注于中国矿产资源的开发与研究工作中,撰写论文130多篇,其理论成功地指导了生产实践,为开拓中国矿产资源综合利用的新局面作出了重要的贡献。他是中国地球化学科学的创始人之一。2007年7月31日因病在北京逝世。

W

汪　猷　(1910—1997)

有机化学家。浙江杭州人。1931
年毕业于金陵大学工业化学系，后在北
平协和医院生物化学科从事有关男性激
素的生物化学研究，先为研究生，后任研
究员。1935 年赴德国留学，入慕尼黑大
学学习。1937 年获博士学位。1938 年
先后在德国海德堡威廉皇家学会医学研
究院化学研究所、英国伦敦密瑟斯医学
院生化研究所担任客籍研究员。1939
年回国后，历任北平协和医学院生物化
学科讲师、助理教授，上海丙康药厂厂
长，中华民国政府中央研究院医学研究
所筹备处研究员兼上海医学院有机化学
教授。早期从事十四乙酰藏红素的全合
成和性激素、抗生素和碳水化合物等研
究，是中国抗生素研究奠基人之一。中
华人民共和国成立后，历任中国科学院
生理生化研究所研究员、中国科学院有
机化学研究所研究员兼副所长、所长；中
国科学院上海分院院长、中国化学会副
理事长、《化学学报》主编、国际《核酸研
究》编委等职。1955 年当选中国科学院
数学物理学化学部委员。1984 年当选
法国科学院外国院士。1997 年 5 月 6 日
因病在上海逝世。他系统研究了链霉素
和金霉素的分离、提纯以及结构和合成
化学。在淀粉化学方面，创制了新型血
浆代用品，获 1978 年全国科学大会奖。
所建立的石油发酵研究组的研究，当时
在国际上居于前列。参加领导并直接从
事了世界上第一个人工合成牛胰岛素的
研究，并于 1982 年获国家自然科学一等
奖。参与领导并参加酵母丙氨酸转移核
糖核酸全合成研究的工作，获 1987 年国
家自然科学一等奖。还参加和领导了天
花粉蛋白化学结构的应用研究，模拟酶
的研究和青蒿素的生物合成化学研究。

发表学术论文近百篇。

汪道涵 （1915—2005）

原名汪导淮，安徽嘉山人。早年就读于上海交通大学。1933 年春加入中国共产党。11 月被捕入狱，与组织失去联络。1934 年在安徽明光中学、泗县中学教书。1937 年初到上海光华大学读书，抗日战争爆发后，于年底率全家及进步青年 30 余人奔赴延安。1938 年 7 月重新入党，先后参加新四军四支队、五支队，历任战地服务团团长、先遣队政委、来安办事处处长、盱眙办事处处长。1940 年后，历任淮南嘉山县县长、县委书记，淮南行署副主任，淮南津浦路东专员公署专员，淮南地委财经部部长、行署副主任。1945 年后任苏皖边区政府财政厅副厅长、建设厅副厅长，参加了淮南抗日根据地的建没。1946 年开始的解放战争时期，历任华中军区、山东军区军工部部长、政委，胶东区行署代主任，安徽省财办主任。1949 年后任杭州市军管会副主任兼财经部部长，浙江省财办副主任、省财政厅厅长兼商业厅厅长，华东军政委员会工业部部长。1952 年后任第一机械工业部副部长、对外经济联络委员会常务副主任。中华人民共和国成立后长期在财政、工业等战线工作，为中国机械工业和对外经济的发展出谋划策，发挥了重要作用。"文化大革命"中遭受迫害。1978 年后任对外经济联络部副部长，国家进出口管理委员会、外国投资管理委员会副主任。1980 年后历任中共上海市委书记、副市长、代市长、市长。1982 年 9 月当选中共第十二届中央候补委员。在上海主持市政府工作后，在市委领导下，主持制定了《关于上海经济发展战略的汇报提纲》、《上海城市总体规划方案》等一系列事关上海重大发展的战略性决策，先行提出了浦东开发、申办世博会、建设航运中心等重要主张和意见，为上海改革开放和社会主义现代化建设快速发展奠定了基础，作出了突出贡献。1985 年当选为中共中央顾问委员会委员，后历任上海市政府顾问、国务院上海经济区规划办公室主任。1991 年 12 月起任海峡两岸关系协会会长。参与中央对台工作的重大决策和部署。他始终坚持"和平统一、一国两制"的基本方针，努力贯彻现阶段发展两岸关系、推进祖国和平统一进程的八项主张。坚持一个中国原则，坚决反对制造"两个中国"、"一中一台"、"台湾独立"等分裂活动。他关心和热爱台湾同胞，广泛联系主张发展两岸关系、反对"台独"的台湾党派、团体和各界人士，推动两岸人员往来和经济文化交流。1993 年 4 月他受权与台湾的海峡交流基金会领导人辜振甫举行会谈，实现海峡两岸高层人士公开接触商谈，标志着两岸关系的历史性进展，并推动了两岸事务性、经济性商谈。1998 年 10 月再次与海基会领导人会晤，开启了两岸政治对话。为推动两岸谈判进程、促进两岸关系发展作出了重要努力，为推进祖国和平统一大业作出了卓越贡献，受到两岸同胞和国际社会的广泛赞誉。2005 年 12 月 24 日因病在上海逝世。

汪德熙 （1913—2006）

核化学家、化工专家。江苏灌云人。1929 年入北京师范大学附中学习。

1935年毕业于清华大学化学系,后读研究生。发表关于农业纤维素原料用两步法制高韧性纸浆和有机物的电解还原等论文。1937年抗日战争爆发后,研究工作中断。他于1938年7—10月,在八路军冀中军区供给部帮助研制成功安全的氯酸钾炸药;年底,受清华大学导师之邀,到西南联合大学化工系任助教。后参加清华大学赴美公费留学考试,以化工专业第一名的成绩被录取。1941年赴美国留学,入麻省理工学院化工系学习。研究用连续电解方法将葡萄糖还原为甘油代用品辛六醇。1946年获博士学位后回国,在中国大学化学系、西南联合大学化工系任教。1947年后,历任南开大学化学工程系教授、天津大学教授、系主任。中华人民共和国成立后,继续从事教学、科研工作,研制成功用邻苯三酚和糠醛合成热固性塑料和不饱和聚酯的胶凝速度,并用来制成玻璃钢小轿车壳体。1956年3月加入中国共产党。1960年后历任第二机械工业部(核武器研制的主管部门)原子能研究所研究员、副所长、科学技术委员会主任。从事与核化学化工有关的科研组织领导工作,主要致力于核燃料后处理萃取法流程,以及有关中子源、氚的提取和生产,核爆当量测定等科研项目。这些项目皆获1978年全国科学大会优秀奖。1980年当选中国科学院化学部委员。1982年任核工业部科学技术委员会常务委员、研究生部主任。20世纪80年代,转向与民用核燃料循环有关的研究课题,在大环多配体的分离化学方面进行探索,以

期找到一种不变价态而有良好分离效果的同位素化学分离体系,从而提高经济效益。1990年荣获全国五一劳动奖章和中央国家机关工委授予的优秀共产党员称号。1991年任核工业总公司科学技术委员会高级顾问、研究生部名誉主任。曾担任中国核工业学会常务理事及下属放射化工学会理事长、核化学与放射化学学会副理事长、《核化学与放射化学》主编等职。2006年8月8日因病在北京逝世。代表论文有《同位素分离与核科学技术》(1981)、《三价镧系元素和一些冠醚的配合物的稳定常数》(1983)、《轻水堆核燃料循环中的若干化学问题》(1986);主要著作有《核化学工程》、《汪德熙文集》等。

汪德昭　(1905—1998)

物理学家。江苏灌云人。1923年入北京师范大学学习。1934年赴法国留学,入巴黎大学高等物理和工业化学学院研读,在P.朗之万的指导下,完成了大气电学和超声方面的一系列研究。1940年获法国国家博士学位。他所创立的关于大小离子平衡态研究的新理论,被国际学术界称为“朗之万-汪德昭-布里加理论”。第二次世界大战期间,他是法国科学研究院中心国防研究机构中唯一的外籍科学家,同朗之万一起进行声呐的研究工作。1945年获法国科学院授予的虞格大奖。1947—1948年任法国原子能委员会顾问。从1938年至1956年,历任法国国家科学研究院中心专任研究员、研究指导主任。回国后任中国科学院研究员。1957年当选

中国科学院数学物理学化学部委员。历任中国科学院器材局局长、原子能研究所质谱分析研究室主任、无线电电子学研究所副所长、声学研究所所长等职。1961年加入中国共产党。是第五、六届全国政协常务委员。1998年12月28日因病在北京逝世。自1958年起，他致力于水声学的研究。从建立队伍到开展研究，做了一系列的奠基性工作。1960年根据中国南海海区的水声参数，计算出中国现役某些声呐的作用距离，为实践提供了重要的准确数据。20世纪80年代，指引他的学生张仁和转向深海水声研究，在水下声道和反转点会聚区研究方面，取得很大进展。与学生尚尔昌合著《水声学》一书，总结了水声研究20年来的部分研究成果。其他论文还有《空气中悬浮质点的计数》《负光致现象》等二十多篇。

汪菊潜　（1906—1975）

铁路桥梁工程专家。上海人。1926年从中国唐山交通大学毕业后赴美国，入康奈尔大学学习，获土木工程硕士学位。留学期间及毕业后，曾在美国桥梁公司担任设计工作。1930年回国后，任铁道部工务司设计科技士。1934年任粤汉铁路株韶段帮工程师、副工程师。1936年任铁道部技正。后历任滇缅铁路工程局工务课长、叙昆铁路工程局工务课长、綦江铁路工程处副总工程师兼副处长、中国桥梁公司副总工程师。1945年赴美国考察桥梁工程一年。回国后任中国桥梁公司协理、中国桥梁公司上海分公司经理。曾参加南京长江铁路轮渡工程并主持北岸工程施工，参与并主持了多条铁路线路和桥梁工程的建设。中华人民共和国成立后，历任上海铁路局工务处长、铁道部工程总局副局长兼总工程师、武汉大桥工程局总工程师、铁道部科学技术委员会副主任、铁道部副部长。曾当选第一至三届全国人大代表、中华全国总工会第八届执行委员、中国科学院技术科学部委员、中国土木工程学会副理事长。他在主持沪杭、浙赣两条铁路桥梁、线路抢修工程中，特别在钱塘江大桥的修复工程中，作出重要贡献。因而在1950年被评为"全国工农兵劳动模范"；1951年被评为"全国铁路劳动模范"。1955年主持武汉长江大桥修建工程的全面技术工作。该桥采用的管柱基础技术和施工方法在中国还是首次使用。1959年参加人民大会堂的修建，担任结构组联系人。1960年主持全国铁路新线建设。1975年2月26日逝世。

王　芳　（1920—2009）

山东新泰人。1937年参加八路军，次年加入中国共产党。历任八路军山东纵队四支队连指导员、团政治特派员、旅保卫科科长，鲁中军区敌工科科长兼三地委敌工部副部长。参加了建立山东抗日根据地的战斗。1945年抗日战争胜利后，历任山东军区独立旅政治部主任，鲁中军区保卫部部长。1949年历任中国人民解放军第三野战军第八纵队组织部部长兼保卫部部长，第七兵团保卫部部长，杭州市军管会公安部副部长。中华人民共和国成立后，历任杭州市公安局副局长、局长,浙江省公安厅副厅长、厅长。1964年后,历任浙江省副省长、中共温州地委书记。"文化大革命"中遭受迫害。1977年后,历任中共宁波地委书记、地区革命委员会主任兼中共宁波市委第一书记、市革命委员会主任,中共浙江省委常委、省革命委员会副主任。1982年9月当选中共第十二届中央委员。1983年任中共浙江省委书记。1987年任公安部部长。11月,在中共第十三次全国代表大会上当选为中共中央顾问委员会委员。1988年任国务委员兼公安部部长、中国人民武装警察部队第一政委。他是社会主义中国公安政法战线的杰出领导人。2009年11月4日因病在杭州逝世。

王 杰 (1942—1965)

山东金乡人。1961年初中毕业于金乡县第一中学,在校期间,多次荣获"三好学生"称号,同年,参加了中国人民解放军。新兵训练结束后,被分配到济南部队装甲兵某部工兵连。1962年,加入中国共产主义青年团,并任副班长、班长。在执行施工、抗洪救灾、训练等任务中,两次荣立三等功,被评为"模范共青团员"、一级技术能手。1965年7月1日,王杰从营部接受训练驻地江苏省邳县张楼公社民兵的任务。14日,在给民兵上最后一课——实爆作业时,发生了意外。在炸药即将爆炸的危急时刻,王杰挺身而出,用胸膛挡住了炸药,保护了在场的12位民兵和武装部干部的生命安全,英勇牺牲。根据他生前的愿望,部队党委追认其为中国共产党党员。11

月,总政治部、中华全国总工会、共青团中央、全国妇联等分别发出通知,号召向王杰学习。周恩来、朱德、董必武等为其题词赞扬。27日,国防部命名王杰生前所在班为"王杰班"。

王 力 (1900—1986)

字了一,广西博白人。幼年家境贫寒,刻苦自学。1924年经亲友资助,入上海南方大学学习,次年转入上海国民大学。1926年考入清华大学国学研究院。1927年留学法国,1931年获巴黎大学文学博士学位。1932年回国,先后在清华大学、燕京大学、广西大学、昆明西南联合大学、中山大学、岭南大学任教,曾任中山大学及岭南大学文学院院长。1954年后任北京大学教授,并担任中国文字改革委员会委员、副主任;中国科学院哲学社会科学部委员;北京市政协第二至五届委员;第四、五届常委;全国政协第四届委员、第五届常委。他是著名的语言学家、教育家、诗人和翻译家,先后著有《中国文法学初探》、《中国文法中的系词》、《中国音韵学》、《中国现代语法》、《中国语法理论》、《汉语诗律学》、《汉语史稿》、《中国语言学史》等,主编《古代汉语》,有《王力文集》行世。1986年5月3日因病在北京逝世。

王 明 (1904—1974)

原名陈绍禹,安徽金寨人。1925年加入中国共产党,同年秋赴苏联,入莫斯科中山大学学习。1926年冬随中山大学副校长米夫来中国。1927年任中共中央宣传部秘书、《向导》杂志编辑。大革命失败后,返回苏联在中山大学工作。

其间进行宗派活动,打击迫害反对他的中国同志。1929 年 4 月回到上海,从事党的地下工作。1930 年借着"反对立三路线",反对中共六届三中全会的中共中央。写了《两条路线》(后改为《为中共更加布尔什维克化而斗争》)的小册子,提出了在新形势下的一个"左"倾政治纲领。1931 年 1 月,在中共六届四中全会上当选中央政治局委员、书记处书记。11 月,赴莫斯科任中共驻共产国际代表。这样,其"左"倾路线更有了共产国际的背景,在国内推行这条"左"倾路线的中央领导,在党内统治达四年,使党和革命遭受巨大损失。1937 年 11 月回到延安,随后任中共中央南方局书记。提出"一切经过统一战线"的右倾投降主张,并无视党的纪律,擅自发表有违中央精神的宣言、决议和文章。1938 年 9 月至 11 月,中共中央召开了扩大的六届六中全会,批评他的右倾投降主义错误,撤销中共中央长江局。此后,曾任中共中央统战部部长等职。1945 年当选中共第七届中央委员。解放战争时期,任中共中央法律委员会主任。中华人民共和国成立后,曾任中央人民政府法制委员会委员、政治法律委员会副主任。1956 年 1 月去苏联,从此不归。9 月,当选中共第八届中央委员。他长期拒绝中国共产党的批评和帮助,60 年代至 70 年代,曾在苏联发表文章,公开反对中国共产党和中华人民共和国。1974 年病死在莫斯科。

王　选　(1937—2006)

国家最高科学技术奖获得者,计算机专家。江苏无锡人。1942 年在上海入南洋模范小学学习。1948 年入南洋模范中学学习。1954 年考入北京大学数学力学系,1958 年由计算数学专业毕业。后留校任教,历任数学力学系、无线电系教师。同年,参与学校自行开发的中型计算机"红旗机"的研制工作。1961 年从事软件和硬件相结合的研究,探索软件对未来计算机体系结构的影响。1964 年承担高级语言编译系统的研制。1975 年开始主持中国计算机汉字激光照排系统与电子出版系统的研制。1978 年任北京大学计算机研究所所长、副教授、教授。1981 年致力于研究成果市场化的推广工作,并闯出了一条产、学、研一体化的道路。1985 年获国家重大技术装备研制特等奖。从这一年起,汉字激光照排系统逐步进入市场,因其为新闻、出版全过程的计算机化奠定了基础,很快占领了国内报业 99%、书刊出版业 90% 以及国外中文报业 80% 的市场,形成垄断。1987 年获国家科学技术进步奖一等奖、中国印刷行业最高荣誉奖——毕昇奖。1991 年当选中国科学院信息技术科学部委员,获国家重大技术装备研制特等奖。1994 年当选中国工程院信息与电子工程学部院士,同年任电子出版新技术国家工程研究中心主任。1995 年获国家科学技术进步奖一等奖。他还获得国内外许多奖项,2002 年获得国家最高科学技术奖(2001 年度)。是第八届全国政协委员、第九届全国人大常务委员会委员、教育科学文化卫生委员会副主任委员。2003 年 3 月当选第十届全国政协副主席。曾担任九三学社中央副主席、方正控股有限公司董事局主席、中国科学技术协会副主席等职。曾获全国劳动模范、全国先进工作者以及首都楷模等荣誉称号。2006 年 2 月 13 日因病在任内于北京逝世。著有《软件设计方法》(1992)、《王选文集》(1997)、《王选谈信息产业》(1999)等。

王　瑛　(1961—2008)

优秀的基层纪检干部。女。回族。四川小金人。出生在阿坝藏族自治州少数民族聚居地一个普通工人家庭。在家乡读完中学,1978 年考入位于成都市的西南民族学院学习。1982 年 6 月在校加入中国共产党。毕业后,分配在巴中市委机关工作。1997 年冬,主动申请到国家级贫困县南江县工作,历任中共南江县委常委、县直工委书记、组织部部长。2000 年被任命为南江县纪律检查委员会书记。她重证据,对违法乱纪行为坚决打击,实践着中国共产党利益与人民利益相一致的理论原则。她热爱人民,四处奔走为"背二哥"们建起"农民工公寓",使他们结束了多年露宿街头的生活;为村民联系建桥,解决学生上学、百姓赶集过河的困难;将自己所获奖金 2 万元,存入专门账户,全部用于资助贫困生学习。她关爱同志,几年中,先后对五十多名受过处分的党员干部进行了回访帮助,并向县委推荐了 5 名成绩突出的干部,让他们重新走上领导岗位。二十多年来,她先后被中共巴中市委、市政府、四川省政府、纪律检查委员会、监察厅、中央纪律检查委员会、国务院人事部、监察部授予"巴中十年创辉煌劳动模范"、"民族团结进步模范"、"办案先进个人"、"全国纪检监察系统先进工作者标兵"称号。2006 年 10 月,中共巴中市委准备强制将患肺癌的她调任市商业局党委书记、局长,但她恳请留在基层工作。其行为充分体现了唯物主义理念和她"死也死在工作岗位上"的一个共产党员的追求。2008 年 11 月 27 日在赴重庆治病的路上逝世。2009 年 2 月 24 日中共中央组织部追授她"优秀共产党员"荣誉称号。

王　震　(1908—1993)

湖南浏阳人。1922 年到长沙,先拉人力车,后当铁路搬道工谋生。1924 年任粤汉铁路工会长岳段工会执行委员、工人纠察队队长。1927 年 1 月,加入中国共产主义青年团;5 月,转为中国共产党党员。大革命失败后,参加了长沙工人暴动,做中共的交通工作和兵运工作。1929 年参加游击队,后任湘鄂赣边区赤卫队第 6 师中共特支书记、第一支队队长和政委。1930 年任中国工农红军湘东独立师第 3 团政委。1931 年任湘鄂赣独立第一师政治部主任、政委。1932 年任红八军代理政委。1933 年任红 17 师政治部主任。1934 年任湘赣军区代司令员。参与创建湘赣根据地和率部配合中央根据地反"围剿"的战斗。曾获三等红星奖章;8 月,任红六军团政委,与任弼时、萧克率部西征,后与贺龙部会师,开辟湘鄂川黔根据地。1935 年 11 月参加长征。红二、四方面军会合后,曾与张国焘的分裂活动作斗争。1937 年抗日战争爆发后,先后任八路军第 120 师 359 旅副旅长、政委、旅长兼政委。率部参加晋西北收复七城的战斗,指挥邵家庄和上下细腰涧战斗,给日军以沉重打击。参与了创建晋西北抗日根据地的斗争。1939 年 10 月率部返回延安,兼任中共延安地委书记、延安军分区和卫戍区司令员。1941 年底率 359 旅赴南泥湾屯田开荒,成为大生产运动的一面旗帜。1944 年 11 月任南下支队司令员,与王首道率部挺进湘粤赣边地区。1945 年 6 月,当选中共第七届候补中央委员;10 月,率部北返与李先念部会合,任中原军区副司令员兼参谋长。1946 年 6 月,参与指挥中原突围,率 359 旅经陕南返陕甘宁边区;11 月,任晋绥野战军(后改称西北野战军)第二纵队司令员兼政委。率部参加延安保卫战及青化砭、羊马河、蟠龙等战役。1949 年 2 月,任第一野战军第二军军长兼政委;6 月,任第一兵团司令员兼政委。参与领导了解放大西北的斗争。中华人民共和国成立后,率部进驻新疆。后任中共新疆分局书记、新疆军区代理司令员兼政委。率部屯垦戍边,为新疆的建设和发展以及巩固边防作出了贡献。1953 年任铁道兵司令员兼政委。1955 年任中国人民解放军副总参谋长,同年被授予上将军衔。1956 年 5 月,任农垦部部长;9 月,当选中共第八届中央委员。是第一、二、三届国防委员会委员。"文化大革命"中受到冲击,是中共第九、十届中央委员。1978 年 12 月被增选为中共第十一届中央政治局委员,1982 年 4 月任中共中央党校校长;9 月,当选为中共第十二届中央政治局委员。1985 年 9 月在中共十二届五中全会上,当选中共中央顾问委员会副主任。1988 年 4 月在第七届全国人大第一次会议上,当选中华人民共和国副主席。1993 年 3 月 12 日因病在任期内于广州逝世。

王炳南　(1909—1988)

陕西乾县人。中学时参加爱国运动。1925 年加入中国共产主义青年团,次年加入中国共产党。在乾县、淳化等地从事建团、建党活动。1929 年赴日本留学。1931 年去德国,任德国共产党中国语言组书记、国际反帝大同盟东方部主任、旅欧华侨反帝同盟主席。1935 年任中共旅德支部负责人。创办并主编《明星》杂志,宣传反蒋抗日的政治主张,参与领导旅欧华侨中的抗日救亡活动,从事国际联络活动。1936 年春回国,到西安做争取西北军杨虎城部第十七路军联合抗日的统战工作。在西安事变中,协助周恩来等做了大量有益工作。同年底任西北民众运动指导委员会主任委员。抗日战争时期,先后任中共中央南方局国际宣传组负责人、南方局外事组组长,中共南方局候补委员等职。长期在重庆等地从事抗日救国的国际宣传、联络工作。抗日战争胜利后,参加重庆谈判,担任毛泽东的秘书。后任中共驻南京代表团外事委员会副书记兼中共代表团发言人,协助周恩来进行扩大中共影响的国际宣传。1947 年春随代表团撤到华北解放区,任中共中央外事组副组长,参与对外政策的制订。中华人民共和国成立后,担任政务院外交部办公厅主任、部长助理,协助周恩来总理筹组外交部机关,开展外事工作。1955年任中国驻波兰大使,兼中美大使级会谈中方第一任首席代表,参加长达九年的中美会谈。1964年回国,任外交部副部长。"文化大革命"中遭受迫害。1975年重新工作,任中国人民对外友好协会会长、中共党组书记,后任顾问。曾被选为中共十二大代表;第一、第三届全国人大代表;第六届全国人大常委、外事委员会委员;第五届全国政协常委等。1988年12月22日在北京逝世。

王恩茂 (1913—2001)

江西永新人。1928年在家乡参加中国少年先锋队,历任列宁小学教员、校长。1930年5月加入中国共产主义青年团,秋天转为中国共产党党员。任中共永新县委委员兼技术书记。1931年秋任永新县苏维埃政府文化部部长。1932年4月任中共永新县委秘书长。1933年冬任中共湘赣省委宣传部干事、秘书。参加了湘赣根据地反"围剿"的战斗。1934年8月任中国工农红军第六军团政治部宣传干事,在任弼时、萧克率领下随部队参加西征。与贺龙率领的第二军团(时称第三军)会师后,参加了创建和保卫湘鄂川黔根据地的战斗。先后任中共湘鄂川黔省委、中共川滇黔省委秘书长。1935年11月参加长征。到达陕北后任红二方面军政治部总务处处长。1937年抗日战争爆发后,历任八路军第120师政治部宣传部教育科科长;第120师359旅政治部宣传科科长、政治部

副主任。1941年3月入延安军政学院和中共中央党校学习。1942年11月任第359旅副政委。1944年11月任八路军南下支队副政委,转战湘粤边地区,历任湖南人民抗日救国军副政委、湘鄂赣军区副政委。1945年抗日战争胜利后,任中原军区第359旅政委。1946年11月任晋绥野战军第二纵队政治部主任兼吕梁军区政治部主任。1947年7月任西北野战军第二纵队副政委。1949年2月任中国人民解放军第一野战军第二军副政委、政委,参加了解放大西北的战斗。中华人民共和国成立后,历任中共新疆南疆区党委第一书记、南疆军区政委;新疆军区代政委、司令员兼政委;新疆生产建设兵团第一政委;中共中央新疆分局第一书记、中共新疆维吾尔自治区委员会第一书记;中共中央西北局书记。1955年被授予中将军衔。1956年当选中共第八届候补中央委员,1958年5月递补为中共第八届中央委员。为新疆的和平解放、建设发展以及稳定作出了贡献。1968年历任新疆军区第一政委、自治区革命委员会副主任;中共安徽芜湖地委第一副书记;南京军区副政委。1969年4月当选中共第九届候补中央委员。1977年8月当选中共第十一届中央委员。历任中共吉林省委第一书记、省革命委员会主任;沈阳军区副司令员、副政委;吉林省军区第一政委。1981年历任中共新疆维吾尔自治区委员会第一书记、乌鲁木齐军区第一政委、中共新疆维吾尔自治区顾问委员会主任。1982年9月当选中共第十二届中央委员。为新疆

的改革开放与稳定作出了贡献。1986年4月增选为第六届全国政协副主席。1988年4月当选第七届全国政协副主席。2001年4月21日因病在北京逝世。

王淦昌 （1907—1998）

"两弹一星"元勋。核物理学家。江苏常熟人。1929年毕业于清华大学物理系。1930年赴德国留学，入柏林大学学习，1934年获博士学位。回国后，历任山东大学物理系教授，浙江大学物理系教授兼系主任。20世纪40年代，提出通过氢原子核俘获K壳层电子释放中微子时所产生的反冲探测中微子。中华人民共和国成立后，任中国科学院近代物理研究所研究员、副所长。1956年当选中国科学院数学物理学化学部委员。1956年在莫斯科联合核子研究所任研究员、副所长。1961年后，历任第二机械工业部（核武器研制的主管部门）第九研究院副院长，第二机械工业部副部长兼北京原子能研究所研究员、所长。60年代，提出了用激光打靶实现核聚变的设想，是世界激光惯性约束核聚变理论和研究的创始人之一。他参与了中国原子弹、氢弹的研究试验和组织领导工作。指导了中国第一次地下核试验。1979年加入中国共产党。1982年后，历任核工业部科学技术委员会副主任、中国核学会第一届理事长、中国科学技术协会副主席。是第三至六届全国人民代表大会常务委员，九三学社中央参议委员会主任、中央名誉主席。1998年12月10日因病在北京逝世。曾在1982年荣获

国家自然科学一等奖；1985年荣获两项国家科学技术进步奖特等奖。1999年被中共中央、国务院、中央军委追授"两弹一星功勋奖章"。

王观澜 （1906—1982）

原名金水，字克洪。浙江临海人。幼年入私塾读书，1922年被保送入浙江省立第六师范预科。1925年加入中国共产主义青年团。1926年转为中国共产党党员，并任六师学生党支部书记。1927年"四一二"反革命政变后，被分配在中共沪东区委做工运工作。同年9月被派赴苏联学习，先在莫斯科东方大学军政第七班学习军事，1929年初转入中国劳动者共产主义大学学习，后又到列宁学院和苏联红军总医院学习。1930年回到上海。1931年先后任福建苏区杭（上杭）、武（武平）、汀（汀长）、涟（涟城）县县委书记，闽粤赣特委代理宣传部长，《红旗报》编委会主任，闽粤赣军区政治部宣传部部长、组织部长、机关党委书记。11月，调瑞金筹备和主编中华苏维埃临时中央政府机关报《红色中华》。1932年八九月间因所谓"托派嫌疑"遭受王明等人的迫害，随即被调到中央苏区苏维埃中央政府土地部当秘书。不久后任中央查田指导委员会主任。1934年任中央苏区苏维埃中央政府土地部副部长、中央土地委员会副主任。红军长征后，任红一军团、红三军团地方工作部科长，军委干部团地方工作团主任。中央红军到达陕北后，任接收延安工作团主任、中央土地部部长、中央农委主任、1937年任中央组织部组织科科长、中央

组织委员会委员。1938 年 5 月调任陕甘宁边区党委副书记兼统战部长、中央统战委员会常委、陕甘宁边区参议会常委。1939 年 3 月任陕甘宁边区统战委员会主任委员。5 月以八路军后方留守处代表、陕甘宁边区少将的身份参加同国民党的谈判。后因积劳成疾，长期休养，1949 年 4 月去苏联治病，半年后回国。1950 年任中共中央政策研究室副主任，1952 年任农业部党组书记兼副部长，1955 年调任中共中央农村工作部副部长。在 50 年代末期刮"共产风"时，曾上书中央和毛泽东，直言"浮夸是万恶之源，欺骗是害人之本"。1962 年任国务院农林办公室副主任，1963 年兼任北京农业大学校长、党委书记。1972 年为国务院业务组列席成员，后任农业部顾问，1954 年起连任第二、三、四届全国政协委员，第四、五届全国人大常委。1982 年 1 月 19 日因病在北京病逝。

王光美　（1921—2006）

女。天津人。出生在中华民国北平政府的一个高级官吏大家庭中，从小在北平受到良好教育。高中时曾有北平"数学三王"中的女王之称。1945 年毕业于辅仁大学理科研究所高能物理专业，获理学硕士学位，留校任物理系助教。她打算赴美国继续攻读博士学位，并考取斯坦福大学和芝加哥大学原子物理系全额奖学金。1946 年春节，中共北平地下党邀请她担任北平军事调处执行部中共代表团的英文翻译，因她在抗日战争胜利前夕就与中共北平地下党有联系，并结识了中共辅仁大学工委领导人崔月犁，她选择了放弃赴美国留学；6 月底全面内战爆发后，她奔赴延安。历任中共中央军委外事组翻译、中共晋绥分局兴县土改工作团团员、中共中央外事组研究处科员等职。1948 年加入中国共产党；8 月与刘少奇结婚。中华人民共和国成立后，在中共中央办公厅工作，任刘少奇秘书。"文化大革命"中遭受迫害，在北京秦城监狱被关押 12 年。1978 年 3 月当选第五届全国政协委员。1979 年任中国社会科学院外事局局长。1995 年 1 月任中国人口福利基金会发起的扶贫计划"幸福工程"组织委员会主任，开始了帮扶中国贫困母亲的艰难之旅。1996 年秋天，她拿出母亲作为纪念留下的古董拍卖，所得 56.6 万元人民币全部捐献给"幸福工程"。1998 年 10 月获第三届"中国人口奖"荣誉奖。是第六、七、八届全国政协常务委员。曾担任全国妇联第三届执行委员、中央直属机关计划生育协会会长、辅仁大学北京校友会会长等职。2006 年 10 月 13 日因病在北京逝世。17 日获第二届中国"消除贫困奖"成就奖。著有《你所不知道的刘少奇》（与刘源等人合著，2000）、《王光美访谈录》（王光美口述，黄峥整理，2004）。

王鹤寿　（1909—1999）

河北唐县人。1923 年考入保定直隶第二师范学校。1925 年 4 月加入中国共产主义青年团，10 月转为中国共产党党员。后任全国总工会干事。1927 年赴苏联，入莫斯科中山大学学习。1928 年回国后，历任共青团满洲省委组织部部长、书记，共青团中央团校主任，共青团天津市委书记和共青团河北省委组织部部长等职。一直在白区从事秘密地下工作,六次被敌人逮捕。1937 年抗日战争爆发后,经组织营救出狱,一直在延安工作,任中央组织部干部科科长。1945年抗日战争胜利后,根据党中央的战略部署开赴东北。历任龙江省工委书记,中共西满分局北安地委书记,中共龙江省委书记兼军区政委,中共东北局副秘书长等职。1949 年 5 月任东北人民政府工业部部长。中华人民共和国成立后,历任重工业部部长,冶金工业部部长,国家建设委员会主任,中共鞍山市委第一书记兼鞍山钢铁公司党委书记。1956年当选中共第八届候补中央委员。为社会主义中国重工业的发展作出了贡献。"文化大革命"中遭受迫害。1978 年 12月在中共十一届三中全会上,当选为中共中央纪律检查委员会副书记,兼任中央审查林彪、江青反革命集团案领导小组副组长和全国整党指导委员会副主任。1979 年增补为中共第十一届中央委员。参加领导平反"文化大革命"和历史遗留下来的大量冤假错案。1982 年当选中共第十二届中央委员,中共中央纪律检查委员会常务书记。1985 年任中共中央纪律检查委员会第二书记。1987 年 10 月,在中共第十三次全国代表大会上当选中央顾问委员会委员。1999年 3 月 2 日因病在北京逝世。

王洪文 (1935—1982)

吉林长春人。1950 年参加中国人民解放军。后赴朝参加抗美援朝。复员后到上海第十七棉纺织厂当保卫工人。

1951 年参加中国共产党。曾任保卫科干事。1966 年乘"文化大革命"之机,发起组织"上海工人革命造反总司令部"任司令。同年 11 月制造卧轨拦车的上海"安亭事件",要挟上海市委。1967 年制造上海"一月风暴",夺取上海政权,任上海市革命委员会副主任。1968 年任中共上海市委第三书记,后兼任上海市工代会主任,上海市总工会主任,上海警备区政治委员。1968 年 4 月在中共九大上当选为中央委员。1973 年 8 月在中共十大上当选为中央委员、中央政治局委员、常务委员会委员、中央副主席,同时任中央军委常委。同江青、张春桥、姚文元结成"四人帮",积极参与夺取党和国家最高权力的阴谋活动。1975 年,借批林批孔运动大肆攻击以周恩来为代表的老一辈革命家,反对周恩来"组阁",反对邓小平主持中央日常工作,企图取而代之。1976 年积极参与镇压北京天安门四五群众运动。毛泽东逝世后,阴谋策动上海暴乱。1976 年 10 月 6 日经中央政治局决定被拘禁审查。1977 年 7 月中共十届三中全会决定,永远开除其党籍,并撤销其党内外一切职务。1981 年 1 月 25日,被中华人民共和国最高人民法院特别法庭判处无期徒刑,剥夺政治权利终身。1982 年 7 月 16 日因患肝病去世。

王稼祥 (1906—1974)

原名嘉祥,又名稼蔷,安徽泾县人。1925 年 9 月在上海大学附中加入中国共产主义青年团。同年冬,赴莫斯科中山大学学习。1928 年进莫斯科红色教授学院读书,2 月转为中国共产党党员。

1930年3月回到上海,任中共中央宣传部干事。1931年1月任中共中央党报委员会秘书长和《红旗》、《实话》总编辑。1931年4月,作为中共中央代表团的成员被派往中央革命根据地,后任中共江西中央革命根据地中央局委员、中国工农红军总政治部主任。11月,在第一次中华苏维埃共和国工农兵代表大会上当选为中央执行委员会委员,任外交人民委员、中央革命军事委员会副主席。1933年4月,在第四次反"围剿"中负重伤。1934年1月,在中国共产党六届五中全会上被增选为中央委员、中央政治局候补委员。10月参加长征。在1935年1月召开的遵义会议上批判了"左"倾冒险主义错误,拥护毛泽东为代表的正确主张。会后被增选为中央政治局委员,同毛泽东、周恩来一起组成中央三人军事指挥小组。9月任中国工农红军陕甘支队政治部主任。红一、四方面军会合后,任中央军事委员会主席团成员,曾同张国焘分裂中央的行为作斗争。1937年6月,去莫斯科治伤。11月,任中国共产党驻共产国际代表。1938年3月回到延安,任中共中央军事委员会副主席、总政治部主任兼八路军总政治部代主任,负责中央军委的日常工作。1939年1月,兼任华北华中工作委员会主任和八路军军政学院院长。1941年任中央研究组副组长。1942年6月,同陈云负责领导中央军委直属系统的整风。1943年7月,他在《中国共产党与中国民族解放的道路》一文中,首次提出和论证了作为马克思列宁主义与中国革命的具体实践相结合的"毛泽东思想"这一科学概念。1944年伤病复发,脱离工作。1945年在中共七大上当选为候补中央委员。1946年去苏联治病。1947年5月回国后任中共中央东北局委员、城市工作部部长、宣传部代理部长。1949年3月,在中共七届二中全会上递补为中央委员。中华人民共和国成立后,任驻苏联大使、外交部副部长。1951年起,长期任中共中央对外联络部部长。在此期间,他参与了党中央、国务院在外交方面的许多重大决策。1956年9月,在中共八大和八届一中全会上,当选为中央委员和中央书记处书记。他是中国人民政治协商会议第三、四届全国委员会常务委员。1973年被选为中国共产党第十届中央委员会委员。"文化大革命"中遭受迫害。1974年1月25日在北京逝世。

王建安 (1908—1980)

原名王见安。湖北红安人。雇工出身。1924年秋到武汉,入吴佩孚部新兵训练处当兵。1926年冬转回黄安。1927年8月加入中国共产党。同年11月参加黄麻起义队伍。在鄂豫皖根据地的红军中由班长逐级升到营长。1931年任红四军第十师二十八团副团长。1932年12月任三十团政委。1933年7月任红三十军第八十八师政委。1934年秋任红四军政委。参加了鄂豫皖和川陕革命根据地反"围剿"的许多重大战役、战斗。长征到达陕北后入中国人民抗日军政大学学习。1937年抗日战争初期,任八路军山东纵队副指挥兼第一旅旅长。1943年任鲁中军区司令员,参与创建山东抗日根据地。解放战争时期，1947 年任华东野战军第八纵队司令员兼政委，1948 年任华东野战军东线兵团副司令员，1949 年 1 月任人民解放军第七兵团司令员，后兼任浙江军区司令员。率部参加了鲁南、莱芜、孟良崮、济南、淮海、渡江等战役。1952 年 10 月参加抗美援朝，任中国人民志愿军第九兵团司令员兼政委。1953 年获朝鲜民主主义人民共和国一级国旗勋章。1954 年春回国治病。1956 年出任沈阳军区副司令员。1961 年 10 月任济南军区副司令员，1969 年 8 月任福州军区副司令员。1975 年 8 月任中共中央军委顾问。1977 年 8 月任中央军委委员。曾当选为第四、五届全国人大常委，中共中央纪律检查委员会常委。1956 年 1 月被授予上将军衔。1980 年 7 月 25 日因病在北京逝世。

王昆仑 （1902—1985）

江苏无锡人。北京大学哲学系毕业。在北大读书时。曾积极参加五四运动。1922 年，北京爱国学生反对北洋政府委派彭允彝出任教育总长时，作为北京学生代表之一，南下上海寻求各界支持，其间拜见了孙中山，在孙中山的启发鼓励下，参加国民党。回到北京后，根据孙中山的教导，团结进步青年，进行反帝反军阀活动。1926 年到广东，任黄埔军校潮州分校政治教官，后随军北伐。1927 年“四一二”反革命政变以后，任国民革命军总司令部政治部秘书长，因目睹蒋介石对外勾结帝国主义，对内实行独裁统治，愤而辞职，开始在国民党内部从事民主斗争。1931 年“九一八”事变

后，探索救国自强道路，团结爱国青年，组织读书会，学习马列主义。1933 年秘密加入中国共产党。此后，在党的直接领导下，长期从事民主运动和党的统一战线工作。1941 年皖南事变发生后，与王炳南、屈武等在重庆发起组织中国民主革命同盟（简称小民革），在国民党内部主张抗战到底，反对分裂倒退。1943 年与谭平山等发起组织三民主义同志联合会，这个组织后来成为中国国民党革命委员会的一个组成部分。历任国民党政府立法委员，国民党候补中央执行委员。在 1945 年 5 月举行的国民党六大上，公开揭露国民党顽固派勾结日伪，制造分裂，策划内战的阴谋，引起很大震动。还担任中山文化教育馆总干事、中苏文化协会常务理事等职。他以自己的社会交往和历史关系，争取和团结国民党上层人士和其他爱国民主分子，积极掩护和营救被捕的中共地下党员和进步学生。1948 年为避开国民党迫害赴美国考察，在美国协助冯玉祥在旅美华侨和留学生中开展反蒋民主活动。1949 年 1 月经苏联回国，进入解放区，参加筹备并代表三民主义同志联合会出席中国人民政治协商会议第一届全体会议，当选为全国政协委员。中华人民共和国成立后，被任命为中央人民政府政务院政务委员。以后历任第一、二、三、四届全国人大常委会委员，北京市副市长等职。“文化大革命”中受到严重迫害。1978 年 3 月被选为第五届全国政协常委，1979 年 7 月任第五届全国政协副主席，1983 年 6 月被选为第六届全国政协副

主席。他长期担任中国国民党革命委员会的领导工作,是民革第二、三、四届常委、宣传部长;第五届中央副主席、代主席、主席,第六届中央主席。1985 年 8 月 23 日因病在北京逝世。

王洛宾 （1913—1996）

作曲家,有"西北歌王"之誉。原名荣庭,字洛宾,北京人。12 岁考入北京通州潞河中学。1931 年被保送北京师范大学艺术系学习。1934 年 7 月肆业后,在北京铁路扶轮中学任音乐教员。1937 年 11 月在山西参加西北战地服务团,后前往兰州等地做唤起民众的工作,1938 年 5 月参加西北战剧团,投身抗日救亡运动。先后创作了《老乡,上战场》、《风陵渡的歌声》等抗日歌曲。1939—1941 年在青海回教中学任教期间,经常深入民间采风,参加郑君里《祖国万岁》电影摄制组工作,还到各地巡回演出。创作、改编了《在那遥远的地方》、《马车夫》、《达坂城的姑娘》、《康定情歌》等传唱至今的歌曲。1941 年国民党以"共产党嫌疑"将其逮捕,在兰州监狱关押了 3 年。1944 年 5 月经多方营救出狱,回到青海从事音乐教育工作。创作、改编了《阿拉木汗》、《可爱的一朵玫瑰花》、《依拉拉》等歌曲。1949 年 9 月参加中国人民解放军,随军进入新疆,任第一兵团政治部宣传部文艺科副科长。中华人民共和国成立后,1950 年 1 月,任新疆军区政治部文艺科科长;5 月,因家庭生活困难得不到解决,给部队写信辞职;11 月,携家眷回北京生活。1951 年 6 月应新疆军区要求,北京市公安局将其逮捕。1952

年 2 月新疆军区军法处以散布谣言、长期逾假不归判处他两年劳役。1954 年 8 月被释放后,在南疆军区文工团任教员。1960 年 4 月因历史问题被关押 15 年。1975 年 5 月刑满释放。1979 年乌鲁木齐军区军事法庭撤销了 1961 年对他的刑事判决。1981 年 7 月 6 日新疆军区为他举行了平反大会。同年,他创作的歌剧《带血的项链》在北京参加全国文艺会演,荣获二等奖。曾任新疆军区歌舞团音乐创作员、新疆军区歌舞团艺术顾问等职。1988 年 6 月离职休养。1991 年享受政府特殊津贴。1996 年 3 月 14 日因病在乌鲁木齐逝世。在长达 62 年的音乐创作中,挖掘、改编、配译、创作了十几个民族的近千首歌曲,其中《在那遥远的地方》、《半个月亮爬上来》被选录入《20 世纪华人音乐经典著作》中。还有歌剧《托木尔的百灵》、《奴隶的爱情》等。部分作品收入《洛宾歌曲选》以及自选作品集《纯情的梦》。有以他音乐人生为题材的纪录片《往事歌谣》。

王任书 （1901—1972）

文艺理论家、作家。笔名巴人。浙江奉化人。小学毕业后,入宁波第四师范学校学习。1920 年毕业后,在宁波等地小学教书。1923 年开始文学创作,并在《小说月报》上刊载。同年参加文学研究会。1924 年加入中国共产党。1926 年到广州任北伐军总司令部机要科长。1927 年"四一二政变"后被捕,出狱后潜心写作。1930 年参加中国左翼作家联盟。10 月,任上海赤色海员工会党团宣传委员,从事工人运动。1931 年再次被捕。10月出狱后与中共组织失去联系。抗日战争爆发后，先在上海从事抗日文化宣传活动，编辑《译报》、《民族公论》等报刊；参加《鲁迅全集》的编辑和举办社会科学讲习所等工作。1938年重新入党。1941年去印度尼西亚，开展华侨文化活动和统战工作。1948年回国进入解放区，任中共中央统战部第二处副处长。中华人民共和国成立后，历任中国驻印度尼西亚大使，人民文学出版社副社长、社长兼党委书记，中国科学院东南亚研究所编译室主任。1960年因《论人情》一书受到批判。"文化大革命"中遭受迫害。1972年7月25日因病在家乡去世。文学作品有《破屋》、《乡长先生》等短篇小说，《阿贵流浪记》、《冲突》等中篇小说，《窍门集》、《遵命集》等杂文，《黄娜小姐》、《杨达这个人》等剧本，《邻人们》、《捉鬼论》等散文；文学评论有《鲁迅的小说》、《从苏联作品中看苏联人》等；文学理论有《文学论稿》(1953)。他的长篇小说《莽秀才造反记》(起笔于20年代、50年代完成初稿)于1984年出版。

王任重　(1917—1992)

河北景县人。早年曾在本县乡村师范学校读书。1933年冬加入中国共产党。1934年任支部书记。1935年至1936年任中共景县县委委员、泊镇区委委员。1937年任中共津南工委委员。抗日战争爆发后，去延安中共中央党校学习。曾在中央党校和陕北公学任教员。1938年8月回冀鲁豫边区，任中共冀鲁豫省委(后改为冀南区党委)宣传部副部长。1939—1944年，任中共冀南第

五地委书记兼军政委员会书记，中共冀南区委员会组织部部长、宣传部部长，中共冀南第四地委书记兼军分区政委，中共冀南区委员会常委，冀南行政公署副主任、党委副书记。1944年8月赴延安，入中共中央党校二部学习。1945年抗日战争胜利后，回冀南任前职，后任区党委副书记，行政公署主任、党组书记，冀南军区副政委。1949年5月调任中共湖北省委常委，省人民政府主席。中华人民共和国成立后，于1952年兼任中共武汉市委第一书记，武汉市代市长、市长。1954年后任中共湖北省委第一书记兼武汉军区第一政委，湖北省政协主席。1958年5月增选为中共第八届候补中央委员。1960年起，历任中共中央中南局第二书记、第一书记。"文化大革命"中遭受迫害。1977年任中共陕西省委第二书记、陕西省革命委员会副主任。1978年3月，任国务院副总理兼国家农业委员会主任、党组书记；12月，任中共陕西省委第一书记兼省军区第一政委、陕西省革命委员会主任。当月补选为中共第十一届中央委员。1980年2月任中共中央书记处书记兼中央宣传部部长。1982年9月当选中共第十二届中央委员。1983年6月当选第六届全国人大常务委员会副委员长。1987年11月当选中共第十三届中央委员。1988年4月当选第七届全国政协副主席，任党组副书记。1992年3月16日因病在任期内于北京逝世。

王少堂　(1889—1968)

曲艺家。江苏扬州人。出生在一个

扬州评话世家。7岁从父学艺,12岁登台演出。后又就学于说《三国演义》的名家。经多年的刻苦钻研,不断地实践,他的说、表形成了细腻、坚实、使用语言准确、善于用气换气、吐字清楚的风格。他说《水浒传》属于"朴刀杆棒"一类,所以还对武术技击作过深入的了解。对英雄人物的武功描述,细致而不累赘,壮美而不粗疏,一招一式的来龙去脉交代得清楚明白。所说《水浒传》被誉为"王家水浒"。1932年曾因从事抗日救国活动而被捕。年底出狱后,继续以说书的方式抨击国民党的统治。中华人民共和国成立后,任扬州曲艺协会主任、江苏省文艺协会执委、江苏省曲艺研究会会长、江苏省曲艺协会主席;在第一次全国曲艺工作者代表大会上当选为中国曲艺工作者协会副主席。1959年加入中国共产党。同年,扬州评话研究小组根据他的口述,整理出版扬州评话《武松》。《武松》是在《水浒传》的基础上发展、丰富起来的。早在清乾隆年间,扬州评话艺人王德山说"武十回"已负盛誉。前辈艺人讲《武松》10回,只能讲20天;他学艺时也只能讲40天。经过他的不断丰富,把10回书发展到连讲75天。此次录音稿约为110万字,经整理出版的《武松》有83万字。"文化大革命"中遭受迫害。1968年1月5日逝世。

王世杰　(1891—1981)

字雪艇。湖北崇阳人。早年入天津北洋大学采矿冶金专业学习。1911年武昌起义后,返回武汉任督府秘书。1913年赴英国留学,入伦敦大学政治经济学院。后转入巴黎大学攻读法律。为上海《时事丛报》和北京《晨报》撰写特约通讯,并为《东方杂志》撰文,宣传资产阶级法学观念。1920年获法学博士学位。回国后,任北京大学法律系教授、系主任,北大教务长等职。1924年与周鲠生等在京创办《现代评论》杂志。同时参与联名提出"联省自治论",主张中国实行联区分治,自制宪法,实行民主。1926年冬与周鲠生到武汉,企图与武汉国民政府合作,未获信任。1927年转赴南京,后任南京国民政府法制局局长,起草制定《反革命治罪法》、《劳资争议处理法》等,为维护国民党统治效力。同年12月任湖北省政府委员兼教育厅长。1928年被南京政府派往国外,任海牙公断院公断员。1929年5月担任武汉大学校长。后历任湖北省政府委员兼教育厅长、南京政府教育部部长兼整理内外债委员会委员等职,被选为国民党中央候补监察委员。1937年抗日战争爆发后,任国民政府军事委员会参事室主任兼政治部指委员。1938年6月任国民参政会秘书长,12月加入新政学系。1939年后任国民党中央宣传部部长、设计局秘书长、三青团中央临委会书记等职,被选为国民党中央监察委员。1943年随蒋介石到埃及,出席开罗会议。1945年出席国民党六大,与潘公展等组成特审委员会,起草《对中共问题的决议》,主张用政治方法解决中共问题。1945年秋任国民政府委员,行政院政务委员兼外交部长,随宋子文赴苏联谈判。10月作为国民党代表之一,与毛泽东、周恩来等中共代表举行重庆谈判。1946年1月参加重庆政协会议。曾任第二、三届联合国大会的首席代表。被选为中华民国政府中央研究院院士。1949年逃往台湾。此后历任台湾国民党当局"总统府秘书长"，国民党中央评议委员，"行政院政务委员"，"中央研究院院长"，中华文化复兴运动推行委员会常务委员，"总统府资政"等职。1981年4月11日病逝于台北。主要著作有《比较宪法》、《中国妇婢制度》等。

王首道　（1906—1996）

湖南浏阳人。1925年加入中国共产主义青年团。同年冬，入毛泽东主办的第六届广州农民运动讲习所学习。1926年春，转为中国共产党党员；9月，先后任祁阳县省农运特派员，浏阳县特支书记、县委书记。1929年任湘鄂赣特区特委书记。1930年5月任中共湖南省委常委，负责组织工作。1931年10月被派往湘赣苏区工作，任省委书记。1933年春，因抵制王明"左"倾错误被撤职；11月，到毛泽东身边工作。1934年春任瑞金中央组织局秘书长；10月参加长征，历任军委第二纵队政治部主任、国家保卫局执行部长。1935年10月，到达陕北后，历任西北保卫局局长、红军保卫局局长，红十五军团政治部主任。1937年抗日战争爆发后，历任中共中央秘书处处长，120师359旅政治委员等职。1945年6月当选中共第七届候补中央委员。抗日战争胜利后，任军事调处执行部沈阳第27执行小组中共代表。1946年8月任东北行政委员会财经委员会主任。

1949年8月任长沙市军管会副主任，湖南省委第一副书记。1950年4月任湖南省人民政府主席。1952年4月任交通部副部长、党组书记。1954年4月任国务院第六办公室主任，负责联络指导交通部、邮电部、民航局的工作。同年当选第二届全国政协常务委员。1956年先在中共七届七中全会上递补中央委员，后当选中共第八届中央委员。1958年8月任交通部部长。为中华人民共和国交通运输事业的发展作出了贡献。1964年任中南局书记处书记、广东省委书记。"文化大革命"中受到冲击。历任广东省革委会副主任、省政协主席、第四届全国政协常务委员。是中共第九、十届中央委员。1977年8月当选中共第十一届中央委员。1978年3月当选第五届全国政协副主席。在中共第十二、十三次全国代表大会上当选中央顾问委员会常务委员。1996年9月13日因病在北京逝世。

王树声　（1905—1974）

原名宏信，湖北麻城人。1923年入湖北武昌中学读书。1926年加入中国国民党，同年加入中国共产党。在家乡任区、县农民协会组织部长。1927年任麻城县国民党县党部委员，并任中共麻城县委委员、县防务委员会委员、县农民协会组织部长等职。大革命失败后，脱离国民党，参与领导了黄麻起义和创建鄂豫皖苏区的斗争。任鄂东工农革命军分队长，后在木兰山上坚持游击战争。1928年任鄂豫区红军第31师大队党代表。1930年任鄂豫游击总预备队总指挥，后任红一军1师支队长、团长。1931

年任红四军 13 师副师长、11 师师长等职。1932 年任红四方面军 73 师师长。年底红四方面军向西转移,他率部担任先头部队,屡挫追堵之敌,为全军打开入川大门。入川后任三十一军军长。1934 年任红四方面军副总指挥。参与指挥了川陕革命根据地军民反"三路围攻"和抗击刘湘"六路进攻"等重大战役,配合总指挥徐向前指挥歼敌 8 万余众。1935 年 4 月,率部参加红四方面军的长征。6 月,在川西懋功与中央红军会师后,任岷江支队司令。后执行张国焘的命令南下。1936 年再次北上,任总指挥教导团团长。10 月,任西路军副总指挥、第九军军长。1937 年 3 月,西路军在河西走廊失败,率小部队转入祁连山打游击。部队被冲散后,于 8 月辗转到达陕北,入抗大第三期学习。学习期间深刻地批判了张国焘的错误,并检讨了个人的错误。同年冬,任晋冀豫军区(后改称太行军区)副司令员,1938 年夏代理司令员。1942 年在延安中央党校参加整风学习。1944 年率部向豫西挺进。1945 年初任河南军区司令员。抗日战争胜利后,任中原军区第一纵队司令员兼政委。1946 年 7 月率部向西突围到达鄂西北,胜利完成转移任务,创立了鄂西北游击根据地,任中共鄂西北区党委书记、军区司令员兼政治委员。1947 年任鄂豫军区司令员。1949 年任湖北军区第二副司令员、司令员,指挥鄂豫皖三省部队剿匪作战。1954 年 2 月,任中南军区第三副司令员兼湖北省军区司令员。11 月,任国防部副部长、中国人民解放军总军械部

部长。1955 年被授予大将军衔。1958 年任中国人民解放军军事科学院副院长。1972 年任军事科学院第二政治委员、院党委第二书记。第一届至第三届国防委员会委员、中国共产党第八、九、十届中央委员、中共中央军委委员、第一届全国人民代表大会代表。1974 年 1 月 7 日病逝于北京。

王叔文　(1927—2006)

法学家。四川青神人。1950 年毕业于四川大学法律系。1951 年赴苏联留学,先后在喀山法学院、喀山大学法律系、莫斯科大学法律系学习。1957 年 7 月加入中国共产党。历任中国科学院法学研究所研究实习员、助理研究员。1979 年历任中国社会科学院法学研究所研究员、国家法研究室主任、所长。1988 年 4 月当选第七届全国人大法律委员会委员。1993 年 3 月当选第八届全国人大常务委员会委员、法律委员会副主任委员。参加了修改中华人民共和国宪法和起草香港、澳门特别行政区基本法的工作。为中国的法制建设作出了专业性的贡献。曾担任中国法学会副会长、国务院学位委员会委员、香港特别行政区基本法起草委员会委员、澳门特别行政区基本法起草委员会委员等职。2006 年 11 月 24 日因病在北京逝世。他专长国家法的研究,发表论文百余篇。编著有《宪法基本知识讲话》《法学基本知识讲话》《宪法》《宪法是治国安邦的总章程》《中国法学 40 年》(副主编)、《我国的人民代表大会制度》《香港特别行政区基本法导论》《澳门特别行政区

基本法导论》等。

王维舟 （1887—1970）

四川宣汉人。1909 年到成都考入工兵学校半工半读。1911 年参加了四川的保路斗争和辛亥革命,在宣汉组织武装起义,参与领导东乡、绥定两次战役,胜利后任北伐大队大队长。1912 年任宣汉县团练局局长。1913 年 4 月入成都警备军官学校学习。1915 年毕业后,任绥定府警备司令兼达县警备队长。后举兵进行反袁世凯的护国斗争,任纵队司令。1917 年率部参加护法战争,任靖国军第 7 师第 3 团团长兼边防司令。护法运动失败后到上海,受到五四运动熏陶并接触到俄国的十月革命,1920 年 5 月加入朝鲜共产党。年底,到苏联伊尔库茨克学习。1922 年初回国,在北京协同吴玉章等组织赤心社、俄灾救济会,募捐并宣传十月革命和共产主义思想。1923 年回乡创办宏文小学。1925 年转入中国共产党。1926 年入毛泽东主持的农民运动讲习所学习。1927 年大革命失败后,奉派潜回川东开展农民运动,进行武装斗争。1929 年 4 月,参与领导万源、宣汉边界地区的农民起义,组建成中国工农红军川东游击队,先后任中共川东特委军事部长、军委书记,川东游击纵队副总司令兼总指挥、总司令,梁达中心县委执委、军委书记。1933 年 9 月,率川东游击队与红四方面军会合。10 月,编为红四方面军第三十三军,任军长。参与了川陕革命根据地的建立。1935 年春开始长征,途中同张国焘的错误路线进行了斗争。1936 年冬到陕北,任中央军委四局局长。年底入红军

大学学习。抗日战争爆发后,任八路军一一九师 385 旅副旅长。1938 年任 385 旅旅长兼政治委员,率部进驻陇东,执行保卫党中央和陕甘宁边区的任务。兼任陇东专区专员。早在红四方面军时,在军一级干部中他算得上"老爹"级的,抗日战争又老当益壮上前线。1945 年当选中共第七届候补中央委员。抗日战争胜利后,调任中共四川省委副书记。1946 年 7 月回延安后,任陕甘宁晋绥联防军副司令员;中共西北局委员、西北军区副司令员等职。1949 年解放军向四川进军时,任西路军副司令员。中华人民共和国成立后,任中共中央西南局常委、西南军政委员会委员、西南行政委员会副主席兼西南民族事务委员会主任。1951 年又兼任西南民族学院院长,为西南地区各民族的团结和建设作出了贡献。1956 年任中共中央监察委员会常务委员。9 月,当选中共第八届中央委员。是第一至三届全国人民代表大会常务委员会委员。"文化大革命"中遭受迫害。1970 年 1 月 10 日在北京逝世。1979 年 12 月,中共中央举行追悼会为他平反昭雪。

王学文 （1895—1985）

原名王守椿,又名王昂,江苏徐州人。1910 年赴日本留学,入东京同文书院。1913 年转入东京第一高等学校预科。1921 年考入京都帝国大学经济部,受教于著名马克思主义经济学家河上肇。1925 年毕业后入大学部当研究生。1927 年夏回国到武汉,在国民党中央海外部任《海外周刊》编辑,不久加入中国共产主义青年团,6 月转为中共党员。

第一次大革命失败以后,转去日本、台湾,进行秘密革命宣传活动。1928年回到上海,加入创造社。先后在政治学院、上海艺术大学、群治大学,暨南大学等校任教,主讲政治经济学,并参与党的组织工作。1930年加入左翼作家联盟,参与发起组织中国社会科学家联盟,任中共党团成员。不久发起成立社会科学研究会,任中共党团书记,还与冯雪峰主持创办上海文艺暑假补习班和现代学术研究所,培养进步的知识青年和党团员。他撰写文章批评"托派"对中国社会性质的错误观点,宣传马克思主义理论,积极团结左翼社会科学工作者坚守阵地,同国民党反动的文化"围剿"作斗争。1932年调到中共江苏省委宣传部,主管省委机关报《红旗》,开办训练班。1933年后调到中共上海中央执行局工作。1937年春奉调赴延安,任中共中央党校班主任,不久任教务主任、管理委员会主任,参与领导教学工作并兼授课。抗日战争初期,担任中共中央马列学院副院长兼教务处处长,实际主持院务和日常工作,并亲自讲授政治经济学,为党培养了一批优秀的理论人才。1940年调任中共中央军委总政治部敌工部部长兼敌军工作干校校长,并在延安日本工农学校任课。后任陕甘宁边区银行顾问,并被选为中共七大代表。解放战争时期,历任华北财经学院院长,中共中央财政经济部政策研究室主任,中央马列学院教授等职。中华人民共和国成立后,长期在中央宣传部工作,并在中央党校讲授政治经济学。致力于研究《资本论》和财政

经济问题,撰写学术论著。他的学术观点曾受到不公正的批判。曾被选为第五届全国政协常委,全国人大代表等。1985年2月22日因病逝世于北京。他是我国著名的马克思主义经济学家.主要著作有《社会问题概论》、《中国经济学概观》、《政治经济学研究大纲》、《政治经济学教程绪论》、《〈资本论〉研究文集》等。

王亚南　（1901—1969）

经济学家。又名渔邨,湖北黄冈人。幼年在家乡耕读。1924年入武汉中华大学教育系读书。1927年毕业后,参加北伐军任政治教员。1929年赴日本,专门研究政治经济学。1931年回国任上海暨南大学教授。1933年"福建事变"中,任中华共和国人民革命教育部部长,兼政府机关报《人民日报》主编。后遭通缉,亡命英国、德国,从事写作和翻译。1937年在上海参加抗日救亡运动。1938年到武汉,任国民政府军事委员会政治设计委员会委员。是年与郭大力合译的马克思著《资本论》(三卷),在上海出版。1939年任中山大学教授。1945年任厦门大学法学院院长兼经济系主任。中华人民共和国成立后,任清华大学经济系主任、教授。1950年任厦门大学校长。此后历任福建省人民政府委员,省政协委员,《新建设》、《经济研究》编委,福建哲学社会科学联合会主任委员。1955年当选福建省政协副主席,中国科学院哲学社会科学部委员、常委。1957年加入中国共产党。是第一至三届全国人民代表大会代表。"文化大革

命"中遭受迫害。1969 年 11 月 13 日逝世。1978 年得到平反昭雪。著有《经济学史》、《现代世界经济概论》、《社会科学论纲》、《中国官僚政治研究》、《马克思主义的人口理论与中国人口问题》、《〈资本论〉研究》等；译著有《国富论》、《政治经济学及赋税原理》等。

王瑶卿　（1881—1954）

原名瑞臻，又名瑶青，字稚庭，江苏清江（今淮阴）人，生于北京宛平县。9岁时随父学戏。11 岁在三徽班学武功。12 岁师从著名京剧教师谢双寿学花旦，后向张芷荃学青衣，向杜蝶云学习刀马旦，后又向著名京剧青衣陈德霖学戏。14 岁开始在三徽班登台演第一出戏《祭塔》，后在小鸿奎科班与著名刀马旦、花旦李紫珊配演《虹霓关》，崭露头角，同时随班入清宫演出。16 岁加入福寿班。1898 年随岳父加入四喜班，第二年重入福寿班，并成为班内主角。后又在魏家胡同英家花园戏班演出全本《雁门关》等戏。1902 年再入福寿班，曾演过八本《儿女英雄传》、八本《混元盒》、八本《雁门关》等戏；同时担任福寿班小长春科班名誉社长。慈禧太后由西安返京后，又被选入清宫演唱。1906 年以后，经常与谭鑫培合演《汾河湾》、《辕门斩子》、《打渔杀家》、《宝莲灯》、《一捧雪》、《南天门》等戏。民国初年，逐渐演出刀马旦戏和念白、做工均较重之戏，经常演出的有《十三妹》、《珍珠烈火旗》、《穆柯寨》、《荀灌娘》、《棋盘山》、《花木兰》、《万里缘》、《得意缘》、《乾坤福寿镜》、《梅玉配》、《樊江关》、《雁门关》、《金猛关》、《枪挑穆天王》等。1926 年起，专事授徒传艺。1930 年中华戏曲专科学校成立后，任委员会委员兼教员。1931 年南京戏曲音乐院北平分院成立研究所，任顾问。1932 年梅兰芳创办国剧学会，下设国剧传习所，任教师。

1950 年被聘为文化部戏曲改进局戏曲实验学校名誉教授，同年当选为北京市文学艺术工作者联合会理事。1953年当选为中国文学艺术界联合会第二届全国委员会委员。1954 年 6 月 30 日在北京病逝。

王竹泉　（1891—1975）

煤田地质学家。河北交河人。1926年北京工商部地质研究所煤田地质专业毕业。1930 年于美国威斯康星大学煤田地质专业毕业，获硕士学位。回国后，历任北京地质调查部及长沙、昆明、四川地质调查研究所技正，北京地质调查研究所研究员，北京大学教授。中华人民共和国成立后，历任燃料工业部工程师、煤矿地质总局工程师、煤炭部地质司总工程师。1957 年当选中国科学院地学部委员。早在 30 年代他就踏勘了中国华北、西北、西南等大部分地区，搜集了大量普查勘探资料。先后发表了许多地质调查报告和论文，包括煤的变质理论、煤层沉积古地理理论，以及煤田形成分布规律理论等。对于总结中国煤田地质规律和推动煤田地质科学的发展作出了极为重要的贡献。1975 年 8 月 24 日因病在北京逝世。著有《山西煤矿志》、《山、陕地文发展史略》，主编《华南晚二叠纪煤田形成条件及分布规律》等。

王竹溪 （1911—1983）

物理学家、教育家。湖北公安人。1929年入清华大学物理系学习，1933年毕业。1935年清华大学研究院毕业。8月赴英国，入剑桥大学学习。1938年获博士学位。同年回国后，先后任西南联合大学教授，清华大学教授兼物理系主任，北京大学物理系教授、理论物理教研室主任，副校长、教育部理科物理教材编审委员会主任委员。1955年当选中国科学院数学物理学化学部委员。曾任中国物理学会副理事长、中国计量测试学会副理事长、《中国科学》副主编、《物理学报》主编。是九三学社中央委员会副主席。1983年1月30日因病在北京逝世。他在理论物理的各领域，特别是热力学、统计物理学和数学物理等方面具有很深的造诣。他从事教学工作四十余年，培养了大批物理学工作者，为发展中国的科学和教育事业作出了卓越的贡献。其学生中不乏佼佼者，杨振宁博士即是他早期的研究生。他还担任中国物理学会名词委员会主任，在统一中国物理学名词工作中起到了重要的作用。所著《热力学》和《统计物理学导论》两部书为中国首次自编教材；还有《简明十位对数表》、与郭敦仁合著《特殊函数概论》等。

韦国清 （1913—1989）

壮族。原名韦邦宽，广西东兰人。1928年参加农民自卫军（1929年改称农民赤卫军），曾参加攻打东兰县城。1929年12月参加百色起义，编入中国红军第七军，并加入中国共产主义青年团。1930年在第七军第19师56团任排长。11月起，随部队转战于湘桂黔粤赣边界地区。1931年2月转为中共党员党员。7月进入中央革命根据地，任连长。1932年在瑞金工农红军学校学习。后任连长、军事教员。1934年初，入红军大学上级指挥科学习，毕业后，任中共红军大学总支书记。参加了中央革命根据地第三至第五次反"围剿"。长征初期，任干部团营长。同年6月，红一、四方面军在四川懋功会合后，任红军大学制科团代理团长。到陕北后，参加直罗镇战役。1936年任教导师制科团团长。1937年抗日战争爆发后，任八路军总部随营学校校长。1939年起任抗日军政大学第一分校训练部部长，在晋东南敌后坚持办学。1940年任抗大第一分校副校长兼教育长，到山东后调任山东纵队陇海南进支队政委，新四军第九旅政委。1942年任新四军第四师九旅旅长兼淮北军区第一军分区司令员和中共地委书记。1943年3月率部参加山子头战役。1944年9月，任新四军第四师副师长，参与指挥西进战役，恢复豫皖苏抗日根据地。抗日战争胜利后，任山东野战军第二纵队副司令员。1946年在军事调处执行部徐州执行小组任中共方面代表。同年任山东野战军（后改为华东野战军）第二纵队司令员兼政委，率部参加朝阳集、宿北、鲁南等战役。1947年参加白塔堡、孟良崮战役。1948年任苏北兵团司令员。曾率部在陇海路东段发动进攻，策应开封和睢杞战役。淮海战役后，任第三野战军十兵团政委，参加渡江、上海战役后，与叶飞率部进军福建。1950 年应越南民主共和国邀请，率军事顾问团赴越，帮助越南人民进行抗法战争，曾参加指挥奠边府等重大战役。1955 年被任命为广西省省长、中共广西省委副书记。同年被授予上将军衔。1958 年起任广西壮族自治区政府主席，中共广西壮族自治区委员会书记处书记、第二书记、第一书记。1962 年被选为广西壮族自治区政协主席。1964 年兼任广西军区第一政委。1969 年任中共中央军委委员，1973 年任广州军区第一政委。1976 年任广东省委第一书记，广东省革命委员会主任。1977 年任人民解放军总政治部主任，中共中央军委常委、副秘书长。是中共第八届候补中央委员、中央委员（1966 年递补），第九至十二届中央委员，第十至十二届中央政治局委员；第一届全国人大常委，第四至七届全国人大常委会副委员长，第四、第五届全国政协副主席；第一至三届国防委员会委员。1989 年 6 月 14 日因病在北京逝世。

卫立煌 （1897—1960）

字俊如，安徽合肥人。1917 年任孙中山卫队士兵，后升至旅长。1926 年参加北伐战争，任国民革命军第一军第 14 师师长、第 45 师师长、第十四军军长。1930—1937 年参加消灭共产党武装的战争。抗日战争爆发后，任第十四集团军总司令、第二战区前线总指挥和南路军总司令，在山西指挥了忻口战役。1939 年任第一战区司令长官。1940 年八路军发动对日军的"百团大战"，他率

部配合。1943 年任中国远征军司令长官，率部入缅甸与日军作战。1945 年任同盟国中国战区陆军副总司令，并连任国民党第六届中央执行委员。1948 年任东北行辕代理主任兼东北"剿匪"总司令。沈阳解放前夕，飞至上海。后被蒋介石撤职查办，软禁在南京。1949 年初获释后去香港。中华人民共和国成立时致电祝贺，并参加香港的民主战斗同盟，任军事委员会主席。1955 年回到北京。1956 年任政协全国委员会第二届常委、中国国民党革命委员会中央常委、第二届全国人民代表大会代表。1958 年任国防委员会副主席。1960 年 1 月 17 日因病在北京逝世。

翁文灏 （1889—1971）

字咏霓，浙江鄞县人。幼年读私塾，清末中秀才。1906 年入上海震旦学院学习法文、数学。1908 年通过考试赴欧洲留学，入比利时鲁汶大学攻读物理学和地质学。1912 年获理学博士学位，成为我国获此头衔的第一人。同年回国，在丁文江创办的地质研究所任教授。1916 年该所撤销，北京政府成立地质调查所，任矿产股股长、代理所长、所长。1922 年至 1931 年任清华大学地质系主任，一度代理清华大学校长职务。他重视地质科学理论研究，撰写了《中国东部地壳运动》等重要论文，创立了东亚燕山运动学说，阐明了侏罗纪和白垩纪间亚洲东部的造山运动。这个理论是我国学者对世界造山运动学说的一大贡献。他还对我国的地震地质研究进行了开创性的工作。1933 年出版与丁文江等共同

绘制的《中国分省新图》。1934 后出版与丁文江等共同绘制的《中华民国新地图》。1935 年 1 月就任国防设计委员会委员兼秘书长,年底任行政院秘书长。1938 年 1 月任经济部部长。1944 年任军需生产局局长,同年加入中国国民党。1945 年初任战时生产局局长,5 月,在国民党第六次全国代表大会上被选为中央执行委员。在六届一中全会上当选行政院副院长兼经济部部长。1948 年 4 月任国民党行政院院长,11 月辞职。1949 年任李宗仁代总统府秘书长。4 月李宗仁拒绝在《国内和平协定》(最后议定书)上签字。他拒绝去台湾任职,遂于 5 月去香港。12 月潜往巴黎。1950 年冬,受毛泽东、周恩来邀请回国。1951 年 1 月回到北京,成为第一个从海外回国的国民党高级人士。毛泽东曾给予很高评价。回国后历任第二、三、四届全国政协委员,中国国民党革命委员会中央委员、常委;和平解放台湾工作委员会副主任委员。他经常率领地质专家、科技人员考察矿藏。他翻译了施罗克《层状岩石的层序》、马柯威《石油矿床学》、高盖尔《构造地质学教程》等著作,为《地质译丛》和《石油译丛》译文约 100 万字。1953 年,他撰写了诗体回忆录《回溯吟》,由 58 首七律组成。1971 年 1 月 27 日在北京病逝。遗嘱将积蓄的存款全部捐献给国家。1989 年为纪念他诞辰 100 周年,出版了《翁文灏选集》、《翁文灏论经济建设》等著作。

乌兰夫　(1906—1988)

又名云泽。蒙古族。内蒙古土默特旗人。1923 年 12 月在北平藏蒙学校读书时加入中国社会主义青年团,1925 年 9 月转为中共党员。10 月被选派往苏联莫斯科中山大学学习。1927 年毕业后留校做翻译工作。1929 年回国,任中共西蒙工作委员会组织委员、书记,从事秘密革命工作。1931 年起兼做兵运工作。1936 年 2 月,策动在百灵庙的“蒙古地方自治政务委员会”保安队,举行抗日武装暴动。1937 年春,为建立和发展蒙古族抗日武装力量,决定利用国民党军番号,组建保安总队(后改编为蒙旗独立旅、新编第三师),任政治部代主任、中共党委书记。9 月,带领所部在旧绥(今呼和浩特)黑河一带阻击日军进犯。后率部转移到陕北神(木)府(谷),通过八路军第一二〇师与中共中央取得联系,奉命进驻伊克昭盟。1941 年任陕甘宁边区政府民族事务委员会主任委员、延安民族学院教育长。1942 年入中共中央党校第一部学习。1943 年起负责中共西北中央局统战部蒙古族工作。1945 年 6 月被选为中共第七届中央候补委员。抗日战争胜利后,回内蒙古地区从事革命工作。同年八月任蒙绥政府主席,中共内蒙古工委书记,中共晋察冀中央局委员。同年 10 月组织内蒙古自治运动联合会,任主席兼军事部长。1946 年 4 月领导召开解决内蒙古东、西部自治运动统一问题的会议。后任内蒙古人民自卫军司令员兼政委,内蒙古军政大学校长。1947 年 5 月领导组建了内蒙古自治政府,被选为主席。1948 年 1 月所部改称内蒙古人民解放军,任内蒙古军区司令员兼政委。指挥部队反击国民党军进攻,歼灭封建王公贵族的武装,解放整个内蒙古地区。同时派部队参加辽沈、平津战役。中华人民共和国成立后,任中共中央内蒙古分局书记,内蒙古自治区人民政府主席,内蒙古军区司令员兼政委,并任中央人民政府委员,政务院民族事务委员会副主任委员兼中央民族学院院长。曾任中共中央蒙绥分局书记,绥远人民政府主席。1954 年起任国务院副总理兼民族事务委员会主任,并曾任中共中央华北局副书记,内蒙古自治区政协主席等职。是中共第八届中央政治局候补委员,第十届中央委员,第十一、十二届中央政治局委员,并曾任中共中央统战部部长。是第四、五、七届全国人大常委会副委员长。在第六届全国人民代表大会上被选为中华人民共和国副主席。还被选为第一至第三届国防委员会委员、第五届全国政协副主席。1955 年 9 月被授予上将军衔。1988 年 12 月 8 日因病在北京逝世。

吴 晗 （1909—1969）

原名吴春晗,字辰伯,浙江义乌人。自幼爱读历史书籍,1931 年 8 月考入清华大学史学系,在胡适的帮助下,取得了工读生的资格。1934 年毕业后留清华大学任助教,致力于明史研究,并成为研究明史的专家。抗日战争爆发后,任云南大学教授。1940 年任西南联合大学教授。1943 年 7 月,加入中国民主政团同盟。参与了筹建中国民主青年同盟的工作。1946 年 8 月回到北平任清华大学教授,利用教授身份从事革命活动。曾

联合北平的一些教授发出通电和声明:反内战、反饥饿、反对美军的暴行。同时负责民盟在北平的工作,被推选为民盟华北总支部委员兼民盟北平市临时工作委员会主任委员。1948 年 11 月偕夫人进入解放区,1949 年 1 月,重返北平和钱俊瑞等人接管北京大学,并以北平市军管会副代表身份,接管清华大学。随即被任命为清华大学历史系主任、文学院院长、校务委员会副主任。9 月,出席了中国人民政治协商会议第一届全体会议,当选为全国政协委员,后任北京市副市长,分工主管文教工作。1955 年倡导建立了北京师范学院,筹建了北京教师进修学院。1957 年加入中国共产党。1960 年和邓拓、梅益共同倡议创办北京电视大学,兼任校长。主编过《中国历史小丛书》、《外国历史小丛书》、《地理小丛书》、《语文小丛书》。1961 年与邓拓、廖沫沙以"吴南星"为笔名在中共北京市委机关刊物《前线》杂志上开辟"三家村札记"专栏,共发表 60 多篇文章。1965 年出版了第四稿《朱元璋传》,受到毛泽东的赞许和学术界的褒扬。1959 年撰写了《海瑞骂皇帝》、《海瑞的故事》、《论海瑞》。并于 1960 年底写了《海瑞罢官》京剧剧本,被搬上了舞台。"文化大革命"中,江青、张春桥等出于政治目的,将《海瑞罢官》歪曲成"是一株大毒草",给吴晗扣上"三反分子"的帽子,炮制了"三家村"冤案。1968 年 3 月被捕入狱,受到残酷的迫害。1969 年 10 月 11 日,在北京逝世。1979 年 7 月,中共中央批准为"三家村"冤案彻底平反。

吴铁城 （1888—1953）

字铁城，广东中山人。1908 年加入中国同盟会。1911 年武昌起义后，在九江响应，任九江军政府总参议官兼交涉使。1912 年 6 月随孙中山到北京。1913 年二次革命失败后，赴日本入明治大学，学习法律。1914 年加入中华革命党。1915 年奉派赴檀香山办理党务，并被华侨办的《自由新报》聘为主笔。1916 年回国到 1923 年间，追随孙中山从事讨袁、护法、北伐等活动。1920 年后历任讨贼军总指挥；大本营中将参军、香山县县长、东路讨贼军第一路司令、广东全省警备军司令、国民党广州特别市党部执行委员、国民革命军独立一师师长、第十七师师长、广州卫戍副司令、国民党第二届候补中央执行委员等职。大革命时期为著名的国民党右派之一。1928 年 6 月后历任广东省政府委员兼建设厅厅长、国民党第三届中央执行委员、国民政府立法委员、国民政府委员、警察总监、侨务委员会委员长、上海市市长等职。1937 年 3 月后历任广东省政府主席、国民党海外部部长、国民党中央党部秘书长等职。抗战胜利后，1945 年当选为立法院立法委员。1947 年 6 月任立法院院长。1948 年 12 月任行政院副院长兼外交部部长。1949 年 10 月赴香港，后转去台湾，任"总统府"资政。1953 年 11 月 19 日在台北病逝。

吴文藻 （1901—1985）

社会学家、民族学家、教育家。江苏江阴人。早年在清华学堂读书。1923 年赴美国留学，先后在达特默思学院和哥伦比亚大学研习社会学和人类学。1929 年获博士学位。回国后在燕京大学社会学系任教授，后任系主任。抗日战争爆发后赴西南地区，1939 年在云南大学创建社会学系。他广泛介绍西方社会思想和人类学的各种流派，力求把社会学和文化人类学结合起来，开阔了当时社会学界的视野，在一定程度上影响了以后中国社会学界教学和科研的方向。在介绍英国功能学派人类学和推行英国牛津大学社会研究荣誉学位导师制方面都走在学术界的前面。1941 年任中华民国政府国防最高委员会参事，专门研究边疆民族、宗教和教育问题。1946 年赴日本，任中国驻日本代表团政治组组长并兼任出席盟国对日委员会中国代表团顾问。在此期间，广泛考察了日本的全面情况。中华人民共和国成立后于 1951 年回国。历任中央民族学院教授，全国政协委员，中国民主促进会中央常务委员，中国社会学会、中国民族学会、中国人类学学会顾问。在提倡社区研究，强调实地调查和坚持社会学和民族学中国化等方面的业绩特别突出。并注重培养人才，像费孝通、林耀华等社会学家、民族学家均出自其门下。著作有《见于英国舆论与行动中的中国鸦片问题》。主要学术论文有《功能派社会人类学的由来与现状》《边政学发凡》《战后西方民族学的变化》等。

吴学谦 （1921—2008）

上海人。1939 年 5 月加入中国共产党。在上海暨南大学学习，历任中共上海地下党格致公学党支部书记、中学区委委员、区委书记。1942 年任中共华中局城工部交通站负责人、城工部干事。1944 年后,历任中共上海地下党学生运动委员会委员、副书记、代理书记,中共上海地下党市委委员,共青团上海市工委秘书长。中华人民共和国成立后,历任共青团中央驻世界青联代表,共青团中央国际部副部长、部长。1958 年后任中共中央对外联络部五处处长。"文化大革命"中受到冲击。1972 年后,任中共中央对外联络部西亚非组组长、三局局长。1978 年任中共中央对外联络部副部长。1982 年任外交部第一副部长、党组书记;9 月当选中共第十二届中央委员;11 月任外交部部长、党委书记。1983 年 6 月任国务院国务委员。1985 年 9 月增选为中共第十二届中央政治局委员。1987 年 11 月当选中共第十三届中央政治局委员。1988 年 4 月任国务院副总理。1993 年 3 月当选第八届全国政协副主席。2008 年 4 月 4 日因病在北京逝世。

吴耀宗 （1893—1979）

中国基督教爱国领袖。广东顺德人。1913 年毕业于北京税务学堂,后在海关任职。1918 年在北京基督教公理会受洗入教。1920 年辞去海关职务,任北京基督教青年会学校部干事。1922 年世界基督教学生同盟在北京举行大会后,发起并推动中国基督教学生运动。1924 年赴美国,在纽约协和神学院及哥伦比亚大学攻读神学和哲学,获哲学硕士学位。1927 年回国后,先后任中华基督教青年会全国协会校会部、出版部主任。1931 年"九一八事变"后,开始对唯

爱主义产生怀疑,随即投入抗日救亡运动,并在基督教青年学生中宣传抗日救亡。1937 年抗日战争爆发后,参加保卫中国大同盟,为八路军、新四军募集医疗用品。1946 年 6 月,参加上海市人民团体联合会组织的赴南京代表团,呼吁和平,要求停止内战。中华人民共和国成立后,当选全国人民代表大会常务委员。1950 年 9 月,起草并与基督教其他领导人联合发表《中国基督教在新中国建设中努力的途径》的宣言。他是中国基督教三自爱国运动委员会第一、二届主席。1979 年 9 月 17 日因病在北京逝世。他一贯主张中国基督教自立。1948 年发表《基督教的时代悲剧》,批评帝国主义利用基督教侵华,损害中国的教会主权,而受到一些外国传教士的攻讦。著有《社会福音》(1934)、《没有人看见上帝》(1943)等专著;还著有《黑暗与光明》等。

吴有训 （1897—1977）

物理学家、教育家。字正之,江西高安人。1916 年考入南京高等师范学校。1920 年毕业后在南昌第二中学、上海中国公学任教。1921 年赴美国留学,入芝加哥大学攻读物理学,师从康普顿教授。他以精湛的实验技术和卓越的理论分析,验证了康普顿效应。1924 年与康普顿合作发表《经过轻元素散射后的钼 Ka 射线的波长》。1926 年获物理学博士学位后回国,历任中央大学教授、物理系主任;清华大学教授、物理系主任、理学院院长;从事物理教学与研究。1937 年抗日战争爆发后,随校南迁昆明,西南联合大学成立后,担任该校物理系主任、理学

院院长,并参加抗日救亡活动。抗日战争胜利后,任上海交通大学教授。曾担任南京中央大学校长,并任中国物理学会理事长,后仍回交通大学任教。1949年上海解放后,担任交通大学校务委员会主任委员。9月到北平出席中国人民政治协商会议第一届全体会议。中华人民共和国成立后,历任华东军政委员会委员、文化教育委员会副主任兼教育部部长,中央人民政府政务院文化教育委员会委员、中国科学院副院长等职。是第二、三届全国政协委员,第三届全国政协常委,第一至第四届全国人大代表,第三、四届全国人大常委、中国科协副主席等。1958年加入中国共产党。1977年11月30日因病在北京逝世。是中国近代物理学杰出的奠基人之一。主要论著有《康普顿效应和第三级辐射》《康普顿效应》《论X射线的吸收》等。

吴玉章 (1878—1966)

原名永珊,字树人,四川荣县人。1903年去日本留学,并参加了拒俄运动。1905年加入中国同盟会,被选为评议部评议员。1907年创办《四川》杂志,宣传反清革命思想。1910年回国参加广州起义,失败后逃到日本。1911年6月四川保路风潮高涨,8月组织了荣县起义。武昌起义后,又到内江策动新军起义,被推为行政部长。1912年1月到达南京,被孙中山任命为内务部参事、总统府秘书。1913年11月赴法留学,入巴黎法国大学,学习政治经济学。1915年在法国与蔡元培、李石曾及法国人欧乐等成立了华法教育会和留法勤工俭学

会。1924年1月,与杨闇公等在成都秘密成立中国青年共产党,主办《赤心评论》。1925年2月,到北京后知道中国共产党已成立,于是解散中国青年共产党,加入中国共产党。1926年1月在广州参加国民党二大,并当选为国民党中央执行委员会委员,成为武汉国民政府的重要领导人之一。1927年大革命失败后,参加了南昌起义,任革命委员会委员兼秘书长,11月,赴苏联学习,1938年4月回国。1939年11月到延安后历任鲁迅艺术学院院长、延安大学校长、陕甘宁边区文化委员会主任。1945年12月,随周恩来赴重庆参加政治协商会议。1946年任四川省委书记;1948年6月,任华北大学校长。中华人民共和国成立后,历任中央人民政府委员、全国人民代表大会常务委员会委员、中国教育工作主任、中苏友好协会副会长、中央社会主义学院院长、国务院文字改革委员会主任;中央推广普通话委员会副主任、全国扫除文盲协会副会长;中国史学会副会长;中国人民大学校长;中国科学院哲学社会科学部委员等职。1956年当选中共第八届中央委员。1966年12月因病在北京逝世。著有《中国文字的源流及其改革的方案》《中国新文字的新文法》《中国历史教程》等。

吴蕴初 (1891—1953)

民族资本家、化工专家。原名葆元,上海人。1911年毕业于上海兵工学堂化学专业。曾任汉阳铁厂化验师,汉阳兵工厂制炸药课课长,爕昌火柴厂工程师兼厂长,上海炽昌新牛皮胶厂厂长等

职。1921 年试制调味剂——味精成功后,于 1923 年与张崇新合资创办天厨味精厂,生产的味精畅销国内及东南亚各国,与日本产的"味の素"竞争并远销美国。于 1926—1927 年先后向美、英、法等国申请专利。1928 年创办中华工业化学研究所。担任中华化学工业会理事长,为支持该会活动捐赠会所。1929 年创办天原电化厂,并以盐酸、烧碱、漂白粉行销上海及其他地区。1934 年创办天盛陶器厂,同年创办天利淡气制品厂。1939 年在香港创办天厨味精厂分厂等企业。同年,设立清寒学生奖学金,支持和帮助浙江大学、上海交通大学、清华大学等校培养化工人才。设立蕴初公益基金,后将此基金全部赠予上海市图书馆。1940 年在重庆创办天厨川厂、重庆天原电化厂。中华人民共和国成立后,任华东军政委员会委员、上海市人民政府委员、上海市工商联监察委员会副主任委员、中国民主建国会中央委员、中国民主建国会上海分会副主任委员。1953 年 10 月 15 日因病在上海逝世。

吴忠信 （1884—1959）

字礼卿,号守坚,安徽合肥人。1901年进入江南武备学校学习。1906 年毕业后,任陆军第九镇三十五标第三营管带。不久,加入了中国同盟会。1911 年辛亥革命爆发,任江浙沪联军总司令部执法官兼兵站总监。1912 年,任南京首都警察总监。二次革命时,黄兴任南京讨袁军总司令,吴忠信再次出任首都警察总监。二次革命失败后,出走日本,加入中华革命党。1915 年 12 月,在上海参

与肇和舰起义。1917 年至 1918 年,参与了护法之役,任粤军第七支队司令兼汀州绥靖主任。1919 年任粤军第二军总指挥,驻扎漳州。次年任粤军第七独立旅旅长。1921 年 12 月,任粤军第七独立旅旅长兼广州大本营宪兵司令。1922年以后,离开军界,从广东回到江苏,寓居苏州。1927 年 3 月,北伐军攻克上海,出任江苏省政府委员,旋改任淞沪警察厅厅长。1928 年 3 月,任安徽省政府委员。10 月,任华北编遣委员会主任委员。1929 年 2 月,赴英、法、德、意、美等欧美国家考察,历时 8 个月。1931 年 2月,任导淮委员会常务委员、监察院监察委员。1932 年 4 月,出任安徽省政府主席。1933 年 5 月辞职,改任国民政府军事委员会南昌行营总参谋。1935 年 4月,任贵州省政府主席。11 月,被选为国民党第五届中央执行委员。1936 年 8月,出任蒙、藏委员会委员长。1940 年 1月,到达拉萨,主持第十四世达赖喇嘛坐床大典。在拉萨期间,与英帝国主义和蒙族中的分裂势力进行了斗争,团结藏族上层爱国力量使坐床大典顺利完成,维护了国家统一,挫败了内外分裂势力的阴谋。6 月,经印度回到重庆。1941年 9 月,任甘宁青区党政工作考察团团长,率团考察了西北几省区。12 月,在重庆出任中国边政学会首任理事长,发行《边政公论》月刊。1944 年 5 月,在国民党五届十二中全会上被选为中央执行委员。8 月,辞去蒙藏委员会委员长职务,调任新疆省政府主席兼保安司令。1946 年 3 月,离开新疆回到南京,出任中

孚银行董事长。1947 年 4 月,任国民政
府委员。1948 年 3 月,任总统府资政。
12 月,任总统府秘书长。1949 年中华人
民共和国成立前去台湾。1950 年 8 月,
任国民党中央评议委员。1953 年 7 月,
任国民党中央纪律委员会主任委员。
1959 年 12 月 16 日在台北病逝。著有
《西藏纪要》一书。

吴仲华 （1917—1992）

　　工程热物理学家、航空发动机专家。
江苏苏州人。少年时期在上海度过。
1933 年在南京金陵大学附中读高中。
1936 年考入清华大学机械工程系。
1940 年毕业于西南联合大学,后留校任
教。1944 年考取清华,庚子赔款后赴美
国留学。1947 年获麻省理工学院机械
工程博士学位。后历任美国航空咨询委
员会刘易斯喷气推进中心研究科学家、
布鲁克林理工大学机械工程系教授。
1954 年回国后,历任清华大学动力机械
系教授、系副主任;中国科学院动力研究
室主任、力学研究所副所长、工程热物理
研究所所长等职。20 世纪 50 年代初,创
立了叶轮机械三元流动理论,在国际上
被称为"吴氏通用理论",其基本方程组
被称为"吴氏方程"。该理论是先进叶轮
机械设计和分析计算的理论基础。1956
年获全国自然科学二等奖。1957 年当
选中国科学院学部委员。他还提出了物
理概念清晰、计算简便、直接的燃气热力
性质的计算方法,编制了热力性质表,该
表特别适用于燃气轮机装置的热力性能
计算和方法比较。"文化大革命"中坚持
理论研究。1976 年在联邦德国慕尼黑

第三届国际空气喷气发动机会议上,宣
读了《使用非正交曲线坐标的叶轮机械
三元流动方程及解法》的论文,提出了新
的更普遍的方程组。1981 年 5 月当选中
国科学院主席团执行主席。他重视应用
研究和发展工作,亲自参加航空发动机
的改型设计和高性能压气机的设计等工
作;还致力于能源问题研究,任大庆和辽
河油田能源利用总顾问;并主持燃气轮
机－蒸汽轮机联合循环、热电并供的工
程发展项目。1982 年再获全国自然科
学二等奖。他还历任国务院能源委员会
顾问,航空工业部顾问,中国航空学会理
事长,中国工程热物理学会理事长,《工
程热物理学报》主编等职。是全国人大
常务委员会委员。1992 年 9 月 19 日因
病在北京逝世。著有《燃气热力性质
表》等。

吴自良 （1917—2008）

　　"两弹一星"元勋。物理冶金学家。
浙江浦江人。1937 年毕业于天津北洋
大学工学院航空工程系。在因抗日战争
迁到云南的中央飞机厂和中央机器厂任
设计师、工程师。1943 年赴美国留学,
入匹兹堡卡内基理工学院冶金系学习,
获理学博士学位后,任该校金属研究所
博士后研究员。1949 年任锡腊丘斯大
学材料系主任研究工程师。1950 年底
回国,历任北方交通大学冶金系教授、中
国科学院上海冶金陶瓷研究所副所长、
所学术委员会主任。20 世纪 50 年代,领
导完成了中央军委下达的抗美援朝战争
前线志愿军所需要的特种电阻丝的研制
任务,获得奖励。用国内富产金属锰、铝

等代替铬,研制苏联 40X 低合金钢的代用钢获得成功,对建立中国合金钢系统起到了开创性的作用。60 年代,上海冶金研究所承担了气体扩散法分离铀同位素用的"甲分离膜的制造技术"任务,与原子能研究所、复旦大学等单位组成第十研究室联合攻关,他出任室主任。在其领导下,1963 年底研制成功,保证了中国第一颗原子弹按时爆炸。70 年代,提出和指导了大规模集成电路用硅材料品质因素的研究。1980 年当选中国科学院技术科学部委员。1984 年获国家科学技术发明奖一等奖。1985 年获国家科学技术进步奖特等奖。晚年投入高温超导氧化物中氧的扩散行为等方面的研究。1999 年被中共中央、国务院、中央军委授予"两弹一星功勋奖章"。是第五、六届上海市政协常务委员。2008 年5 月 24 日因病在上海逝世。

伍精华　(1931—2007)

彝族。四川冕宁人。1949 年 9 月在中等师范读书时就积极参加中共地下党组织活动;11 月,在凉山地区还未解放就加入中国共产党,任中共冕宁县委宣传部干事。1950 年中国人民解放军挺进大西南时,参军入伍,历任团见习参谋、军分区司令部参谋。参加了摧毁国民党在西昌彝族地区统治的战斗和清剿土匪、恶霸的工作。1953 年根据组织安排转业到地方,投身到建立政权开辟彝区的工作中。历任中共普雄县工委委员、普格县副县长、县长,县劳动协会主席。1956 年作为四川省唯一的彝族代表参加了中共第八次全国代表大会,并

作题为"凉山彝族从奴隶制度废除后直接向社会主义过渡"的大会发言。后历任中共普格县委副书记、中共凉山彝族自治州委委员兼昭觉县委第一书记、县人民武装部政委、中共凉山彝族自治州委书记处书记兼副州长等职。"文化大革命"中遭受迫害。1973 年恢复工作后,历任四川省民族事务委员会副主任、四川省革命委员会农业组副组长、中共四川省民族工作委员会副书记、四川省人大常委会副主任、中共四川省委常委等职。1979 年中共四川省委为他平反昭雪。1982 年 9 月当选中共第十二届中央委员。1983 年 6 月任国务院民族事务委员会副主任、党组副书记。直接参与并组织领导了《民族区域自治法》的起草工作。还担任国家民委组织的"中国民族问题"五种丛书编辑委员会常务副主任。1985 年 5 月任中共西藏自治区党委书记、西藏军区政治委员、党委第一书记。1987 年 11 月当选中共第十三届中央委员。1988 年 4 月任国务院民族事务委员会副主任、党组副书记。1993 年 3 月当选第八届全国人大常务委员会委员、民族委员会副主任委员。1998 年 3 月当选第九届全国人大常务委员会委员、农业与农村委员会副主任委员。2007 年 10 月 19 日因病在北京逝世。他组织编写了《中国彝族通史》,而作为《中国彝族通史》基础史料的《中国彝族谱牒》是其生前最关注的;还主编了《民族理论论集》。著作有《我们是这样走过来的——凉山的变迁》、《新时期民族工作的理论与实践》。

伍先华 （1927—1952）

四川遂宁人。1949 年 12 月参加中国人民解放军。1950 年加入中国新民主主义青年团。1951 年参加中国人民志愿军,任第十二军第三十四师第一〇〇团第二连班长,同年加入中国共产党。1952 年 9 月 30 日,所在部队在朝鲜江原道金城郡官岱里反击敌人设防坚固的阵地受阻,前去爆破的两名战士又相继倒下时,抱着 10 公斤重的炸药包,跳进敌人坑道,与 40 余名敌人同归于尽,使主攻部队得以攻上阵地,全歼守敌。被中国人民志愿军领导机关追记一等功,授予"一级战斗英雄"称号。1953 年被朝鲜民主主义人民共和国授予"朝鲜民主主义人民共和国英雄"称号和朝鲜民主主义人民共和国一级国旗勋章及金星奖章。

伍修权 （1908—1997）

湖北大冶人。1923 年冬加入中国社会主义青年团。1925 年 10 月赴苏联,先后在莫斯科中山大学、莫斯科步兵学校学习。1929 年到苏联远东边疆保卫局工作。1930 年转为苏联共产党候补党员。1931 年 5 月回国后,转为中国共产党党员。到中央苏区后,历任闽粤赣军区司令部参谋,瑞金红军学校第一期连指导员、第二期营指导员、第三期军事教育主任,军委模范团政委,军委直属第三师政委,福建军区汀连分区司令员兼政委。1933 年秋,任共产国际派驻中共中央军事顾问的翻译。参加了第三至五次反"围剿"。1934 年 10 月参加长征,列席遵义会议,后任红三军团副参谋长。1936 年 4 月任红十五军团 73 师参谋长。

1937 年 2 月任陕甘宁边区政府秘书长,负责边区政府日常工作。1938 年 2 月任八路军驻兰州办事处处长。1941 年 7 月返回延安,任中央军委一局局长。1945 年参与起草朱德在中共第七次全国代表大会上作的军事工作报告;8 月,任总参谋部作战部副部长。随后赴东北,历任中共东北局委员、东北军区司令部参谋长,东北民主联军第二参谋长。1946 年 4 月任军事调处执行部长春分部中共代表方负责人。1947 年后,历任东北军区参谋长兼军工部政委,东北军区军政学校校长。中华人民共和国成立后,历任外交部苏欧司司长、副部长,中国驻南斯拉夫首任大使。1950 年率中国代表团出席第五届联合国大会,在会上代表中国政府作控诉美国武装侵略台湾的长篇演讲。1956 年当选中共第八届中央委员。1958 年 10 月起,任中共中央对外联络部副部长兼机关党委书记。"文化大革命"中遭受迫害。1975 年 4 月任中国人民解放军副总参谋长,主管情报和外事工作。1977 年当选中共第十一届中央委员。1980 年 6 月,任林彪、江青反革命集团审判工作指导委员会成员和特别法庭副庭长、第二审判庭审判长,顺利完成审判工作,昭示了社会主义中国法制的恢复。是第三届全国政协常务委员会委员,第四届全国人大常务委员会委员、在中共第十二、十三次代表大会上均当选中央顾问委员会常务委员。1997 年 9 月当选中国共产党第十五次全国代表大会特邀代表。1997 年 11 月 9 日因病在北京逝世。

X

习仲勋 （1913—2002）

陕西富平人。1926 年 5 月在县立诚中学高小读书时加入中国共产主义青年团，1928 年 4 月转为中国共产党党员。后从事农民运动。1930 年 1 月在杨虎城部警备骑兵第三旅开展兵运工作。1932 年 3 月在甘肃两当发动兵变，失败后转赴渭北、三原开展革命工作。1933 年 3 月起，任陕甘边游击队总指挥部政委、中共陕甘边特委军委书记、陕甘边革命委员会副主席，参与创建以照金为中心的陕甘边根据地。1934 年 2 月起任陕甘边革命委员会主席，中共陕甘边特委代理书记、军委书记，陕甘边苏维埃政府主席。1935 年 9 月在肃反中被错误关押，中央长征到陕北后获释。为陕北根据地的创建作出了贡献。1936 年 1 月，任中共关中特委常委、苏维埃政府副主席；6 月，参加西征任中共环县县委书记；9

月，调回关中任中共特委书记、游击队政委。1937 年抗日战争爆发后，任中共关中地委书记、专员公署专员、军分区和关中警备区第一旅政委。1942 年 7 月任中共中央西北局党校校长。1943 年 2 月任中共绥德地委书记兼绥米警备区和独立第一旅政委。1945 年 6 月，当选中共第七届候补中央委员；7 月，任陕甘宁边区集团军政委；8 月，抗日战争胜利后曾任中共中央组织部副部长；10 月，任中共西北局书记兼陕甘宁晋绥联防军政委。1947 年起，任陕甘宁野战集团军政委、西北野战兵团副政委、西北人民解放军野战军副政委；7 月，兼任陕甘宁晋绥联防军政委。1949 年 2 月任西北军区政委、中共西北局书记。参与领导了解放大西北的战斗。中华人民共和国成立后，历任中央人民政府委员，人民革命军事委员会委员，西北军政委员会副主席、代主席。1950 年 9 月任中共中央宣传部部长、政务院文教委员会副主任。1953 年 9 月任政务院秘书长。1956 年当选中共第八届中央委员。1959 年 4 月任国务院副总理兼秘书长。1962 年在中共八届十中全会上被定为"反党集团"主要成员，受到批判审查并被撤销职务。"文化大革命"中遭受迫害。1978 年 3 月，任第五届全国政协常务委员，后任广东省委第一书记兼广州军区第二政委；12 月，被增补为中共第十一届中央委员。1979 年任广东省省长。1980 年中共中央为"习仲勋反党集团"平反昭雪，兼任广州军区第一政委；9 月，被补选为第五届全国人大常务委员会副委员长。1982 年 9 月当选中共第十二届中央政治局委员、书记处书记。1988 年 4 月当选第七届全国人大常务委员会副委员长。2002 年 5 月 22 日因病在北京逝世。

夏　鼐　（1910—1985）

考古学家。字作铭，浙江温州人。1934 年在清华大学毕业，获文学学士学位。1935 年赴英国留学，1939 年获伦敦大学埃及考古学博士学位。1940 年在埃及开罗博物馆从事研究工作。1941 年在中华民国政府中央博物院筹备处任专门委员。1943 年起，任中华民国政府中央研究院历史语言研究所副研究员、研究员。中华人民共和国成立后，任中国科学院考古研究所研究员，副所长、所长。1955 年当选中国科学院哲学社会科学部委员。1979 年当选中国考古学会理事长。1982 年以后，任中国社会科学院副院长兼考古研究所名誉所长。

1983 年起兼任文化部国家文物委员会主任委员。是第二至六届全国人民代表大会代表；英国学术院通讯院士，德意志考古研究所通讯院士，瑞典皇家文学历史考古科学院外籍院士，美国全国科学院外籍院士，第三世界科学院院士，意大利中东远东研究所通讯院士。1985 年 6 月 19 日因病在北京逝世。他是社会主义中国考古工作的主要指导者和组织者之一。在学术研究方面有许多成果。著有《考古学论文集》(1961)、《考古学与科技史》(1979)等。

夏　衍　（1900—1995）

原名沈乃熙，字端轩，河南开封人。生在浙江杭县，因家境贫寒，14 岁高小毕业后到染坊店当学徒工。不久被保送浙江省甲种工业学校染织科学习。1919 年参加五四运动，受到新文化运动的熏陶。1920 年因考试得第一名，获公费赴日本留学机会。1927 年 5 月回国后，于 6 月加入中国共产党，从事工人运动，并开始翻译外国文艺理论著作和文学作品。1929 年参与筹建中国左翼作家联盟，次年当选执行委员。随后又发起组织中国左翼戏剧家联盟。1932 年组织左翼电影运动。同时开始电影剧本创作和电影评论工作。1935 年开始话剧剧本创作。1936 年 6 月发表的报告文学《包身工》，产生广泛影响。1937 年抗日战争爆发后，在"孤岛"上海领导组织文化界抗日救亡运动。1942 年赴重庆，任中共南方局文化组副组长、《新华日报》代总编辑。1946 年 7 月，到南京参加中共代表团的工作；10 月，到新加坡、香港等地在南洋侨领及文化界人士中做统战工作。1947年8月回到香港,参加中共香港工作委员会的工作。中华人民共和国成立后,历任上海市军管会文管会副主任,中共上海市委常委兼宣传部部长,上海市文化局局长等职。1954年起,任文化部副部长。"文化大革命"中遭受迫害。1978年2月当选第五届全国政协常务委员会委员。还历任中日友协副会长、对外友协副会长、文化部顾问、中国文化艺术界联合会副主席、中国电影家协会主席等职。1982年9月,在中国共产党第十二次全国代表大会上当选中央顾问委员会委员。1995年2月6日因病在北京逝世。他不仅是中共老党员,还是一位文学创作颇丰的作家。话剧剧本有《上海屋檐下》、《一年间》、《法西斯细菌》、《考验》等;电影剧本有《狂流》、《上海二十四小时》、《脂粉市场》、《人民的巨掌》等,改编电影剧本《春蚕》、《祝福》、《林家铺子》、《革命家庭》(合编)等;长篇小说《春寒》。20世纪80年代以来,出版了《夏衍杂文随笔录》、《夏衍剧作集》、《懒寻旧梦录》等。

夏坚白 (1903—1977)

大地测量学家。江苏常熟人。1925年上海浦东中学毕业,10月考取清华大学土木工程学系,1929年毕业获理学士学位,留校任应用天文学助教。1934年赴英国留学,1935年获伦敦大学帝国理工学院大地测量工程师文凭。同年转赴德国继续学习,1939年获柏林工业大学大地测量学院特许工程师文凭和工学博士学位。回国后,历任中国地理研究所副研究员,中央陆地测量学校教育处长,陆地测量局教育处长,同济大学教授、副校长、校长。中华人民共和国成立后,历任同济大学校务委员会主任委员、副校长,武汉测绘学院副院长、院长等职。1955年当选中国科学院学部委员。1956年当选中国测量学会第一届副理事长。是第二三届全国人民代表大会代表,九三学社中央科学文教工作委员会委员、中央委员会副主任委员。1977年10月27日因病在武汉逝世。他是中国现代最早从事大地测量学教学和科学研究的学者之一,在大地天文学方面的教学和科学研究工作尤为突出。在制定中国大地测量法式和测绘学12年科学技术发展远景规划方面,也作出了重要贡献。1932年出版的《应用天文学》是这方面最早的著作之一。其他还有:与陈永龄、王之卓合作编写了"测量学大学丛书",其中《实用天文学》(1952)由他执笔;主编《大地天文学》(1963)等著作。

夏征农 (1903—2008)

江西丰城人。1926年10月加入中国共产党。1927年参加南昌起义。1928年任复旦大学共青团支部书记。1929年被捕入狱。1931年春任共青团江苏省委宣传部秘书,随后又调至共青团中央宣传部,主编《海上青年》杂志。1933年参加中国左翼作家联盟。1937年抗日战争爆发后,于1938年任新四军政治部统战部副部长兼民运部部长。1941年任苏中区军政委员会秘书长,后又兼任新四军一师调查研究室主任。1944年起,历任新四军苏中公学教育长、政治部主任、校长。参加了建立苏中抗日根据地的斗争。1946 年春任解放区华中建设大学副校长。解放战争期间,1947 年任安东省军区政治部副主任。1948 年任济南特别市委常委、宣传部长,市委副书记。中华人民共和国成立后,1950 年历任中共中央山东分局委员、宣传部副部长、部长。1954 年历任中共山东省委常委、宣传部长、副书记、书记处书记。1958 年被下放任中共莱芜县委书记处书记兼城关公社党委第一书记。1960 年春任中共济南市委第四书记,主持日常工作。1961 年调中共中央华东局,任宣传部副部长、部长。"文化大革命"中遭受迫害。1978 年任复旦大学党委第一书记,兼任上海市社会科学联合会主席,《中国大百科全书》总编辑委员会副主任。1979 年任中共上海市委书记。1982 年 9 月在中共第十二次全国代表大会上当选为中共中央顾问委员会委员。1983 年后任中共上海市委思想工作小组组长、上海市文学艺术联合会主席。他熟悉哲学、文学,具有学者风范,情趣高尚,笔耕不辍,著书立说,被文化界誉为"文化老人"。在 74 岁高龄担任《辞海》主编后,以非凡的政治勇气和胆略,为《辞海》的编纂奠定了正确的方向,确保了中华人民共和国首版《辞海》为建国 30 周年献上了文化厚礼。在 98 岁高龄时出任中国第一部特大型综合性辞典《大辞海》主编,实践"有限余年仍足惜,完成最后一篇章"的宏愿,为推动中国共产党的理论宣传、社会文化建设等方面事业的发展作出了突出贡献。

2008 年 10 月 4 日因病在上海逝世。

向秀丽 (1933—1959)

女,广东广州人。出生在一个农民家庭。因家庭贫穷,9 岁时被送给地主当"养女",成天干不完的活。两年后因脚趾碰伤不能干活,被地主撵回家。1948 年,向秀丽经人介绍进了广州和平药厂当包装工,一天干十几个小时,工钱很少,受尽资本家欺凌,对旧社会满怀深仇大恨。

1949 年 10 月广州解放,药厂成立了工会组织,向秀丽第一个报名参加,被任命为工会女工委员。资本家先威胁她不要拉别人入工会,后来又暗中送礼想拉拢,都被她拒绝。1954 年,加入中国共产主义青年团。1956 年,当选为和平药厂合营工作委员会委员。公私合营后,向秀丽更以主人翁精神忘我劳动。不久,被调出包装组,学习原料生产新技术,因原料要用金属钠,而这种物质见火就要爆炸,向秀丽认真虚心地向师傅学习操作规程,两个月的时间就掌握了这门技术。1958 年 10 月 31 日加入中国共产党,成为预备党员。12 月 13 日晚上 7 点,向秀丽和两个女工上夜班,突然一个无水酒精瓶跌烂,流出的酒精碰上煤炉的高温,顿时满地火焰,顺着地势向堆放金属钠的地方蔓延。向秀丽马上扑向火焰,用手推挡流动的酒精。她一边喊:"快去叫人救火,金属钠要马上搬走。"一边滚在地上,将燃烧着的酒精与金属钠隔开,防止了一场严重事故的发生。而向秀丽全身严重烧伤,住进医院进行治疗,终因烧伤面积达 80%、深度烧伤达

70%，伤势太重抢救无效，于 1959 年 4 月 15 日光荣牺牲。中共广州市中区委员会追认向秀丽为中共正式党员。她的英勇事迹传遍全国。

萧　华　（1916—1985）

江西兴国人。1928 年 12 月加入中国共产主义青年团，担任过共青团兴国东北特别区委书记。1929 年底任共青团兴国县委书记。1930 年调入中国工农红军，同年转为中共党员，任红四军军委青年委员、特务营连政委。1931 年任营政委。1932 年任红四军第 10 师 30 团政委、军部电台大队政委、红一军团政治部青年部部长。1933 年任红军总政治部青年部部长，少共国际师（后为红 15 师）政委。参加了中央军部根据地第一至第五次反"围剿"。1934 年 10 月参加长征。1935 年任红一军团政治部组织部部长，红二师政委，红军陕甘支队第一大队政委。到陕北后，参加了直罗镇战役。同年 12 月，任红一军团第二师政委，参加了东征、西征和山城堡诸战役。抗战爆发后，任八路军 115 师政治部副主任，参加平型关战斗，后改任 343 旅政委。1938 年任八路军挺进纵队司令员兼政委，东进抗日，领导创建冀鲁边抗日根据地，兼任冀鲁军区军政委员会书记。1939 年任鲁西军区政委。1941 年 12 月任 115 师政治部主任。1942 年任 115 师兼山东军区政治部主任，中共中央山东分局委员。1945 年开辟南满根据地。曾任东满人民自卫军司令员兼政委，辽东军区司令员兼政委和中共辽东省委书记。1947 年任东北民主联军南满军区副司令员兼副政委，中共中央南满分局副书记。同年秋任东北军区第一线指挥所政委。1948 年任华北野战军第一兵团政委。1949 年任第四野战军特种兵司令员，第十四兵团政委。曾参加临江、辽沈、平津等战役。新中国成立后任空军政委。1950 年任总政治部副主任，1954 年兼任政治学院第一副院长，1955 年被授予上将军衔和一级八一勋章、一级独立自由勋章、一级解放勋章。1956 年任总干部部部长，并任中共中央监察委员会副书记。1959 年任中共中央军委委员、军委副秘书长。1964 年任总政治部主任、人民解放军监察委员会书记。1966 年任中共中央军委常委。曾参与制定《中国人民解放军政治工作条例》、《连队管理教育工作条例》。1975 年任军事科学院第二政委，1977 年任兰州军区政委，中共中央军委委员。还曾担任第六届全国政协副主席、第三届国防委员会委员。1985 年 8 月 12 日因病在北京逝世。著有《艰苦岁月》以及主持大型音乐作品《长征组歌》词创作等。

萧　克　（1907—2008）

湖南嘉禾人。出生在一个乡村书香世家。1923 年考入县甲种简习师范学校。1925 年参加中国国民党。1926 年到广州，入国民政府军事委员会宪兵教练所学习，毕业后编入国民革命军补充第五团，参加北伐战争。1927 年到第十一军第 24 师（师长叶挺）第 71 团任连指导员、连长；5 月加入中国共产党；8 月，参加南昌武装起义；12 月，回乡组织中共嘉禾南区支部。1928 年 1 月，参加湘南武装起义,任宜章黄沙区游击队队长;4月,率红军上井冈山编入中国工农红军第四军,历任第28团7连连长、二营党代表。1929年任红四军营长、第一纵队参谋长。1930年任红12师师长。1931年任红一方面军独立第5师师长。参加了中央苏区第一至三次反"围剿"。1932年被派往湘赣根据地,10月任红八军军长。参与根据地反"围剿"和配合中央苏区反"围剿"的斗争。1933年荣获二等红星奖章。1934年8月,任红六军团军团长,成为中共军队高级将领。与任弼时一起率部西征;10月,在川黔边界与红二军团(时称第三军)会合。参与领导创建湘鄂川黔根据地的斗争和配合中央红军长征的战斗。1935年11月从湖南桑植出发长征。1936年与红四方面军会师后任中央革命军事委员会委员、红二方面军副总指挥、红31军军长。1937年抗日战争爆发后,任120师副师长,参与创建晋西北抗日根据地。1939年任冀热察挺进军司令员,率部开辟平西、平北、冀东、热南抗日根据地,曾兼任冀热察军政委员会书记。1942年任晋察冀军区副司令员,同年赴延安学习,后参加整风运动。1945年出席中共第七次全国代表大会。抗日战争胜利后,兼任晋察冀军区第二野战军司令员和冀热辽军区司令员。1946年6月任晋察冀野战军司令员。1948年5月任华北军区第三副司令员和华北军政大学副校长。1949年5月任第四野战军兼华中军区第一参谋长,后任中南军区参谋长。参与指挥了解放广大中南地区的战斗。中

华人民共和国成立后,历任中国人民军事委员会军训部部长,中国人民解放军训练总监部副部长、部长。1954年任国防部副部长。1955年被授予上将军衔。1956年当选中共第八届中央委员。1958年5月开展了在军事上反对学习苏联时的教条主义运动,这是军队在社会主义中国开始大规模经济建设时期,开展的第一次大规模政治运动,许多高级将领受到批判和处分,他也是其中之一并被解除职务。1959年任农垦部副部长。是第一至三届国防委员会委员。1972年任中国人民解放军军政大学校长,十几年后重返军队。1973年8月当选中共第十届候补中央委员。1977年任中国人民解放军军事学院院长兼政委,并当选中共中央军事委员会委员。1980年任国防部副部长。同年增选为第五届全国政协副主席。在中共第十二次、第十三次全国代表大会上,均当选中共中央顾问委员会常务委员。2008年10月24日因病在北京逝世。著作有:长篇小说《浴血罗霄》,主编回忆录《南昌起义》、《秋收起义》。

萧　三　(1896—1983)

原名子暲,笔名埃尔等,湖南湘乡人。早年就读于长沙湖南第一师范学校,毕业后任小学教师。1918年参与创建新民学会。1919年到北京入留法预备班学法文。参加了五四运动。1920年赴法国勤工俭学。后参加旅欧中国少年共产党。1922年经胡志明介绍加入法国共产党,同年转入中国共产党。曾参与编辑出版《少年》刊物。1923年被

派赴苏联,入莫斯科东方大学学习。曾与陈乔年将《国际歌》歌词译成中文。1924年1月与任弼时等代表中共旅莫斯科支部参加列宁的葬礼及护灵活动。同年夏回国到长沙,任青年团湘区委员会书记、中共湘区委员会委员,参与领导湖南青年运动。1925年春调任共青团北方区委员会书记。同年秋成立张家口地方执行委员会,任书记,积极领导开展对冯玉祥部国民军的统战工作,发展当地党团组织。1926年秋到上海,任共青团中央组织部长、代理书记。1927年2月兼中共中央与上海区委特委委员,参与上海工人第三次起义的组织工作。4至5月出席中共五大。随后参与主持召开共青团四大,任主席团成员,被选为团中央常委兼组织总部部长。大革命失败后赴苏联。1928年在莫斯科东方大学任教,并从事文学活动。1930年春"左联"成立后,担任"左联"驻苏联代表,出席在莫斯科举行的国际革命作家会议,负责主编该地刊物《世界革命文学》中文版。1934年代表"左联"出席苏联作家第一次代表大会。经中共批准加入苏联共产党,并担任过两届苏联作协党委委员。在苏联期间,写了大量文艺作品向全世界介绍中国工农红军、土地革命及其领袖人物,被译成俄、英、法、德、日、捷等多种文字,在国际上产生广泛影响。1939年3月回到延安,任鲁迅文学艺术学院编译部主任,陕甘宁边区文协常委,文化俱乐部主任,中共中央文化工作委员会委员等职,并主编《大众文艺》、《中国导报》、《新诗歌》等。1945年4至6月出席中共七大。解放战争期间,任晋察冀边区文委常务,北方文学艺术联合会主任。中华人民共和国成立后,历任文化部对外文化联络事务局局长,中苏友好协会副总干事,世界和平理事会常务理事、书记处中国书记,中国作协书记处书记、顾问,兼外国文学委员会主任,国际笔会中国笔会中心副会长等职。被选为第一二届全国政协委员,第五届全国政协常委、第一二届全国人大代表,中国人民对外文化协会常务理事,中国人民保卫世界和平委员会委员等。1983年2月4日因病在北京逝世。主要著作有《毛泽东同志的青少年时代》、《萧三诗选》。

萧劲光 （1903—1989）

湖南长沙人。五四运动时在长沙长郡中学参加爱国运动。1920年参加湖南俄罗斯研究会。8月,进入上海共产主义小组创办的外国语学社,年底,加入中国社会主义青年团。1921年春赴苏,入莫斯科东方大学学习。其间曾在初级军事学校学习一年。1922年底转为中共党员。1924年1月曾作为东方民族代表,为列宁守灵。同年秋回国,到安源路矿从事工人运动。1925年冬任国民革命军第二军第六师党代表,参加北伐战争。1927年大革命失败后,再次赴苏,入列宁格勒军政学院。1930年秋回国,到闽西苏区任闽粤赣军区参谋长兼政治部主任。1931年冬任中央军事政治学校校长。同年12月任红五军团政委,率部参加了赣州、水口等战役,后北上开辟建宁、黎川、泰宁根据地。1932年底起先后任建黎泰警备司令员兼红十一军政委,闽赣军区司令员兼红七军团政委。1933年11月被诬为"罗明路线"在军内的代表,1934年初受到开除党籍,判处5年徒刑的错误处理。后被解除监禁,到红军大学任教员、科长。长征中任军委干部团上级干部队队长。遵义会议后纠正了对他的错判。1936年6月被任命为红三军团参谋长。到达陕北后,任陕甘宁省委军事部部长兼红二十九军军长。1937年春任中央军委参谋长。抗日战争时期,历任八路军后方总留守处主任、留守兵团司令员,陕甘宁晋绥联防军副司令员,担任保卫中共中央、陕甘宁边区的使命。1945年参加中共七大,被选为候补中央委员。解放战争时期,任东北民主联军副司令员兼参谋长。1946年冬兼南满军区司令员,与陈云一起指挥南满部队"四保临江"战役,1948年5月兼任东北野战军第一线指挥部(后为第一兵团)司令员,1949年1月任第四野战军第二兵团司令员兼政委,率部参加平津战役后,南下参加渡江战役,解放武汉,进军湖南,和平解放长沙。8月兼任湖南军区司令员,全权指挥六个军参加衡宝战役。1949年底奉命组建中国人民解放军海军领导机关。1950年1月调任海军司令员,兼任海军第一学校校长。1954年任国防部副部长。1955年被授予大将军衔。他担任海军司令员30年,为人民海军的建设和发展作出了重要贡献。他是中共第八、九、十、十一届中央委员。1982年被选为中央顾问委员会常务委员。还是第一、二、三届国防委员

会委员,第三、四届全国人大常委,第五届全国人大常委会副委员长。还曾担任中央军委委员。1989年3月29日因病在北京逝世。

萧龙友 (1870—1960)

中医学家。名方骏,四川三台人。早年因母多病,自学中医。1890年到成都入尊经书院读书,在此期间广泛涉猎医学古籍。1892年曾不顾个人安危,用中草药救治了不少霍乱病人,因而扬名。1914年到北京,先后任民国政府农商部秘书、财政部经济调查局参事、农商部有奖实业债券局总办,并被内务部聘为中医顾问。1928年弃官行医。因其医术精湛,被誉为北京四大名医之一。1934年与孔伯华创办北京国医学院,任院长。中华人民共和国成立后,任北京市中医师考试委员会委员、中央文史研究馆馆员、中医研究院顾问和名誉院长、中华医学会副会长。1955年当选中国科学院生物地学部学部委员。

谢 非 (1932—1999)

广东陆河人。1947年11月参加工作,1949年7月加入中国共产党。历任陆丰县河田镇民运组组长、镇政府指导员,中共陆丰县区委委员、土改工作队队长,区委书记,中共陆丰县委宣传部副部长、部长等职。1955年后历任中共陆丰县委常委兼宣传部部长、副县长、县委书记。1960年后历任广东《上游》杂志社编辑,中共中南局政策研究室研究员,广东省革命委员会政工组政工办公室副主任。1973年任广东省科教政治部副主任、广东省文教办公室副主任,《红旗》杂

志社三人领导小组成员。1979 年任中共广东省委副秘书长兼办公厅主任。1982 年 9 月当选中共第十二届候补中央委员。1983 年任中共广东省委书记兼省委秘书长、省委党校校长。1986 年 11 月任中共广东省委副书记兼广州市委书记，广州军分区党委第一书记。1987 年 10 月当选中共第十三届中央委员。1988 年 6 月任中共广东省委副书记。1991 年 1 月任中共广东省委书记、广东省军区党委第一书记。1992 年 10 月当选中共第十四届中央政治局委员。1997 年 9 月当选中共第十五届中央政治局委员。他是中国改革开放政策的坚定执行者，战斗在第一线的领导者、实践者。1998 年 3 月当选第九届全国人大常务委员会副委员长。1999 年 10 月 27 日因病在广州逝世。

谢 晋 （1923—2008）

电影导演。浙江上虞人。出生在一个书香门第的封建家庭。少年时代接受传统文化教育，亦受到传统文艺的熏陶。在上海求学期间对电影、话剧这些新文艺形式产生了兴趣。抗日战争时期的中国文化中心迁移至大西南，他于 1941 年赴四川江安，考入国立戏剧专科学校学习。1943 年辍学后到重庆中青剧社当场记兼演一些小角色。1945 年抗日战争胜利后，国立戏剧专科学校迁至南京，他于 1946 年回校复学，攻读导演专业。1948 年毕业后，开始在大同电影企业公司、长江影片公司任助理导演。中华人民共和国成立后，于 1950 年入华北革命大学政治研究院，进行了 9 个月的理论学习。后进入上海电影制片厂任副导演，1954 年正式成为导演。他的导演风格中规中矩，思想内容则与中国社会的发展同步。社会主义中国开始大规模经济建设时，也是新旧社会交替激烈变更的时期，《女篮 5 号》（兼编剧，1957，在第六届世界青年联欢节获银质奖章）、《大李、小李和老李》（1962）充满了新社会欣欣向荣的景象。当社会开始以阶级斗争为纲时，《红色娘子军》（1962 年获第一届电影百花奖的最佳故事片、最佳导演等 4 项奖）和《舞台姐妹》（兼编剧，1964，1980 年在第 24 届伦敦国际电影节上获英国电影学会年度奖）则对阶级斗争作了诠释。"文化大革命"中无作品。1978 年底中共十一届三中全会后，中国开始以经济建设为中心进行改革开放，但首先得从拨乱反正开始，《天云山传奇》（1980，获文化部优秀影片奖，第 1 届电影金鸡奖最佳故事片、最佳导演等 4 项奖，第 4 届电影百花奖最佳故事片奖）和《牧马人》（1982，获文化部优秀影片奖，第 6 届电影百花奖最佳故事片奖）做了这方面的工作，对"左"倾思想进行了批判，并对因此而引起的社会痛苦进行了描绘。1984 年加入中国共产党。改革开放与解放思想的进程是同步的，《芙蓉镇》（1987，获第 26 届卡罗维发利国际电影节水晶球奖）不仅描绘了"右派分子"的生活，还对人性大加赞赏。1987 年被美国电影艺术与科学学会接纳为会员。1992 年 8 月成立谢晋—恒通影视有限公司，历任总经理、董事长。1995 年 5 月任上海大学影视艺术技术学院院长。

《鸦片战争》(1997,获第 17 届金鸡奖最佳故事片、最佳摄影等 5 项奖)无法解释改革开放的复杂性,却能从历史上解释改革开放的必要性。1998 年 4 月荣获上海市文学艺术杰出贡献奖。2000 年他创办的谢晋—恒通明星学校加盟上海师范大学,成立上海师范大学谢晋影视艺术学院,任院长。是全国政协第七届委员,第八、九届常务委员。曾担任中国文学艺术联合会第五、六届执行副主席,中国电影家协会第四届理事、第五届主席团成员,中国残疾人联合会副主席等职。一生创作了三十多部电影,2001 年拍摄的《女足 9 号》是他的最后一部电影。2008 年 10 月参加母校上虞市浙江春晖中学建校 100 周年庆典,18 日突发疾病在浙江上虞市下榻的酒店中逝世。著作有《我对导演艺术的追求》。

谢富治　(1909—1972)

湖北红安人。1929 年参加中国工农红军。1931 年加入中国共产党。1932 年起,在红四方面军任宣传队长、连指导员,团政治处主任、红九军 26 师政治部主任、红四方面军总政治部组织部部长、中共川陕省委组织部部长。1935 年参加长征,曾任红九军政治部主任、中共懋功中心县委书记。1937 年抗日战争爆发后,任八路军 129 师 386 旅 772 团政委,385 旅政委,中共太行第六地委书记,太岳军区副司令员、代司令员,太岳纵队政委。抗日战争胜利后,任晋冀鲁豫军区第四纵队政委。1947 年 7 月与陈赓司令员率晋冀鲁豫野战军一部(通称陈谢兵团),强渡黄河,进军豫西。

1949 年 2 月,任第二野战军第三兵团政委,参加渡江、西南等战役。1952 年起任中共云南省委书记、第一书记,云南省人民政府主席,西南军区副政委、云南军区(后为昆明军区)司令员兼政委。1955 年被授予上将军衔。1956 年当选中共第八届中央委员,1959 年后任国家公安部部长,人民武装警察部队(1962 年改为公安部队)司令员兼政委。1965 年任国务院副总理。是第三届国防委员会委员。"文化大革命"开始后,于 1966 年 8 月被补选为中共中央书记处书记、政治局候补委员。1967 年任北京市革命委员会主任、北京军区政委、北京卫戍区第一政委。1969 年任中共中央军委委员,同年被选为中共第九届中央委员、政治局委员。1971 年任中共北京市委第一书记、北京军区第一政委。1972 年 3 月 26 日病死于北京。1980 年 10 月 26 日被中共中央开除党籍,并撤销悼词。1981 年 1 月 16 日中华人民共和国最高人民法院特别法庭确认他在"文化大革命"中参与了林彪、江青等人的反革命阴谋活动,为江青反革命集团主犯。

谢觉哉　(1884—1971)

字焕南,别号觉斋。湖南宁乡人。早年读私塾,1905 年考中秀才。1907 年教私塾,后在新式学校做教员。1921 年加入新民学会。1925 年加入中国共产党,开始从事党的宣传教育工作。1928 年后在上海和李求实负责编辑《红旗》、《上海报》。1931 年秋到湘鄂西革命根据地,任中共湘鄂西省委政治秘书长、文化部副部长、《工农日报》主编、党校教务长等职,参加了湘鄂西革命根据地的建设。1933 年 5 月,到达中央革命根据地,先后担任毛泽东的秘书,中央工农民主政府秘书长、内务部部长等职。1934 年 10 月参加了长征。到达陕北后,历任中央工农民主政府内务部长、秘书长、司法部长、代理最高人民法院院长、审计委员会主席等职。1937 年抗日战争爆发,任中共中央驻兰州办事处代表,开展抗日民族统一战线工作。参与主持陕甘宁边区政府各级地方政权的建设工作,领导了有史以来的第一次人民民主选举。解放战争时期,任中央法律问题研究委员会主任、华北人民政府部长兼中国法政大学校长。中华人民共和国成立后,任首任内务部长,在任内的十年里,十分重视政权建设,认为政权建设的中心,是建立与健全各级人民代表会议和人民代表大会,并为开好人民代表大会和人民代表会议提出了许多具体的重要建议。1959 年 3 月,经党的八届七中全会推荐,在第二届全国人民代表大会上,当选为最高人民法院院长。在最高人民法院工作期间,订出一套比较完整的切合实际的人民民主专政的司法制度、量刑标准,主持制定了《关于人民法院工作若干问题的规定》,为我国的法制建设作出了突出贡献。1964 年 12 月被选为中国人民政治协商会议第四届全国委员会副主席。1971 年 6 月 15 日因病在北京逝世。

谢雪红 （1901—1986）

女。台湾彰化人,早年参加台湾进步团体文化协会。1925 年在上海大学学习。参加过"五卅"反帝爱国运动,同年加入中国共产党,并被派往苏联入莫斯科东方大学日本班学习。1928 年 4 月在上海参加建立原台湾共产党（日本共产党台湾民族支部）,任候补中央委员。同年被日本领事馆逮捕,旋即转押至台湾。在狱中严守党的机密,后因证据不足被释放。1931 年 6 月台湾共产党组织遭到破坏,在台北被日本警察逮捕入狱,被监禁达九年之久。在狱中坚持斗争,备受摧残。脱离中国共产党。1940 年获释后,仍然坚持地下斗争。抗日战争胜利后,在台湾发起组织人民协会、农民协会,任中央委员。1947 年参加台湾"二二八"起义。3 月 1 日,领导台中市人民起义,进攻警察局和驻军粮库,并宣告成立人民政府,组成人民军,击败了国民党军队的反扑。起义失败后转赴香港,重新加入中国共产党。11 月 12 日,成立了台湾民主自治同盟,任主席。此后,与台湾民主自治同盟总部的其他负责人一起领导台盟成员积极开展反美、反蒋斗争,反对美国支持的所谓"托管"和"独立"的阴谋活动。1948 年号召台盟成员以实际行动积极响应中国共产党"五一"号召,拥护召开新政治协商会议和成立民主联合政府的主张。1949 年 6 月参加筹备新政治协商会议工作,9 月代表台盟出席中国人民政治协商会议第一届全体会议,当选为全国政协委员。中华人民共和国成立后,历任台湾民主自治同盟总部理事会主席,政务院政法委员会委员,华东军政委员会委员,中国红十字会理事,抗美援朝总会理事,全国民主妇女联合会执行委员,中华全国民主青年联合会副主席,第一届全国政协委员,第一届全国人大代表。在促进台湾民主自治同盟盟员以及所联系的台籍人士学习和宣传中国共产党和中央人民政府的重大方针政策方面做了大量工作。1958年被错划为"右派分子",并被撤销台盟总部主席及其他职务,保留台盟总部理事职务。1980年得到改正。1970年在北京病逝。1986年9月15日,骨灰移放八宝山革命公墓。中共中央统战部在给她的评价中称她"当年在台湾有一定声望,尽管她一生中有过曲折和错误,但她为反对外来侵略,实现祖国统一而斗争的精神,以及为此而作出的努力,是不可磨灭的"。

新凤霞 (1928—1998)

评剧演员。女。原名杨淑敏,天津人。从小学艺,6岁从堂姐学京剧,13岁改学评剧,工青衣、花旦。14岁即在《点秋香》、《杜十娘》等戏中担任主角。从此闯荡江湖、跑码头,肩负起全家的生活重担。1949年北平和平解放,应聘到天桥万盛轩演出。中华人民共和国成立后,她主演的《刘巧儿》使其声名鹊起。1951年加入中国人民解放军总政治部评剧团。1953年加入中国评剧院。至20世纪60年代中期,他主演的剧目还有《艺海深仇》、《志愿军的未婚妻》、《金沙江畔》、《祥林嫂》、《杨三姐告状》、《牛郎织女》、《乾坤带》、《无双带》等。她虚心善学,创造了新的板式和唱腔。如欢快的[蜻蜓调]、抒情的[降香调]、悲凉的[送子调],特别是[凡字大慢板]和[反调大慢板]等,不仅更好地塑造出新社会的妇女形象,也丰富了评剧女腔的唱法。"文化大革命"中遭受迫害,致身体残疾,无法再登舞台。1982年加入中国共产党。是第六至八届全国政协委员,中国戏剧家协会理事。1998年4月12日因病在北京逝世。她在评剧中创造出独特的艺术风格,得益于长期坚持文化学习。著有《新凤霞回忆录》(2卷)。代表剧目《刘巧儿》和《花为媒》已拍摄成电影。

熊克武 (1885—1970)

字锦帆,湖南麻阳人。1905年7月在东京初见孙中山,8月成为同盟会第一批会员,并被推选为总部评议部评议员。1906年在上海同于右任、但懋辛等同学集资创办吴淞中国公学,并以此为掩护从事革命联络工作。次年任四川省同盟会主盟人,在四川多次领导武装起义。1911年参加广州黄花岗起义。辛亥革命失败后,响应孙中山讨袁号召,组织了四川讨袁军,任总司令。"二次革命"失败后流亡日本。1914年先后加入中华革命党和政事研究会。1915年12月回国到云南参加护国战争,次年随蔡锷入川,任第五师师长兼重庆镇守使。1918年起参加护法运动,任四川靖国军总司令、四川督军、四川省长,1923年被孙中山任命为四川讨贼军总司令。次年支持孙中山改组国民党,在国民党"一大"上经孙中山提名当选为中央执行委员。1925年任建国川军总司令。同年9月在广州被蒋介石以勾结陈炯明图谋颠覆广东革命政府的罪名扣押,囚禁虎门,从此被剥夺兵权。1927年3月被释放后,参与反蒋军事活动。1931年任反蒋派的广州国民政府委员,后继续当选为国民党中央执行委员。1935 年当选为国民党第五届中央监察委员。抗战爆发后,从香港返回四川,团结四川各派地方势力,一致对外,1949 年 7 月,与刘文辉联系在成都组织川康渝民众自卫委员会,任主任委员,从事反蒋活动。12 月与刘文辉在川西起义,领衔发表"拥护中国共产党和中央人民政府"的书面谈话。1950 年 1 月,被中央人民政府任命为西南军政委员会副主席,在中共中央西南局的领导下,为稳定西南局势,团结爱国人士,完成民主改革,恢复生产,作出了重要贡献。6 月,以特邀代表身份出席了全国政协一届二次会议。8 月加入中国国民党革命委员会。1954 年到北京工作。历任第一、二、三届全国人大常务委员会委员,中国国民党革命委员会第三、四届中央副主席,民革川康临时工作委员会委员。1970 年 9 月 2 日在北京病逝。

虚 云 (? —1959)

佛教僧人。俗姓萧,初名古岩,字德清,别号幻游,湖南湘乡人。1883 年至福州鼓山涌泉寺从妙莲和尚出家并受戒。曾遍参金山、高旻、天童、天宁诸名刹,巡礼佛教四大名山。后从浙江天台山华顶镜清法师习天台宗教义。1900 年去北京,适值八国联军入侵,即随清朝皇室一行到西安。1902 年经终南山入川,转赴西藏,折至云南大理,重兴鸡足山迎祥寺。1905 年去泰国、槟城等地,考察东南亚佛教。1920 年重兴昆明西山华亭寺并改名云栖寺。历任福建鼓山,广东南华、云门诸大寺住持。1942 年 11 月,国民政府主席林森在重庆发起"护国息灾大悲法会",虚云前往主持。1947 年任中国宗教徒和平建国大同盟中央监察委员。中华人民共和国成立后,于 1953 年被推为中国佛教协会名誉会长。同年,应请复兴江西云居山真如寺。其禅功和苦行为人所重,为现代中国禅宗代表之一。

徐悲鸿 (1895—1953)

原名寿康,江苏宜兴人。9 岁随父学画。17 岁任宜兴女子师范、彭城中学及思齐女子学校图画教员。1914 年入复旦大学读书。1916 年开始学习法文。1917 年赴日本研究西画,不久回国,在北京师范学院艺术系工作。1918 年赴巴黎,从画师达仰专习素描,兼及油画,继入朱利安艺术学院及巴黎国立美术学校。1921 年赴柏林美术学校。后往返于国内和欧洲之间。1927 年冬回国后,曾任南京中央大学艺术系教授、上海南国艺术学院绘画系主任。1929 年任北平艺术学院院长;同年秋辞职,重回中山大学。1933 年,携中国近代名家作品600 余件赴法国、德国、比利时、意大利展览,1934 年回国。1935 年秋被广西省政府聘为美术顾问,于桂林独秀峰建美术馆,创办广西艺专。抗日战争爆发后,随中央大学迁至重庆。1942 年在磐溪成立中国美术学院。抗战期间,曾在国外售画,捐款救济祖国难民,并参加民主运动。1946 年任北平艺术专科学校校长、北平美术作家协会荣誉会长。1949 年 7 月,在第一次中华全国文学艺术工作者代表大会上被选为中华全国文学艺术界联合会常委。1949 年 9 月，作为文艺界代表，参加中国人民政治协商会议第一届全体会议。

中华人民共和国成立后，任中央美术学院院长，全国文联常委，中华全国美术工作者协会主席，中国保卫世界和平大会全国委员会委员等。1953 年 9 月 26 日在北京病逝。画集有《悲鸿绘集》、《悲鸿素描集》、《徐悲鸿画范》、《徐悲鸿画选集》、《徐悲鸿的彩墨画》、《徐悲鸿油画》；论文有《美与艺》、《中国画改良论》等。现北京辟有徐悲鸿纪念馆。

徐傅霖 （1879—1958）

字梦岩，广东和平人。1885 年入私塾学习。1896 年中秀才，随兄赴循州丰湖书院学习，不久又改入京师法政专门学堂习法律。毕业后，留学日本，在早稻田大学继续研习法律。在日期间，加入了同盟会，其后获法学学士学位，后回到广东。主要办理粤、浙、晋等地民事刑事案件。1909 年当选为广东咨议局议员。1912 年 4 月，任北京临时参议院议员。1913 年任第一届国会众议院议员。1914 年赴上海集资创办《中华新报》，反对帝制。同年加入中华革命党。1915 年 4 月，任《新中华》等刊物编辑。8 月，筹安会成立后，与谷钟秀发起共和维持会，发表《维持共和国体宣言》，反对帝制。12 月，云南宣布独立，出任云南都督府顾问。1916 年 11 月，与李根源等在北京成立政学会。1917 年 8 月，任广州护法国会众议院议员。1918 年 8 月，任广东省高等审判厅厅长。1919 年 6 月，

任广东军政府司法部部长兼任大理院院长。1922 年 10 月，当选为第三届国会众议员。1929 年与张君劢等筹组中国国家社会党。1932 年“一·二八”事变后，与温宗尧等在上海广肇公会内组织了民间后方勤务会，宣传和从事抗日活动。5 月，又组织了国难救济会，编印国难救济半月刊。1934 年同张君劢等在广州创办学海书院。1938 年 6 月，任第一届国民参政会参政员。1939 年到香港，创办了《国家社会报》。1941 年 11 月，由香港抵新加坡，呼吁当地华侨参军助饷。1942 年 2 月，新加坡沦陷，未及逃出，闭户不出，一直坚持到日本投降。抗战胜利后，经常往来于香港、上海之间。1946 年 8 月，国家社会党与中国民主社会党合并，改组成立了中国民主社会党。在上海召开的成立大会上，当选为中央常务委员兼宣传部长。1947 年 3 月，受聘为国民政府宪政实施促进委员会副会长；6 月，任国民政府委员；11 月，当选为行宪国民大会代表，并任国民大会筹备委员会副主任委员。1948 年 8 月，受聘为宪政督导委员会副会长；同年冬，出任总统府资政。1949 年 1 月，受聘为广东省政府高等顾问。10 月，离开广州去香港，不久抵达台湾。1950 年 3 月，在台北组织了“中国大陆灾胞救济总会”；9 月，任《民主中国》半月刊发行人；同年任中国民主社会党代理主席。1953 年 7 月，任“光复大陆设计研究委员会”副主任委员。1955 年 1 月，当选为中国民主社会党主席。1958 年 1 月 12 日病逝。著有《中国法制史》、《刑事诉讼法》等。

徐海东 （1900—1970）

原名徐元清,湖北大悟人。1925 年加入中国共产党。1926 年参加国民革命军,任排长。在北伐战争汀泗桥战役中表现出色,受到嘉奖。1927 年后,参加领导了黄麻起义和创建鄂豫皖、鄂豫陕革命根据地的斗争。历任农民自卫军队长、区委书记、赤卫军大队长、红军独四师师长、红军二十七师师长等职。参加指挥过鄂豫皖革命根据地反"围剿"多次战斗。1932 年红四方面军离开鄂豫皖革命根据地后,为重建红二十五军、保卫根据地和人民群众作出了重要的贡献。1934 年率红二十五军长征,任二十五军军长、代理政委、红二十八军军长、红军南路总指挥、红十五军团军团长等职。在直罗镇战役和红军东征、西征,迎接二、四方面军作战中,出色地完成了任务。抗日战争时期,任八路军一一五师三四四旅旅长,参与指挥平型关战役和粉碎日军九路围攻晋东南战役,后率部深入华北、华中开辟敌后抗日根据地。1939 年任新四军江北指挥部副指挥兼第四支队司令员。1941 年后长期患病。1954 年任中央人民政府人民革命军事委员会委员、第一届中华人民共和国国防委员会委员、中共中央军事委员会委员。1955 年 9 月被授予大将军衔。1956 年 9 月当选中共第八届中央委员。1960 年,在养病期间,主持编写了《红二十五军战史》。为进行革命传统教育、给编写军史提供资料,还带头撰写革命回忆录,公开发表了《保卫红色土地》《回忆红军长征》《会师陕北》《奠基礼》《冀察晋抗战》和《生平自述》。1969 年 4 月当选中共第九届中央委员。1970 年 3 月在郑州逝世。

徐立清 （1910—1983）

安徽金寨人。出生在一个贫苦农民家庭,只读过三年私塾。1927 年 5 月参加革命,1928 年 8 月参加中国工农红军。1930 年 9 月加入中国共产党。历任红四军第 11 师政治部组织科干事、科长,宣传科科长。1933 年 2 月,任红四军第 11 师第 32 团政治处主任;5 月,任红四军第 12 师政治部主任;6 月,任红四军政治部主任;1934 年 7 月,任红四军总医院政治部主任;9 月,任红四方面军总卫生部政治部主任。作为中共军队"党指挥枪"政治制度的探索者、实践者,参加了鄂豫皖苏区的历次反"围剿"和创建川陕苏区的战斗。1935 年 5 月参加长征。1936 年 7 月任红四方面军总卫生部政治委员。1937 年 7 月任援西军政治部教育科科长。抗日战争爆发后,历任八路军第 129 师政治部组织股股长、组织部部长。1938 年 12 月任冀南东进纵队代政委。1940 年到延安,入军政学院、中共中央党校学习。1942 年任中共中央党校二部组织教育科科长。1944 年 2 月任陕甘宁边区新 4 旅政委。参加了创建敌后抗日根据地和保卫陕甘宁边区的战斗。1946 年 6 月任陕甘宁边区联防军政治部主任。1947 年 4 月历任西北野战军政治部主任、第六纵队政委。1949 年 6 月任中国人民解放军第一野战军第二兵团副政治委员兼政治部主任。参加了解放大西北的战斗。中华人民共和国成立后,任第一兵团政治委员兼新疆军区政治部主任,为新疆的和平解放贡献了力量。1950年10月任中共中央军委总干部部副部长,为统一全军干部的管理,建立正规的干部工作制度做了大量的工作。1955年被授予中将军衔。他不是唯一主动请求降阶评定军衔的将军,却是唯一获批准由上将降阶评定为中将的将军。1960年12月任中国人民解放军总政治部副主任。"文化大革命"中受到冲击。1973年11月任济南军区政治委员。1975年8月任总政治部副主任。1977年8月当选中共第十一届候补中央委员,任中共中央军委委员。1980年1月,任成都军区第二政治委员;6月,任成都军区第一政治委员。1982年9月在中共第十二次全国代表大会上,当选中共中央顾问委员会委员。1983年1月6日因病在北京逝世。

徐舜寿 (1917—1968)

飞机设计师,航空工业技术专家。浙江吴兴人。少年时先后在省立南京中学和嘉定秀州中学读书。1933年考入清华大学机械系。1937年毕业后被分配到杭州笕桥飞机制造厂任检验员。抗日战争爆发后,考入中央大学机械特别研究班进行航空技术学习。1939年结业后,任成都航空研究所助理研究员。1941年5月被派往由苏联政府援建的伊宁空军教导队,教授飞行力学。1942年8月,被调回成都航空委员会编译处任编译专员。参与编写了中国第一部《英汉航空工程名词词典》(1944年出版)。1944年8月赴美国,先进韦德尔公

司学习塑料零件制造。半年后进麦克唐纳飞机公司任雇员,参与FD-1、FD-2飞机的设计工作。1946年初入华盛顿大学研究院进修。8月回国,在空军第二飞机制造厂担任"中运"2号和3号运输机的总体设计工作,并被破格提升为研究课长。1949年拒绝去台湾,在中共地下党的帮助下举家来到解放后的北平。5月,被分配到东北航空学校机务处工作,不久随军南下,调查民国政府空军机场和航空工业设施。9月,任华东军区航空工程研究室飞机组副组长,参与编撰《伪空军航空工业概况》,还编写了飞机制造厂建厂计划和空军作战训练教材。12月加入中国共产党。中华人民共和国成立后,历任航空工业管理局飞机科科长、总工艺师。1956年8月,中国第一个飞机设计室在沈阳成立,他任主任设计师,全面负责该室的创建工作。成功设计了高亚音速歼教-1型喷气式教练机。随后,又主持初教-6型初级教练机和强-5强击机的总体设计。1959年夏,随着全国反右倾运动的高涨,他遭到批判并被撤销了党内职务。在逆境中还组织技术人员编写了《飞机设计原则》,与以前编写的《设计员手册》,是当时国内唯一可行的飞机设计依据。1961年中共沈阳市委为他甄别平反。8月,中国航空研究院沈阳飞机设计研究所成立,任技术副所长。开展对苏制米格-21飞机的"摸透"研究和歼8飞机的自行设计进行方案论证、预先研究工作。1964年2月,被授予技术上校军衔。8月,调任西安重型飞机设计研

究所技术副所长、所长兼总设计师。负责该所的组建和大型飞机的设计。1965年10月，提出"以安－24为原准机，自行设计运－7飞机，作为我国研制民用飞机的起点"的建议，为我国运输机的研制正确选型作出了贡献。同年，还接受并领导了供核试验用的取样器的设计和利用飞机投放氢弹的可行性研究，圆满完成了任务。他还参与创建中国第一个可供飞机设计用的跨音速、超音速风洞。是中国航空学会第一届理事、第三届全国人民代表大会代表。他为中国航空工业的建设和发展作出了重要贡献。"文化大革命"中遭受迫害。1968年1月6日逝世。著有《飞机性能捷算法》，编译《飞机寿命》等著作。翻译的《飞机构造学》、《飞机强度学》被先后成立的航空院校选作教材。

徐四民　（1914—2007）

新闻业者，社会活动家。福建厦门人。出生在缅甸仰光，父亲是中国同盟会会员。13岁入槟城钟灵中学学习，三年内先后转到缅甸华侨中学、厦门大学高中部学习。1936年考入厦门大学文科部选读生，深受在此间执教的鲁迅的影响，以后在写文章时喜好引用鲁迅名言。1937年抗日战争爆发后，辍学返回仰光，成为反日团体全缅甸抵制日货总会总干事。发动民众罢买日货，打击汉奸，向内地运送物资支援抗战。太平洋战争爆发后，日军于1942年3月攻占仰光，逃难至缅北与中国接壤处边境生活。第二次世界大战结束，他于1945年7月回到仰光，旋即被邀请创办《新仰光

报》，担任总经理。其办报立场支持延安的中共，并与国民党在当地的机关报《国民日报》唱对台戏。1946年后历任缅甸华商商会总干事、副会长、会长，成为缅甸最具影响力的华商之一。1949年6月获中共邀请回国，以"爱国侨领"的身份参加了9月在北平召开的中国人民政治协商会议第一届全体会议，并当选政协委员。他与部分华商于中华人民共和国成立的第二天在仰光升起了国旗，以示对新政权的支持。1954年当选第一届全国人大代表。1964年7月缅甸军政府以"国有化"的名义，没收了他在缅甸的产业，遂全家移居北京。1966年"文化大革命"开始，因其华侨身份遭到批斗并被抄家，于1976年9月避居香港。1977年创办《镜报》月刊，任总经理。1978年成立镜报文化企业有限公司，担任董事长。1982年后历任香港特别行政区筹备委员会预备委员会委员、香港特别行政区筹备委员会委员、香港特别行政区基本法咨询委员会委员、第一届香港特别行政区政府推选委员会委员、香港事务顾问。1997年7月1日香港回归，获第一届香港特别行政区特首颁发的大紫荆勋章，以表彰其在香港回归祖国过程中及其对香港所作的贡献。2006年在抗日战争胜利60周年纪念大会上，获中共中央、国务院、中央军委颁发的纪念奖章，香港只三人获此殊荣。是全国政协第五至七届委员、第八、九届常务委员。2007年1月23日，将父亲与自己珍藏的关于20世纪缅甸华侨历史的著作与手稿捐赠香港大学图书馆。9月9日，因

病在香港逝世。著有《徐四民言论集》（1990）、《国事港事话三年》（1996）、《一个华侨的经历——徐四民回忆录》（2000）、《诤友的话：徐四民〈镜报〉文集》（2003）、《老实话》（2003）、《有话要说——徐四民评论集》（2003）等。

徐特立 （1877—1968）

原名徐懋恂，又名立华，字师陶。湖南长沙人。1905 年进入长沙宁乡速成师范班读书，毕业后到长沙周南女校任教。1910 年赴日本考察教育。辛亥革命中，被选为湖南临时议会副会长、湖南省教育司科长。1913 年辞职创办长沙师范学校，任校长。1919 年到法国勤工俭学，1924 年回国，创办长沙女子师范学校。1927 年"四一二政变"后，加入中国共产党。8 月参加南昌起义，任革命委员会委员、第二十军第三师党代表兼政治部主任。后被派往苏联莫斯科中山大学特别班学习。1930 年回国后到中央革命根据地，担任中华苏维埃共和国教育部长，创办了列宁小学、列宁师范等。1934 年参加长征。1937 年在延安任陕甘宁边区政府教育厅厅长。1937 年冬返回湖南，以八路军高级参谋的名义任八路军驻湘办事处主任，开展统战工作，恢复和发展党的地下组织。1940 年 8 月离开长沙回延安，任中共中央宣传部副部长。同年，创办延安自然科学研究院，任院长，为党培养了一批自然科学和经济建设方面的人才。1945 年 6 月当选中共第七届中央委员。中华人民共和国成立后，历任中央人民政府委员、全国人民代表大会常务委员会委员等职。

尽管年岁已高，仍然把主要精力投放在教育事业上。1956 年 9 月当选中共第八届中央委员。1968 年 11 月在北京病逝。著有《徐特立文集》和《徐特立教育文集》。

徐向前 （1901—1990）

原名象谦，字子敬。山西五台人。1919 年春考入山西国民师范速成班，毕业后曾任小学教员。1924 年 4 月考入黄埔军校第一期，毕业后留任排长。1925 年春参加讨伐陈炯明的第一次东征。后到国民革命军第二军任教官、参谋、团副等职。1926 年冬到武汉，任南湖学兵团指挥员。1927 年 3 月加入中国共产党；4 月任武汉中央军事政治学校队长。曾率学生队参加反击叛军夏斗寅部的战斗。大革命失败后，被中共中央军委派赴广州，任工人赤卫队第六联队队长。参加了广州起义。后转往海陆丰地区，任工农革命军第四师第十团党代表，第四师参谋长、师长，与彭湃等坚持武装斗争。1929 年 6 月被中央军委派往鄂东北，先后任红 31 师副师长，中共鄂豫边特委委员，鄂豫边革命委员会军委主席。1930 年春，任红一军副军长兼第一师师长，指挥所部连克云梦、光山、罗田等县城。1931 年初，任红四军参谋长，协助军长旷继勋等，连续挫败国民党军对鄂豫皖革命根据地第一、二次"围剿"。7 月任红四军军长，与政委曾中生率部连克英山、罗田、浠水、广济四城。11 月当选为中央革命军事委员会委员，任红四方面军总指挥兼红四军军长，组织指挥了黄安、商（城）潢（川）、苏家埠、潢（川）光

（山）战役，大量歼敌。这期间，曾对张国焘军事指导的错误和"肃反"的错误进行抵制和斗争。1932年10月起，指挥红四方面军主力向西转移，连续击破了国民党军的围追堵截，进入四川通江、南江和巴中地区，开辟了川陕革命根据地。1933年11月至1934年8月，指挥所部抗击国民党军二十多万人的"六路围攻"。1934年2月，被选为中华苏维埃共和国中央执行委员。1935年春，指挥广（元）昭（氏）、陕南、强渡嘉陵江等战役，后率部长征。6月，红一、四方面军会师后，被任命为红军前敌总指挥部总指挥。参加了毛儿盖会议，拥护中共中央北上创建川陕甘根据地的战略方针。会议期间，获中央军委授予的金质红星奖章。后率右路军北上，指挥包座战斗，全歼胡宗南部第四十九师，打开了进军甘南的通道。在中共中央和红一方面军北上后，积极维护党和红军的团结，和朱德、刘伯承等及红四方面军广大指战员与张国焘的分裂活动进行了斗争。1936年7月，红四方面军与红二方面军会师后，任中共西北局委员。8月再次率军北上，指挥了通（渭）庄（浪）静（宁）会（宁）战役。11月，任西路军军政委员会副主席兼西路军总指挥，率西路军浴血奋战四个多月，有力地策应了河东红军的战略行动。抗日战争爆发后，被选为中共中央军委委员，任八路军第129师副师长，参与指挥了广阳、神头岭、响堂铺等战斗和晋东南反"九路围攻"。1938年4月率129师和第115师各一部进入河北南部，创建冀南抗日根据地。1939年参与组织和指挥了冀南春季反"扫荡"。同年6月，到山东任八路军第一纵队司令员，统一指挥山东、苏北和皖北八路军各部，坚持抗日游击战争，并对国民党顽固派进行了坚决斗争。1940年底返回延安。1942年任陕甘宁晋绥联防军副司令员，后任抗日军政大学校长。解放战争时期，先后任晋冀鲁豫军区副司令员，华北军区副司令员兼第一兵团（后改为第十八兵团）司令员。1948年指挥临汾战役、晋中战役。1949年3月起，带病组织指挥太原战役。中华人民共和国成立后，任人民解放军总参谋长。1954年起任人民军事委员会副主席，国防委员会副主席。1955年被授予元帅军衔。1965年起任第三、四届全国人大常委会副委员长。1966年1月起任中共中央军委副主席。曾与刘伯承共同负责战略研究工作，并主管空军、防空军及民兵工作。"文化大革命"期间，同林彪、江青反革命集团进行了坚决斗争。1978年至1980年任国务院副总理兼国防部长。1983年6月被任命为中华人民共和国中央军事委员会副主席。他是中共第七至第十二届中央委员，第八届（十一中全会）、十一十二届中央政治局委员。1990年9月21日因病在北京逝世。著有回忆录《历史的回顾》。

许德珩 （1890—1990）

字楚生（楚僧）。江西九江人。早年入中国同盟会，先后参加过1911年的辛亥革命和1913年的"二次革命"。1915年秋考入北京大学英文系，后转入国文系学习。1918年5月曾参加北京学生请愿运动,被选为到总统府请愿代表之一。并参与组织北京学生救国会。1919 年参加五四运动,是被捕学生之一。还参加了李大钊组织的少年中国学会,后任《全国学联日刊》总编辑,成为五四运动学生领袖之一。1919 年秋从北京大学毕业。12 月赴法国勤工俭学,参加旅法中国留学生的爱国斗争。1926 年底回国,曾任广州中山大学教授,黄埔军校政治教官,讲授社会主义史。1927 年曾任国民革命军总政治部副主任,后改任秘书长。"四一二反革命政变"后到武汉,任中央军校武汉分校政治教官。大革命失败后任上海暨南大学历史社会学系教授兼系主任,曾翻译马克思的《哲学之贫困》、布哈林的《唯物史观》等书。1931年 7 月应聘任北平师范大学历史社会学系教授兼系主任,同时任北京大学法学院教授。"九一八事变"后,积极参加抗日救亡活动。1932 年 12 月被国民党反动当局逮捕,后经宋庆龄、蔡元培以中国民权保障同盟的名义营救获释。1935年与杨秀峰、马叙伦等发起组织北平文化界救国会。1937 年抗日战争爆发后,继续在大学任教并任国民参政会历届参政员。经常抨击国民党当局的错误政策。1944 年在重庆发起组织民主科学座谈会,呼吁团结民主、坚持抗战。1945年 9 月 3 日为纪念抗日战争和国际反法西斯战争的胜利,主持将民主科学座谈会改称为九三座谈会(1946 年 5 月九三学社正式成立,被推选为理事,主持社务活动)。解放战争时期,仍任北京大学教授,积极支持学生民主运动,并参加国民

党统治区反内战、反饥饿、反迫害斗争,是著名的民主教授之一。1947 年被迫转入秘密斗争,仍坚持在北京、上海等地进行进步活动。1949 年 1 月代表九三学社响应中国共产党的"五一"号召。9 月出席中国人民政治协商会议第一届全体会议。中华人民共和国成立后,历任第一至五届九三学社中央主席,政务院法制委员会副主任委员,国务院水产部部长,第四、五届全国政协副主席,第五、六届全国人大常委会副委员长等职。1979年加入中国共产党。著有《社会学讲话》、《中日关系及其现状》等。1990 年 2月 8 日因病在北京逝世。

许光达 (1908—1969)

原名许德华,湖南长沙人。1921 年考入长沙师范学校。1925 年 5 月加入中国共产主义青年团。9 月转为中国共产党党员。1926 年春考入黄埔军校第五期炮科。1927 年 7 月毕业分配到国民革命军第四军炮兵营任见习排长。大革命失败后,8 月在宁都加入南昌起义部队。任排长、代理连长。1929 年 10 月,被中共中央派往洪湖革命根据地,任红军团长。1930 年 2 月参与组建中国工农红军第 6 军,并任参谋长,后任红二军团第 6军第 17 师师长。1932 年 1 月,在毛家畈、胡家地区的战斗中身负重伤,党中央把他秘密送往上海、苏联医治。在苏联期间,曾入国际列宁主义学院和军事训练班学习。1936 年冬,调莫斯科东方大学军事训练班,任副主任。1938 年 1 月返回延安,历任抗日军政大学训练部部长、教育长,第三分校校长,中共中央军

委参谋部部长兼延安卫戍区司令员,中央军委情报室第一室主任,八路军120师独立第二旅旅长兼晋绥军区第二军分区司令员。1947年8月,他率三纵队主力西渡黄河,两次参加榆林战役。1948年2—4月,参与指挥了宜川、瓦子街、洛川等战役,大获全胜。1949年6月,任第二兵团司令员。中华人民共和国成立后,任中国人民解放军装甲兵司令员兼坦克学校校长、装甲兵学院院长、国防部副部长。1951年初,他亲自组织坦克部队参加志愿军赴朝作战,并亲临朝鲜战场,进行实地考察。为部队发展和院校建设作出了贡献。1955年9月,被授予大将军衔。1956年当选为中共第八届中央委员。"文化大革命"中遭受迫害。1969年6月3日在北京逝世。1977年6月中共中央为他平反昭雪,恢复名誉。主要著作有《许光达论装甲兵建设》。

许广平 (1898—1968)

字濑园,号景宋,广东番禺人。早年进私塾读书,曾反抗过封建婚姻。1917年考进天津直隶第一女子师范(即天津女师)预科班学习。1919年参加五四运动,是邓颖超、刘清扬所组织的天津女界爱国同志会成员并任该会《醒世周刊》的编者。1922年从天津女师毕业,于次年考入北京女子高等师范学校(即北京女子师大)国文系,成为鲁迅的学生。1924年秋,在女子师大组织同学参加驱逐女校长杨荫榆的学生运动,被学校当局开除学籍。1926年从女子师大毕业,8月随鲁迅离开北京南下,任广东省立女子师范学校训育主任。1927年1月,到广州中山大学任鲁迅的助教。10月,和鲁迅在上海结婚,协助鲁迅工作。1936年10月19日鲁迅逝世。此后,她编辑出版了《鲁迅三十年集》、《鲁迅书简》,并参加《鲁迅全集》(20卷)的编辑工作。抗日战争爆发后,参加了何香凝组织的中国妇女抗敌后援会,为《上海妇女》杂志撰文,任中华女子职业学校校长,并参与办难民收容所,组织新四军慰问团等工作,为抗日救亡活动作出了贡献。1941年12月14日被日本宪兵逮捕,关押76天,经受了严刑拷打而坚贞不屈。后写成《遇难前后》一书。抗日战争胜利后,任《民主》周刊、文汇报《妇女》副刊编辑。1945年12月,和马叙伦等发起成立中国民主促进会,被选为理事会理事,后任常务理事,积极参加民主运动,坚持在上海人民反内战、反迫害、反饥饿的运动中与国民党当局作斗争。1948年10月,在中共党组织的安排下,经香港转入解放区。1949年9月,出席中国人民政治协商会议第一次全体会议。中华人民共和国成立后,任中央人民政务院副秘书长,中华全国妇女联合会副主席,国际妇女联合会理事,中华全国文学艺术界联合会主席团委员,全国人大常务委员,全国政协常务委员,中国民主促进会第一、二、三届常务理事、第三届秘书长、第四、五届中央副主席。1960年10月加入中国共产党。1968年3月3日,因江青、戚本禹盗走鲁迅全部书信手稿的刺激,心脏病突发逝世。著作有《许广平忆鲁迅》、《两地书》、《鲁迅回忆录》等。晚年把鲁迅著作的出版权、全部版税及鲁迅全部书籍、手稿捐赠给国家。

许家朋 （1931—1953） 安徽绩溪人。1951 年 5 月参加中国人民解放军。1952 年参加中国人民志愿军，为第二十三军第六十七师第二〇〇团第九连战士。1953 年加入中国新民主主义青年团。7 月 6 日，在反击石砚洞北山战斗中，所在突击排突入敌阵地后，为暗堡机枪火力所阻。为掩护部队前进，拿着炸药包向敌暗堡扑去。当双腿负伤，炸药包受潮失效时，猛然扑向敌人，双手紧抱机枪，胸膛抵住枪口，阻止了敌机枪发射，壮烈牺牲。他保证了攻击部队迅速攻占主峰，全歼守敌百余人。被中国人民志愿军领导机关追记特等功，授予一级战斗英雄称号。被朝鲜民主主义人民共和国授予"朝鲜民主主义人民共和国英雄"称号和朝鲜民主主义人民共和国一级国旗勋章及金星奖章。

许世英 （1873—1964）

字静仁、隽人。安徽东至人。出生在一个富裕的乡绅家庭。13 岁中秀才。1897 年入京城参加拔贡考试，成绩列为一等。1898 年 5 月，被分发到刑部浙江司任职。1899 年他就升任为刑部直隶司主稿。1905 年调任北京外城巡警总厅行政处佥事。1907 年因上年度考核，成绩为京察一等，得以四品任用资格，受到慈禧、光绪的召见。同年，东三省总督徐世昌邀调他同往东北筹建司法机构。1910 年春，受清廷之命与徐谦赴欧美考察司法，先后到了俄、德、法、英、意、比、荷、瑞、奥、美十个资本主义国家，历时一年。1911 年春，回国后便出任山西提法使。不久，辛亥革命在武昌打响了第一枪，他最初明哲保身，静观时局的发展。后与山西巡抚张锡銮联名呼吁清皇帝退位，以配合袁世凯的逼宫行动。1912 年 5 月，袁世凯任命他为大理院院长。年内历任陆征祥、赵秉钧两届内阁的司法总长。并与徐谦等人组织了"国民共进会"，不久，与同盟会及其他小政党合并，组成国民党，许世英由此成为国民党的元老。

辛亥革命后，许世英于 1913 年与陆军总长、内阁总理安徽同乡段祺瑞在天津结拜为"盟兄弟"。从此成为段祺瑞在政治上的一位重要盟友。1916 年政坛出现了"府院之争"。在内阁中先后任内务总长和交通总长的他站在总理段祺瑞一边，出谋划策，与总统黎元洪抗争。到了 20 年代初，已经失势的段祺瑞伺机东山再起，便于 1924 年派他南下，在广东韶关拜会了孙中山先生，商议共讨直系军阀事宜。1925 年冬季，冯玉祥的国民军进驻天津，对段祺瑞政权形成了很大威胁。段为摆脱危机，派他与冯玉祥商议改组临时政府。12 月 26 日，公布了修改制度，增设国务院，他出任内阁总理。1926 年 5 月，段祺瑞下台，他陪段回到天津。不久，又告别这位盟兄，只身去了上海。1927 年"四一二"大屠杀之后，蒋介石在南京成立了国民党政府，许世英在上海表示拥戴，旋即被蒋介石任命为南京政府赈务委员会委员长。"九一八"事变后，蒋介石于 1936 年 2 月派许世英为驻日大使，希望他利用与旧相识日本首相兼外务大臣广田弘毅、日本驻华大使有田八郎的私交,与日本暗中妥协。1937年12月,日本军国主义"3个月结束对华军事"的计划破产后,便请德国从中联系,向国民党政府提出"议和",以争取时间准备下一步更大的军事行动,他又受命在东京与德国人密谈。直至南京陷落,德国宣告调停失败,他才于1938年1月离开东京,经香港到武汉。后又随国民政府南迁重庆,先后出任全国赈灾委员会和中央救灾准备金保管委员会委员长。抗战胜利后,在南京又出任蒙藏委员会委员长一职。南京解放前夕,许世英到了香港。1950年夏,他由香港抵台,出任总统府"资政"。1964年10月13日在台北病逝。著有《许世英回忆录》。

许世友 (1906—1985)

河南新县人。少年时代因家贫给武术师傅当杂役,后到少林寺学武艺。1914年在新县家乡种田。1920年入北洋军阀吴佩孚部当兵。1926年被选为乘马岗六乡农民义勇队大队长兼炮兵队队长。8月任国民革命军第1师第1团连长。同年9月加入中国共产主义青年团。1927年8月转为中国共产党党员,当月返回家乡参加中国工农红军。11月参加著名的黄麻起义。从此,历任红军班长、排长、连长、营长。1930年任红军第四方面军第12师34团团长。1933年7月任红军第九军副军长兼第25师师长。1934年任红军第四军军长。1935年2月兼任红四方面军骑兵司令。此间参加了鄂豫皖苏区、川陕苏区的反"围剿"战争和长征,曾七次参加敢死队,

两次任队长。1935年8月率红四方面军第四军与国民党政府军鏖战两天两夜,打开了向甘南进军的门户。1936年7月指挥骑兵部队担任红四方面军前卫,为红四方面军度过艰险、北上甘南创造了有利条件。11月进陕北红军大学学习。1938年8月任抗日军政大学校务部副部长。10月任八路军第129师第386旅副旅长,年底率部进军冀南。10月进北方局党校学习。1940年9月调任八路军山东纵队第三旅旅长。1942年2月任山东纵队参谋长。1942年10月任胶东军区司令员。1946年兼任第九纵队司令员。1947年上半年率部参加莱芜战役、孟良崮战役等。8月任华东野战军东线兵团(后改称山东兵团)司令员。1949年2月任山东军区副司令员。中华人民共和国成立后,任山东军区司令员。1953年4月任中国人民志愿军第三兵团司令员,赴朝鲜作战。1954年2月任华东军区第二副司令员;10月兼任中国人民解放军副总参谋长。1955年3月任南京军区司令员,同年被授予上将军衔。1956年9月在中共八大上当选为中央候补委员。1959年9月任国防部副部长兼任南京军区司令员。1973年12月,任广州军区司令员、广州军区党委第一书记。1974年1月,指挥西沙自卫反击战。1979年在广西方向指挥边防部队胜利地进行了对越自卫反击作战。1980年1月任中央军委常委。还担任过南京军区党委第二书记,中共中央华东局书记处书记,中共江苏省委第一书记等职。在中共八届十二中全会上递补为中央委

员、中央政治局委员。1982 年 9 月,在中共十二大上当选为中央顾问委员会副主任。1985 年 10 月 22 日在南京病逝。

许文思　(1924—2004)

微生物药物学家。台湾高雄人。出生在高雄县仁武乡,6 岁丧父,1942 年 3 月到日本留学,先后在东京星药专门学校、北海道帝国大学学习。1947 年 9 月毕业,获学士学位。1948 年 1 月参加东京华侨民主促进会,并参与组织北海道札幌华侨自治会。同年在札幌进加森制药厂任药剂师。1949 年 1 月加入日本共产党。中华人民共和国成立后,参加东京中国留日科学技术协会,任常任干事。1950 年 5 月,回国后转为中国共产党党员;8 月,任中央人民政府卫生部生物制品研究所技师。1952 年 8 月参加筹建上海第三制药厂的工作。1954 年获上海市劳动模范称号。1955 年获上海市劳动模范称号。1956 年获全国劳动模范称号。20 世纪 50 年代,(1)取得链霉素抗噬菌体高产菌种、金霉素中间实验成功;(2)青霉素代乳糖关键发酵工艺研究成功,1957 年获国家发明奖;(3)领导并亲自设计新霉素、四环素、赤霉素的工艺路线,领导红霉素、制霉菌素、灰黄霉素的研究成功并批量投入生产。使中国进入抗生素生产全盛时期。在四环素的研究开发中,他采用改良提炼法,生产出优质的四环素产品打入国际市场,享有"中国黄"的美誉。1962 年他组织科研小组成功找到产生青霉素酰胺酶的大肠杆菌菌株,以此裂解青霉素得到 6－氨基青霉烷酸(6－APA)母核,生产出中国第一

个半合成青霉素——甲氧苯基青霉素。历任上海第三制药厂技术员、研究室副主任、生产技术科科长、总工程师、副厂长。其间,先后三次作为专家组组长,赴印尼、越南援建生产抗生素的工厂。1975 年 5 月任上海医药工业研究院院长。他组织领导半合成头孢菌素的母核 7—氨基头孢烷酸(7—ACA)的研究获得成功,生产出头孢噻酚,从而开辟了中国半合成抗生素领域。1978 年 11 月加入台湾民主自治同盟。1986 年任上海医药工业研究院名誉院长。1993 年阿霉素生产工艺和劳动保护研究取得成功,获国家科学技术进步奖三等奖。开创了中国生产抗肿瘤抗生素的新局面。1994年当选中国工程院医药卫生学部院士。他在多种抗细菌、抗霉菌、抗肿瘤抗生素和农用抗生素的研究工作中取得显著成绩,为中国抗生素工业基础的奠定、促进抗生素工业的发展作出了杰出贡献。是第五届上海市政协副主席,第八至十届上海市人大常务委员,台盟中央第四届评议委员会副主席、上海市支部(分部)主任委员。曾担任国务院学位评定委员会药学组委员、上海市归国华侨联合会副主席等职。2004 年 8 月 18 日因病在上海逝世。

薛觉先　(1904—1956)

粤剧演员。原名作梅,字平恺,广东顺德人。肄业于香港圣保罗书院。少年时代,入香港青年会的青年话剧团担任主要儿童角色。五四运动时期,曾以"佛岸少年"笔名著文宣传爱国思想。18 岁进入香港环球乐粤剧团学艺,拜新少华

为师,后以演出《三伯爵》成名。1925 年在上海组织非非影片公司,自任经理和导演。1927 年出任广州觉先声剧团班主。他以文武生见长,又能反串女角,兼演红生,人称"万能老倌"。他曾习京剧,取其所长,以丰富粤剧艺术,并不断创新。在净化舞台,提高唱、念、做、打水平,改革剧场陋习,培养后辈等方面贡献很大。他以梆簧曲调为主,吸收当地小曲,突破唱词格律音调的局限,制作新腔,世称"薛派",亦有称其开创了"北派"粤剧的场风。擅演剧目有《梅知府》、《王昭君》、《胡不归》和时装戏《白金龙》等。被英国国际哲学科学艺术学会聘为会员。1934 年迁居上海,组织南方影片公司。1936 年再度离沪返港,随后赴南洋巡回演出。觉先声剧团与马师曾领导的太平剧团艺术竞争达十年之久,人皆以"薛、马"并称。粤剧的发展也得益于这种艺术竞争。曾拍过电影《浪蝶》。抗日战争期间寓居香港,多次举行义演,为抗日筹款。1954 年回广州,任广州粤剧团艺术委员会主任,演出《闯王进京》、《宝玉怨婚》、《龟山起祸》等剧。曾当选全国政协委员、中国戏剧家协会广东分会副主席、民盟广州市委委员。他是一位卓有成就的忠诚的艺术家。1956 年 10 月,在他逝世前一日,还抱病坚持演出。

薛暮桥 （1904—2005）

经济学家。原名薛雨林,江苏无锡人。1925 年参加革命。1927 年 3 月加入中国共产党。大革命失败后被国民党逮捕,在监狱中刻苦学习。出狱后参加中国农村经济学会,从事农村经济调查。

1934 年主编《中国农村》月刊。1937 年出版了《中国农村经济常识》(后改名为《旧中国的农村经济》)和《农村经济的基本知识》。抗日战争时期,1938 年任新四军军部直属教导总队训练处处长。1941 年任抗日军政大学华中总分校训练部部长。著有《政治经济学》。1942 年著有《中国革命的基本问题》。1943 年在山东抗日根据地,历任中共山东分局政策研究室主任、省工商局局长、省政府秘书长、实业厅厅长等职。1948 年任中共中央财经部秘书长。中华人民共和国成立后,任政务院财经委员会秘书长兼私营企业局局长。1952 年任国家统计局局长兼国家计划委员会委员,后任国家计委副主任。1959 年出版《中国国民经济的社会主义改造》(有英、法、日、俄等国文字译本)。1962 年任国家物价委员会主任。他长期从事经济管理和经济理论研究工作,对社会主义中国的统计、计划工作,特别是对物价的稳定和调整颇有建树。对社会主义计划经济和价值规律的关系、社会主义价格形成等问题,在理论上作了非常有益的探索和贡献。是中国科学院哲学社会科学部委员。"文化大革命"中受到冲击。1980 年后,历任国务院体制改革办公室(1982 年改为国家经济体制改革委员会)顾问,国务院经济研究中心总干事,国务院经济技术与社会发展研究中心名誉总干事。是第六届全国人大常务委员。曾担任中国计划学会、中国统计学会和中国物价学会会长、名誉会长等职。改革开放以后,他积极总结社会主义经济建设的历史经验,认为计划管理过分集中,不仅破坏了商品经济和在此基础上发展起来的社会化大生产,而且割断了生产与市场的联系,以致产销脱节,不能满足人民生活日益增长的需要。主张打破计划包揽一切、排除市场调节作用的传统观点,提出开放市场,增加流通渠道,减少流通环节,打破条块分割,扩大地方和企业自主权的观点。在中国由社会主义计划经济到社会主义市场经济的进程中,他贡献了智慧。2005 年 7 月 22 日因病在北京逝世。作为一个理论联系实际的经济理论工作者,著有《抗日战争时期和解放战争时期山东解放区的经济工作》(1979,1982 增订本)、《社会主义经济理论问题》(论文集,1979)、《中国社会主义经济问题研究》(1979,有英、法、日、德、西五国文字的译本,1982 增订本,有英、日文译本)、《当前我国经济若干问题》(1980)、《我国国民经济的调整和改革》(1982)、《按照客观经济规律管理经济》(1985)、《我国物价和货币问题研究》(1985)、《薛暮桥统计论文集》(1986)等。

Y

严 恺 （1912—2006）

水利与海岸工程专家。福建闽侯人。其父是北京大学教授，严复是他的伯父，从小受到很好的教育。1933 年毕业于交通大学唐山工学院。后赴荷兰留学，1938 年获德尔夫特科技大学土木工程师学位。回国后，历任云南省农田水利贷款委员会工程师。1940 年任中央大学教授。1943 年任黄河水利委员会技正，并先后兼任设计组主任、宁夏工程总队总队长、研究室主任。1946 年兼任河南大学水利系教授、系主任。1948 年任上海交通大学水利系教授，并被聘为上海市公用局在上海交通大学设置的港工讲座教授。中华人民共和国成立后，1951 年任天津塘沽新港建港委员会委员，为港口的修复和扩建作出了贡献。1952 年任华东水利学院建校委员会副主任，后任教授、副院长。同年，任江苏省人民政府委员。1955 年任江苏省水利厅厅长，当选中国科学院技术科学部委员。1956 年兼任水利部南京水利科学研究所所长。1958 年任华东水利学院院长，当选中国科学技术协会全国委员会委员，并担任天津塘沽新港回淤问题研究组组长，为解决港口回淤问题提供了科学依据。1973 年任长江葛洲坝水利枢纽工程技术顾问。1977 年组建南京水文研究所，并出任所长。1983 年任河海大学名誉校长。1984 年任南京水利科学研究院名誉院长。他长期投身于海岸工程建设，并首先提出和指导了中国淤泥质海岸的研究和开发工作。1992 年主持的"中国海岸带和海涂资源综合调查研究"项目，获国家科学技术进步奖一等奖。他长期参加长江三峡工程的技术咨询和论证工作，是力主三峡工程上马的坚定支持者。1993 年三峡工程开工后,被聘为中国长江三峡工程开发总公司技术委员会顾问。1994年当选中国工程院土木、水利与建筑工程学部院士。1995年主编的《中国海岸工程》一书获全国高校优秀学术著作特等奖。1996年任"长江口及太湖流域综合治理领导小组"成员兼科技组组长,长江口深水航道治理工程专家顾问组组长。在他的主持下,长江口治理的研究工作取得进展。同年获第一届中国工程科学技术奖。他是中国共产党党员,曾当选中共第十、十一次全国代表大会代表。曾担任中国水利学会理事长、中国海洋学会副理事长、联合国教科文卫组织国际水文计划政府间理事会第三、四届副主席等职。2006年5月7日因病在南京逝世。他不仅在水利工程中研究成果丰硕,在洪水演算、河道治理、海岸和河口泥沙问题等方面的研究成果也颇丰。主要著作有《河槽过渡曲线之规划》(1946)、《潮汐问题》(1951)、《塘沽新港回淤研究》、《中国海岸与河口的泥沙问题》(1986)、《中国海岸与港口工程》(1987)、《在不同波况下的岸滩演变研究》(1988)、《淤泥质海岸与河口的若干泥沙问题》(1989)等。

严凤英 （1930—1968）

黄梅戏演员。女。原名鸿六,又名黛峰,安徽桐城人。出身贫苦。幼时因喜欢唱山歌和黄梅调,触犯族规被迫离家。13岁师从严云高学唱黄梅戏,她天资聪颖,勤奋好学,15岁即正式搭班演戏,在枞阳、桐城一带演出。之后,又得著名老艺人丁永泉指点,辗转演出于贵池、青阳农村和安庆、皖南等地区。1947年曾随胡金涛、刘凤云学唱京戏。1949年后又拜北昆名演员白云生为师,不断汲取兄弟剧种之长,以丰富自己的表演技艺。她戏路宽广,工小旦、花旦、闺门旦,兼演老旦。嗓音清脆甜美,唱腔朴实圆润,演唱明快真挚,吐字清晰,韵味醇厚,并注重从人物感情出发,力求声情并茂,具有耐人寻味的艺术魅力,形成了自己的艺术风格。中华人民共和国成立后,于1953年参加安徽省黄梅戏剧团。1954年主演的《天仙配》,在华东戏曲观摩演出大会上获一等演员奖。1960年加入中国共产党。同年当选全国先进工作者、全国三八红旗手。曾任安徽省黄梅戏剧团副团长,中国文学艺术界联合会委员,中国人民政治协商会议第二、三届全国委员会委员。她演出的《天仙配》、《女驸马》、《牛郎织女》均被拍摄成电影。在二十三年的艺术实践中,为黄梅戏的发展作出了重大贡献。"文化大革命"中遭受迫害。她选择自杀的方式进行无声的抗争,于1968年4月8日逝世。1978年5月23日安徽省委为她平反昭雪。

严济慈 （1900—1996）

物理学家、教育家。字慕光,浙江东阳人。先后在南京高等师范学校数理化部、东南大学物理系学习,1923年获学士学位。后赴法国留学,1925年获巴黎大学数理硕士学位,1927年获法国国家科学博士学位。回国后,任上海大同大学、中国公学、暨南大学和南京第四中山大学教授。1928年又回到法国,在巴黎大学光学研究所和法国科学院大电磁铁实验室从事研究工作。1930 年底回国后，任中华民国政府北平研究院物理研究所研究员、所长兼镭学研究所所长。1932 年后，任中国科学社理事，中国物理学会秘书长、理事长，《物理学报》主编。抗日战争时期，在他的主持下，北平研究院物理研究所迁往昆明黑龙潭，进行水晶振荡器、五角测距镜和 1500 倍显微镜的研制，供军事和医疗之用。1945 年赴美国讲学一年。1946 年由于在昆明的工作成绩，获中华民国政府颁发的胜利勋章，在科技界获此项殊荣的只有他和林可胜教授二人。1948 年当选中华民国政府中央研究院院士，北平科学工作者协会理事长。同年加入九三学社。1949 年任华北人民政府高等教育委员会委员，中华全国自然科学工作者代表大会筹委会秘书长。中华人民共和国成立后，历任中国科学院办公厅主任兼应用物理研究所所长，中国科学院东北分院院长，东北行政委员会委员。1955 年当选中国科学院数学物理学化学部委员。历任中国科学院技术科学部主任，中华全国自然科学专门学会联合会秘书长，中国科学技术协会书记处书记，兼任中国科技大学教授、副校长。1978 年任中国科学院副院长兼中国科技大学研究生院院长。1980 年任中国科技大学校长，中国科学技术协会副主席，中国科学院主席团执行主席，《中国大百科全书》总编委会副主任。是第三至五届全国人大常务委员会委员，第六、七届全国人大常务委员会副委员长；九

三学社第三、四届中央常委，第五至七届中央副主席，第八、九届中央名誉主席。1996 年 11 月 2 日因病在北京逝世。他是中国现代物理学研究的开创人之一。在压电晶体学、光谱学、地球物理学等方面的研究有杰出贡献。他还十分重视青少年的科学训练和教育，编写的《几何证题法》(1923) 和 1947－1949 年间编写的《普通物理学》、《高中物理学》、《初中物理学》都是受欢迎的好教材。

阎红彦 （1902—1967）

又名侯雁，陕西子长人。1925 年加入中国共产党。1927 年参加清涧起义。曾任红军晋西游击大队长、陕甘游击队总指挥，是西北红军和陕甘革命根据地创建人之一。1934 年赴莫斯科学习。回国后，任红三十军军长、八路军留守兵团第三团团长、警备一旅政委。曾参与指挥粉碎日军企图西渡黄河的战斗。后调中央党校学习。1945 年后任太行军区第三纵队副司令员、副政委。1948 年任第二野战军三兵团副政委兼政治部主任等职。中华人民共和国成立后，任川东人民行政公署主任、中共川东区党委副书记、四川省委书记、四川省副省长、中共重庆市委第一书记、云南省委第一书记、昆明军区第一政委、中共中央西南局书记处书记。1955 年被授予上将军衔。1956 年当选中共第八届候补中央委员。"文化大革命"中受到迫害。1967 年 1 月 8 日在昆明逝世。

阎锡山 （1883—1960）

字百川，山西五台人。早年随父在五台经商，后到太原当店员。1902 年考

入山西武备学堂。1904 年被清朝政府选送去日本留学,先后在东京振武学校、日本陆军士官学校就读。在日期间加入同盟会。1909 年回国。辛亥革命不久,参加太原反清起义,被推为山西都督。1912 年同盟会改组为国民党,任参议。1914 年被袁世凯任命为同武将军督理山西军务。1917 年兼任山西省省长。致力于省内经营,曾被北洋政府授予"模范省"。1927 年支持蒋介石"四一二"政变。6 月,自任北方革命军总司令,悬挂青天白日旗。"九一八"事变后,于 1932 年 3 月任太原绥靖公署主任。在山西大搞"自强救国",使山西成为独立王国。1937 年 8 月,任第二战区司令长官,指挥所属部队抗日。1944 年 1 月兼任山西省省长。1947 年 4 月,改任太原绥靖公署主任,积极从事内战。1949 年 3 月败逃南京。至此,他的山西独立王国覆灭。6 月在广州就任国民党政府行政院院长,同年底去台湾。1950 年 3 月,被蒋介石免去行政院长职务,改任总统府资政和国民党中央评议委员。1960 年 5 月病死台北。

颜惠庆 （1877—1950）

字骏人,上海人。早年毕业于同文馆,后赴美国留学,在弗吉尼亚大学学习。回国后,历任上海圣约翰大学英文教员、商务印书馆编译所编辑、清政府驻美国公使馆参赞。1909 年任清政府外务部主事。1910 年兼任北京清华学校总办。1912 年任民国北京政府外交部次长。1913 年出任中国驻德国公使,后任驻丹麦公使、驻瑞典公使。1919 年

春,任中国出席巴黎和会代表团顾问,参加巴黎和会,拒绝在和约上签字。1920 年 8 月任民国北京政府外交部总长。1922 年直奉战争后,署理民国北京政府国务总理。1923 年改任民国北京政府农商总长。1924 年秋,任民国北京政府内务总长。1926 年春,任民国北京政府国务总理并摄行总统职务。同年冬,脱离政治移居天津。先后任天津大陆银行董事长、天津自来水公司董事长等职,从事实业活动。1931 年复出政界,先后任民国南京政府驻美国大使、驻苏联大使、出席国际联盟大会的首席代表、中国红十字会会长、上海圣约翰大学董事长等职。抗日战争时期,在上海从事慈善和教育事业。1949 年 2 月为反对蒋介石继续坚持内战,与邵力子、章士钊等以私人身份前往北平、石家庄与中国共产党代表商谈和平建国问题。9 月,作为特邀代表出席中国人民政治协商会议第一届全体会议,并当选全国委员会委员。中华人民共和国成立后,任中央人民政府政务院政治法律委员会委员。12 月,任华东军政委员会副主席。1950 年 5 月 24 日因病在上海逝世。编著有《英华大辞典》等。

阳翰笙 （1902—1993）

原名欧阳本义,字继修,四川高县人。1924 年在上海大学学习时加入中国社会主义青年团,1925 年转为中国共产党党员。1926 年受中共委派到黄埔军校担任政治部秘书兼政治教官。1927 年参加南昌起义,在叶挺指挥的第 11 军第 24 师任党代表,后任起义军总政治部

秘书长。1928年调往上海从事中共地下工作和文艺工作。是中国左翼作家联盟创始人之一,曾任"左联"党团书记,参加左翼电影戏剧的领导工作。主编《流沙》、《日出》、《社会科学丛书》等刊物,创作包括《华沙三部曲》在内的二十多部小说和电影剧本。1937年抗日战争爆发后,在周恩来直接领导下,从事国统区文化斗争和统一战线工作,曾任中华民国政府军事委员会政治部设计委员兼第三厅主任秘书、政治部文化工作委员会副主任。1941年皖南事变后,遵照周恩来指示,在重庆组织中华剧艺社,在文化战线上对国民党进行抨击,完成了《前夜》、《塞上风云》、《李秀成之死》、《天国春秋》、《草莽英雄》、《两面人》、《槿花之歌》等七部大型话剧的创作。1946年后,负责筹建上海联华影艺社、昆仑影业公司,拍摄了《八千里路云和月》、《一江春水向东流》、《万家灯火》、《希望在人间》、《三毛流浪记》等优秀影片,为中国革命文化运动的发展立下了不朽功绩。中华人民共和国成立前夕,与郭沫若等人筹备和召开了中华全国文学艺术工作者第一次代表大会,当选为中国文联常务委员,第一届中华全国电影艺术工作者协会主席。1949年9月当选全国政协委员。中华人民共和国成立后,历任政务院文教委员会委员兼副秘书长,政务院总理办公室副主任,中国人民对外文化协会副会长,中国文联副主席兼秘书长、党组书记等职。是中共八大列席代表、十二大全国代表,第一、二届全国人大代表,第一、二、三届全国政协委员和第五、六届全国政协常务委员。1993年6月7日因病在北京逝世。

杨　杰　(1889—1949)

字耿光。云南大理人。1913年毕业于日本陆军士官学校炮兵科。在日本时加入同盟会。1911年曾回国参加辛亥革命。1916年参加护国讨袁战争。1920年赴日,入陆军大学深造。1924年毕业回国,任冯玉祥国民军第三军参谋长。1926年任国民革命军第二军总参议,随军北伐。此后历任师长、军长、国民政府军事委员会常务委员兼办公厅主任、第一集团军总参谋长、长江要塞总司令、总参谋部总参谋长、陆军大学校长等职。1933年9月,出国考察欧洲军事,此后致力于军事理论研究。"七七事变"后率实业考察团赴苏联。1938年5月,任驻苏大使。1940年回国,任军事委员会顾问。抗日战争胜利后,参加组织三民主义同志会,推动国民党民主派进行反对蒋介石独裁活动。1948年1月,当选中国国民党革命委员会中央执行委员,在云南积极配合人民解放战争。1949年9月19日作为出席第一届政治协商会议代表离昆明赴北平,在香港被国民党特务暗杀于寓所内。21日,第一届中国人民政治协商会议以全体会议的名义向杨杰家属及国民党革命委员会致唁。著有《国防新论》、《孙子兵法新解》、《现代国防的基本条件》等。

杨　森　(1884—1977)

原名淑泽,号子惠,四川广安人。早年参加同盟会。1908年毕业于四川陆军速成学堂,后到驻成都新军供职。辛亥革命后，任四川陆军一师营长、三师军士队教育长。1913年"二次革命"时在川军五师熊克武部任营长，随熊讨伐袁世凯。1915年12月参加蔡锷的护国军，任第一军参谋处处长等职。1917年响应孙中山护法号召，任靖国军混成团团长等职。1920年初在滇军任职，3月脱离滇军，投向四川刘湘部，先后任旅长、师长、前敌总指挥等职。1921年2月升任川军第二军军长。1922年夏爆发一二军之战，第二军溃败，率残部退至宜昌投靠吴佩孚，任中央军第十六师师长。1924年3月乘川军混战之机回川，5月任四川军务督理兼中央军第十六师师长、第二军军长。1925年2月发动"统一之战"，被刘湘、袁祖铭等川黔联军打败，10月逃至宜昌。1926年3月与刘湘修好返川，收回旧部，联合刘湘将袁祖铭逐出四川，8月就任四川省长。9月被任命为国民革命军第二十军军长兼川鄂边防总司令。1927年"四一二"反革命政变后，投靠蒋介石，充任国民党政府军第五路前敌总指挥。1928年3月被蒋介石委任为国民党政府军第一集团军左翼总指挥。1935年红军长征至川境时，率部围攻、堵截红军。1937年9月率部东下淞沪战场抗日，后升任二十七集团军总司令兼二十军军长，不久赴安徽补充整训。1938年6月日军进攻安庆时，率部在舒城等地阻击敌人。此后据守洞庭、鄱阳两湖之间及长江、湘江一带。1939年6月12日，奉蒋反共密令制造平江惨案。10月，日军进犯长沙，率部防守鄂南，后任第九战区副司令长官兼二十七集团军

总司令。1944年5月长沙失守，撤至柳州，12月任贵州省主席。1947年5月调任重庆市长。随后率二十军先后在鲁、豫、鄂等地与人民解放军作战，1949年4月所部在芜湖、广德间被全歼。8月任重庆市党部主任委员和卫戍总司令。12月逃往台湾后，曾任"总统府"上将"国策顾问"、"战略顾问委员会"委员等职。1977年5月15日病逝于台北。

杨 朔 （1913—1968）

作家。原名杨毓瑨，字莹叔，山东蓬莱人。1929年随舅父至哈尔滨谋生。1936年冬离开哈尔滨到上海，集资筹办北雁出版社。1937年"七七事变"后参加革命，1941年底，由武汉到延安。次年到广州，创作了描写陕北革命根据地人民斗争生活的中篇小说《帕米尔高原的流脉》。1939年到重庆，参加中华全国文艺界抗敌协会组织的战地访问团，深入华北各根据地访问，后留在八路军总部做文化宣传工作。1942年回延安参加整风运动。抗日战争胜利后，到河北宣化龙烟铁矿体验生活，写出反映工人生活的中篇小说《红石山》。解放战争期间，担任新华社记者和部队政治工作，随同晋察冀野战军参加了华北地区的战斗。中华人民共和国成立后，1950年7月写成描写铁道兵生活的中篇小说《锦绣山河》，旋即随一支由铁路工人组成的志愿军赴朝鲜参战。1952年写出了反映抗美援朝战争的长篇小说《三千里江山》。朝鲜战争停战后，荣获朝鲜民主主义人民共和国颁发的二级国旗勋章。1954年回国后，即赴西北边陲和东南沿

海各地采访。1956 年后主要致力于散文创作。曾任中国作家协会外国文学委员会副主任、主任,亚非人民团结理事会书记处中国书记,亚非作家常设局联络委员会秘书长。"文化大革命"中遭受迫害。1968 年 8 月 3 日在北京逝世。1978 年以来,人民文学出版社编选出版的有《杨朔散文集》、《杨朔短篇小说选》,并再版了《三千里江山》。儿童文学作品《雪花飘飘》1980 年获第二次全国儿童文艺创作一等奖。

杨　勇 （1913—1983）

原名世峻,湖南浏阳人。1927 年 4 月加入中国共产主义青年团。马日事变后,随本县农军参加围攻长沙的战斗。1930 年 2 月参加中国工农红军,同时转为中国共产党党员,先后任红八军政治部宣传大队长,红三军团连政治委员。1931 年 7 月任红二师江西安远独立营政委,12 月任红二师政治部政务处处长。1933 年 4 月任红五师十四团政治处主任,10 月任红四师十团政委。先后参加了中央革命根据地的五次反"围剿"战斗。长征途中,率部参加突破湘江封锁线,攻占娄山关等一系列战斗。1936 年 1 月任红一军团一师政委。1937 年 1 月任红四师政委。抗日战争爆发后,任八路军 115 师 343 旅 686 团副团长,参加了平型关战斗,年底任团长兼政委。1939 年春率 686 团挺进山东,开辟鲁西抗日根据地,同年 7 月任 115 师独立旅旅长兼政委。1940 年 4 月任 115 师 343 旅旅长兼鲁西军区司令员。1941 年春赴延安,任军事学院高干队队长。1942 年在中央党校参加整风运动。1944 年 4 月任平原军区副司令员。1945 年 8 月任冀鲁豫军区司令员。抗日战争胜利后,任冀鲁豫军区第七纵队司令员。1947 年 3 月任第一纵队司令员,参加了平汉、陇海和淮海战役。1949 年 2 月任第二野战军第五兵团司令员,挥师渡江,进军西南,解放贵州,并参与指挥了成都战役。1950 年 1 月任贵州省人民政府主席,兼贵州军区司令员。年底赴南京军事学院高级系学习,兼任高级系主任。1951 年 4 月任总高级步兵学校副校长,10 月任第二高级步兵学校校长。1953 年 4 月任中国人民志愿军第二十兵团司令员。1954 年 2 月任志愿军第三副司令员兼参谋长。1955 年 4 月任志愿军司令员。曾荣获朝鲜民主主义人民共和国一级国旗勋章。1955 年被授予上将军衔。1958 年 10 月回国后,任北京军区司令员。1959 年 10 月任中国人民解放军副总参谋长。1972 年 5 月,任沈阳军区副司令员。1973 年 6 月任新疆维吾尔自治区革命委员会副主任,中共新疆维吾尔自治区委员会第二书记。1975 年 8 月任新疆军区司令员。1977 年 9 月调任中国人民解放军副总参谋长。1980 年 1 月任中央军委常委、副秘书长。是中共第八届候补中央委员,第十、十一、十二届中央委员。在十二届一中全会上被选为中央书记处书记。1983 年 1 月因病在北京逝世。

杨成武 （1914—2004）

福建长汀人。1926 年在长汀省立第七中学读书。1929 年参加本县农民暴动,加入闽西红军,任秘书、宣传队中队长。1930 年所部编入中国工农红军第四军三纵队八支队,任干事;5 月加入中国共产党。1931 年历任红四军第 12 师秘书、连政委、教导大队政委,红 11 师 32 团政委。1933 年任红一军团第 2 师 4 团政委。参加了中央苏区历次反"围剿"战斗;10 月参加长征,多次率部担任前卫。1935 年 10 月到达陕北后,1936 年初任红一师政委,参加了东征战役。后入抗日红军大学学习。1937 年初任红一师师长兼政委。抗日战争爆发后,任八路军一一五师独立团团长。年底任晋察冀军区第一军分区司令员兼第一支队司令员,后兼政委。1939 年指挥反击日军五路合击的战斗中,在黄土岭击毙日军中将旅团长阿部规秀。1942 年兼任中共晋察冀边区第一地委书记。1944 年 9 月任冀中军区司令员。参与了晋察冀抗日根据地的斗争。1945 年抗日战争胜利后,任晋察冀军区第一野战军冀中纵队司令员。1946 年任晋察冀军区第三纵队司令员。1947 年任晋察冀野战军第二政委、中共晋察冀中央局委员。1948 年 8 月任华北军区第三兵团(整编后为中国人民解放军第二十兵团)司令员。参与了解放华北广大地区的战斗。中华人民共和国成立后,兼任天津警备区司令员、京津卫戍区副司令员、中共中央华北局委员。1951 年参加抗美援朝战争,任中国人民志愿军第二十兵团司令员。获两枚朝鲜民主主义人民共和国一级自由独立勋章。1952 年回国后,历任华北军区参谋长,京津卫戍区司令员。

1955 年 3 月,任北京军区司令员和中国人民解放军防空军司令员;9 月,被授予上将军衔。1956 年当选中共第八届候补中央委员。1959 年任中国人民解放军副总参谋长。1966 年任中国人民解放军代总参谋长、中共中央军委常务委员、副秘书长。是第一至三届国防委员会委员。"文化大革命"中遭受迫害。1977 年任中共中央军委委员、福州军区司令员。1978 年 8 月当选中共第十一届中央委员。1979 年 3 月中共中央为他平反昭雪。1982 年 9 月当选中共第十二届中央委员。1983 年 6 月当选第六届全国政协副主席。2004 年 2 月 14 日因病在北京逝世。著有《杨成武回忆录》。

杨春增 (1929—1952)

河北沙河人。1945 年参加中国人民解放军。1947 年加入中国共产党。1951 年参加中国人民志愿军,任第十二军第三十五师第一〇四团第四连副排长。1952 年 8 月 5 日,第四连进攻座首洞东南无名高地成功后,敌人连夜组织反扑。他带领九班坚守阵地,连续打退敌人十四次反扑,大量杀伤敌人。次日,阵地只剩下他和卫生员,上百名敌人又发起冲击,在危急时刻,举起最后一枚手雷,扑进敌群,与敌人同归于尽。被中国人民志愿军领导机关追记特等功、授予一级战斗英雄称号。被朝鲜民主主义人民共和国授予"朝鲜民主主义人民共和国英雄"称号和朝鲜民主主义人民共和国一级国旗勋章及金星奖章。

杨得志 (1911—1994)

湖南株洲人。出生在一个贫苦农民

家庭,少年时到安源煤矿、粤汉铁路、株洲等地做工。1928 年 1 月,参加湘南农民暴动,加入中国工农红军;10 月,加入中国共产党。历任班长、排长、连长、第 93 团团长、红一军团第 1 师第 1 团团长。参加了中央苏区第一至五次反围剿的战斗。1934 年 10 月作为中央红军的前卫部队参加长征。1935 年 10 月到达陕北后,历任红一军团第 1 师副师长、第 2 师师长。1937 年抗日战争爆发后,历任八路军第 115 师第 685 团团长,第 344 旅副旅长、旅长。1939 年 3 月历任冀鲁豫支队司令员、八路军第二纵队司令员兼冀鲁豫军区司令员。1944 年 4 月任陕甘宁晋绥联防军教导第 1 旅旅长。参加了在华北平原开展的游击战争、建立抗日根据地和保卫中共中央的战斗。1946年开始的解放战争时期,历任晋冀鲁豫军区第一纵队司令员、晋察冀野战军司令员、华北军区第二兵团司令员、中国人民解放军第 19 兵团司令员。参加了解放华北广大地区和陕西、青海的战斗。中华人民共和国成立后,任第 19 兵团司令员兼陕西省军区司令员、中共中央西北局委员、西北军政委员会委员。1951年率部参加抗美援朝战争,历任中国人民志愿军第 19 兵团司令员,志愿军副司令员、司令员。荣获朝鲜民主主义人民共和国一级国旗勋章 1 枚、一级自由独立勋章 2 枚。1954 年回国,入中国人民解放军军事学院学习,兼任战役系主任。1955 年 3 月,任济南军区司令员;9 月,被授予上将军衔。1956 年当选中共第八届候补中央委员。是第一至三届国防

委员会委员。1966 年 8 月递补为中共第八届中央委员。1969 年 4 月当选中共第九届中央委员。1973 年 8 月,当选中共第十届中央委员,12 月,任武汉军区司令员。1977 年 8 月当选中共第十一届中央委员。1979 年 1 月任昆明军区司令员。率部参加了对越自卫反击战。1980年 2 月,当选中共中央书记处书记。3月,任中国人民解放军总参谋长。1982年 9 月当选中共第十二届中央政治局委员。1987 年 11 月在中共第十三次全国代表大会上,当选中共中央顾问委员会常务委员。1994 年 10 月 25 日因病在北京逝世。

杨根思 （1922—1951）

江苏泰兴人。1944 年 2 月参加新四军。1945 年加入中国共产党。1950 年10 月参加中国人民志愿军,任第 20 军第 58 师第 172 团第 3 连连长。第二次战役中,带领本连第 3 排守卫下碣隅里制高点 1071.1 高地东南小高岭。1951年 11 月 29 日,打退了敌人在大量飞机、炮火支援下的八次连续猛烈进攻。当增援分队尚在途中时,敌人发起第九次进攻,四十多个敌人已爬上阵地,他身负重伤,毅然抱着 5 公斤炸药,纵身向敌人冲去,与敌人同归于尽。1952 年被志愿军领导机关追记特等功,授予中国人民志愿军特级英雄称号。1953 年被朝鲜民主主义人民共和国授予“朝鲜民主主义人民共和国英雄”称号及朝鲜民主主义人民共和国一级国旗勋章、金星奖章。

杨嘉墀 （1919—2006）

两弹一星元勋。自动控制和航天工

程专家。江苏吴江人。其家族在当地是丝业世家,小学是在祖父兴办的丝业公学中度过的。1937年考入上海交通大学电机系学习,四年大学生活是在日寇占领下的上海外国租界里度过的。1941年毕业后到云南,在西南联合大学任教。后被推荐到中央电工器材厂研制载波电话,两年以后他做出了中国第一套单路载波电话样机。由于工作成绩突出,工厂推荐他参加留美实习生考试。1947年赴美国留学,入哈佛大学应用物理系学习,1949年获应用物理学博士学位。后在宾夕法尼亚大学任研究员,洛克菲勒研究所任高级工程师,从事生物医学工程、快速模拟计算机、自动记录分光光度计等研究工作。1956年回国后,历任中国科学院自动化研究所研究员、室主任、副所长,中国科技大学自动化系教授,北京控制工程研究所副所长、所长。1958年后,先后参与制定中国工业自动化仪器仪表发展规划、中国自动化科学技术发展规划、中国人造卫星发展十年规划。从事工业生产过程和火箭自动化测试系统的研究工作,指导研制为原子弹爆炸试验所需的检测技术及设备,领导参加了中国第一颗人造地球卫星的姿态测量系统的研制。1968年后,历任国防科委第五研究院502所副所长、第七机械工业部第五研究院副院长兼502所所长、中国空间技术研究院副院长、航天工业部总工程师。他是空间技术分系统的设计师,在中国返回式卫星姿态控制系统方案论证和技术设计中,提出一系列先进可行的设计思想。领导研制的返回式卫星姿态控制系统及数据分析指标达到国际先进水平。1980年加入中国共产党。1981年当选中国科学院技术科学部委员。1983－1987年担任国际宇航联合会副主席。1984年获航天工业部劳动模范称号。1985年获国家科学技术进步奖特等奖。同年当选国际宇航科学院(IAA)院士。1990年被中央国家机关工委评为优秀共产党员。1991年任航空航天工业部科学技术委员会顾问,科学探测与技术试验“实践”系列卫星总设计师,领导完成了一箭三星的发射任务。1995年获陈嘉庚信息科学奖。1999年被中共中央、国务院、中央军委授予“两弹一星功勋奖章”。是第三、四、五届全国人民代表大会代表。曾担任中国自动化学会副理事长,中国仪器仪表学会副理事长,中国宇航学会理事,《自动化学报》主编等职。2006年6月11日因病在北京逝世。他是中国自动检测学的奠基者,国家发展高新技术“863计划”倡导者之一。主要论文有《快速记录分光光度计》、《模拟计算机在生物系统研究中的应用》、《负阻抗放大器》、《火球温度测量用快速大量程光度计》、《中国近地轨道三轴稳定卫星姿态控制系统》等。

杨静仁 （1918—2001）

中共优秀的少数民族干部。回族。甘肃兰州人。1937年在兰州参加中共的同情者小组,从事抗日救亡运动。抗日战争爆发后加入中国共产党。历任中共甘肃省委直属回民特别支部委员、书记,甘肃省回民教育促进会常务委员、伊斯兰学会常务理事,甘肃省回民青年救亡会常务干事。1941年在陕北公学民族部学习并任党支部书记,后任陕甘宁边区骑兵团政委。1947年历任中共西北局统战部民族科科长,陕甘宁边区政府民族事务委员会委员。1949年任中国人民政治协商会议筹备委员会委员、党组干事会干事。中华人民共和国成立后,历任中共中央统战部四处处长,国务院民族事务委员会委员、办公厅主任、副主任、党组成员等职。1960年任中共宁夏回族自治区党委第一书记、自治区人民委员会主席、宁夏军区政治委员、中共中央西北局书记处书记等职。"文化大革命"中受到冲击。1977年任中共宁夏回族自治区党委书记、自治区革命委员会副主任、自治区政协主席。1978年3月,任国务院民族事务委员会主任、党组书记;当选全国政协第五届副主席;4月,任中共中央统战部副部长;8月,当选中共第十一届中央委员。1980年9月任国务院副总理。1982年4月,任中共中央统战部部长;9月,当选中共第十二届中央委员。1983年6月当选第六届全国政协副主席。1987年10月当选中共第十三届中央委员。1988年4月当选第七届全国政协副主席。1993年3月当选第八届全国政协副主席。2001年10月19日因病在北京逝世。

杨立三 （1900—1954）

湖南长沙人。1925年参加农民运动。1927年加入中国共产党。后被派往武昌国民革命军第二方面军总指挥部警卫团任排长,参加湘赣边秋收起义,随

队上井冈山。1930年后曾任中国工农红军第一方面军司令部副官长兼总经理处处长、革命军事委员会后方办事处主任。在中央苏区的反"围剿"战斗中,领导后勤部门保证了部队的运输和供应。参加长征到达陕北后,任中央革命军事委员会兵站部部长兼政治委员。第一方面军东征回师陕北时,组织船只,在敌人严密封锁的百余公里长的黄河沿岸,接应部队安全过河,受到毛泽东的嘉奖。抗日战争时期,任八路军兵站部部长兼政治委员、八路军副参谋长兼后勤部部长,中共晋冀鲁豫中央局常务委员兼经济部长。坚决执行自力更生政策,领导军工生产,研制武器弹药,在敌后创办被服厂、纺织厂和制药厂等。解放战争时期,任晋冀鲁豫军政联合办事处主任、华北财经办事处副主任、中央军事委员会总后勤部部长兼华北军区外线司令,曾协助刘少奇制定兵工生产计划。淮海战役前夕,到山东参与部署战役后勤工作,组织从大连到胶东的海路运输。中华人民共和国成立后,任中国人民解放军总后勤部部长兼中央人民政府食品工业部部长、中国人民解放军财务部部长,致力于统一军队供给制度和后勤工作建设。是中国人民解放军后勤工作的开拓者之一。1954年6月,因病去苏联莫斯科就医,11月28日逝世。

杨连第 （1919—1953）

天津人。1949年参加中国人民解放军铁道兵部队,在修复陇海铁路八号高桥时,荣获"登高英雄"称号。1950年参加中国人民志愿军,任铁道兵团第一

师第一连副连长。随部队转战于朝鲜前线各铁路大桥之间,多次出色地完成抢修任务。1951年7月,在抢修清川江大桥中,带领一个排十二次搭设浮桥,创造出"钢轨架浮桥",使几次被敌机炸断的大桥顺利通车。1951年加入中国共产党。1953年5月15日,在清川江大桥指挥连队架桥时,被敌机投下的定时炸弹弹片击中头部,光荣牺牲。被中国人民志愿军领导机关追记特等功,授予一级战斗英雄称号,被朝鲜民主主义人民共和国授予"朝鲜民主主义人民共和国英雄"称号和朝鲜民主主义人民共和国一级国旗勋章及金星奖章。生前所在连队被命名为"杨连第连"。

杨明轩 （1891—1967）

原名荃骏,陕西户县人。1913年考取公费留学日本。1914年目击日本政府趁欧战之机侵占我国山东青岛,毅然回国参加反帝斗争。1919年在北京参加五四爱国运动。1923年到上海任上海大学讲师兼附中部主任,深受共产党人瞿秋白、邓中夏等人的影响。1926年冬加入中国共产党。同年在西安任国民党西北政治分会委员兼国民革命军驻陕联军总司令部教育厅长。1928年初在西安被国民党逮捕入狱,在狱中坚持斗争,保持了共产党人的气节。1929年出狱后先后在上海和西安任教,秘密从事党的地下工作。"西安事变"发生后,他积极宣传党的停止内战、一致抗日的主张。1937年1月西北教育界抗日救国大同盟成立,当选为主席。1942年与杜斌丞共同筹建西北地区中国民主政团同盟

地方组织。1946年任民盟西北总支部委员兼组织部长。8月,党组织秘密送他到延安,参加陕甘宁边区的政权工作。1948年2月当选为陕甘宁边区政府副主席。12月任民盟西北工作委员会主任委员。1949年9月,出席中国人民政治协商会议第一届全体会议,当选为第一届政协委员。中华人民共和国成立后,历任西北军政委员会委员兼文教委员会主任委员、党组书记,西北行政委员会副主席,第一、二届全国人大常务委员会委员,第三届人大常务委员会副委员长,《光明日报》社社长,中央社会主义学院副院长等职。他还是民盟中央委员、中央常务委员,民盟西北地区工作委员会主任委员。1958年12月在民盟第三次代表大会上,当选为中央委员会副主席。1963年12月在民盟三届四中全会上当选为民盟中央主席。1967年8月22日在北京逝世。

杨尚昆 （1907—1998）

重庆潼南人。1920年考入成都高等师范学校附小,后入附中学习。1925年毕业回到重庆,在其四哥——中共四川地方执行委员会创建人之一杨　公的影响和帮助下,参加了革命工作,加入中国共产主义青年团。1926年初转为中国共产党党员,后入上海大学学习;11月,赴苏联莫斯科中山大学学习。1930年考入苏联中国问题研究院做研究生,兼任职工国际中国代表的翻译。1931年初回国,历任中华全国总工会宣传部部长,上海总工会联合会党团书记。"九一八"事变后,历任中共江苏省委宣传部

部长,中共中央宣传部部长。参与工人运动和抗日救亡运动的组织领导工作。1933 年 1 月,进入中央苏区,历任中央局宣传干事,参与编辑中共机关报刊《红色中华》《斗争》,红色中华通讯社总负责人,马克思共产主义大学副校长等职;6 月,任红一方面军政治部主任。1934 年 1 月任红三军团政治委员,当选中共第六届候补中央委员,第二届中华苏维埃共和国中央执行委员会委员。与彭德怀率部参加了第五次反围剿艰苦的阻击战;10 月,参加长征。1935 年 1 月,参加遵义会议,后任第三军政治委员;8 月,任红军总政治部副主任。后任红军陕甘支队政治部副主任;11 月,任西北革命军事委员会总政治部副主任。1936 年历任红军抗日先锋军总政治部主任,中国抗日红军大学政治部主任,红军前敌总指挥部政治部主任,中央革命军事委员会总政治部副主任。1937 年抗日战争爆发,任中共北方局副书记,协助刘少奇领导华北敌后抗日根据地的建设;11 月,任中共北方局书记。1941 年回延安参加整风运动,8 月,仍任改组后的中共北方局书记兼党校校长。1945 年 8 月,任中央军委秘书长兼中央外事工作组副组长,主持中央军委总部的日常工作。后任中共中央办公厅主任。1947 年初,兼任中央警卫司令员;4 月,任中共中央后方委员会副书记。1948 年后,历任中共中央副秘书长、中共中央办公厅主任、中央军委秘书长、中央警卫司令员、中直机关党委书记等职。中华人民共和国成立后,继续担任中共中央副秘书长、中共

中央办公厅主任、中央军委秘书长、中直机关党委书记等职。1956 年当选中共第八届中央委员、中央书记处候补书记。1965 年底任中共广东省委书记处书记。"文化大革命"初期,被定为反党集团成员,遭监禁达九年之久。1978 年 12 月任中共广东省委常委、第二书记,省革命委员会副主任,兼中共广州市委第一书记、市革委会主任。后兼任广东省军区第一政委、党委第一书记。1979 年 9 月增选为中共第十一届中央委员。1980 年 9 月被补选为第五届全国人大常务委员会副委员长兼秘书长;10 月,中共中央为他平反昭雪。1981 年 7 月,任中央军委常委兼秘书长。1982 年 9 月当选中共第十二届中央政治局委员。任中央军委常务副主席兼秘书长。1987 年 10 月当选中共第十三届中央政治局委员。1988 年 4 月在第七届全国人大第一次会议上,当选中华人民共和国主席。1989 年 11 月任中央军委第一副主席。1993 年 3 月正式退休。他是中央第二代领导集体的重要成员,改革开放的坚定支持者、执行者。1998 年 9 月 14 日因病在北京逝世。

杨石先 （1896—1985）

化学家、教育家。蒙古族。安徽怀宁人。1918 年毕业于清华学校高等科后赴美国留学,在康奈尔大学攻读有机化学,1922 年获硕士学位。1923 年回国后在南开大学任教授。1929 年再赴美国耶鲁大学从事杂环化合物合成的研究。1931 年获化学博士学位后回国,在南开大学化学系任教授。1937 年抗日战争爆发,任西南联合大学化学系主任

及昆明师范学院理化系主任,后兼任西南联合大学教务长。1945年三赴美国,在印第安纳州大学从事药物化学的研究。1948年回国后继续在南开大学任教。中华人民共和国成立后,任南开大学校长。在南开大学创办元素有机化学研究所,任所长。1955年当选中国科学院数学物理学化学部委员、并任化学组组长。1960年加入中国共产党。长期从事有机化学的研究与化学教育。专长于农药化学和元素有机化学,是这两个领域研究的开拓者。在有机磷杀虫剂、杀菌剂、除草剂及植物生长调节剂等高效农药的研究方面成果卓著。在其指导下研制成功了杀虫剂久效磷和螟蛉畏,除草剂燕麦敌和胺草磷,杀菌剂叶枯净等十几种新农药。为国家培养出大批专业人才,其学生中不少已成为国内外知名的化学家。80年代初,在南开大学创建分子生物研究所,在化学与生物学的交叉点上开始新的探索。是第五、第六届全国政协委员、第六届中国民主促进会中央常务委员。曾担任中国科学技术协会副主席、中国化学会理事长等职。1985年2月19日因病在天津逝世。著有《有机磷化学进展》、《无机化学》、《有机化学》等著作。

杨献珍 （1896—1992）

哲学家、教育家。原名杨奎廷,湖北郧县人。1916年入国立武昌商科专门学校学习,1920年毕业。1926年加入中国共产党,任中共武汉第三区区委委员。1927年大革命失败后被捕,7月被无罪释放。1929年9月赴河南开封从事中共

的地下活动。1931年7月在北平被捕,被判五年徒刑。1936年9月出狱后,参加了实际上由中共掌握的军政训练班、民众干部培训团的领导工作。太原失守前赴晋南担任决死队第三纵队随营三分校主任,该校后改为山西民族革命大学四分校,任校长。1939年春,任山西第五专署党团成员、秘书主任。1940年1月,调任中共北方局秘书长,并在中共北方局党校讲授《联共（布）党史简明教程》。不久,兼任中共北方局党校党委书记兼教务主任。1942年2月后专任党校工作。1944年12月到延安,任中央党校教务处第一副处长。1945年4月,作为华北地区候选代表参加了中共第七次全国代表大会。1945年抗日战争胜利后,赴东北工作;12月抵达张家口,任晋察冀中央局党校副校长。1948年夏,调中央政策研究室工作。不久,参加马列学院的筹备工作。马列学院成立后,任教育长。中华人民共和国成立后,1953年2月任马列学院副院长。1955年8月马列学院更名为中共中央直属高级党校,任党委书记兼校长。同年当选中国科学院哲学社会科学部委员、科学奖金委员会委员。1956年8月当选中共第八届候补中央委员,不久递补为中央委员。作为马克思主义哲学家、理论家,他在一系列哲学、理论问题上发表了自己独创性的见解。在党校教育中也作出了突出贡献。1959年8月庐山会议后,受到公开批判,并被解除中央党校校长职务。“文化大革命”中,被开除党籍并遭逮捕,在监狱中被关押了八年之久,后又被下放

陕西三年多。1978 年中共十一届三中全会后被彻底平反。1979 年 1 月起任中共中央党校顾问。1982 年 9 月在中共第十二次全国代表大会上,当选中共中央顾问委员会委员。是第一、二届全国人大代表,第二、三、五届全国政协常务委员、第四届全国政协委员。1992 年 8 月 25 日因病在北京逝世。主要著作收入《杨献珍文集》。

杨秀峰 (1897—1983)

又名杨峰,河北迁安人。1916 年在北京高等师范学校读书。1921 年起先后在江西鄱县中学、河北河间中学、通县女师、北平高中、北平师范等校任教。1928 年任河北省政府教育厅科长。1929 年 9 月去法国留学。1930 年在法国加入中国共产党。参加领导留法学生、华侨的反帝运动,创办革命秘密刊物《工人》,积极进行反帝爱国宣传活动。1931 年底被法国当局驱逐出境。1932 年在共产国际协助下,经比利时到莫斯科入列宁学院学习。1933 年 6 月离开苏联,先后参加德国共产党和英国共产党的中国语言组工作。1934 年 10 月回国后,在河北法商学院、中国大学、北平师范大学、东北大学等校任教,以大学教授身份从事革命活动,宣传马列主义和中国共产党的抗日救国主张。1936 年起参加发起、组织华北各界救国会,积极进行抗日救亡活动,是华北文化界救国会的主要领导人之一。1937 年"七七事变"后,投笔从戎,率领一批北平天津进步青年奔赴冀西,开辟抗日根据地,任冀西抗日游击队司令员,中共晋冀豫区党委委员。1938 年 5 月率冀西抗日游击队挺进河北南部平原地区,参加冀南抗日根据地的创建工作,任冀南行政公署主任,中共冀南区党委常委。1938 年创办河北抗战学院,任院长。1940 年任冀南、太行、太岳行政公署联合办事处主任。1941 年 7 月当选晋冀鲁豫边区政府主席,是创建晋冀鲁豫边区的主要领导人之一。后任中共中央太行分局委员、晋冀鲁豫中央局常委。1943 年冬去延安学习,并参加解放区人民代表会议的筹备工作。1948 年 9 月任华北人民政府副主席,中共中央华北局委员,协助董必武主持华北人民政府的日常政务。1949 年 10 月起任河北省人民政府主席、党组书记,中共河北省委常委。1952 年后担任高等教育部部长,教育部部长、党组书记,并任政务院文教办公室副主任。1965 年 1 月任最高人民法院院长,党组书记。粉碎"四人帮"后,担任第五届全国政协副主席,第五届全国人大常委会委员,全国人大法制委员会副主任,中国法学会名誉会长。是中共第七、八、十二次全国代表大会代表,中共第八届中央委员。1983 年 11 月 10 日因病在北京逝世。

杨之华 (1900—1973)

女。又名杨音、芝华,化名杜宁,浙江萧山人。1916 年在杭州女子师范学校读书。1919 年在五四运动影响下,追求自由民主。同年底到上海,在《星期评论》社工作。1921 年春入教会办的上海女子青年体育师范学校,不久因进行反宗教活动被校方开除。同年秋,回乡参加创办萧山衙前农村小学。1922年加入中国共产主义青年团。1923年入上海大学学习,同时在向警予领导下深入工厂做女工工作。1924年加入中国共产党。11月与瞿秋白结婚。1925年2月参加纱厂工人大罢工,随后参加五卅运动。上海各界妇女联合会成立被推选为主任,并出任国民党上海执行部工人运动委员会委员。1926年4月任中共上海区委妇女运动委员会主任。1927年参加上海工人第三次武装起义。4月被选为上海地区代表,赴武汉出席中共第五次代表大会,当选为中央委员。会后留武汉,在中央妇委担任领导工作。大革命失败后,随党中央机关转回上海,任中共中央妇女部部长。1928年6月赴莫斯科出席中共第六次代表大会。会后随瞿秋白留在莫斯科,入中山大学特别班学习,坚决反对王明等人的"左"倾观点。1930年秋回到上海,曾任中华全国总工会妇女部部长。1931年1月中共六届四中全会后,受王明"左"倾路线领导者排斥,被撤销职务。1933年瞿秋白调江西中央苏区工作,她留在上海继续从事党的地下秘密工作。1934年1月任中共上海中央执行局组织部秘书。1935年赴苏联参加共产国际七大,任国际红色救济会常务委员。后被王明撤职并停止组织生活。1938年任弼时到达莫斯科后,才恢复了组织生活。1941年6月回国,途经新疆遭到军阀逮捕。抗日战争胜利后,经中央营救回到延安,任中共中央妇女运动委员会委员。1947年调任中共晋冀鲁豫中央局妇女部部长。1949年5月出席第一次全国妇女代表大会,当选中华民主妇女联合会常务委员,任党组成员和国际部部长。中华人民共和国成立后,任中华全国妇女联合会副主席,中华全国总工会女工部部长等职。1962年9月在中共八届十中全会上,当选中央监察委员会候补常务委员。是第一至三届全国人民代表大会代表,第三届全国人民代表大会常务委员。"文化大革命"中遭受迫害。1973年10月20日在北京逝世。1979年中共中央予以平反昭雪。著作《妇女运动概论》。

姚依林 （1917—1994）

安徽贵池人。幼年丧父,随母在江、浙、沪生活。在上海读高中时,接触到马克思主义。1934年考入清华大学后,加入中共外围组织——中华民族武装自卫会。1935年11月加入中国共产党,先后任北平学联秘书长、党团书记。是"一二·九"运动的主要领导人之一。1936年5月到天津,任中共天津市委宣传部部长、市委书记。1937年抗日战争爆发后,历任中共河北省委秘书长、宣传部部长,冀热察区党委宣传部部长,晋察冀北方分局、中央局秘书长。参加了创建华北地区敌后抗日根据地的斗争。1946年开始的解放战争时期,历任晋察冀边区财经办事处副主任,华北联合行政委员会工商厅长,华北人民政府工商部长等职。中华人民共和国成立后,历任贸易部副部长、党组副书记,商业部副部长、党组副书记,中央财贸工作部副部长,国务院财贸办公室副主任,商业部部长、党组书记,中央财经领导小组成员,中央财贸政治部主任,国务院财贸党委副书记等职。1958年5月增补为中共第八届候补中央委员。"文化大革命"中受到冲击。1973年8月,当选中共第十届候补中央委员;11月,任对外贸易部第一副部长。1977年3月,任国务院财贸领导小组组长;8月,当选中共第十一届中央委员;12月,任中共中央副秘书长,中共中央办公厅主任。1979年3月,任国务院财政经济委员会秘书长;7月,任国务院副总理,分管经济工作。1980年2月任中共中央书记处书记。1982年9月当选中共第十二届中央政治局候补委员、书记处书记。1985年9月增选为中共第十二届中央政治局委员。1987年11月当选中共第十三届政治局常务委员会委员。是中国共产党第二代领导集体的重要成员。1994年12月11日因病在北京逝世。

叶　飞 (1914—1999)

原名叶启亨,福建南安人。出生在菲律宾奎松省一个华侨家庭。幼年时回国就学,中学时代受到大革命的影响。1928年5月加入中国共产主义青年团,历任共青团厦门第十三中学支部书记,共青团福建省委宣传部部长、代理团省委书记,共青团福州中心市委书记。1932年3月转为中国共产党党员。1933年后任中共闽东特委书记,红军闽东独立师政委,闽东军政委员会主席等职。坚持武装斗争和三年艰苦卓绝的南方游击战争。1937年抗日战争爆发后,中共南方各省游击队编为新四军。1938年历任新四军第三支队团长,江南抗日义勇军副总指挥,新四军挺进纵队副司令员,苏北指挥部第一纵队司令员兼政委,中共苏中第三地委书记,新四军第一师副师长兼第一旅旅长、政委,中共苏中区党委书记、苏中军区司令员,新四军第一师师长等职。战斗在华东抗日前线,成为新四军中的一员主力战将。1945年任苏浙军区副司令员。1946年开始的解放战争时期,历任山东野战军第一纵队司令员,华东野战军第一纵队司令员兼政治委员,第三野战军第十兵团司令员。参加了解放华东广大地区的战斗。中华人民共和国成立后,由于情报有误加上胜利后的轻敌思想,在指挥漳厦金战役第三阶段时,于1949年10月24—28日攻击金门失利,登岛部队8700余人与船工、民工350人在岛上苦战三昼夜,弹尽粮绝,一部牺牲,大部被俘。历任南京军区副司令员兼福建军区司令员,福州军区司令员兼政治委员,中共福建省委副书记、福建省人民政府副主席,中共福建省委第二书记、福建省省长,中共福建省委第一书记、福建省政协主席,中共中央华东局书记处书记等职。1955年被授予上将军衔。1956年当选中共第八届候补中央委员。1958年组织指挥了对金门的炮击,准确地落实了中央的战略部署。社会主义建设时期,他为保障中国东南沿海的安全作出了应有的贡献。是国防委员会第一至三届委员。1966年8月递补为中共第八届中央委员。"文化大革命"中受到冲击。1973年8月当选中共第十届候补中央委员。1975年1月任交通部部长、党组书记。

1978 年 8 月当选中共第十一届中央委员。1979 年 2 月先后任海军第一政委、司令员。1982 年 9 月当选第十二届中央委员。1983 年 6 月当选第六届全国人大常务委员会副委员长兼华侨委员会主任委员。1984 年当选中华全国归国华侨联合会名誉主席。1988 年 3 月当选第七届全国人大常务委员会副委员长。1999 年 4 月 18 日因病在北京逝世。著有《叶飞回忆录》。

叶群 （1917—1971）

女。福建闽侯人。林彪之妻。早年参加过"一二·九"学生运动。后去延安。"文化大革命"中，参与了林彪反革命集团一系列篡夺党和国家权力的反革命活动。1967 年后，任"全军文化革命小组"组员、副组长，林彪办公室主任，中共中央军委办事组组员等职。1969 年中国共产党第九次全国代表大会后，任中共中央委员、政治局委员。1970 年在中共九届二中全会上，与林彪等人阴谋篡夺党和国家最高领导权未遂，即与林彪密谋，派儿子林立果组织制定反革命武装政变计划。1971 年 9 月与林彪合谋妄图发动反革命武装政变，谋害毛泽东，另立中央。阴谋败露后，9 月 13 日与林彪、林立果等乘飞机叛逃，摔死在蒙古温都尔汗。1973 年 8 月 20 日被中共中央永远开除党籍。1986 年被中华人民共和国最高人民法院特别法庭确认为反革命集团案主犯。

叶季壮 （1893—1967）

原名毓年，广东新兴人。1911 年考入广东政法专门学校。1914 年毕业后，从事律师、新闻记者、教师等职业。1925 年参加省港大罢工，同年加入中国共产党。1926 年任广东国民党省党部巡视员、江门省党部常委。1927 年大革命失败后，任中共新会县书记、四邑地委书记。后参加广州起义，任中路五县总指挥。1929 年到香港做党的新闻工作。后参加百色起义，任红七军军委委员、政治部主任、财经委员会主任。1932 年任红军总政治部政务处长兼组织科长。1933 年任广昌基地司令部政委。1934 年任红军总供给部部长兼政委。建立起一套与当时情况相适应的供给制度，并培养出大批后勤干部。长征途中积极组织供应，为长征的胜利作出了贡献。1935 年到达陕北后，任红军总后勤部部长兼政委。1937 年抗日战争爆发后，任八路军军需处处长、八路军总后勤部部长兼政委。1942 年底任陕甘宁边区政府物资局局长。1944 年任陕甘宁边区贸易公司经理。组织边区军民开荒生产、兴办工厂、发展贸易，并开辟从国统区到边区的运输通道，打破国民党对边区的经济封锁。抗日战争胜利后，任东北军区后勤部部长兼政委。1946 年 8 月任东北财政经济委员会副主任，东北人民政府财政部部长、商业部部长。中华人民共和国成立后，任政务院财政经济委员会副主任、中央人民政府贸易部部长兼党组书记。1952 年任政务院财政经济委员会副主任兼对外贸易部部长。朝鲜战争爆发，帝国主义国家对我国实行封锁禁运，他亲自指挥抢运滞留国外的大批物资，减少了国家的经济损失。

1954年10月起,任国务院第五办公室副主任、对外贸易部部长。1956年当选中共第八届中央委员。1957年任国务院财贸办公室副主任、对外贸易部部长兼党组书记。整个50年代和60年代上半期,他在恢复经济、活跃市场、对外贸易方面作出了出色的成绩。1967年6月27日在北京逝世。

叶剑英 (1897—1986)

原名叶宜伟,字沧白,广东梅县人。1917年夏入云南陆军讲武学堂学习,毕业后入粤军。1920年8月参加驱逐桂系军阀陆荣廷、莫荣新之役。1921年任江防舰队陆战队营长,1924年任建国粤军第二师参谋长。参与筹办黄埔军校,任教授部副主任。后兼第二师独立营长,新编团团长,参加平定广州商团叛乱。1925年参加讨伐陈炯明的两次东征。1926年参加北伐战争,任国民革命军总预备队指挥部参谋长,新编第二师师长。1927年"四一二"反革命政变后通电反蒋,从吉安赴武汉,任国民革命军第四军参谋长。同年加入中国共产党。曾为策动南昌起义做过重要贡献。后兼任第四军教导团团长,率部南下广州,12月参与领导广州起义。任工农红军副指挥。1928年赴苏联,入莫斯科中国劳动者共产主义大学学习。1930年回国。1931年初进入中央革命根据地,先后任中央革命军事委员会总参谋部部长,红一方面军参谋长,工农红军学校校长,闽赣军区和福建军区司令等职。1934年被选为中华苏维埃共和国中央执行委员。长征前,任军委第四局局长。长征中,任军委第一野战纵队司令员。红一、四方面军会合后,任红军前敌总指挥部参谋长。张国焘企图分裂和危害中央时,及时向毛泽东报告,为保护党中央的安全,维护红军的团结作出了重要贡献。到陕北以后任西北革命军事委员会总参谋长兼红一方面军参谋长。1936年12月任中革军委副总参谋长。西安事变后,协助中央全权代表周恩来工作,推动西安事变和平解决。抗日战争爆发后,同周恩来、朱德一起,作为中共和红军代表到南京参加国防会议。1937年8月任八路军参谋长。同年底起任中共中央长江局委员、南方局党委常委,到武汉、长沙、桂林等地进行抗日民族统一战线工作。1939年2月奉命协助国民党政府军事委员会创办南岳游击干部训练班,任副教育长,讲授游击战略战术,宣传持久战思想。1941年2月返回延安,任中共中央军委参谋长。同年11月兼任军事学院副院长。抗日战争胜利后,作为中共代表团成员,于1945年12月赴重庆,出席政治协商会议,参加同国民党政府进行的谈判。1946年1月赴北平,任军事调处执行部中共代表。1947年2月返延安,先后任人民解放军总部参谋长,中共中央后方委员会书记。1948年兼任华北军政大学校长兼政委。1949年北平和平解放后,任北平市市长。中华人民共和国成立后,历任中央人民政府委员,中南军政委员会副主席,中共中央华南分局第一书记,华南军区司令员,广东省人民政府主席兼广州市市长,广东军区司令员兼政委。1952年起任中南军区代司令员,中南行政委员会副主席,中共中央中南局代理书记。1954年起任人民革命军事委员会副主席、国防委员会副主席,人民解放军武装力量监察部部长、训练总监部代部长等职。1955年被授予中华人民共和国元帅军衔。1958年起任军事科学院院长兼政委,并一度兼任高等军事学院院长。参与领导人民解放军革命化、现代化、正规化建设,为坚持和发展毛泽东军事思想作出多方面建树。1966年1月任中共中央军委副主席兼秘书长。第八届中央书记处书记(1966年5月增补)、中央政治局委员(1966年8月增选),第九届中央政治局委员。"文化大革命"期间,同林彪、江青反革命集团进行了坚决斗争。1971年林彪反革命集团被粉碎后主持军委日常工作。1975年任国防部部长。1976年10月在粉碎江青反革命集团的斗争中起了决定性作用。1978年当选为全国人大常委会委员长。1983年被任命为中华人民共和国中央军委副主席,同时辞去全国人大常委会委员长职务。是中共第七届至第十二届中央委员,第十、十一届中央政治局常委和中央副主席,中共第十二届中央政治局常委。1986年10月22日因病在北京逝世。出版著作有《叶剑英抗战言论集》、《叶剑英诗词选集》等。

叶企孙 (1898—1977)

物理学家、教育家。上海人。1918年清华学校毕业后即赴美国留学。1920年获芝加哥大学理学学士学位。1921年他和W.杜安、H.H.帕耳默合作测定了普朗克常数,其测定值是当时最精确的(十六年后才有更精确的测定值)。1923年他从事在高压下铁、镍、钴的磁导率的研究,改进了实验方法,并把压力强从200多大气压提高到12000大气压,取得了不同于前人的新成果,为这一领域的研究工作开辟了新的途径。获哈佛大学博士学位。1924年回国后任东南大学理学院教授。1925年起,在清华大学先后任物理系教授、系主任、理学院首任院长。1932年后,历任中国物理学会副会长、会长、理事长。1937年抗日战争初期,在天津组织清华学生为抗日游击区制造炸药、装配无线电收发报机。1938年到昆明,任西南联合大学物理系教授。他还担任清华大学特种研究所委员会主任委员,组建了金属、无线电、航空、农业、社会学等研究所,开创了中国大学办研究所的先河。并于1941—1943年出任中华民国政府中央研究院总干事。中华人民共和国成立后,历任清华大学校务委员会主任委员,物理系教授、系主任、理学院院长。1953年任北京大学物理系教授。1954年兼任中国科学院自然科学史研究所研究员。1955年当选中国科学院数学物理学化学部委员。"文化大革命"中遭受迫害。身心饱受摧残,长期患病,于1977年1月13日在北京逝世。他从事教育工作50多年,培养了大批人才:"两弹一星"元勋有钱三强、赵九章、王淦昌、彭桓武、王大珩;物理学家有王竹溪、钱伟长、龚祖同等人。他是中国研究磁学的第一人,开创了这一领域的研究道路;还从事建筑声学、自然科学史等方面的研究。他称得上是中国物理学界的泰斗。

叶圣陶 (1894—1988)

又名叶绍钧，江苏苏州人。幼时读私塾，后考入苏州公立第一中学堂。1911年冬中学毕业后到初等小学任教，同时业余自修大学文学课程。1915年起到上海尚公小学任高小教员，并应商务编辑所之邀参与编写小学国文课本。1919年3月加入北京大学"新潮社"，参与组织苏州学生响应北京的五四运动，创办文艺周刊《直声》，传播新文化、新思潮。1921年1月参加发起成立文学研究会，7月到吴淞中国公学中学部教国文，同年冬转去杭州第一师范任教。1922年2月赴北京大学预科任讲师，参加编写全国初中教科书《国语》。1923年春任上海商务印书馆国文部编辑，编撰《学生国学丛书》，并到上海大学、复旦大学兼课。1925年春参与创办立达学会，积极支持五卅爱国运动，拥护国共合作和北伐战争。1927年3月上海工人第三次武装起义胜利后，曾参加上海市民代表会议活动。5月起主编《小说月报》。先后发表了茅盾、戴望舒、丁玲、巴人等人具有革命倾向的作品。1928年创作长篇小说《倪焕之》，震动文坛。1930年底改任开明书店编辑，主编《中学生》杂志多年，并与夏丏尊发起创办开明函授学校。自1932年起，编写和与人合编《开明国语课本》、《开明国文讲义》、《初中国文教本》等小学、初中语文教材。抗日战争爆发后，于1938年到重庆。先后在巴蜀学校、复旦大学、武汉大学讲授国文，

支持学生抗日民主活动。1940年担任四川省教育厅教育科学馆专门委员，编辑《文史教学》，编撰《国文教学丛刊》，创办《国文杂志》。1942年到成都开明书店编译所主持编辑事务，编写中小学教科书多种，并与朱自清合著《精读指导举偶》等三种书。积极参加文艺界爱国民主运动，抨击国民党的腐败。1946年2月返回上海。担任中华全国文艺界协会总务部主任，主持协会日常工作，主编会刊《中国作家》。参与组织、领导多次争取人民民主自由、反对国民党反动暴行的活动，成为文化战线和教育战线上的斗士。还是上海中等教育研究会顾问、中国语文学会理事，并参与编写《开明新编高级国文读本》等教材。1949年春进入解放区，抵北平后任华北人民政府教科书编审委员会主任，负责主编新中国第一部中学教科书。是中华全国文学艺术工作者代表大会筹委会常委、全国新政协会议筹备委员，并参与筹备召开中华全国教育工作者代表会议。中华人民共和国成立后，历任中央人民政府政务院出版总署副署长兼编审局局长，人民教育出版社社长、总编辑，教育部副部长，第六届全国政协副主席等职。1988年2月16日因病在北京逝世。

叶渚沛 (1902—1971)

冶金学家。福建厦门人。1925年毕业于美国宾夕法尼亚大学冶金专业。先后在美国中央合金钢公司、联合碳化物研究所、机器翻砂公司担任工程师和冶金组主任等职。1933年回国，历任资源委员会冶金室主任、重庆炼铜厂厂长、

电化冶炼厂总经理。1944 年去欧美考察，曾任联合国教科文组织科学组副组长。1950 年回国后，任中央重工业部顾问、中国科学院学术秘书、化工冶金研究所所长。1955 年当选中国科学院学部委员。他对中国采用当代钢铁冶金中的几项最重要的新技术，如应用大型高炉、氧气顶吹转炉和连续铸钢等，很早就提出了方向性的建议。对中国几个主要钢铁基地和复杂矿（如包头、攀枝花），以及某些有色金属矿藏的开发利用，提出了重要建议。晚年，他又积极建议发展技术科学以及开展微粒学、计算机在冶金中的应用和超高温化工冶金过程的研究等。"文化大革命"中遭受迫害。1971 年 11 月 24 日因病在北京逝世。他的论文《论强化高炉冶炼过程的基本问题》获国家自然科学二等奖；有关氧气顶吹转炉炼钢、高炉钒钛磁铁矿冶炼和竖炉炼磷的实验和研究，获全国科学大会奖和中国科学院重大科技成果奖。

于　伶 （1907—1997）

剧作家、戏剧活动家。原名任锡圭，字禹成，江苏宜兴人。出生在一个书香门第。童年时就读了很多古典诗词和其他文学作品。1926 年中学毕业后，赴苏州第一师范学校学习。同年加入中国共产主义青年团。1927 年参加苏州学生话剧演出，是其戏剧活动的开始。1930 年考入北平大学法学院学习。1932 年参加中国左翼作家联盟北平分盟；5 月，与宋之的组织苞莉芭剧社，上演了他编剧的《瓦刀》。该独幕剧以上海"一·二八"事变为背景，揭露了李顿爵士率领的国际联盟调查团的虚伪性，鼓舞人民依靠自己的力量抗日；6 月，又联合呵莽剧社等演出。两次受到军警的袭击，他受伤，演出遭禁。次年，与宋之的、陈沂等筹建了中国"左翼"戏剧家联盟北平分盟。1933 年 1 月，调往上海"左翼剧联"，参加戏剧运动的组织工作；8 月，任三三剧社负责人。创作的独幕剧《腊月二十四》（《太平年》）、《一袋米》在上海首演。1934 年 4 月，调到"左翼"文化总同盟，分管"左翼剧联"等组织的联系工作；11 月，在其主持下，"左翼剧联"总结经验教训，认为为了更有效地斗争，应开展建立剧场艺术的运动。同年上海无名剧人协会成立，他为负责人之一。1935 年春，参与领导组建上海业余剧人协会，演出了一系列中外名著，提高了舞台艺术水平，扩大了话剧的影响，使"左翼"戏剧运动跳出了狭隘意识的圈子。到上海后的两年多，创作了《夏夜曲》、《回声》、《蹄下》、《汉奸的子孙》（执笔，与章泯、洪深、张庚合作）、《撤退，赵家庄》（执笔，与沈西苓、章泯、凌鹤、夏衍合作）、《神秘太太》等 11 部独幕剧，为宣传抗日救亡，鼓舞战斗意志，揭露卖国贼，发挥了积极的作用。1937 年抗日战争爆发，他在上海"孤岛"团结欧阳予倩、阿英等人组成青鸟剧社，于年底开始演出《雷雨》、《日出》和他的《女子公寓》（开始用于伶笔名）等。1938 年与阿英、吴仞之、李健吾等筹建上海剧艺社。演出了一批具有爱国主义思想的中外名剧。还和法租界当局合作开办了中法戏剧学校，培养了一批日后有名望的编剧、导演和舞台美术工作者。到 1940 年,在上海"孤岛"时期,创作了《血洒晴空——飞将军阎海文》、《满城风雨》、《女儿国》、《大明英烈传》等 10 部多幕剧,还有一些独幕剧和广播短剧。其中《夜上海》(代表作)和以前创作的《夜光杯》、《女子公寓》、《花溅泪》在香港、上海摄制成电影。1941 年 1 月皖南事变后,于 3 月到香港。与司徒慧敏等组织了旅港剧人协会,在"话剧不毛之地"的香港,播下了话剧的种子;12 月太平洋战争爆发,离开香港。1942 年抵达桂林,7 月写出四幕剧本《长夜行》(代表作),后赴重庆。1943 年与夏衍、宋之的、金山等组织了民间职业剧团中国艺术剧社,成为抗日战争后期重庆戏剧运动的中心力量。创作了《杏花春雨江南》、《心狱》、《戏剧春秋》(与夏衍、宋之的合作)等剧本。1945 年抗日战争胜利后,10 月回到上海,立即恢复上海剧艺社,演出了轰动一时的陈白尘编剧的《升官图》。创作的《无名氏》,由国泰影业公司摄制成电影。1947 年春,由于政治压迫和严重的财务危机,上海剧艺社解散。他同上海戏剧界一起,参加了反内战、反饥饿、反独裁的运动,并积极支持雪声剧团改革越剧。1948 年底经香港进入解放区。1949 年春,任中国人民解放军军事管制委员会文教接管委员会文艺处副处长,负责接管上海的文化、电影机构。中华人民共和国成立后,历任上海市文化局副局长、局长。1955 年 5 月受"潘杨反革命集团"案株连。1959 年 7 月与孟波、郑君里合写《聂耳》电影剧本,并由上海电影制片厂拍摄。1961 年完成歌颂上海人民在抗日救亡中英勇斗争的五幕剧本《七月流火》(代表作),当时有 12 个省、市话剧院、团同时排演。"文化大革命"中遭受迫害,被囚禁近 10 年。1983 年 2 月中共中央为"潘杨反革命集团"平反昭雪,他在病中写了《怀潘汉年同志》的长诗。曾担任中国文学艺术界联合会委员、中国电影工作者协会副主席、中国作家协会上海分会主席、中国戏剧家协会上海分会主席、中国电影家协会上海分会主席等职。1997 年 6 月 7 日因病在上海逝世。著作集成出版的有《于伶剧作集》(收入 60 多部剧本)、《于伶戏剧电影散论》。

于右任 (1879—1964)

名伯循,字诱人。陕西泾阳人。幼年进私塾读书。1900 年入陕西中学堂。1902 年被兴平知县聘为西席。1903 年中举人,并受聘为商州中学堂监督。1904 年亡命上海,1905 年参加创办复旦公学和中国公学,并兼任两校国文讲习。1906 年为筹办《神州日报》,赴日本筹款和考察新闻事业,结识孙中山,并加入中国同盟会。1912 年,中华民国临时政府在南京成立,任交通部次长。1913 年二次革命失败后,离沪赴日。1915 年筹办民立图书公司,以为革命工作作掩护,拟刊印善本丛书。此时,多与学者、书贾、收藏家来往。1918 年 5 月,赴陕西三原任靖国军总司令。在陕 4 年多,除主持军政外,在发展文化事业、介绍新思想、兴修水利等方面也颇有建树。1923 年 1 月,孙中山委任其为参议,协助国民党改组事宜。并受孙委托赴天津会晤段祺瑞,商谈联合段、张(作霖),反对曹(锟)吴(佩孚)直系势力。1924年1月,出席中国国民党第一次全国代表大会,并当选为第一届中央执行委员。会后,赴上海任国民党上海执行部工人农民部部长。10月,冯玉祥等发动北京政变,随孙中山北上。孙病重后组织北京政治委员会,由于右任、吴稚晖、李大钊、陈友仁、李石曾等五人为委员,负责处理党务。孙中山逝世后,于右任拒绝与国民党内的"西山会议派"合作,主张继承孙中山遗志,联俄联共。1925年7月,国民政府在广州成立,被推为委员。1926年9月在绥远五原协助冯玉祥筹组国民联军。并与冯一起制定了"固甘援陕、联晋图豫"的战略方针,不久任国民联军驻陕总司令。蒋介石、汪精卫相继叛变革命后,于9月在南京参加国民党宁、汉、沪三方联席会议,成为中国国民党中央特别委员会委员。1928年2月,在国民党二届四次会议上,当选为中央常务委员会委员、国民政府常务委员、国民党军事委员会委员。是年,与何香凝等国民党左派人士发起组织"寒之友"社,作诗言志,不与国民党右派新权贵为伍。1931年2月以后,任国民政府监察院长,直到国民党败退台湾。1949年11月,随国民党政府迁往台湾,又任台湾国民党政府"监察院院长"15年。1964年11月10日病逝。著有《标准草书》、《右任诗存》、《右任文存》、《右任墨存》、《牧羊儿自述》等。

余秋里　(1914—1999)

江西吉安人。1929年10月,参加农民暴动;12月,加入中国共产主义青年团,次年转为中国共产党党员。历任红军学校第四分校连指导员、第二军团团政委等职。参加了湘赣苏区反围剿和创建湘鄂川黔根据地的斗争。1935年9月随红军第二、六军团长征。1936年11月入中国抗日红军大学学习。1937年开始的抗日战争时期,历任军委总政治部直属政治处主任、组织科科长,八路军120师干部大队政委、独立第三支队政委、第358旅团政委、旅政治部主任。参加了百团大战等战斗和管涔山敌后抗日根据地的创建。1946年后的解放战争时期,历任第358旅政委、第一军第一师政委、第一军副政委,青海省军政委员会副主席,青海军区副政治委员等职。中华人民共和国成立后,任中共川西区党委委员、常委。1950年10月任西南军政大学副政治委员,后任第二高级步兵学校校长兼政治委员。1952年2月起,历任西南军区后勤部部长兼政治委员,军委总财务部第一副部长、部长,中国人民解放军总后勤部政治委员。1955年被授予中将军衔。1958年2月任石油工业部部长、党组书记。为大庆油田的开发以及社会主义中国石油工业的发展作出了重要贡献。1964年12月任国家计委第一副主任兼秘书长。"文化大革命"时期受到冲击,但仍是协助周恩来维持国民经济运行的主要助手之一。1975年1月任国务院副总理兼国家计委主任。是中共第九、十届中央委员。1977年8月当选中共第十一届中央政治局委员、中央书记处书记。1980年3月任国家能源委员会主任。1982 年 9 月当选中共第十二届中央政治局委员、中央书记处书记。出任中国人民解放军总政治部主任。1987 年 11 月在中共第十三次全国代表大会上当选中央顾问委员会常务委员。1999 年 2 月 3 日因病在北京逝世。

俞鸿钧 （1898—1960）

广东新会人。1915 年毕业于上海民生中学，随后考入上海圣约翰大学，在校任《约翰声报》总编辑。1919 年毕业后留校任助教，并在中学部授课。不久，谋得英文《大陆晚报》记者职务。1927 年受聘为外交部长陈友仁的英文秘书。不久，辞职离开南京，回到上海，任上海市政府英文秘书，兼任宣传科科长，主编《市政周刊》，后调任代理市财政局局长、参事，兼代理秘书长职务。1932 年 4 月，任上海市政府秘书长。1936 年任代理上海市市长。1937 年 7 月，出任上海市市长。抗日战争全面爆发后，任中央信托局常务理事，驻香港办理外交事务。1941 年 6 月，任财政部政务次长。8 月，任外汇管理委员会委员、常务委员，后复兼任中央信托局局长。1944 年 11 月，任国民政府财政部部长兼中央银行经济研究处处长。1945 年 5 月，当选为国民党第六届中央执行委员。7 月，兼任中央银行总裁。12 月，为议订中苏关于苏军进入中国东三省后之财政事项协定全权代表。1946 年 3 月，任国际货币基金及国家复兴建设银行理事。6 月，兼任最高经济委员会委员。10 月，任行政院绥靖区政务委员会委员。1948 年 5 月，内阁改组后，辞去财政部长职务，专任中央银行总裁。1949 年 1 月，任中央银行理事会理事、常务理事。

1949 年中华人民共和国成立前夕，离开大陆到台湾，任"财政部"部长、"中央银行"总裁兼"交通银行"和"农业银行"董事长。1953 年 4 月，任台湾省政府主席。1954 年任"行政院"院长。1950 年 7 月辞职，专任"中央银行"总裁。1960 年 6 月 1 日在台北病逝。

俞平伯 （1900—1990）

原名铭衡，浙江德清人。早年考入北京大学文科。1919 年毕业后先后在燕京大学、北京大学、清华大学任教。五四运动时期，加入新潮社、文学研究会、语丝社等进步文艺团体。积极参加新文学运动，热爱文学写作，最初以创作新诗为主。他与朱自清创办了中国现代最早的新诗刊物《诗》月刊，先后撰写出版了《冬夜》、《西还》、《忆》等诗集。20 年代后期，更多地写作散文，先后出版了《燕知草》、《杂拌儿》、《燕郊集》等散文集。1923 年发表了《红楼梦辨》，成为中国文坛上"新红学派"的代表之一，在学术界有一定影响。40 年代后期，参加抗日爱国民主运动，支持人民革命斗争。中华人民共和国成立后，任北京大学教授，中国科学院文学研究所研究员。1954 年出版《红楼梦研究》（将《红楼梦辨》改修而成）一书，引起广泛注意，被当做胡适派资产阶级唯心主义观点的代表受到批评。他对中国古典诗词亦有深入的研究和独到的见解，撰写出版了《读词偶得》、《清真词释》等著作。被选为第一、二、三届全国人大代表，第五届全国政协委员。1990 年 10 月 15 日因病在北京逝世。

俞庆棠　（1897—1949）

字凤岐，女，江苏太仓人。1914 年毕业于上海务本女校。其后入中西女塾和圣玛利亚女校学习。1919 年赴美留学，先后在台来佛亚女子大学、哈佛大学、芝加哥大学及哥伦比亚大学学习。1922 年毕业于哥伦比亚大学教育学院。回国后，历任无锡中学教师、上海大夏大学教授。1927 年任江苏省教育厅社会教育科科长。1928 年创办江苏省立教育学院，自兼校长，不久辞去校长职务，专任教授及研究实验部主任。1931 年组织中国社会教育社，任总干事。1933 年赴欧洲考察了丹麦、荷兰、英国、法国、德国、奥地利、意大利等国成人教育与合作事业。1935 年主编《申报》的"农村生活丛谈"专栏。抗战爆发后，赴武汉参加难童保育及妇女救济工作。1938 年 3 月，参加庐山妇女谈话会，后赴重庆任妇女新生活指导委员会生产部部长。1939 年 3 月返沪探亲，为照料患病女儿，留在上海，先后任东吴、沪江、震旦等大学教授。后又兼任申新纺织厂第二、第五两厂福利科科长，创办工人学校、合作社、医院等福利事业。抗战胜利后，任上海市教育局社会教育处处长，领导创办了一百多所市立民众学校，恢复了市立图书馆、民教馆、体育场、博物馆等社会机构，还创办上海市立实验民众学校，自任校长。1946 年辞去教育局职务。1947 年任联合国科学文教组织中国委员会委员。1948 年又任联合国远东基本教育会议中国代表团顾问委员会委员，并应邀赴美考察战时难童教育。1949 年 5 月返国后，参加了中国人民政治协商会议第一届全体会议。

中华人民共和国成立后，任教育部社会教育司司长。1949 年 12 月 4 日在北京病逝。著有《民众教育》，编有《中国社会问题参考资料索引》、《民众教育概论重要参考书索引》等；译著有杜威的《思维与教学》（与人合译）。

俞振飞　（1902—1993）

昆曲、京剧演员、戏曲教育家。名远威，号箴非，上海松江人。其父为昆曲唱家，并自成"俞派"。6 岁从父习曲，14 岁另从昆曲前辈沈锡卿、沈月泉学习表演。后在上海从蒋砚香学习京剧小生表演。29 岁时经程砚秋介绍，赴北京拜京剧小生前辈程继先为师，成为专业演员。后长期与梅兰芳、程砚秋、周信芳、马连良、张君秋等人及仙霓社演出。他天赋佳嗓，大小嗓运用自如，精研音韵口法，讲究吞吐虚实，发展了"俞派"唱法。在表演上，工冠生、巾生、穷生、雉尾生，尤以巾生儒雅清新的风格最为突出，在江南一带影响很大。他擅演的代表剧目，昆曲有《牡丹亭》、《长生殿》、《荆钗记》等，京剧有《群英会》、《临江会》、《状元谱》等。中华人民共和国成立后，1957 年任上海市戏曲学校校长，并亲自授课示范，为京、昆、淮等剧种培养了大批青年演员。1959 年加入中国共产党。1978 年后，历任第五届全国政协委员，中国文学艺术界联合会副主席，中国戏剧家协会上海分会副主席，上海京剧院院长，上海昆剧团团长,上海市戏曲学校校长等职。1993 年 7 月 17 日因病在上海逝世。与梅兰芳、言菊朋等合作演出的《惊梦》、《断桥》、《墙头马上》已拍摄成电影。有《振飞曲谱》、《习曲要解》、《念白要领》等专著及《访欧散记》。

Z

臧玉琰 （1923—2005）

歌唱演员。河北黄骅人。抗日战争时期，于1942年考入迁往重庆的国立音乐学院声乐系，师从女高音歌唱家、最早将欧洲"美声歌唱"介绍到中国的音乐家之一的声乐家黄友葵教授。1948年毕业于南京音乐学院音乐系，后到台湾，于解放前夕到北京。中华人民共和国成立后，历任湖南大学音乐系、华中师范大学音乐系讲师。1953年调中央乐团担任独唱演员，在舞台实践中，被业界公认为中国优秀的男高音之一。"文化大革命"中因"特务嫌疑"身份，被下放至江苏淮阴县，在淮阴文化馆刻钢板，油印一些文艺演唱材料。十几年间，别说舞台演出，因其"特务嫌疑"身份连练声都不敢。但是凭着对声乐艺术的执著，他无声地用回忆和感觉来琢磨歌唱技巧：感觉声音的位置，研究气息共鸣的运用，在心中默默演唱。1979年调至南京艺术学院工作。当黄友葵教授发现他仍保持着良好的音乐素质时，给他上课恢复声音，并鼓励他再上舞台，经过半年的训练，使他恢复到年轻时的声音状态。1980年借调到中央乐团，参加赴西北、华东等地及广州羊城音乐花会的演出。1981年赴美国访问演出。其声音甜美纯净，色彩明亮，极具抒情性，绝无阴暗生活的痕迹。他实现了黄友葵教授将"美声学派"同中国民族唱法相结合，寻求声乐民族化的途径的探索。经常演唱的曲目有《牧歌》、《我住长江头》、《思乡曲》、《故乡》、《草原之夜》、《妈妈》、《负心人》、《我的太阳》等。短短几年演出400多场，20世纪80年代在中央电视台不仅能听到他的歌声，还能看到他的白发。后任南京艺术学院声乐系副教授。2005年10月29日因病在南京逝世。

曾 山 （1899—1972）

原名曾如柏，江西吉安人。1925 年起从事农民运动。1926 年 10 月加入中国共产党。1927 年 2 月，被选为吉安县农民协会执行委员。同年秋参加了"八一"南昌起义。同年 12 月参加广州起义，任教导团事务长。1929 年 1 月被选为中共赣西特委常务委员，任组织部部长。3 月与毛泽东、朱德会合，任中共红四军前委委员。6 月被选为赣西苏维埃政府主席。1930 年 2 月，被选为中共红四、红五、红六军共同前委常务委员。3 月被选为中共赣西南特委常务委员和赣西南苏维埃政府主席。后历任兴国革命军事委员会委员、中共赣西南特委书记、中共江西省行动委员会委员、江西省苏维埃政府主席、中共苏区中央局委员、中共江西省委常务委员。1931 年 11 月被选为中华苏维埃共和国中央执行委员。1932 年 11 月任江西省苏维埃政府副主席兼财政部长。1934 年 2 月任中央政府内务部部长。中央红军主力长征后，奉命留下坚持斗争，率江西省党政军机关在赣南山区开展游击战争。1935 年 5 月游击队遭到失败后，赴苏联入列宁学院学习。1937 年 12 月回国到延安。抗日战争时期，历任中共中央东南分局副书记兼组织部部长、新四军驻赣办事处主任、中共中央华中局组织部部长等职，为建立和扩大华中抗日根据地作出了贡献。1945 年当选中共第七届中央委员。解放战争时期，历任中共华中局组织部部长、华中财经委员会主任、中共中央华东局委员、华东财经委员会主任等职，全力领导、组织和支援前线的工作。中华人民共和国成立后，长期担任经济事业的领导工作。历任政务院政务委员兼纺织工业部部长，华东行政委员会副主席兼财经委员会主任，上海市副市长兼财经委员会主任，政务院财经委员会副主任，国务院商业部部长，中共中央交通工业部部长，国务院内务部部长等职。曾当选中共第八届中央委员，第四届全国政协委员。1972 年 4 月 16 日病逝于北京。

曾泽生 （1902—1973）

云南永善人。1924 年考入云南讲武堂学习。次年任黄埔军校第三期学生队副队长。1926 年底考入黄埔军校高级班军事科学习。1929 年任云南昆明军官候补生队副队长。此后长期在龙云部下任职。1937 年抗日战争爆发后，在云南任国民革命军第六十军 184 师团长。后率部开赴华北前线抗日。1938 年 4 月，率部参加了著名的台儿庄会战。9 月，又参加了武汉会战。1945 年 9 月，率六十军入越南，接受日军投降。1946 年 4 月率六十军由越南海运调东北，参加内战。先后兼任国民党东北第四绥靖区副司令、吉林守备军司令等职。1948 年在辽沈战役中，于 10 月 17 日，率六十军 2.6 万余人起义，为长春解放和辽沈战役的胜利作出了贡献。1949 年 1 月，起义后的六十军改编为中国人民解放军第五十军，下辖四个师，任军长。后入关参加平津战役和解放华中的战役。1949 年 9 月，参加在北京召开的中国人民政治协商会议第一届全体会议。中华人民共和国成立后,继续担任中国人民解放军第五十军的军长,并先后兼任中南军政委员会委员、中南行政委员会委员。1950年,参加了中国人民志愿军抗美援朝的作战。1955年9月被授予中将军衔。先后当选为第一、二、三届全国人民代表大会代表。曾任国防委员会委员、政协全国委员会常务委员。1973年2月在北京病逝。

曾昭抡 （1899—1967）

化学家、教育家和社会活动家。字叔伟,湖南湘乡人。出生在一个书香门第家庭。1912年考入长沙雅礼中学读书。1915年考入清华留美预备学校学习。1920年赴美国麻省理工学院学习化学工程,后又学习化学。1926年获得科学博士学位。然后回国,在广州兵工试验厂当技师。1927年到南京,任中央大学化学系教授,后任化工系主任。1931年后任北京大学化学系教授、主任。1932年8月4日中国化学学会在南京成立,他是发起人之一,并当选理事。1933年创办《中国化学学会会志》,出任总编辑。从1932年至1937年发表论文50多篇,其中"对亚硝基苯酚"的研究成果,载入《海氏有机化合物词典》被国际化学界所采用。抗日战争爆发后,转赴云南任西南联合大学教授。1948年当选民国政府中央研究院院士;出任香港《文汇报》"科学与生活"专刊主编。中华人民共和国成立后,任北京大学教务长兼化学系主任。1951年任教育部副部长兼高教司司长。1953年任高等教育部副部长。1955年当选中国科学院学部委员。任中国科学院化学研究所所长。是中国民盟的中央常委,中央高教研究委员会主任,中华全国自然科学专门学会联合会副主席,中国化学学会会长。1957年被打成右派分子,撤销职务。1958年任武汉大学化学系教授。创办元素有机化学教研室,任主任。"文化大革命"中,继续作为"大右派"并加"反动学术权威"被批斗,于1967年12月9日因病在武汉逝世。1981年3月3日经中共中央批准,教育部为他平反昭雪。他是中国近代教育的改革者和化学研究的开拓者,培育了几代科技人才和教育人才。他领导制定了《化学物质命名原则》,审定了《化学名词草案》,对中国化学名词的命名与统一有重要贡献。改良的马利肯熔点测定仪,曾为我国各大学普遍使用。著有《炸药制备实验法》、《原子及原子能》、《元素有机化学》等著作。

扎西顿珠 （1899—1961）

藏戏演员。藏族。又名莎迦·扎西、堆·扎西、夏廓·扎西,西藏莎迦人。幼入莎迦剧团,师从担任戏师(导演兼团长)的哥哥学艺,不久即成剧团演出的台柱。他兼擅六弦琴,经常头顶斟满青稞酒的银碗,边弹边舞,而酒不洒出。21岁入觉木隆藏剧团,戏路宽广,能演各种角色。41岁担任觉木隆藏剧团第13任戏师,并从此得名扎西顿珠。他长于编演藏戏,六艺精熟,尤富革新精神。首创藏戏民歌型唱腔,改造了藏戏悲调唱腔。善于从民族歌舞、宗教艺术、民间百技以及外来艺术中汲取营养。他多次带队去印度、布丹、锡金等国演出,把汉族的龙舞、狮子舞、孔雀舞、寿星舞和印度的神舞等舞蹈艺术的精华糅入藏戏,用以表现欢庆的场面,丰富了藏戏的艺术手段和表现力。经过他的努力,一度在藏戏宗师米玛强村以后逐渐衰落的觉木隆剧团再度兴盛起来。他对形成觉木隆藏戏流派的欢快热闹、丰富多彩、隽永秀丽的风格作出了贡献。中华人民共和国成立后,任西藏自治区藏剧团首任团长。他与阿玛仁次等编导的中型现代藏戏《解放军的恩情》受到好评。还曾任中国文学艺术界联合会常务委员会委员、中国戏剧家协会理事。

扎喜旺徐 （1913—2003）

藏族。四川甘孜新龙人。出生在一个贫苦牧民家庭。1935 年初,中国工农红军第四方面军来到甘孜,他偶然当上了"民族代表",对汉人红军的认识逐渐深入。1936 年 5 月,藏族的第一个苏维埃政权"博巴政府"成立,任骑兵连连长;7 月,红二方面军也来到甘孜,帮助红军筹粮、宣传政策。后随红二方面军长征北上。1938 年在延安民族学院学习,并加入中国共产党。历任陕甘宁边区政府民族事务委员会委员、中共西北局行政处科长。1945 年抗日战争胜利后,到张家口任内蒙古自治运动联合会盐务局局长。1946 年任锡林郭勒盟行政委员会处长。1947 年任察哈尔盟行政委员会处长。1949 年被派往青海,做少数民族上层的统战工作。中华人民共和国成立后,青海省虽然成立,但平均海拔 4000 米的果洛地区历史上从未建立过政权,

仍处于封闭状态。1951 年底他带领果洛头人到北京,受到毛泽东主席的接见。此后,他担任西北军政委员会果洛工作团团长,带工作团和平进入该地区,坚定地执行中共的少数民族、区域自治政策,团结民族上层,开展群众工作,推动民族团结,肃清残余反动势力,建立民族区域自治政权。1954 年 1 月,青海省果洛藏族自治区(后改为自治州)成立,出任政府主席;12 月,任青海省副省长。1958 年 5 月中共第八次全国代表大会第二次会议中,因为他反对以开荒种粮的名义破坏牧场,主张保护草原,他和广东的冯白驹作为"地方保护主义"的代表,受到批判。1959 年他认为在青海的平叛过程中,存在严重的扩大化错误,并提出意见。后被撤销中共青海省委常委、副省长职务,送到中共中央党校学习。后因青海出现人员大量饿死的情况,中共青海省委书记被撤职,他恢复了副省长职务。1962 年在兰州召开的民族工作会议上,他的发言报告得到中共中央统战部部长李维汉的肯定;7 月,中共中央批准为他平反昭雪;8 月,李维汉受到批判,他受到牵连。1964 年副省长职务再次被撤销,调往国务院民族事务委员会政法司任司长。"文化大革命"开始受到冲击,先后被下放到吉林、湖北进行劳动改造。1972 年重回北京任国务院民族事务委员会政法司司长。1979 年后历任中共青海省委副书记、副省长。1981 年 2 月,提交解决 1958 年青海"平叛扩大化"问题的报告,获中央认可;6 月,青海省高级法院宣布释放 1958 年涉及"平

叛扩大化"的人员;11月,任青海省人大常务委员会主任。1983年9月中共青海省委为他平反昭雪。1997年8月任青海省政协主席。是第六、七届全国人大常务委员会委员,第四、五届全国政协委员。曾担任青海省民族学院院长兼党委书记,中央民族事务委员会委员,中共青海省顾问委员会副主任等职。他是中共为数不多的经历过长征的藏族高级领导干部,屡遭罢黜却仍坚持真理不退让。2003年10月16日因病在北京逝世。

张　庚 （1911—2003）

戏剧理论家、教育家、戏曲史家。原名姚禹玄,湖南长沙人。1927年毕业于楚怡学校。同年秋入上海劳动大学学习。1931年在武汉参加中国"左翼"戏剧家联盟武汉分盟工作。1932年在上海参加中国"左翼"戏剧家联盟工作。1934年加入中国共产党,任中国"左翼"戏剧家联盟常委。20世纪30年代,从事话剧运动,撰写关于话剧的评论和研究文章,并有《戏剧概论》出版。1937年抗日战争爆发后,组织流动演剧队进行抗日宣传活动。1938年到延安,任鲁迅艺术学院戏剧系主任。1939年发表的论文《话剧的民族化与旧剧的现代化》,触及话剧向戏曲学习和戏曲改革的问题,引起了戏剧界的注意。在"鲁艺"讲授戏剧概论和话剧运动史,撰写成《戏剧艺术引论》出版。1946年后,任东北鲁迅文艺学院副院长兼文工团第四团团长。中华人民共和国成立后,历任中央戏剧学院副院长,中国戏曲研究院副院长,中国戏曲学院院长、《戏剧报》主编等职。

1954年《戏剧报》连载了他的《中国话剧运动史初稿》,论述了中国话剧形成的历史原因和特点。"文化大革命"中受到冲击。1979年任中国艺术研究院副院长。曾担任中国戏剧家协会副主席。2003年9月27日因病在北京逝世。他通过戏曲教育和戏曲革新实践,培养了一批戏曲研究工作者和戏曲创作人员。其"剧诗"说理论,都反映在《论新歌剧》（1958）、《论戏曲表现现代生活》（1958）、《戏曲艺术论》（1980）、《中国戏曲通史》（合著,1981）、《张庚戏剧论文集》（1981）等著作中。

张　杰 （1917—1987）

中国穆斯林爱国领袖。回族。又名张玉珍,教名穆罕默德·阿里,河北沧县人。1935—1937年在沧县清真寺学习阿拉伯语及伊斯兰经典、教义,获教长职称。抗日战争时期,在甘肃的兰州、榆中、徽县等地从事抗日宣传和民族教育工作,任榆中回民教育促进会主任。1941年任延安清真寺副教长、陕甘宁边区回民协会代主任。1945年以后,在晋察冀边区从事民族教育工作。中华人民共和国成立后,在北京从事民族教育工作。1953年起,历任中国伊斯兰教协会副秘书长、秘书长、副主任、主任、顾问,中国伊斯兰教经学院副院长,中国埃及友好协会副会长等职。是第四、五届全国人民代表大会代表,第六届全国人民代表大会常务委员。他曾率中国穆斯林朝觐团赴麦加朝觐。在开展同各阿拉伯、伊斯兰国家穆斯林的友好往来等方面作出了贡献。1987年10月15日因病在北京逝世。

张　澜 （1872—1955）

字表方，四川南充人。1894年中秀才，不久补廪生。1903年赴日，入东京弘文书院师范科。1904年因提出慈禧太后还政于光绪的主张，被清政府驻日公使派人押送回国。回国后从事教育，并于南充创办了一批新式学堂。1909年10月，四川省咨议局成立，被推为议员，未就；积极参加立宪运动。1911年积极参加保路运动，任川汉铁路股东会会长；武昌起义爆发后，四川光复，被四川军政府任为川北宣慰使。1913年4月，当选国会众议院议员，加入进步党。1914年1月袁世凯解散国会后，回四川接任南充中学堂校长。1917年11月，任四川省省长。1918年2月，熊克武主持四川军政，出走到北京定居。1920年春因母丧返川，乡居时，大力兴办教育并创办《民治日报》，鼓吹地方自治。1925年12月，任成都大学校长。1930年回乡继续办中小学教育。1934年刘湘在四川成立安抚委员会，被聘为委员长。1935年秋，在成都参与发起组织四川省乡村建设期成会，提倡推广乡村建设运动。抗日战争时期，曾连续担任第一届至第四届国民参政会参政员。1941年3月，中国民主政团同盟成立，任执行委员、主席。1944年9月，中国民主政团同盟改名为中国民主同盟（简称"民盟"），仍任主席。1946年1月，参加在重庆召开的中国政治协商会议（又称"旧政协"）。会前，中共首席代表周恩来同他商定：中共和民盟在重大政治问题上事先交换意见，采取一致步调，建立密切合作关系。会议期间与我党密切配合，使政协会议取得了"五项决议案"的胜利。

1949年6月，由上海赴北平参加新政治协商会议筹备会；9月，出席中国人民政治协商会议，当选为第一届政协全国委员会常务委员和中央人民政府副主席；10月1日，与毛泽东等国家领导人一起登上天安门城楼，参加开国大典。12月，民盟召开一届五中全会，继续当选为主席。1953年1月，任宪法起草委员会委员；2月任中共选举委员会委员；3月连任民盟中央委员会主席。1954年8月，当选为第一届全国人民代表大会代表，后为大会选为常务委员会副委员长。12月，任中国人民政治协商会议第二届全国委员会副主席；同月当选为中苏友好协会总会副会长。1955年2月9日在北京病逝，终年83岁。著有《说仁说义》、《四勉一戒》、《墨子贵义》等。

张　群 （1887—1990）

字岳军，四川成都人。1906年入保定军官学校学习。1908年赴日本入士官学校就读，同年加入中国同盟会。1911年参加辛亥革命。"二次革命"失败后，到日本士官学校继续学习。1915年毕业赴南洋荷属东印度群岛在爪哇华侨学校任教。1916年回国任国民党浙军参谋，参加反袁斗争。1917年到广东政府岑春煊部下任副官。1918年任四川警察厅厅长兼成都警察局局长。1921年在北京政府任总务处处长兼交通司司长。1924年入冯玉祥部国民军，后任河南警察厅厅长兼开封警察局局长。1926

年转入国民党,参加北伐战争,11 月任国民革命军总参议。1927 年"四一二反革命政变"后不久,任南京国民政府军政部政务次长兼兵工署署长,同时任上海同济大学校长。1928 年 2 月任国民党中央政治会议外交事务委员会委员.1929 年任国民党中央委员、上海市市长。1932 年上海"一•二八抗战"中,积极追随蒋介石消极抗日,遭到上海各界抗日团体反对,被迫辞职。1933 年 7 月出任湖北省主席,1935 年任南京国民政府外交部部长,积极推行反动的内战卖国政策。1937 年 2 月任国民党中央政治委员会秘书长,兼专门委员会主任委员,国民政府军事委员会秘书长。1938 年任国民政府行政院院长兼重庆行营主任。1939 年 1 月任国防最高委员会秘书长。1940 年 11 月任成都行辕主任兼四川省政府主席。1945 年 8 月代表蒋介石参加重庆谈判,是三人军事小组成员。1949 年 2 月任重庆绥靖公署主任,后改任西南军政长官。长期追随蒋介石反共反人民,被中国人民解放军列为战争罪犯之一。中华人民共和国成立前夕逃到台湾。1950 年起先后任国民党中央评议委员,"总统府秘书长"。"总统特使","总统府资政",国民党中央评议委员会主席团主席等职。曾获美国伊利诺大学法学博士学位。著有《中日关系与美国》、《对日言论集》、《谈修养》、《致德管窥录》。1990 年 12 月 14 日在台北病逝。

张爱萍 （1910—2003）

四川达县人。1925 年在家乡参加学生运动和农民运动。1926 年加入中国共产主义青年团。1928 年转为中国共产党党员。1929 年底参加红军第十四军,历任中队指导员、副大队长、大队政委。后进入中央苏区,任共青团闽西特委常委兼宣传部部长。1931 年后,历任共青团苏区中央局秘书长、共青团江西省万太特委书记、共青团江西省委常委兼宣传部部长、少年先锋队中央总部参谋长、总队长等职。1934 年初,当选中华苏维埃共和国中央候补执行委员。同年秋,任红三军团 4 师 12 团政委、4 师政治部主任,参加长征。1935 年 10 月到达陕北后,入抗日红军大学学习,后任抗日军政大学教员。1937 年抗日战争爆发后,历任中共江浙省委委员兼军委书记,八路军驻武汉办事处参谋,豫皖苏边区鹿邑亳州特委书记,中共豫皖苏省委书记,新四军皖东北办事处处长,新四军第六支队四总队总队长兼政委。在极其困难的条件下,组织抗日武装。1940 年任八路军第五纵队三支队司令员。1941 年任新四军第三师 9 旅旅长。年底任第三师副师长兼苏北军区副司令员。1944 年夏任新四军第四师师长兼淮北军区司令员。参与开辟豫皖苏抗日根据地的斗争。1945 年抗日战争胜利后,任华中军区副司令员、中共华中分局委员。1946 年意外受伤后赴苏联治疗。1949 年春任第三野战军前委委员。参加渡江战役后,任华东军区海军司令员兼政委。这是中共军队建立海军的开始。中华人民共和国成立后,历任第三野战军第七兵团兼浙江军区司令员,华东军区暨第三野战军参谋长。1954 年任中国人民解放军副总参谋长。1955 年初，直接指挥了中国人民解放军历史上首次陆海空联合渡海登陆作战的一江山岛战役，战役胜利结束后，浙东沿海岛屿全部解放。同年，被授予上将军衔。1958 年补选为中共第八届候补中央委员。1960 年兼任国防科学技术委员会副主任。1962 年兼任国防工业办公室副主任。是中国核武器和常规武器研究、试验与生产组织的具体领导人之一。是第一至三届国防委员会委员。"文化大革命"中遭受迫害。1975 年任国防科学技术委员会主任。1977 年任中国人民解放军副总参谋长兼国防科学技术委员会主任和国家科学技术委员会第一副主任；8 月当选中共第十一届中央委员。1982 年 9 月当选中共第十二届中央委员，出任国务院副总理、中共中央军委副秘书长；11 月，任国务院国务委员兼国防部部长。1987 年 11 月在中共第十三次全国代表大会上，当选中共中央顾问委员会常务委员。2003 年 7 月 5 日因病在北京逝世。主要著作收入《张爱萍军事文选》。

张伯苓　（1876—1951）

名寿春，字伯苓，天津人。1891 年入北洋水师学堂学习驾驶，1896 年入海军当士官生。1898 年离职回天津，从事教育事业，先后在绅士严范孙和富商王奎章家中教家馆。1904 年 4 月随严范孙去日本考察教育，回国后于 9 月创办私立敬业学堂。1907 年改名南开中学堂，任校长。1909 年赴欧美各国考察教育，加入基督教，任天津基督教青年会总干事。1917 年赴美国留学，入哥伦比亚大学师范学院。1918 年冬回国。1919 年秋，创办南开大学。1923 年创办南开女子中学。1928 年三次赴欧美考察教育，回国后创办南开实验小学。1932 年，任国民政府行政院驻平政务整理委员会委员，华北战区救济委员会常务委员兼农赈主任等职。抗战爆发后，随校南迁，1938 年任西南联合大学校务委员会常委；6 月，当选为第一届国民参政会副议长；后又连续当选为第二届、第三届和第四届国民参政会主席团主席。1945 年 5 月，当选为国民党第六届中央监察委员。1946 年南开大学改为国立，任校长；同年冬，赴美接受哥伦比亚大学名誉博士学位。1947 年春，与胡适等组织华美协进会；秋，又分别在天津、北平组织民治促进会；同年当选为行宪国民大会代表。1948 年 6 月，任国民政府考试院院长。9 月，任第二次高等考试初试典试委员长。1951 年 2 月 23 日在天津病逝。著有《四十年南开学校之回顾》、《中国革命与改造及吾人今后之机会与责任》等。

张充仁　（1907—1998）

雕塑家、画家。上海闵行人。出生在一个天主教家庭。其父是位木雕艺人，其母擅刺绣，幼受濡染而喜爱绘画。1914 年入教会类思小学学习。1920 年高小毕业后，开始学习法文。1921 年进土山湾印书馆照相制版部当学徒，受到善画的爱尔兰人安敬斋的指导，开始学习素描。1926 年开始学习油画，并在外太公马相伯指导下学习书法。1928 年加入和合电影制片厂当绘景工，不久转入《图画时报》任编辑。1929 年与郎静山等人创办上海美术摄影协会。1931年10月考入比利时皇家美术学院学习油画。当年携油画《凉风动荡》,参展布鲁塞尔万国博览会。次年考入雕塑高级班。1933年结识连环画家埃尔热,次年帮助其编绘连环画《蓝莲花——丁丁在中国》;创作雕塑《磨砺以须》、《觉醒》等。1935年赴英国、荷兰、德国、奥地利、意大利考察写生;11月返回上海。1936年春创办"充仁画室",为马相伯、于右任、冯玉祥等塑像。1937年创作油画《流亡》、《恻隐之心》等。1941年举办个人雕塑绘画展。并画了大量水彩画,也使他的艺术创作多了一种手段。1946年创作油画《满目疮痍》。同年为齐白石塑像。1947年任之江大学建筑系水彩画教授。中华人民共和国成立后,创作雕塑《解放》、《鲁迅》像、《双人舞》、《上海第三次工人武装起义》、《电焊工》等。并画了大量的水彩画。1958年出版《张充仁水彩画集》,其风格奔放,色彩艳丽,产生广泛影响。1959年出版《张充仁雕塑选》。其后创作雕塑《遍地黄金》、《甘雨》、《锻工》、《登山英雄》等。"文化大革命"中没有作品发表。1979年任上海画院油画雕塑创作室主任,全国城市雕塑艺术委员会委员。1981年应比利时国家电视台和埃尔热画室邀请出访。1982年任上海交通大学美术研究室主任。创作雕塑《茅盾》像等。他还担任过中国美术协会上海分会常务理事兼副秘书长、上海油画雕塑院名誉院长。1985年应邀访问法国,并应法国文化部之邀雕塑《埃尔热》像。还应法国艺术收藏馆之

邀,为自己雕塑一只右手,与罗丹、毕加索的手,一同为该馆永久收藏。在此享此殊荣的世界艺术家,仅他们三人而已。后定居法国。20世纪90年代应约回国为聂耳塑像《起来》,还为邓小平塑像。1998年10月8日因病在巴黎逝世。他的雕塑长于肖像,尚写实,重视神态的刻画,风格质朴有力;一些油画作品浑厚有力,传达出爱国热情和人道主义精神。他还是一位热心的美术教育家,毕生办"充仁画室",教授学生。其艺术声誉国外盛于国内,现故乡七宝镇建有"张充仁纪念馆",于2003年3月开馆。

张大千　(1899—1983)

画家。名权,后改作爰,号大千,四川内江人。9岁习画,13岁就读于新式学堂。1918年赴日本留学,在京都学习绘画和染织。1919年返上海拜曾熙为师。1924年在上海首办画展。1929年参与筹办全国美术展览,任干事会员。1932年住在苏州网师园,潜心中国历代名家杰作的研习,尤痴迷石涛。1933年任中央大学艺术系教授,转年即辞职,专事创作。1936年《张大千画集》由中华书局出版。1938年居青城山上清宫临摹宋元名迹。1940年赴敦煌临摹壁画,共摹276幅,并为莫高窟重新编号。1943年出版《大风堂临摹敦煌壁画》,轰动文化界。抗日战争胜利后,先后在巴黎、伦敦、日内瓦和国内各地展出,声名远播。1949年去印度阿旃陀石窟临摹壁画,以期与敦煌壁画作比较研究。1953年定居巴西圣保罗。1957年以写意画《秋海棠》,被纽约国际艺术学会选

为世界大画家,并荣获金奖。1969年迁居美国旧金山,居美10年是其创作的鼎盛期。1973年向台北故宫博物院捐赠作品108幅。1974年获美国加州太平洋大学名誉人文博士学位。1978年移居台湾。1983年4月2日因病在台北逝世。他毕生的创作,达到了"包众体之长,兼南北二宗之富丽"的境地,他的融泼彩于泼墨,勾皴法的技艺创造,使其进入中国画革新大家的行列。有多种《张大千画集》行世。

张鼎丞 （1898—1981）

福建永定人。第一次国内革命战争时期,在家乡参加青年运动和农民运动。1927年参加中国共产党。1928年领导福建西部龙岩、上杭、永定等县的农民暴动,曾任中共永定县委委员,中共闽西特委组织部长,闽西暴动委员会副总指挥、红军营长、团长等职,是闽西革命根据地的主要创建人之一。1929年春,率部配合毛泽东、朱德领导的红四军入闽作战。5月永定县革命委员会成立后任主席,7月任中共闽西特委军委书记,8月任红四军第四纵队党代表。12月参加在古田召开的红四军第九次党的代表大会后,在毛泽东、朱德指挥下率部转战赣南、粤东北,反击闽粤赣三省国民党军队的"会剿"。1930年3月,闽西苏维埃政府成立后任执行委员会委员。后又任闽粤赣边军事委员会委员和彭(湃)杨(殷)军事学校政治委员等职。1931年11月当选为中华苏维埃共和国临时中央政府执行委员会委员、土地部部长。1932年3月,福建省苏维埃政府成立,任主席。

其间,他还和罗朋等人一起,积极支持毛泽东的正确主张,向王明"左"倾错误进行了坚持斗争。1934年第四次反"围剿"时受到"左"倾冒险主义的打击,被撤销福建省苏维埃政府主席的职务。10月中央红军长征以后,任闽西南军政委员会主席,同邓子恢、谭震林一起留在闽西坚持了三年的游击战争。西安事变发生后,同闽西南的国民党当局谈判,建立闽西南抗日义勇军第一支队,为推动国共两党联合抗日起了积极作用。1937年任中共闽粤赣边省委书记,新四军第二支队司令员等职,率部进入苏南地区,开展游击战争。1939年5月到延安,入中央党校学习。1941年任新四军第七师师长。1943年2月任中央党校二部主任。1945年10月任华中军区司令员。1946年七八月间,参与组织苏中战役,并领导支援前线工作。同年10月率部北上转战山东。1949年1月任中共中央华东局常委兼组织部长。上海解放后,组织华东随军南下工作团,南下福建。中华人民共和国成立后,任中国人民政治协商会议第一届全国委员会委员,中共中央华东局第四书记,中共福建省委书记,省人民政府主席,省军区政委等职。1952年任华东行政委员会副主席兼政法委员会主任。1954年9月,在第一届全国人民代表大会上当选为最高人民检察院检察长。曾被选为中共第七至十一届中央委员会委员,第四、五届全国人大常委会副委员长。"文化大革命"期间同林彪、江青反革命集团进行了坚决的斗争。1980年8月,主动辞去全国人大常委会副委员长的职务。1981 年 12 月 16 日因病在北京逝世。

张定发 （1943—2006）

上海浦东人。出生在一个工人家庭。1960 年 7 月毕业于上海市杨思中学,因品学兼优作为保送大学生入海军潜艇学校学习。1964 年 3 月,加入中国共产党;7 月,毕业后上潜艇服役。历任潜艇实习鱼水雷长、海军核潜艇办公室参谋。参与了中国海军核潜艇初始建设的工作。1971 年 3 月先后任潜艇副艇长、艇长。以全优成绩通过艇长岗位独立操纵和全训合格考试,三次率艇圆满完成远航任务。1980 年 10 月入海军学院合成指挥班学习。1983 年 2 月任海军某潜艇支队副支队长。1985 年 1 月,任海军北海舰队参谋长助理;8 月,任海军青岛基地参谋长。1988 年 4 月入国防大学国防研究班短期进修。他潜心研究司令部机关业务,努力推进正规化、实战化训练,组织部队创造了导弹超视距攻击 8 发全中的记录,在全军、海军的比武竞赛中多次夺冠。1991 年被授予海军少将军衔。1993 年 1 月历任海军北海舰队参谋长、副司令员,济南军区副司令员兼北海舰队司令员等职。1997 年 9 月当选中共第十五届候补中央委员。1998 年晋升海军中将军衔。2000 年 12 月任海军副司令员。2002 年 10 月,任中国人民解放军军事科学院院长;11 月,当选中共第十六届候补中央委员。2003 年 6 月任海军司令员。2004 年 9 月任中共中央军委委员,晋升海军上将军衔。他是中国和平年代成长起来的高级将领,是指挥过核潜艇发射多弹头战略导弹的掌握高技术专业知识的高级将领。2006 年 8 月因病卸任海军司令员职。12 月 14 日在北京逝世。

张发奎 （1896—1980）

字向华,广东始兴人。1912 年考入广东陆小学堂,同年加入国民党。1914 年升入武昌第三陆军中学。1916 年回广东参加讨袁活动。1920 年 8 月闽粤军回粤驱逐桂系军阀时,任督战队队长,11 月任粤军第一师少校副官。1921 年 5 月任总统府警卫团第三营营长。1923 年 2 月任粤军第一师独立团团长。1924 年春任第一团团长。1925 年任第四军第十二师师长。1926 年 7 月率师北伐,在攻打醴陵、平江、汀泗桥等战役中,连战连捷。12 月升任第四军军长。1927 年 3 月兼任第十一军军长。5 月率部先后在上蔡、临颍大败奉军。6 月任第四集团军第二方面军总指挥。挥师东进讨伐蒋介石。"七一五反革命政变"后,随汪精卫走向反共。12 月残酷镇压了中国共产党发动的广州起义。不久,被国民党南京政府解除职务,出走日本,后回国。1929 年 3 月蒋桂战争爆发后,被蒋任命为讨逆军第一路追击队司令官,兼第四师师长。1930 年 2 月与阎锡山、冯玉祥、李宗仁等联名通电反蒋。参加中原大战,与李宗仁率部攻占湖南。失败后于 7 月退回广西。年底赴香港。1931 年 6 月参加反蒋的国民政府,任委员。于 12 月在国民党四大上当选为中央监察委员。1932 年赴欧美考察。1935 年春回国。1936 年任闽浙赣边区总指挥。

1937年春改任苏浙边区绥靖主任。"八一三事变"后,任第11集团军总司令,负责右翼作战指挥任务。10月任中央军总司令,1938年夏任第九战区第二兵团司令兼第八集团军总司令,参加武汉保卫战。1939年任第四战区司令官,曾于同年冬和次年2月在粤北和广西昆仑关重创日军。1944年冬改任第二方面军司令官,次年收复了邕宁、龙州、凭祥等地。1946年春任军事委员会委员长广州行营主任。同年秋任国民党政府主席广州行辕主任兼广东绥靖公署主任。1947年调任战略顾问委员会委员。1949年3月任国民党政府陆军司令,7月辞职,调任战略顾问委员会委员。不久迁居香港。1976年11月任台湾国民党第十一届中央评议委员。1980年3月10日在香港逝世。

张国淦　（1876—1959）

字乾若,一字仲嘉,号石公。湖北蒲圻人。曾任清朝政府的黑龙江抚院秘书官、调查局总办、财政局会办、交涉局总办,奕劻内阁的统计局副局长。1912年任民国北京政府国务院铨叙局局长、国务院秘书长。次年,任袁世凯总统府秘书长、国务院内务次长、教育总长。1916年任黎元洪总统府秘书长、国务院秘书长、农商总长、司法总长等职。1918年至1924年间,先后任平政院院长、高等文官惩戒委员会委员长、农商总长兼署内务总长、教育总长、司法总长等职。1926年后,去职移居天津,从事史地调查工作。中华人民共和国成立后,被聘为上海文史馆馆员。1953年任中国科学院近代史研究所特约研究员。著有《历代石经考》、《中国书装源流》、《俄罗斯东渐史略》、《中国古方志考》、《辛亥革命史料》等著作。

张国基　（1894—1992）

湖南益阳人。1918年加入毛泽东组织的新民学会。1919年五四运动时,是湖南省学生联合会副主席。1920年远渡重洋,前往新加坡道南学校任教,并兼任华侨中学及南洋女中的教学工作,从此开始了他的教师生涯。1926年12月回国参加北伐战争。1927年2月,受毛泽东邀请,到武汉中央农民运动讲习所任教;4月,由毛泽东等介绍加入中国共产党。不久投笔从戎,参加南昌起义,担任中央独立第一师师长。1929年再度出国到印度尼西亚,继续从事华侨教育工作。中华人民共和国成立后,当选为第一届全国人大代表。1958年10月离开印尼回国。继续致力于教育事业,历任北京华侨补习学校校长、名誉校长,北京燕京华侨大学董事长,北京市文史研究馆副馆长、馆长等职。他是北京市侨联第七届副主席、第八、九届名誉主席,全国侨联第三届主席、第四届名誉主席。还是第二至七届全国人大代表,第七、八届北京市人大常务委员。1992年8月30日因病在北京逝世。

张国焘　（1897—1979）

又名特立,江西萍乡人。出生于官僚地主家庭。1916年入北京大学读书。1919年参加五四运动,被推为北京学生联合会讲演部部长。在李大钊的影响下,开始研究马克思主义。1920年秋参加北京共产主义小组。1921 年 7 月出席中共一大,当选为中央局成员兼组织主任。会后任中国劳动组合书记部主任兼《劳动周刊》主编,领导职工运动。1922 年 7 月在中共二大上当选为中央委员。1923 年 6 月在中共三大上坚持怀疑国共合作的"左"倾错误观点。反对共产党员加入国民党以建立革命统一战线的正确方针。1924 年 1 月出席国民党一大并当选为候补中央执行委员。2 月任中华全国铁路总工会总干事,在北方做铁路工人运动工作。1925 年 1 月在中共四大上当选为中央执行委员,并任中央工农部主任。北伐军占领武昌后,任中共湖北区委书记。1927 年 5 月在中共五届一中全会上当选为中央政治局常务委员。大革命失败后,曾赴南昌阻止发动南昌起义。1929 年赴苏联参加中共六大,在六届一中全会上当选为中央政治局委员,会后作为中共驻苏联共产国际代表留驻莫斯科。1931 年回国,被派任鄂豫皖苏区中央分局书记兼军事委员会主席。11 月当选为中华苏维埃共和国临时中央政府副主席。在鄂豫皖积极推行王明"左"倾冒险主义并主持开展错误的"大肃反",致使红四方面军未能粉碎国民党的第四次"围剿",不得不在 1932 年 10 月撤出鄂豫皖苏区。12 月带领红四方面军进入川北,与川陕边党组织创建川陕根据地,任西北革命军事委员会主席。1935 年 4 月擅自决定放弃川陕根据地开始长征。6 月率红四方面军与红一方面军在四川懋功地区会师后,担任红军总政治委员。基于对形势的错误估计,反对中央关于北上建立川陕甘苏区根据地的决定,进行分裂党和红军的活动,10 月率一部分红军擅自南下川康,在卓木碉宣布另立"党中央"。1936 年 6 月被迫取消第二"中央",同年 7 月任中共中央西北局书记。随后与红二、四方面军一起北上,12 月到达陕北。由于他的分裂活动和退却逃跑主义错误,使红四方面军蒙受重大损失。1937 年 3 月党中央在延安召开政治局扩大会议,批判他的分裂主义和军阀主义错误。为了教育和挽救他,同年 9 月仍派他担任陕甘宁边区政府副主席、代主席。1938 年 4 月初,他趁祭黄帝陵之机逃出陕甘宁边区,经西安到武汉,投向国民党。4 月 18 日被中共中央开除党籍。不久,加入国民党军事委员会调查统计局特务组织,主持"特种政治问题研究室"、"特种政治工作人员训练班",从事反共特务活动。1941 年起任国民参政会第二、三、四届参政员。抗日战争胜利后,一度出任国民党政府行政院善后救济总署江西分署署长。1948 年 6 月在上海创办《创进》周刊,继续进行反共宣传。11 月去台湾。1949 年转居香港。1968 年移居加拿大多伦多。1979 年病逝。著有《我的回忆》。

张家树 (1893—1988)

天主教神父。上海人。早年就读于上海徐汇公学。1911－1918 年及 1920－1924 年间,两次赴英国,毕业于康托尔培里、海斯汀等地的法国耶稣会文学院、哲学院和神学院。1923 年祝圣为神父。1925 年回国任上海徐汇中学首任中国籍校长,任职达十六年。中华人民共和国成立后,坚持爱国爱教,走独立自主自办教会的道路。1957 年当选中国天主教爱国会副主席。1960 年 4 月,经上海天主教代表会议推选为上海教区主教,并举行祝圣仪式,成为上海天主教首任自选自圣主教。1980 年 5 月当选中国天主教教务委员会主任,中国天主教主教团团长。还曾任中国天主教爱国会第一副主席,第三至五届全国政协委员、第六届全国政协常务委员。1982 年 2 月因病在上海逝世。

张经武　(1906—1971)

曾用名仁山,湖南郿县人。湖南衡阳第三师范学校毕业。1924 年考入建国军军官学校,毕业后曾任湖北警备军连长、副营长。1930 年加入中国共产党。1932 年到中央苏区,任工农红军学校队长、政治营营长、教导团团长。1933 年任军委直辖第 3 师师长,中央警卫师师长,红一军团司令部作战科科长、第 3 师师长。10 月,红九军团成立,任第 14 师师长。后任第 3 师师长、广昌警备区司令员。1934 年任军委总参谋部五局副局长,军委教导师师长,红五军团参谋长,红九军团参谋长。参加了中央苏区历次反围剿战斗。长征中任军委第二野战纵队参谋长。1935 年 10 月到达陕北后,任红一方面军司令部、西方野战军司令部侦察科科长。后被派往山西、山东、河北、绥远等地开展抗日民族统一战线工作。1937 年任中共中央驻武汉办事处高级参谋。1938 年底任八路军山东纵队指挥。参与山东抗日根据地的建设。1942 年任陕甘宁边区留守兵团副

司令员、陕甘宁晋绥联防军参谋长。1945 年任晋绥野战军参谋长。1946 年任北平军事调处执行部副参谋长、第 30 执行小组中共代表。1948 年任陕甘宁晋绥联防军区参谋长。1949 年任西北军区参谋长。中华人民共和国成立后,任第二野战军暨西南军区副参谋长,中央军委人民武装部部长兼军委办公厅主任。1952 年任中央人民政府驻西藏代表,后任中共西藏工作委员会第一书记。1955 年任中华人民共和国主席办公厅主任,仍兼中共西藏工委书记。1958 年兼任西藏军区政委。1960 年后任西藏军区第一政委,中共西南局书记处书记,中共西藏工委第一书记,中共中央统战部副部长。是战斗在西藏和平解放、平定西藏叛乱、西藏民主改革第一线的指挥员,并作出了杰出贡献。1955 年被授予中将军衔。1956 年当选中共第八届中央候补委员(后递补为中央委员)。是第一、二届全国人大代表、第三届常务委员,第一、二届全国政协委员。1971 年 10 月 27 日因病在北京逝世。

张君劢　(1887—1969)

原名嘉森,字士林,号立斋,上海嘉定人。1904 年考入南京高等学堂,后因参加抗俄义勇军被校方认为革命行为予以退学。1906 年 9 月公费考入日本早稻田大学政治经济科。1910 年夏毕业,获政治学学士学位。1912 年 1 月,在上海与汤化龙、林长民等组织“共和建设讨论会”,推梁启超为精神领袖。1918 年 12 月,随同梁启超、丁文江赴欧游历,学习康德唯心主义哲学,奠定了他唯心主义

哲学基础。中国共产党成立后,马克思主义在中国广泛传播,他伙同梁启超公开反对科学,反对历史唯物主义。1923年挑起人生观问题的论战,即所谓科学与玄学之争,张被称为"玄学鬼"。1932年4月16日,与张东荪等人拉拢一些研究系残余分子和一些封建余孽在北平秘密召开中国国家社会党筹建会。5月,创办《再生》半月刊杂志,鼓吹以国家民族单位为中心的国家社会主义。1938年4月,代表国社党致函国民党,表示愿共赴国难,自此,国社党成为公开的合法政党。年底,张发表《致毛泽东先生一封公开信》,要求中共交出军队,放弃边区政府,搁置马克思主义。1941年3月与黄炎培等组织中国民主政团同盟,被推为国际关系委员会主任委员。1944年9月,任改组后的中国民主同盟常委。1945年4月25日受国民党政府委派出席联合国会议,被推为联合国宪章小组常务委员。1946年1月,作为民盟代表之一出席在重庆召开的政治协商会议,参与宪法草案的起草工作。8月15日,国社党与民宪党正式合并,改为中国民主社会党,任主席。其主张由国家社会主义改为民主社会主义。11月,张不顾民盟的劝阻,擅自致书蒋介石,表示支持国民政府进攻解放区,并递交民社党出席国民大会的代表名单,被民盟开除。民社党也分为两派,伍宪子与张君劢各为一派。1947年4月,张伙同青年党头子曾琦与蒋介石签订所谓三党施政方针十二条,并向蒋提出民社党参加国民政府成员名单。7月21日,在民社党第一

次全国代表大会上当选为主席。1949年4月,代总统李宗仁动员张出任行政院长,张逃居澳门,未敢就任。10月去台湾,召开民社党中央常务委员会,决议继续反共。11月到印度讲学,并往印尼、澳大利亚等国进行反对中国共产党的宣传。1955年秋,在美国进行中共政治问题的研究。写了《理学的发展》等著作,宣扬孔孟哲学和宋明理学,攻击中共叛离了中国传统。1956年4月,致函日本、印度等国社会党,反对与共产党合作。1958年后,先后到德、日、英、新加坡等国进行反对中国共产党的游说。1959年8月,在民社党第二次全国代表大会上再次当选为主席。1969年2月23日因病死于美国旧金山。

张开济　（1912—2006）

建筑师。浙江杭州人。出生于上海,1935年夏毕业于中央大学工学院建筑系。入上海英商公和洋行设计部基泰工程司工作。1937年抗日战争爆发后,赴成都新华兴业公司建筑部任主任。在物资紧张的形势下,他设计的重庆南渝中学(今南开中学),青砖砌成,红灰浆勾缝,既节省又漂亮。后因重庆屡遭日军轰炸,又回到上海在建筑设计事务所工作。1942年底自己开办建筑设计事务所。1945年抗日战争胜利后,在南京开办伟成建筑设计事务所。中华人民共和国成立后,历任北京市建筑设计总院总工程师、总建筑师、高级建筑师。1953年设计了北京第一个大规模行政办公区,即地处西三里河的"四部一会"建筑群。1957年他设计的北京天文馆,将雕

塑、绘画与建筑结合成有机整体。1958年主持设计了位于天安门广场东侧的中国革命历史博物馆。在北京设计的建筑还有:天安门观礼台、钓鱼台国宾馆、中华全国总工会办公楼(因建筑结构差,今已拆除)等;在山东省济南市有南郊宾馆群建筑设计。"文化大革命"中无作品。后主要从事北京市的规划设计咨询工作,曾任北京市政府建筑顾问。1990年获建设部授予"建筑设计大师"称号。2000年获第一届"梁思成建筑奖"。曾担任中国建筑学会副理事长。2006年9月28日因病在北京逝世。发表的文章有113篇,内容涉及建筑方针、建筑创作和保护古建筑、古都风貌等方面。

张立昌 （1939—2008）

河北南皮人。1947年在家乡和天津市河西区浦口道小学学习。后入天津市第四十二中学学习。1958年5月在天津冶金工业学校学习,后任教员。1960年3月后历任天津市无缝钢管厂车工组长、厂团委副书记、副科长、科长等职。1966年2月加入中国共产党,任副厂长。"文化大革命"开始后任厂革命委员会副主任。1974年5月任厂革命委员会主任、党委副书记,改革开放后任厂长。在天津无缝钢管厂二十年进行了30多项技术革新,并在"文化大革命"中维持了工厂的稳定,多次被评为天津市市级先进单位。1980年9月后历任天津市冶金工业局副局长、党委副书记、局长,市经济委员会副主任、主任等职。1985年9月,增选为中共第十二届候补中央委员。10月,历任天津市副市长兼天津市工业

工委书记,中共天津市委副书记,副市长兼天津市口岸管理委员会主任等职。主管天津市的经济工作。1987年11月当选中共第十三届候补中央委员。1989年1月获北京经济函授大学经济管理大专学历。1992年10月当选中共第十四届中央委员。1993年6月任中共天津市委副书记、市长。1997年8月任中共天津市委书记、市长;9月,当选中共第十五届中央委员。1998年5月任中共天津市委书记、市人大常务委员会主任。2002年11月当选中共第十六届中央政治局委员。2003年1月任中共天津市委书记。他在天津工作近50年,尤其是担任市领导后,为天津市的改革开放作出了贡献。2007年3月,中共中央决定张立昌不再担任天津市委书记、常委、委员职务,任国务院振兴东北地区等老工业基地领导小组副组长。2008年1月10日因病在天津逝世。

张沛霖 （1917—2005）

物理冶金学家。山西平定人。1940年毕业于西北工学院。1945年考取公费留学英国,入谢菲尔德大学冶金学院学习,1949年获博士学位。从事物理冶金方面的研究工作。在英国钢铁学会会刊上发表论文《钢的冷加工》和《氢在铁和铁合金中的扩散》。中华人民共和国成立后,1951年春回国到沈阳,他是中国科学院金属研究所创始人中最早回国的一位,为筹划金属研究所的建设、开展研究工作做了大量卓有成效的工作。1956年创办《金属学报》。1958年金属研究所转向发展新材料、新技术,他参与

了这个重要的战略决策,并具体领导了核材料的研究工作。1963年初,调任第二机械工业部(核武器研制的主管部门)冶金方面的总工程师并兼任中国科学院金属研究所副所长,密切了部、所之间的协作。1980年当选中国科学院学部委员。1982年5月任核工业部燃料局总工程师。1985年获国家科学技术进步特等奖,国家科学技术发明二等奖,国防科技成果特等奖。他是中国特种核材料冶金和核燃料组件等科学技术的开拓者和学科带头人之一,组织领导并完成大型生产堆、高通量工程试验堆、核动力堆、秦山核电站等多种类型反应堆材料、燃料组件的研制工作,解决了核材料的精炼和部件有关工艺的关键技术问题,为中国核燃料组件研制与核材料生产作出了重大的贡献;为中国"两弹一艇"和核电事业的稳步发展建立了不朽的功勋。是中国共产党党员。曾担任中国核工业集团公司科学技术委员会高级顾问、中国核学会第一、二届常务理事、中国核材料学会第一至三届理事长等职。2005年9月15日因病在北京逝世。

张彭春　(1892—1957)

教育家、早期话剧(新剧)活动家、导演。字仲述。天津人。1908年毕业于南开大学。1910年去美国哥伦比亚大学学习教育学、哲学,同时刻苦钻研戏剧理论和编导艺术。1916年回到天津,协助其兄张伯苓主持南开中学并任南开大学教授,同时兼任南开新剧团副团长。南开学校自1909年起,即由张伯苓亲自主持和编导了新剧《用非所学》,是为中国北方最早的话剧活动。他主持南开新剧团后,引入欧美的演出体制,建立正规编导制度,一方面继续上演中国剧目,如1918年由他编导的《新村正》;另一方面陆续按原本或改编演出多种世界名剧,如《巡按》(果戈理)、《娜拉》(易卜生)、《争强》(高尔斯华绥)、《财狂》(莫里哀)等。这些剧目的演出以及排练方法,对中国话剧的发展起到了十分重要的作用。他还熟谙京剧,曾于1930年和1935年两次作为艺术指导,参加梅兰芳剧团访问美国和访问苏联的演出。抗日战争期间,从事外交工作。后移居美国。1957年7月在美国逝世。

张琴秋　(1904—1968)

女。原名张悟,浙江桐乡人。少年时读私塾,后考入杭州女子师范学校。1923年考入南京美术专科学校。1924年春入上海大学学习。4月加入中国社会主义青年团,11月转为中国共产党党员。1925年参加五卅运动和罢工斗争。1926年赴苏联,入中山大学学习。曾任学校党总支委员、俱乐部管理委员会主席。1930年冬回国,任中共上海沪东区委委员,从事白区地下工作。1931年5月被派至鄂豫皖苏区,先后任红四军随营学校政治委员,彭杨军政学校政治部主任,中共河口县委书记。参加了鄂豫皖苏区的反"围剿"斗争。1932年10月任红四方军第73师政治部主任,随军西征。同年底曾公开批评张国焘的错误。不久,担任红四方面军政治部主任。积极开展政治工作,保证全军顺利进入川北。1933年春,被张国焘撤职,派到地方任代理县委书记。同年夏,任红四方面军总医院政治部主任,曾创造指挥500名战士缴获国民党军一个团枪的奇迹。1934年冬任红四方面军妇女独立团团长兼政委。不久成立妇女独立师,任政治委员兼一团团长和政委。以妇女组建成师、团一级战斗序列,是中共军队史上的唯一。因此,也成就了她成为闻名巴蜀红军女将的声名。1935年5月参加长征,调任中共川陕省委妇女部部长。1936年10月长征到达甘肃。11月任红军西路军政治部组织部部长。西路军失败被俘,转押于南京监狱。1937年10月经中共中央营救出狱到延安。此后为培养妇女工作干部做了大量工作。1948年底任中国解放区妇女代表团代表,赴匈牙利出席国际民主妇女第二次代表大会。1949年3月当选中华全国民主妇女联合会常务委员、并任生产部部长。中华人民共和国成立后,长期担任纺织工业部副部长、党组副书记。"文化大革命"中遭受迫害。她选择自杀的方式进行无声的抗争,于1968年4月22日逝世。1979年6月中共中央给予平反昭雪。

张如心 （1908—1976）

原名张恕安,广东兴宁人。1921年入梅县乐育中学学习。1925年因参加学生爱国运动被开除。同年夏,到广州学习打字谋生。不久加入国民党,转至广东民国政府航空局当宣传员。1926年2月赴苏联,入莫斯科中山大学学习,参加国民党留苏学生党部工作,是坚定的国民党左派。1927年12月转入中山大学教员班学习兼做翻译。1929年11月回到上海,参与中国社会科学家联盟的成立,任研究部部长。1931年5月加入中国共产党,主持社会科学研究会工作,积极宣传马克思主义。8月进入中央苏区,任中央革命军事委员会总政治部《红星》报主编。1932年6月,任军委后方政治部宣传部部长兼瑞金红军学校团政治委员训练班主任。同年冬,改任红军学校政治部宣传部部长。1933年冬调到红军总政治部宣传部,任红军马克思主义研究总会主任兼红军大学政治教员。不久兼总政治部破坏部科长。参加了中央苏区第三、四、五次反"围剿"斗争。1934年10月参加中央红军长征。1935年秋,调任中共中央民族委员会秘书。10月到陕北后,又调入红军学校任主任政治教员。1936年夏,任军委后方政治部宣传部部长。同年冬,调任红军大学主任教员。1937年任红军大学政治教育科科长。为红军的宣传工作和学校政治理论教育作出了贡献。抗日战争时期,历任军政学院教育长、中央研究院中国政治研究室主任、中共中央党校第三部副主任、延安大学副校长等职。1945年作为代表出席中国共产党第七次全国代表大会。解放战争时期,历任华北联合大学教务长、东北大学副校长、校长兼党委书记等职。中华人民共和国成立后,历任东北大学校长,东北师范大学校长,中共中央马列学院和高级党校中共党史教研室主任等职。他是优秀的中国共产党理论宣传教育工作者。曾当选第一、二届全国人大代表,第二届全国政协委员,中国科学院哲学社会科学部委员,中共第八次全国代表大会代表。1976年1月因病在上海逝世。著有《论共产党的群众路线》、《毛泽东思想与作风》等著作。

张申府　(1893—1986)

原名张嵩年,字申甫,河北献县人。18岁考入北京大学数学系。1917年在北大毕业后留校任数学助教。后受新文化运动的影响,对哲学发生浓厚兴趣,改教逻辑,研究哲学。1918年11月与李大钊等创办《每周评论》,并任该刊和《新青年》杂志的编委。1919年参加五四运动。7月加入少年中国学会,并任《少年中国》编辑。后与李大钊、陈独秀一起加入北京工读互助团。1920年在北京与李大钊等筹建共产主义组织,参与建党活动。10月与李大钊等建立北京共产主义组织。时蔡元培等在法国创办里昂大学中国学院,聘请他赴法任教授。12月27日抵达巴黎。1921年受李大钊、陈独秀之托,在巴黎进行建党活动。1922年3月初与刘清扬、周恩来由法国到德国。同年秋在柏林组建中共旅欧总支部,任支部书记兼中共中央驻柏林通讯员。1923年底回到北京。经李大钊、陈独秀介绍到广东参加黄埔军校的筹建工作,并任蒋介石的英、德文翻译。同年任广州大学(中山大学前身)图书馆馆长,并曾被任命为黄埔学校政治部副主任。不久后从广州到上海。1925年1月在上海参加中共四大,因在讨论党纲时发生争论,执意退党,后在上海从事翻译和著述工作。1928年曾在上海参加谭平山、

邓演达组织的中华革命党(即第三党,中国农工民主党前身),并任该党中央领导成员,先后在暨南大学、中国大学、清华大学、北京大学任哲学教授。参加过"一·二九"运动,曾任全国各界救国联合会常务委员,华北各界救国会总务长。抗日战争期间,在武汉、重庆等地从事抗日民主活动。曾担任国民参政会第五审查委员会委员,全国战时教育协会理事,宪政促进会秘书长,中国民主同盟常务委员会兼民盟华北总支部负责人。1946年代表民盟参加重庆政治协商会议。在国民党撕毁政协决议后,拒绝参加国民党召开的"国民大会"。中华人民共和国成立后,长期担任北京图书馆研究员,从事文献翻译和中外文图书采访等工作。1957年被错划为右派分子。中共十一届三中全会后获平反。后担任中国农工民主党中央顾问,第六届全国政协委员,1986年6月20日因病在北京逝世。

张文佑　(1909—1985)

地质学家。河北唐山人。1934年毕业于北京大学地质系。1945年赴美、英等国考察。回国后,历任民国政府中央研究院地质研究所研究员,中央大学教授。40年代在李四光指导下,编制了《广西地质图(1∶20万)》及《广西地层表》,著有《广西山字型构造的雏形》的论文。中华人民共和国成立后,历任中国科学院地质研究所研究员、所长、名誉所长,北京大学、北京地质学院兼职教授,国务院能源委员会顾问,中国地质学会副理事长,中国石油学会副理事长等职。是第六届全国政协委员,中国民主同盟

中央科技委员会副主任。1955年当选中国科学院地学部委员、常务委员，中国科学院主席团成员。50年代提出了油气勘探地由西部东移的战略决策，特别是他提出的"定洼探边"、"定洼探隆"的建议为大庆和其他油田的开发作出了重要贡献。他把地质历史与地质力学分析结合起来，创立了断裂体系和断块大地构造学说，对断块理论和地质力学作出了重要贡献。主编的中国第一幅《中国大地构造图》和《中国大地构造纲要》论文，获1982年国家自然科学（集体）二等奖。主编的《中国及邻区海陆大地构造图（1∶500万）》和《中国及邻区海陆大地构造》专著，获1987年国家自然科学（集体）三等奖。1985年2月11日因病在北京逝世。他毕生从事地质研究工作，并将其应用在社会主义中国经济的大规模开发建设当中，在能源、资源、地震预测预防、重大工程建设等方面作出了杰出的贡献。著有《断块构造导论》、《地质科学的展望》、《广西地质》等著作。

张文裕　（1910—1992）

物理学家。福建惠安人。1931年毕业于燕京大学物理系，1933年获硕士学位。1935年赴英国留学，入剑桥大学卡文迪什实验室做研究生，在E.卢瑟福、C.D.艾利斯和J.D.考克饶夫指导下研究核物理。先后与人合作，验证了N.玻尔的液滴模型；用倍加器产生的γ和n轰击出多种元素，形成放射性同位素；首次发现可预防反应堆建造和运行时冷却水引起的辐射危害等研究成果，得到物理学界的好评。1938年以《核反应过程的共振与人工放射性同位素的产生》论文，获博士学位。随后去德国考察探照灯技术，以期回国抗日之用。年底回国，先后在四川大学、西南联大任物理学教授。1943年在法国物理学家S.罗森布拉姆想法基础上，发明多丝火花计数器。同年，再度出国进行科学研究，任美国普林斯顿大学巴尔的摩实验室的研究教授。1948年发现μ子系弱作用粒子和μ^-子原子，国际上称"张原子"和"张辐射"，突破卢瑟福—玻尔原子模型，开拓了奇特原子研究的新领域。1949年任美国普渡大学物理学教授。在美国期间，参与发起并成立"全美中国科学工作者协会"，曾任主席。1950年系统研究大气贯穿簇射Λ^0粒子。1955当选中国科学院数学物理学化学部委员。1956年回国，任中国科学院近代物理研究所研究员、宇宙线研究室主任。1961年任苏联杜布纳联合核子研究所的中国组长，并领导一个联合研究组。领导研究中子照射丙烷气泡室产生的粒子及其衰变性质，特别在Λ^0超子与核子散射方面作出了一定贡献。1964年回国，任中国科学院原子能研究所副所长。1972年倡议建立高能物理研究所，出任所长并曾兼任高能物理实验中心筹备处主任。曾筹建云南高山宇宙线实验室及其三大云室，领导发现大于质子质量10倍的粒子。1978年加入中国共产党。1981年主持了中国高能物理研究基地建设调整方案的论证，在确定建造北京正负电子对撞机的物理目标和能区选择上起了关键作用。1984年任高能物理研究所名誉所长。他十分重视研究与教育和理论与实验相结合,认为实验是科学之本、理论之基础。在加强国内外学术交流与合作方面,做了大量的工作。对中国的高能物理研究作出了奠基性的贡献。是全国人大第二、三届代表、第四、五、六届常务委员。曾任《中国科学》和《科学通报》的正、副主编,中国核学会名誉理事等职。1992 年 11 月 5 日因病在北京逝世。他的学术论文有五十余篇,主要有《放射铝—^{28}的形成与镁—^{25}的共振效应》(1937)、《放射性锂—^{8}发射的 α 粒子》(合著,1937)、《高能光子和中子引起的放射性同位素》(合著,1937)、《海平面介子停止在薄铅和铝箔中》Ⅰ、Ⅱ(1954)。

张闻天　(1900—1976)

名洛甫,字思美,上海南汇人。1916 年考入设在南京的水利局河海工程专门学校。1919 年在南京参加五四运动,著文介绍马克思主义。11 月,加入少年中国学会。后赴日本、美国留学。1924 年初回国,到中华书局任编辑。发表长篇小说《旅途》等。1925 年加入中国共产党。10 月,被派到苏联莫斯科中山大学学习。1928 年入红色教授学院深造,并参与共产国际东方部工作。1930 年底从苏联回国。1931 年 1 月,在中共六届四中全会上被选为中共中央宣传部长,兼任中央农业部长和党报编辑委员会主任。6 月,任临时中央政治局委员兼中宣部长和农民部长,成为王明“左”倾冒险主义的执行者之一。1933 年 1 月,迁入中央根据地。在与毛泽东的接触中,深受毛的影响,逐渐改变了立场。1934 年 10 月,随中央红军参加长征。1935 年 1 月,在遵义会议上,作了批判王明“左”倾军事路线的报告,和王稼祥等人支持毛泽东的正确主张,并受会议委托,起草遵义会议决议。并被推举在党内负总责。他的这一转变,对结束王明“左”倾冒险主义在全党的统治,挽救革命危局,起了重要的积极作用。长征到达陕北后,主持中央日常工作。同毛泽东、周恩来等一起,制定抗日民族统一战线策略,促成西安事变的和平解决和国共两党第二次合作。1937 年抗日战争爆发后,主持洛川会议,确定全面抗战路线、独立自主原则和敌后山地游击战为主的方针。1938 年 9 月,他参加中共六届六中全会,致会议开幕词并作组织问题报告。此后,先后担任中共中央干部教育部部长、中央宣传部部长、《共产党人》编辑和中央马列学院院长等职。1941 年 1 月至 1943 年 5 月,他率中共中央调查团到陕北和晋西北进行农村调查。1945 年当选中共第七届中央委员、政治局委员。抗日战争胜利后赴东北,历任合江省委书记,中共东北局常委兼组织部长,辽东省委书记等职。1948 年 9 月,他在为中共中央东北局起草的一份题为《关于东北经济构成及经济建设基本方针的提纲》中,比较系统地对国家资本主义原理进行了阐述,得到党中央的重视。中华人民共和国成立后,曾任驻苏联大使和外交部第一副部长。1956 年,当选中共第八届中央委员和政治局候补委员。在 1954 年和 1959 年的第一、二届全国人民代表大会上,被选为全国人大常委会委员。1959 年,在庐山政治扩大会议和八届八中全会上,他对大跃进运动和人民公社化运动存在的不正确的指导思想和缺点错误,提出诚恳批评,但却被错误地打成"反党集团"重要成员,被罢官下放。1960 年到中国科学院经济研究所任特约研究员,对社会主义政治经济学的一些重大理论问题进行了深入探讨,并到实际中进行考察。"文化大革命"中遭受迫害。1966 年 10 月被押往广东肇庆看管。1975 年 8 月又转往江苏无锡看管。1976 年 7 月 1 日在无锡逝世。1979 年 8 月中共中央为他平反昭雪。

张孝骞 （1897—1987）

湖南长沙人。少年、中学时代受家庭和进步思想影响,曾萌发"工业救国"思想。后怀着医学救国愿望,毅然学医。1921 年以优异成绩从湘雅医学院毕业,留校任助教和总住院医师,1923 年转入北京协和医院工作。1926 年赴美国约翰·霍布金斯大学医学院深造。回国后开始在协和医院内科创建临床消化专业组。1932 年再度赴美斯坦福大学医学院进修。1937 年回到母校湘雅医学院,先后任内科学教授、教务主任、院长等职。次年,率领师生跋山涉水,将学校迁到贵阳,在极其困难的条件下,坚持办学,培养了许多优秀的医学人才。1948 年受聘协和医学院,任内科教授兼主任。中华人民共和国成立后,先后在协和医院内科成立了消化、心肾、传染病、血液、呼吸等专业组。一生兢兢业业,从事内科、特别是胃病肠病的临床实践、科学研

究和教学工作,是我国胃肠病学的创始人之一。先后历任中国医科大学副校长,中国科学院学部委员,中国医学科学院副院长,《中华内科》杂志总编辑。是第二、三届全国政协委员,第四、五、六届全国政协常委。1987 年 8 月 8 日在北京逝世。

张学良 （1901－2001）

字汉卿,辽宁海城人。奉系军阀张作霖之长子。1919 年入东三省陆军讲武堂炮兵科学习,毕业后任奉天(今沈阳)督军署卫队营上校营长。1920 年升任第三混成旅少将旅长。1922 年第一次直奉战争后,任第二军军长兼奉天讲武堂校长。1924 年第二次直奉战争中,任第三军军长兼第 4 师师长。1925 年率军进驻天津,晋升中将,后进占北京,兼任北京军事学院院长。又进兵河南与北伐军作战,被击败。1928 年 4 月,任正太、京汉方面奉军总指挥,抵抗中华民国南京政府军北伐,被击败后退回东北;6 月,父亲被日本人炸死,家恨加身。继任东三省保安司令,不顾日本反对,通电全国宣布服从南京政府,将奉军改旗易帜,任南京政府委员、东北边防军司令长官兼东北政务委员会主席。1930 年 9 月依附蒋介石率部参加蒋、冯、阎中原大战,占领天津、北平。被委任为全国陆海空军副总司令,成立副总司令行营坐镇北平。1931 年"九一八"事变时,患伤寒在北平住院。未几,日本侵占东三省,国仇加身。年底,因丢失东北被解除全国陆海空军副总司令职务,任北平绥靖公署主任。1932 年任中华民国军事委员会

北平分会代理委员长兼北平政务委员会常务委员。1933年3月热河失守后引咎辞职，赴意大利考察。1934年任鄂豫皖"剿匪"副总司令，代行总司令职指挥围剿红军。1935年任委员长武昌行营主任，被授予陆军一级上将军衔；6月日本侵略军加强对华北的侵略，而此时东北军被调离河北。不久任西北"剿匪"副总司令，代行总司令职指挥东北军在陕北围剿红军。作战中被红军歼灭3个师，蒋介石马上取消3个师的番号。军事上的失利使他加深了对中共停止内战、一致抗日主张的认识，在全国抗日民主运动日益高涨的形势下，趋向联共抗日，以报国仇家恨。1936年4月，与中共代表周恩来密谈，和红军达成停战联合抗日协议；11月，在洛阳向蒋介石痛陈国情，力主停止内战举国抗战，遭蒋严斥；12月4日，蒋介石飞赴西安逼他出兵"剿匪"；7日，他再次向蒋介石直言极谏，遭蒋斥之"反动"；12日，与杨虎城将蒋介石及随行军政高官一起扣押，实行"兵谏"。是为历史上的"西安事变"。蒋介石被迫接受停止内战、共同抗日的六项条件，使"西安事变"得以和平解决，也促成了国共两党的第二次合作。后亲自送蒋介石回南京，被蒋送上军事法庭受审，被判徒刑10年。1937年1月被特赦释放交军事委员会严加管束。抗日战争时期，先后被囚禁于浙江奉化，贵州修文阳明洞、桐梓天门洞等地。1945年抗日战争胜利后，被解往台湾新竹继续监禁。1975年蒋介石逝世后仍被台湾国民党当局软禁。在长期的监禁中皈依了基督教，晚年从事明史的研究。1988年蒋经国逝世后，逐渐获得人身自由。1991年3月赴美国探亲观光。1995年4月定居美国夏威夷。2001年10月15日因病在美国夏威夷逝世。

张友渔　（1898—1992）

法学家、新闻学家、国际问题专家。山西灵石人。青年时代参加五四运动。1923年毕业于山西第一师范学校，随后入国立北平法政大学法律系学习。1927年毕业后任《国民晚报》社长兼总编辑。同年加入中国共产党，任中共北平市委委员兼秘书长。1930年底赴日本留学。1931年"九一八"事变后，被日本驱逐回国，后任《世界日报》主笔，并任燕京大学、中国大学、民国大学、中法大学、北平大学法商学院教授，讲授宪法学、劳动法学、新闻学和日本问题。与此同时，先后在中共北平市委特科、华北联络局工作，任联络局北平小组负责人。从事文化统战工作，创办《世界论坛》和《时代文化》杂志。1937年抗日战争爆发后，历任中共山东联络局书记、豫鲁联络局书记、南方局统战委员会成员、香港文委成员、南方局文委委员兼秘书长、重庆工委候补委员兼政策研究室副主任等职。曾受中共派遣先后任国民革命军第十军团政治部部长，中华民国政府战地党政委员会设计委员。并曾担任《时事新报》和香港《华商报》总主笔、救国会领导成员及该会重庆生活书店总编辑等职。1946年开始的解放战争时期，历任国共谈判中共代表团顾问，中共南方局统战委员会政治组负责人，《新华日报》代总编辑、社长,中共四川省委副书记兼宣传部长,中共中央后委、城工部领导小组成员,晋察冀鲁豫边区政府副主席兼秘书长和中共华北局秘书长等职。中华人民共和国成立后,历任北京市常务副市长,中共北京市委常委、副书记、书记处书记,中国科学院哲学社会科学部副主任兼法学研究所所长等职。1954 年参加了第一部宪法的起草工作。曾任中国政法学会副会长。"文化大革命"中受到冲击。1979 年任全国人大常务委员会法制工作委员会副主任。1980 年 9 月任宪法修改委员会副秘书长。1983 年 6 月任全国人大法律委员会副主任委员。1986 年 6 月任香港特别行政区基本法起草委员会委员。1988 年任全国人大法律委员会顾问。他为制定 1982 年宪法和一系列重要法律,作出了卓越的贡献。曾担任中国社会科学院副院长、党组成员、顾问,《中国大百科全书》总编辑委员会副主任,国务院学位委员会委员,中国法学会会长、名誉会长,中国政治学会会长、名誉会长和国际宪法学协会执行委员等职。是全国人大第一、二、三届代表、第六届常务委员,第一至五届全国政协委员。1992 年 2 月 26 日因病在北京逝世。著有《中国宪政论》、《五五宪章批判》、《中国如何实行宪政》、《法学基本知识讲话》、《关于社会主义法制的若干问题》、《学习新宪法》、《报人生涯三十年》、《新闻之理论与现实》、《日本新闻发达史》、《东京统治者》、《二十六年来的日苏关系》、《建设战后新日本》、《日本国力再估计》等著作。

张钰哲 （1902—1987）

天文学家。福建闽侯人。1919 年考入清华学堂学习。1923 年赴美国留学,1926 年毕业于芝加哥大学天文学系。1928 年发现 1125 号小行星,命名为"中华"。1929 年获叶凯士天文台天文学博士学位后回国,任中央大学物理系教授。1941 年任中华民国中央研究院天文研究所所长。1945 年抗日战争胜利后,于 1946 年赴美国,从事交食双星光谱的研究。中华人民共和国成立后,历任中国科学院紫金山天文台研究员、台长、名誉台长。1955 年当选中国科学院学部委员。1957 年初应用天体力学基础理论对人造卫星轨道问题做了开创性的研究。1958 年开展用光电测光方法测定小行星光变周期工作。30 多年中,拍摄和领导拍摄到 7000 多次小行星和彗星的精确位置,发现数以百计的小行星和 3 颗命名为"紫金山"的新彗星。1978 年 8 月,为纪念他在天文学上的新贡献,国际小行星中心把哈佛天文台 1976 年发现的编号为 2051 号的小行星定名为"Chang（张）"。张钰哲是中国现代天文学的开创者之一,开创、领导了多个领域天文学的研究,并取得重要成果。还在天文学史研究、天文仪器研制、天文科普、推进学术交流等方面作出了重要贡献。曾担任中国天文学会理事长。1987 年 7 月 21 日张钰哲因病在南京逝世。主要学术论文有《变化小行星的光电测光》、《造父变星仙后座 CZ 的研究》、《哈雷彗星轨道的演化趋势和它的古代历史》等。

张云逸　（1892—1974）

原名张运镒，又名张胜之。海南文昌人。1926年加入中国共产党。北伐战争中任国民革命军第二方面军参谋处处长、十一军第二十五师参谋长等职。1929年12月11日参与领导了百色起义。随后任红七军军长。1931年7月，红七军与中央红军第三军团在江西兴国会师，他改任红七军参谋长。11月，第一次苏维埃全国工农代表大会在瑞金召开，他当选为执行委员。不久，中华苏维埃共和国中央革命军事委员会宣告成立，他任总参谋部副参谋长。1934年10月参加长征，任红八军团参谋长。红一、四方面军会师后，任中国工农红军北上抗日先遣队副参谋长。红军长征到达陕北后，任红一方面军副参谋长。1937年任八路军驻广州办事处代表。1938年1月任新四军参谋长兼第三支队司令员。1941年1月皖南事变后，重建新四军军部于苏北盐城，任副军长。1941年5月中共中央华中局和中央革命军事委员会华中分会成立，张为委员。1942年1月淮南军区成立任司令员。解放战争时期，任新四军第一副军长兼山东军区第一副司令员、中国人民解放军华东军区副司令员兼山东军区司令员、中共中央华中局、华东局委员。中华人民共和国成立后，历任中共广西省委书记、广西省人民政府主席、广西军区司令员兼政委、中共中央中财局委员、人民革命军事委员会委员及第一、二、三届全国人民代表大会常务委员会委员等职。1955年9月被授予大将军衔。此外，他还担任过中共中央监察委员会副书记。1974年11月19日因病在北京逝世。

张志让　（1893—1978）

号季龙，江苏武进人。早年入清华学校初级部读中学，1908年曾加入柳亚子成立的"南社"。1912年于北京大学肄业，后转入上海大同学院。1915年毕业后入上海复旦大学，不久赴美国留学，入加利福尼亚大学文科学院攻读。1917年秋转入纽约哥伦比亚大学法律系学习政治法律，1920年毕业获硕士学位。随后去德国入柏林大学进修法律。1921年夏回国，从事法学研究和法律工作，曾任北洋政府司法部参事，修订法律馆总纂，大理院推事，并到北京大学任教，参与创办《法律周刊》。1927年春南下武汉参加北伐，任国民政府最高法院审判员。大革命失败后到上海从事律师事务，并在东吴法学院兼课。1932年起任上海复旦大学法律学系主任，后兼法学院院长。"一·二八"抗战时创办大中中学，兼校长。此后和中共地下党员建立起密切关系，积极参加抗日救亡活动。曾利用著名律师身份为被捕中共党的重要干部吴亮平、潘梓年等出庭辩护。1936年担任全国救国联合会常务委员，作为"七君子"的律师，出庭据理争辩。抗日战争时期参加抗战宣传工作，先后出任军事委员会政治部第三厅宣传处宣传科科长，桂林行营政治部宣传组组长，广西省政府高等顾问兼广西大学教授。1940年夏到重庆，仍任复旦大学教授兼法学院院长及《文摘》总编辑。后创办《宪政》月刊，任主编。抗日战争胜利后随校迁回上海。1946年9月，发起组织教授联谊会（"大教联"），任干事长。曾发动部分教师罢教，为被捕学生辩护，后被国民党当局解除法学院院长职务。1948年冬应邀潜赴华东解放区，1949年春抵北平，到北京大学兼课。上海解放后任复旦大学校务委员会主任。9月参加中国人民政治协商会议第一届全体会议，被选为全国委员会委员。中华人民共和国成立后，任政务院政治法律委员会委员、法制委员会委员，最高人民法院委员会委员。不久担任最高人民法院副院长。被选为第一至第四届全国人大代表，第五届全国政协常委，中国法学会理事，中国政治法律学会副会长，中国锡兰友好协会会长等职。1978年4月26日因病在北京逝世。

张志新　（1931—1975）

女，天津人。1950年考入河北师范学院教育系。后报名参加中国人民志愿军，被选送到解放军军事干部学校学习，之后转入中国人民大学俄语系学习。1955年加入中国共产党。1957年任中国共产党辽宁省委宣传部干事。"文化大革命"中她怀着对党和人民的赤胆忠心，坚持马克思主义，揭露林彪、江青反革命集团的罪行，被诬陷为"现行反革命"。1968年被下放到盘锦干校监督劳动，1969年9月被捕入狱。在狱中，她忍受着精神上、肉体上的摧残和折磨，坚贞不屈，英勇斗争，坚持学习马列主义，进一步坚定了自己的立场。出于对党和国家前途的关心和忧虑，她奋笔写下了近万字的《一个共产党员的宣言》的战斗檄文，对林彪、江青反革命集团阴谋篡夺国家领导权、残酷迫害革命老干部、鼓吹"顶峰论"等罪恶行径进行了有力的批驳，表现了一个共产党员为真理而献身的崇高气节。1974年8月24日被判处无期徒刑。1975年4月3日被判处死刑，次日即被杀害。1979年3月，中共辽宁省委为张志新彻底平反昭雪，并追认为革命烈士。

张治中　（1890—1969）

原名本尧，字文白，安徽巢县人。1917年7月参加了孙中山领导的护法运动。1924年参加黄埔军校筹建工作，先后任军校军事研究会会员、入伍生团长、学生总队长、军官团团长等职。1926年参加北伐。1927年11月去欧洲考察军事，次年7月回国，出任军事委员会军政厅厅长。不久，调任南京陆军军官学校教育长，开始了他长达十年的军事教育工作。此后，他一直反对内战。更不愿参加内战，他是国民党军队中没有同共产党打过仗的高级将领之一。1932年任第五军军长，率部在上海参加"一·二八"抗战。1937年任第九集团军总司令，率部参加"八一三"上海抗战。11月任湖南省政府主席。1938年12月因"长沙大火"受到免职处分。1941年1月皖南事变发生后，曾向蒋介石上万言书，反对撤销新四军番号，主张国共继续合作，共同抗日。抗日战争胜利后，任西北行营主任兼新疆省主席。1945年国共谈判，任国民党代表。1946年任军事调处小组国民党代表，主张国内问题和平解决。1949年4月，任国民党政府和谈代表团首席代表，同以周恩来为首的中国共产党代表团在北平谈判,并达成《国内和平协定》(最后修正案)。但是,这个方案为南京政府所拒绝,他遂留北平,6月26日发表《对时局的声明》,表明了他自己的政治态度,号召国民党军政人员接受和平协定,与中共精诚合作,为实现中共的新民主主义而共同努力。9月8日致电新疆陶峙岳、包尔汉,为新疆的和平解放作出了贡献。9月21日应邀参加了中国人民政治协商会议第一届全体会议。中华人民共和国成立后,历任全国政协委员、西北军政委员会副主席、人民革命军事委员会副主席、全国人大常务委员会副委员长、国防委员会副主席、中国国民党革命委员会副主席等职。从1950年起,他以多种方式、通过多种渠道对台湾的军政人员、故旧和学生耐心地进行说服和解释,在历次对台广播和通信中,语重心长地向他们介绍国内建设情况,为他们分析国际形势,详陈利害得失,指明时机和出路。1969年4月6日在北京逝世。

张子善 (1914—1952)

河北深县人。1933年加入中国共产党。1934年被捕入狱,在酷刑面前没有屈服,曾参加绝食和卧轨斗争。中华人民共和国成立后,任天津专区专员、中共天津地委书记。他在革命取得胜利后,居功自傲、贪图享受,逐渐腐化堕落。同前中共天津地委书记刘青山以"机关生产"为名,擅自盗窃地方粮款28.9151亿元(旧人民币,下同)、防汛水利专款30亿元,救灾粮款4亿元,干部家属救济粮款1.4亿元,克扣修理机场民工补

助粮款5.433亿元,窃取治河民工供应粮款3.7473亿元,倒卖治河民工粮食从中渔利22亿元,以修建为名窃取银行贷款60亿元从事非法经营,以上共计155.4954亿元。为贪图暴利,利用蜕化干部冒充解放军军官从东北盗运木材4000立方米,勾结私商以49.4亿元巨款从汉口贩卖马口铁。生活腐化,意志消沉,攫取公款、任意挥霍送礼。在党内欺上压下,违背党的民主集中制原则,宣传天津地区党内只能有"一个领袖"、"一个头"。为掩盖罪行,一次就焚毁单据378张,并指示他人代毁一部分单据。1951年10月,全国开展增产节约运动。11月29日,中共华北局向毛泽东并中共中央报告天津地委刘青山、张子善严重贪污情况,引起毛泽东的高度重视。此案遂成为中共中央和毛泽东下决心发动"三反"运动的直接原因之一。1950年12月被开除党籍。1951年2月10日,河北省人民法院遵照最高法院命令,组织临时法庭公审,依法判处其死刑,立即执行。

张宗燧 (1915—1969)

理论物理学家。浙江杭州人。1934年毕业于清华大学物理系。1936年8月公费赴英国留学,在剑桥大学学习。1938年获得博士学位后去丹麦,在哥本哈根大学理论物理学研究所随所长、量子物理学的创始人N.波尔研究量子场论。1939年春去瑞士,在W.泡利指导下工作,继续研究量子场论。1940年在重庆任中央大学物理系教授。1945年冬,以英国文化协会高级研究员身份到剑桥大学工作。1947年秋,到美国普林

斯顿高级研究院工作。1948 年春，在费城卡内基工业大学任教。同年冬回国，仍在中央大学任教，后任北京大学教授。早在国外从事统计物理学的研究时，在合作现象，特别是固溶体的统计物理理论等方面作出了有价值的贡献，受到国际上的重视。中华人民共和国成立后，1952 年起任北京师范大学教授、理论物理教研室主任。1956 年起任中国科学院数学研究所研究员、理论物理室主任。并在中国科技大学任教。1957 年当选中国科学院数学物理学化学部委员。他是中国较早从事量子场论研究的科学家之一。在量子场论的形式体系的建立，特别是在高阶微商、高自旋粒子的量子场论方面的研究，有许多工作达到国际先进水平，并很有创见。代表论文有《含有高次微商的场论》(1947)、《相对论性的场论》(1949)、《论外斯场论》(1949)、《含有高次微商的量子理论》(1958) 等。他在理论物理的研究和培养人才方面贡献了自己的一生。"文化大革命"中遭受迫害。他选择自杀的方式进行无声的抗争，于 1969 年 6 月 30 日逝世。1978 年得以平反昭雪。他一生共发表了 50 余篇学术论文，这些论文在国内外的专著和论文中多次被引用。还著有《电动力学和狭义相对论》、《色散关系引论》(上、下) 等著作。

章伯钧 (1895—1969)

安徽桐城人。1922 年 9 月获公费去德国留学，与朱德、孙炳文同船从上海启程，并结为朋友。在柏林大学攻读哲学。先后参加中国共产党和中国国民党。

1926 年春回国。7 月随北伐军总司令部政治部主任邓演达参加北伐，任政治部宣传科长。1927 年 3 月改任国民党中央农民部兵农联合委员会主席，从事农民运动，反对蒋介石背叛革命。大革命失败后，参加南昌起义，任起义军总指挥部政治部副主任兼第九军党代表。随后到香港，从此脱离了中国共产党。1928 年回上海与谭平山等发起组织了中华革命党。1930 年 8 月与邓演达等人将该党改组为中国国民党临时行动委员会，并任中央宣传委员会主任。1933 年参与李济深、陈铭枢发动的抗日反蒋的"福建事变"，任福建人民革命政府经济委员会委员兼所属的土地委员会主任，1935 年 11 月和彭泽民在香港九龙主持召开中国国民党临时行动委员会第二次全国干部会议。会议决定改党名为中华民族解放行动委员会，主张抗日、倒蒋、联共。他被选为临时中央执行委员兼宣传委员会书记，实际主持该党工作。1938 年被聘为国民参政会参政员，在一届四次国民参政会上，与沈钧儒、邹韬奋等 36 人联名提出《请结束党治、立施宪政、以安人心、发扬民力而利抗战案》，要求结束国民党一党专政，实行宪政。1939 年 11 月参与发起成立统一建国同志会。1941 年 3 月中国民主政团同盟在重庆成立，率中华民族解放行动委员会加入并被选为常务委员和组织部长。1944 年任中国民主同盟中央常务委员兼组织委员会主任。1946 年出席在重庆召开的政治协商会议。次年 2 月在上海主持中华民族解放行动委员会第四次全国干部会议，改名为中国农工民主党,任主席。1948 年 1月与沈钧儒在香港主持召开民盟一届三中全会。会议决定放弃中间立场,与中国共产党携手合作。实现了民盟政治路线的转变。以后,响应中共"五一"号召,从香港到达东北解放区,参与筹备新政协。1949 年 9 月出席中国人民政治协商会议第一届全体会议,当选为全国政协常务委员和中央人民政府委员会委员。中华人民共和国成立后,曾任交通部部长,中国农工民主党主席,中国民主同盟中央副主席,第一届全国人大代表,第二届全国政协副主席,第三届全国政协常务委员,第四届全国政协委员,为巩固和发展爱国统一战线,为社会主义建设事业作出了贡献。1957 年反右斗争中被划为"右派分子",后摘掉"右派分子"帽子。1969 年 5 月 17 日因病在北京逝世。

章乃器 （1897—1977）

原名章埏,字子伟。浙江青田人。1911 年辛亥革命后,投奔南京政府当学兵。1913 年考入浙江省立甲种商业学校。1918 年毕业后,在浙江实业银行当练习生,后调往上海分行工作。一年后改任北京通州农工银行营业员,后升任襄理兼营业主任。还曾任北京中美实业公司会计主任。1927 年 11 月创办《新评论》半月刊。1932 年任浙江实业银行副总经理兼检查部主任。同年 6 月,主持创立中国征信所,逐日报道全国各地经济行情。后又当选为中国银行学会常务理事。1935 年受聘为上海光华大学教授。同年 12 月与马相伯、沈钧儒等发起组织上海文化界救国联合会。任常务委员,曾参与起草了章程和《抗日救国初步政治纲领》并主持《生存线》、《暴风雨》等刊物的编辑事务。7 月与沈钧儒、邹韬奋、王造时、史良、沙千里、李公朴等一起被捕,是为"七君子"事件。1937 年 7 月31 日获释。1938 年 1 月,应邀到第五战区前线工作,任安徽省政府委员兼皖省动员委员会秘书长。不久任安徽财政厅长。1939 年 5 月被免职,召回重庆。后在四川创办上川企业公司、上川实业公司。抗战胜利后,投资筹建昆仑影片公司,积极从事民主运动。1945 年 12 月与黄炎培等发起组织中国民主建国会,任中央常委。1947 年 10 月到香港,开设港九地产公司,并继续从事民主运动。1948 年底,应毛泽东电邀,到沈阳参加新政协筹备工作。1949 年 9 月当选为中国人民政治协商会议全国委员会委员兼财经组组长,10 月出任中央人民政府财经委员会委员,政务院政务委员兼编制委员会主任委员,并担任中国人民银行的顾问,设计推行了一种行之有效的财会收支簿记方法。1952 年 8 月任粮食部部长。1953 年 1 月任选举法起草委员会委员,10 月当选为中华全国工商业联合会副主任委员。1955 年 12 月任民建中央委员会副主席。1957 年被错划为右派分子。"文化大革命"遭受迫害。1977 年 5 月 13 日因病在北京逝世。1980 年得到平反昭雪,恢复名誉。一生著述甚丰,主要著作有《中国货币金融问题》、《章乃器论文选》、《出狱前后》、《中国货币论》、《国际金融问题》等。

章士钊 （1882—1973）

字行严，湖南长沙人。1903 年 8 月创办《国民日报》，宣传革命。1904 年 10 月在上海被清政府逮捕。后经蔡锷营救，被保释出狱。此后主张以求学救国，后赴日本读书。辛亥革命爆发后回国，参加《民主报》的编辑工作，撰写大量文章。介绍西欧政党政治，阐述中国亦有存在多党制的必要。1912 年北京政府时期，积极从事反对袁世凯的活动，被湖南选为国会议员。后被通缉，逃亡日本，创办《甲寅》杂志。1918 年任广东护法军政府的秘书长，后被派为南北议和的南方代表。五四运动前后，主张新旧调和，以农立国，反对新文化运动和白话文。1924 年，担任段祺瑞执政府的司法总长兼教育总长。任职期间，镇压学生爱国运动、造成"三一八惨案"。1931 年"九一八事变"后到上海，任律师。曾担任过陈独秀的辩护律师，要求国民党政府无罪释放陈。1934 年任上海法学院院长。次年，任冀察政务委员会委员兼法制委员会主席。1941 年赴重庆，历任国民党第一至三届参政会参议员。1948 年任国民党政府立法委员。1949 年 2 月，与江庸、颜惠庆、邵力子等以私人资格飞抵北平，和中国共产党要人商谈国事，并在石家庄会晤了毛泽东和周恩来。4 月 1 日，作为南京国民党政府和平谈判代表团的成员，到北平与中共谈判。国民党政府拒绝签订国共双方代表拟定的国内和平协定后，留居北平。1949 年 9 月，出席中国人民政治协商会议第一届全体会议。中华人民共和国成立后，历任中央人民政府政务院法制委员会委员，第二、三届全国人民代表大会常务委员会委员，全国政协第三届常务委员，中央文史研究馆馆长。1973 年 5 月赴香港探亲。7 月 1 日病逝于香港。遗作有《柳文指要》、《逻辑指要》、《初等国文典》、《中等国文典》、《甲寅杂志存稿》、《长沙章氏丛稿》等。

章宗祥 （1879—1962）

字仲和，浙江吴兴人。出生在一个官绅家庭。幼年和青少年时，在家乡念私塾并在书院读书。1899 年乘船东渡日本留学。初入第一高等学校，后来转入东京帝国大学研修法律。1903 年获明治大学法学学士学位后，回到北京。先在进士馆当教习，后由肃亲王善耆"特保"得赐进士，转任法律馆纂修官。1905 年与人合译了《日本刑法》一书，又协助商部尚书载振编纂了商法。还曾任民政部则例局提调、宪政编查馆编制局副局长等职。1909 年调任北京内城巡警厅丞。1910 年 4 月，参加审理谋刺摄政王载沣未遂的汪精卫等人。后又被任命为内阁法制院副使。1911 年年底，他作为袁世凯的代表与唐绍仪同赴上海，参加南北议和谈判。1912 年出任总统府秘书和法制局长。后又先后出任大理院院长、司法总长兼农商总长等职。任内曾积极为袁世凯复辟帝制效力。袁世凯死后，段祺瑞出掌内阁，章宗祥留任司法总长。与曹汝霖等四人成为段的亲信。1917 年十月革命爆发以后，日本为了进攻苏俄和进一步控制中国，诱逼北京政府订立共同防御协定。他是承办人。从此,日本军队在"共同防敌"的名义下,大批开进中国内蒙古、东北,控制了东北和内蒙古大部分地区。1918年秋,他与日本多次签订借款协定,其中有关山东问题的换文危害和影响最大。1919年五四运动爆发一致要求严惩章宗祥及与此有关的另两个卖国贼曹汝霖、陆宗舆。章宗祥在曹汝霖家被爱国学生痛打。北京政府于6月10日将他们三人免职。章宗祥的名字被永远钉在了历史的耻辱柱上。1920年,出任中日合办的中华汇业银业总理。1928年后,长期居住在青岛。1942年3月,担任了伪华北政务委员会"咨询委员",不久,又担任了日军控制下的电力公司董事长。日本投降后,迁居到了上海。1962年10月1日,病逝于上海。

赵承嘏 (1885—1966)

化学家、药物学家。字石民,江苏江阴人。出生在一个开中药铺的业主家庭。曾考中清政府秀才。通过江苏省官费考试,于1905年赴英国留学。抵英后先在中学进修一年,于1906年进入曼彻斯特大学。1910年获得理学士学位后去瑞士,进行天然产物合成的研究和学习,1912年获工业学院理学硕士,1914年获日内瓦大学哲学博士学位。随后留校任教。1916年受聘法国罗克药厂研究部工作。因设计局部麻醉药普罗卡因的生产新工艺,获得专利。后被提升为研究部主任。1923年回国后,任南京高等师范学校数理化学部教授。1925年到北平协和医学院任药物化学教授兼药理系代主任。开始了中草药研究,发表论文10余篇,成为中国中草药化学研究的先驱者。1932年受聘国民政府北平研究院,创建药物研究所。1935年当选民国政府中央研究院评议员。抗日战争时期,药物研究所随北平研究院南迁至上海,任研究员、所长直至中华人民共和国成立。1949年11月任中国科学院药物研究所研究员兼所长。在他的领导下,药物所发展成为化学和生物学两大学科相互渗透、互相配合,具有发展新药能力的研究机构。1955年当选中国科学院数理化学部委员。是第一至三届全国人民代表大会代表。1966年8月6日因病在上海逝世。他毕生致力于中草药化学研究,改变经典乙醇浸泡法,独创碱磨苯浸法分离提取中草药成分,研究了雷公藤等30多种中草药的化学成分,为发掘和提高中医药学作出了贡献。其学术论文64篇,分别在国内外有关期刊上发表。

赵尔陆 (1905—1967)

山西原平人。早年在太原进山中学读书。1926年参加西北革命同志同盟会。1927年初进入国民革命军第二十军教导团,参加南昌起义。随后加入中国共产党。1928年随朱德、陈毅上井冈山。1931年任红四军军需处处长。1932年任红一军团供给部部长。参加了中央苏区历次反围剿的战斗。1934年10月参加长征,负责后勤供应。1936年12月任红军前线指挥部供给部部长。抗日战争爆发后,任八路军总供给部副部长。出色地完成了向阎锡山征集武器弹药、军需物资的任务。1937年10月随聂荣臻到晋察冀地区,任第二军分区司令员兼政委,建立起晋东北抗日根据地。1944年9月任冀晋军区司令员。1945年11月任冀晋纵队司令员兼政委。1946年任军事调处执行部张家口小组中共方面代表。9月任晋察冀军区参谋长。1948年春任华北军区参谋长兼后勤司令员。1949年5月任第四野战军、华中(后改中南)军区参谋长。中华人民共和国成立后,1952年9月任第二机械工业部部长(核武器研究的主管部门)。1955年1月任第二机械工业部党组书记。同年被授予上将军衔。1956年当选中共第八届中央委员。1958年2月任第一机械工业部部长。1959年4月,任国防委员会委员。11月,兼第一机械工业部党组书记。1960年8月任国家经济委员会副主任。1961年1月,任中央军委国防工业委员会副主任兼国家经济委员会副主任。11月,任国务院国防工业办公室常务副主任兼中共中央国防工业政治部主任。他在主持领导国防工业的十几年间,为国防工业和国防现代化建设作出了重大贡献。1967年2月因病在北京逝世。

赵九章　(1907—1968)

"两弹一星"元勋,空间物理学家。浙江吴兴人。他是国民党元老戴季陶的外甥,并曾任其机要秘书。后弃官求学,考上清华大学物理系。1933年毕业于清华大学物理系。1934年恩师叶企孙让其报考留美公费生,后改派他去德国学气象。1935年赴德国攻读气象专业,1938年获德国柏林大学博士学位。他把数学和物理学引入气象学,完成了我国第一篇动力气象学论文——《信风带主流间热力学》。是中国动力气象学的创始人。1939年回国后,历任西南联大教授、民国政府中央研究院气象研究所所长。中华人民共和国成立后,曾任中国科学院地球物理研究所所长、中国气象学会理事长、中国地球物理学会理事长。1956年当选中国科学院地学部委员。50年代初期,他参加了建立中国天气分析预报中心的工作,对发展天气预报工作的理论研究起到了积极的推动作用。他是中国人造卫星事业的倡导者和奠基人之一。从1957年起,他倡议发展中国自己的人造卫星。1958年8月,中国科学院成立人造地球卫星研制组,他是主要负责人。10月,提出"中国发展人造卫星要走自力更生的道路,要由小到大,由低级到高级"的重要建议。60年代初国家经济衰退,他及时调整发展计划,把主要力量投放到投资较少的气象火箭,逐步开展其他高空物理探测,同时探索卫星的发展方向。1964年秋,他向国务院提交了开展卫星研制工作的正式建议。1965年3月中央批准中国科学院提出的方案。同年,负责实施人造卫星发展计划的651设计院成立,任院长主持科学、工程技术方面的工作。"文化大革命"中遭受迫害。他选择自杀的方式进行无声的抗争,于1968年10月26日在北京去世。1964年在他领导下完成的核爆炸试验的地震观测和冲击波传播规律,以及弹头再进入大气层时的物理现象等研究课题,于1985年获得国家科技进步特别奖。主编和撰写的《高空大气物理学》上册（1965）是中国第一部空间物理学方面的系统论著。1999年被中共中央、国务院、中央军委追授"两弹一星功勋奖章"。

赵梦桃　（1935—1963）

全国劳动模范。女。河南洛阳人。1951年进西北国棉一厂当工人。工作中不仅严格要求自己，虚心学习，勤奋工作，还能以"困难留己，方便让人"和"不让一个伙伴掉队"的精神，带领所在班组忘我劳动，创造性地工作，自觉遵守纪律。曾连续11年，42次被评为先进生产者。1953年加入中国共产党。同年，出席全国纺织工业劳模会议。1955年出席陕西省青年建设社会主义积极分子大会。1956年出席全国先进工作者代表大会，所在生产小组被评为全国先进集体"赵梦桃小组"。同年当选为中共第八次全国代表大会代表。1959年创造连续7年全面完成国家计划的先进纪录。1962年又创造了"清洁检查操作法"。1963年6月23日因病在西安逝世。

赵寿山　（1894—1965）

原名生龄，陕西户县人。1909年考入陕西陆军小学。1911年入西北大学预科，后转入陕西陆军测量学校学习。1919年到北京，在冯玉祥部任上尉参谋。1921年任少校参谋、教官。1924年入西北军杨虎城部。1926年11月任国民军联军团长。1929年11月任国民党第十七路军第17师第51旅旅长。1932年10月后，与红四方面军建立联系，订立互不侵犯秘密协定。1935年10月起，先后到北平、南京、上海等地游历，结识进步人士，逐步接受中共抗日民族统一战线的主张。1936年西安事变时，任西安市公安局局长，负责指挥西安市内的军事行动。事变后，调任渭北警备司令、第17师师长。1937年初，接受中共在所部进行统一战线工作。7月，率部参加河北保定新安镇阻击战和漕河、阜河对日作战。10月，率部在娘子关激战13昼夜，重创日军。同年底，到延安会见毛泽东，愿接受中共领导。1938年夏升任第三十八军军长。1942年秘密加入中国共产党。1944年4月蒋介石企图分编遣散第三十八军，将他调任无实权的第三集团军总司令。在调离前他做了周密部署，对于所部于1946年分批开赴解放区起了重要作用。1946年8月被撤职调到南京。后摆脱了国民党特务的监视，于1947年3月到达晋冀鲁豫解放区。1948年1月任中国人民解放军西北野战军副司令员。中华人民共和国成立后，历任青海省人民政府主席，中共陕西省委常委、陕西省省长。是第二、三届全国人大常务委员会委员，第一至三届国防委员会委员。1965年6月20日因病在北京逝世。

赵树理　（1906—1970）

名树礼，山西沁水人。1925年考入山西长治第四师范初级班学习，1926年因参加反对腐败校长的学生运动被开除，后又被军阀阎锡山逮捕入狱。出狱后，长期生活在农村。1937年后，参加抗日战争，在乡里做宣传和民政工作，同年加入中国共产党。1942年负责编辑和发行通俗小报《中国人》，后参加八路军，任随军的报纸和书店的编辑。1943年发表了为人们所熟知的优秀短篇小说《小二黑结婚》，并于1943年和1945年以此为题材写了短篇《地板》、中篇《李有才板话》、长篇《李家庄变迁》、特写《孟祥英翻身》和鼓词《庞如标》等。其中《李有才板话》被称为解放区文艺的代表作。中华人民共和国成立后，他到北京参加了戏剧改革，任《说说唱唱》主编、《人民文学》编委，并主持大众文艺研究工作，兼任《工人日报》记者。其间发表了一系列短篇小说。1950年发表了以婚姻自由与妇女解放为题材的著名小说《登记》，剧本《万家楼》、《开渠》和文学评论集《大众文艺论集》。1951年以后，他回到太行山，与农民同吃同住同劳动。参加了历次全国文学艺术工作者代表大会，历任中国文联委员，中国作家协会理事和中国曲艺工作者协会主席、第一二三届全国人民代表大会代表，1955年发表了优秀长篇小说《三里湾》受到普遍好评。1956年出席了中国共产党第八次全国代表大会。1958年发表了反映1957年农村整风运动的短篇小说《锻炼锻炼》，曾引起读者的热烈讨论。此外，他还写了反映抗日战争时期太行山根据地人民生活和斗争的长篇评书《灵泉洞》，鼓词《石不烂赶车》，上党梆子《三关排宴》、《十里店》，短篇《老定额》、《套不住的手》等。他的作品集有：《赵树理短篇小说集》、《赵树理选集》、《三复集》和《下乡集》。他的全部作品，真实地反映了我国农村在新中国成立前后各个不同时期阶级斗争的现实状况。他的作品，大多已被译为英、法、俄、德、日、印尼等文字出版。"文化大革命"中遭受迫害。于1970年9月23日在太原逝世。

赵元任　（1892—1982）

语言学家、作曲家。字宜仲，江苏常州人。1907年在南京江南高等学堂预科学习。1910年秋，考取清华学校公费生赴美留学。先后在康奈尔大学和哈佛大学学习，获物理学和哲学两个博士学位。1920年回国在清华学校任教。1921年在哈佛大学教哲学、汉语。1924年赴欧洲游历、进修。1925年回国任清华学校国学研究院教授，讲授音韵学。1929年后，任民国政府中央研究院历史语言研究所研究员兼语言组主任。抗日战争爆发后，于1938年应邀赴美讲学，从此定居美国。先后任美国多所大学教授，又获文学、法学、人文学博士学位。担任过美国语言学会会长，美国东方学会会长。1959年到台湾大学讲学。1973年和1981年曾两次回国探亲访问。1982年2月24日因病在美国逝世。他是理论与实际并重的语言学家。长期致力于推行国语（普通话）的工作。1922年和1935年出版的《国语留声片课本》、《新国语留声片课本》，分别代表中华人民共和国成立以前推行普通话的两个阶段。著有《中国话的文法》、《语言问题》等著作。他少年时学习钢琴，在美国曾选修过作曲和声乐。在从事语言学研究过程中，曾到中国各地调查方言，接触到不少民歌、民谣等民间音乐。五四运动以后，谱写了一百多首音乐作品。发表的歌曲有四十多首、大型合唱曲一首和若干首钢琴小品等。像歌曲《叫我如何不想他》、《扬子江上撑船歌》等流传至今。有《赵元任歌曲集》于1981年出版。

赵忠尧 （1902—1998）

物理学家。浙江诸暨人。1920年入南京高等师范学校（后改为东南大学）数理化部学习，毕业后在浙江吴兴师范学校任教，半年后返回东南大学任助教并补修物理系课程。1925年毕业后，在清华大学任助教。1927年赴美国留学，入加利福尼亚理工学院学习。1930年获哲学博士学位。在研究中发现原子核引起的反常吸收，在国外产生重要影响。该发现比诺贝尔奖获得者安德森早两年。1931年回国，任清华大学教授。在中国首开核物理课程，并主持建立了第一个核物理试验室。1937年开始的抗日战争时期，在云南大学、西南联大任教。他在此时期培养的人才，在中国物理学的发展上，尤其是在原子核物理学方面起了很重要的作用。1946年在中央大学短期任教后，以观察员身份赴美国参观在太平洋的原子弹爆炸试验，随后筹备为中国开展原子核物理工作急需的加速器和实验设备。1949年重返加利福尼亚理工学院，进行原子核反应研究。中华人民共和国成立后，于1950年回国，带回重要资料和国内尚无条件制造的静电加速器部件。参与创建中国科学院近代物理研究所。1955年当选中国科学院数学物理学化学部委员。1956年中国科学院成立原子能研究所，任副所长。为开创中国原子核科学技术事业作出了重要贡献。1958年主持中国科技大学近代物理系的建立，并主持建造了中国最早的加速器，进行原子核反应的研究。1972年参与中国科学院高能物理研究所的筹建工作，次年任副所长。还曾担任中国物理学会副理事长、名誉理事，中国核学会名誉理事长。他为中国核物理和高能物理的开创和研究作出了重要贡献。是第三至六届全国人大常务委员会委员。1998年5月28日因病在北京逝世。

赵紫阳 （1919—2005）

河南滑县人。1932年3月加入中国共产主义青年团。1938年2月加入中国共产党。历任中共滑县工委书记、县委书记，中共豫北地委组织部部长、宣传部部长。1940年6月历任中共冀鲁豫边区第二地委书记，中共冀鲁豫边区第四地委宣传部部长。1945年抗日战争胜利后，历任中共地委副书记、书记兼军分区副政委、政委。1947年秋率地方干部队随晋冀鲁豫野战军第十纵队南下，任中共桐柏区党委副书记兼桐柏军区副政委，参与开辟桐柏解放区的斗争。1948年参加邓县、襄樊战役。1949年3月任中共南阳地委书记兼南阳军分区政委。中华人民共和国成立后，历任中共中央华南分局秘书长、农村工作部部长、副书记，中共广东省委书记处书记、第二书记、第一书记，并兼任广东省军区政委、广州军区第三政委。"文化大革命"开始后被撤销一切领导职务。1971年后，历任中共内蒙古自治区委员会书记，中共广东省委第一书记兼广州军区政委。

1973 年 8 月当选中共第十届中央委员。1975 年任中共四川省委第一书记兼成都军区第一政委。1977 年 8 月当选中共第十一届中央政治局候补委员。改革开放初期获得民谣"要吃粮找紫阳"的称赞。1979 年 9 月增选为中共第十一届中央政治局委员。1980 年 2 月,当选中共第十一届中央政治局常务委员;4 月,任国务院副总理;9 月,任国务院总理。1981 年 6 月当选中共第十一届中央副主席。1982 年 9 月当选中共第十二届中央政治局常务委员。1987 年 1 月,在中共中央政治局扩大会议上被推举为中共第十二届中央委员会代总书记;10 月,当选中共第十三届中央委员会总书记、中央军委第一副主席。1988 年 4 月任中华人民共和国中央军委副主席。1989 年 6 月,中共十三届四中全会审议并通过《关于赵紫阳同志在反党反社会主义的动乱中所犯错误的报告》,指出他在关系党和国家生死存亡的关键时刻犯了支持动乱和分裂党的错误,对动乱的形成和发展负有不可推卸的责任。他在担任党和国家重要领导职务期间,虽然在改革开放和经济工作方面做了一些有益的工作,但是在指导思想上和实际工作中也有明显失误。全会决定撤销他的中共中央委员会总书记、中央政治局常务委员、中央政治局委员、中央委员和中央军委第一副主席的职务。同月,第七届全国人大常务委员会第八次会议决定撤销他的中华人民共和国中央军委副主席的职务。2005 年 1 月 17 日因病在北京逝世。

赵祖康 （1900—1995）

市政和道路工程专家。字静侯,上海松江人。1922 年毕业于交通大学唐山学校土木工程系。先后在民国武汉政府交通部和广西梧州、安徽蚌埠等市任技佐、技正、工务局长、顾问工程师等职。1930 年在美国康奈尔大学研究院进修道路与给排水工程,并在纽约州交通局道路工程处任职。1932 年回国后,在全国经济委员会、公路交通委员会、交通部等部门任专员、处长、局长、顾问等职。先后主持、督造江苏、浙江、安徽三省和南京、上海两市联络公路;规划全国联络公路,并协助各省进行建设;制定全国公路技术和概算统一标准,创立省市间互通汽车制度;逐步建立全国公路监理体制;组织修建西(安)兰(州)、西(安)汉(中)等西北主干公路并踏勘甘青(兰州—西宁)公路路线。1937 年开始的抗日战争时期,先后组织抢修石家庄通往保定、沧县、德州、大名以及沪宁前线军用公路和桥梁;组织赶修天(水)双(石铺)和汉(中)白(河)公路;筹建滇缅、甘新、中越等国际道路;主管西北、西南各省后方公路的修建;督修了工程艰巨、环境复杂的四川乐(山)西(昌)公路等重大道路工程,为抗日战争交通运输的保障作出了杰出的贡献。1945 年抗日战争胜利后,任上海市工务局局长。中华人民共和国成立后,历任上海市工务局局长、规划建筑管理局局长,上海市副市长,上海市人大常务委员会副主任等职。是第一至六届全国人民代表大会代表。曾担任中国土木工程学会名誉理事、中国城市科学研究会顾问、上海市土木工程学会和上海交通工程学会名誉理事长、上海市科学技术协会荣誉委员、上海交通大学土木建筑系顾问教授。他在中国的公路建设以及上海市的市政工程和城市规划等方面，多有建树。1995 年 1 月 19 日因病在上海逝世。他早年主编的《英汉道路工程词汇》，被联合国教科文组织列为主要参考文献之一；以后又主编了《道路与交通工程词典》。著有《城市筑路征费法之研究》、《公路定线之研究》等论文。

郑　重　（1911—1993）

海洋生物学家。江苏吴县人。1934 年毕业于清华大学，后留校任教。1938 年赴英国留学，1944 年获博士学位。后在阿伯丁大学、牛津大学任教。1947 年回国，历任厦门大学海洋系和生物系教授、系主任。中华人民共和国成立后，历任国家科学技术委员会海洋组生物学科组成员，厦门大学学术委员会副主任，中国海洋湖沼学会常务理事，中国海洋学会名誉理事，《海洋与湖沼》、《海洋学报》、《水产学报》编辑委员会委员，《台湾海峡》主编等职。他致力于海洋浮游生物的教学和研究工作，对海洋浮游甲壳类，特别是对桡足类、樱虾类和枝角类的研究，为中国近海渔业资源的开发利用，为中国海洋浮游生物学的创建和发展作出了贡献。他还对海洋污损生物的生态、海洋鱼类食性和海洋浮游生物的生态系进行了研究，促进了中国海洋生态学的发展。1993 年 8 月 22 日因病在厦门逝世。发表学术论文约 80 篇，主要著作有《浮游生物概论》(1965)、《中国海洋浮游桡足类》（合著，上卷 1965；中卷 1982）、《海洋浮游生态学》（合著，1984）。

郑君里　（1911—1969）

电影导演、表演理论家。原名郑重、千里，广东中山人。1928 年考入南国艺术学院戏剧科。1929 年开始从事话剧和电影演员的工作。1931 年参加中国"左翼"戏剧家联盟，任执行委员。1932 年入联华影业公司。参加演出了《大路》(1934)、《新女性》(1934)、《迷途的羔羊》(1936)等 20 部电影。表演质朴自然，善于表现角色的内在思想感情。还曾参加上海业余剧人协会《钦差大臣》和《大雷雨》等话剧的演出。抗日战争爆发后，任上海救亡演剧三队队长。后又受郭沫若之托，担任孩子剧团的指导。1940 年后，在西北、西南拍摄各兄弟民族团结抗战的纪录片《民族万岁》，用时近三年。1943 年与章泯合译英文版的斯坦尼斯拉夫斯基《演员自我修养》（第一部）。抗日战争胜利后，回到上海参加组织联华影艺社，后与昆仑影业公司合并，出任编导委员会委员。1947 年与蔡楚生合作编导了《一江春水向东流》。该片创造了中国电影票房的纪录。并被誉为"中国电影发展途程上的一支指路标"。1948 年完成了理论著述《角色的诞生》。中华人民共和国成立后，历任第三、四届全国政协委员，中国文学艺术界联合会委员，中国戏剧家协会理事、中国电影工作者协会理事，上海海燕电影制片厂导演。1958 年加入中国共产党。1969 年 4 月 23 日逝世。他是一位跨中国新旧时代，均能拍出优秀现实主义影片的导演。其代表作品:《乌鸦与麻雀》(1948 年,中华人民共和国文化部授予优秀影片一等奖)、《宋景诗》(1954)、《林则徐》(1959)、《聂耳》(1959 年,在 1960 年的第 12 届卡罗维发利国际电影节上获传记片奖)、《枯木逢春》等。1979 年中国电影出版社出版了他的理论遗作《画外音》。

郑律成 （1918—1976）

作曲家。朝鲜族。原名郑富恩,出生在朝鲜全罗南道光州杨林町的一个贫苦农民家庭。从小经历大哥、二哥为反抗日本、进行朝鲜解放事业而牺牲的现实。1933 年春到南京,进入朝鲜革命组织义烈团办的干部学校学习。1934 年冬毕业后,留在义烈团从事秘密抗日工作。同时在南京学习钢琴、小提琴,每周到上海向一位外籍声乐教师学习唱歌,掌握了较好的声乐技巧。此后,参加中国人民的抗日救亡歌咏运动,并由此结识了冼星海,在音乐创作上得到冼的帮助和鼓励。1937 年初,在上海参加了朝鲜民族解放同盟。7 月,抗日战争爆发后投身于抗日宣传活动,并创作出第一首歌曲《战斗妇女歌》。10 月,到延安先后入陕北公学和鲁迅艺术学院音乐系学习。1938 年 4 月,创作的《延安颂》问世,马上就由延安迅速传遍全国,增强了许多向往进步、革命的青年对中国共产党的认识。8 月,任抗日军政大学政治部音乐指导,后任"鲁艺"声乐教员。1939年创作的未完成《八路军大合唱》(由六首歌曲组成)中的《八路军进行曲》和《八路军军歌》,成为传唱极广的人民军队战

歌。1942 年 8 月赴太行山八路军总部工作,任华北朝鲜革命军政学校教育长。1944 年 1 月回延安。这一时期的作品主要有歌曲《我们的进行曲》、《日本反战同盟歌》等。1945 年回朝鲜工作。创作有《中朝友谊》、《图们江》、《东海渔夫》等作品。中华人民共和国成立后,于 1950 年定居北京,并加入中国籍。先后在北京人民艺术剧院、中央歌舞团从事音乐工作。这一时期的主要作品有歌曲《中国人民志愿军进行曲》、《采伐歌》、《强大的舰队在海上行进》和歌剧《望夫云》(1957)等。1976 年 12 月 7 日因病在北京逝世。他一生共创作了 300 多首各类声乐体裁的音乐作品。其歌曲作品收入《郑律成歌曲选》,1978 年由人民音乐出版社、辽宁人民出版社选编出版。他创作的《八路军进行曲》(公木词),解放战争中更名为《人民解放军进行曲》;1951年中国人民解放军总政治部修订了歌词;1988 年 7 月经中共中央委员会批准,中共中央军事委员会决定将其定为《中国人民解放军军歌》。

郑位三 （1902—1975）

原名植槐,湖北红安人。早年在武昌甲种工业学校学习。1925 年加入中国共产党。1927 年 4 月,任中共黄安县委委员。7 月,大革命失败后主持重建县委,任代理书记。9 月,参与领导黄安农民暴动。1928 年 7 月到柴山保地区,参加创建革命根据地的斗争。1930 年秋起,任鄂豫皖边特区苏维埃政府内务部部长、财政经济委员会主席、人民委员会代理委员长和中共鄂豫皖中央分局候

补委员。1932年10月红四方面军主力西进川陕后,任中共鄂豫皖省委委员、鄂东北道委书记兼游击总司令。1934年1月,被选为中华苏维埃共和国中央执行委员。11月,任红二十五军政治部主任和中共鄂豫皖省委常委,随军长征,参与领导了创建鄂豫陕革命根据地。1935年7月红二十五军北上陕北后,他任中共陕南特委书记,领导军民坚持在陕南进行游击战争。1937年春到延安。抗日战争爆发后,奉命回鄂豫皖革命根据地,先后任中共鄂豫皖特委书记、鄂东特委书记,领导组建地方抗日武装。1940年2月兼任新四军第四支队政委。1941年皖南事变后,任新四军第二师政委兼皖东军政委员会书记。1943年秋作为中共中央中原局代表,奉命往新四军第五师活动的豫鄂边抗日根据地,参加党政军的领导工作。1945年6月当选中共第七届中央委员。抗日战争胜利后,任中共鄂豫皖中央局书记、中共中央中原局代理书记兼中原军区政委。1946年参与领导了突破国民党军队围剿的"中原突围",并随北路部队进到陕南。全国内战至此全面爆发。1948年起因病休养。中华人民共和国成立后,曾当选全国政协第二至四届常务委员。1956年当选中共第八届中央委员。1975年7月27日因病在北京逝世。

郑振铎　(1898—1958)

作家、文学史家。笔名西谛、西丁、郭源新,福建长乐人。中学毕业后,于1917年夏考入公费北京铁路管理学校。1919年参加五四运动,与瞿秋白等创办《新社会》旬刊。1920年8月创办《人道》月刊。同年与沈雁冰、叶圣陶等发起成立文学研究会,任书记干事主管会务,主编《文学旬刊》。不久,加入北京社会主义青年团。1921年分到上海火车站见习。5月,由沈雁冰介绍入商务印书馆编译所工作。1922年创办主编中国最早的儿童文学刊物《儿童世界》周刊。同年秋,到上海大学中文系兼课。1923年起主编《小说月报》,并翻译和介绍外国文学。1927年赴法国巴黎研究文学和考古学,在国外编著《近百年古城古墓发掘史》等。1929年回国后,仍在上海商务印书馆任文学编辑,兼任复旦大学文学系教授。发起成立中国著作者协会,任执行委员。此后,还担任过燕京大学、清华大学、暨南大学等校的教授。1936年6月与周扬等发起成立中国文艺家协会,任理事。抗日战争爆发后,他在上海坚持从事抗日救亡活动,参与组织复社,出版《鲁迅全集》、《列宁选集》、《西行漫记》等书籍。抗日战争胜利后,他创办主编《民主》周刊。与马叙伦、周建人等发起成立中国民主促进会,任理事。他是我国现代文学运动的倡导者之一。中华人民共和国成立后,历任政务院文化部文物局局长兼中国科学院考古研究所所长、中国科学院文学研究所所长、国务院文化部副部长、科学规划委员会委员兼考古学组组长等职。被选为第一二届全国政协委员、全国文联主席团委员、中国作家协会常务理事、中缅友好协会会长等。1958年10月17日,率中国文化代表团访问阿富汗,因飞机失事逝世。著有《中国文学史》、《中国俗文学史》、《中国文学论集》、《中国文学研究》等著作。出版有《郑振铎文集》。

周　扬　（1908—1989）

原名周起应，湖南益阳人。中学毕业后赴上海就读于民国大学、大夏大学，开始接受马克思主义，发表介绍外国进步文学的文章，参加学生爱国运动。1927 年夏加入中国共产党。1929 年赴日留学，同中共组织失去联系。1931 年回国到上海从事文化工作。1932 年重新加入中国共产党，不久担任中国左翼作家联盟中共党团书记，主持"左联"活动并兼机关刊物《文学月报》主编。1933年担任中共上海执行局文化工作委员会委员。1935 年夏担任上海执行局文委书记兼"左联"党团书记。参与领导国统区文化战线上的反"围剿"斗争，参加 30年代文坛关于大众化问题的讨论。他最早把社会主义现实主义创作方法的理论系统介绍到中国，为贯彻中共中央抗日民族统一战线政策，积极提倡过"国防文学"。1937 年抗日战争爆发后，奉调到延安，担任陕甘宁边区政府教育厅厅长，陕甘宁边区文协主任。1938 年 4 月主持成立延安鲁迅艺术文学院，任副院长。1939 年起任院长。1940 年 10 月任中共中央文化工作委员会主任，主管全党文化工作，仍兼任鲁迅艺术文学院院长。1942 年参与主持召开延安文艺座谈会，此后撰写许多文章阐述毛泽东《在延安文艺座谈会上的讲话》，他主编《马克思主义与文艺》一书，系统地介绍马克思主义经典作家与高尔基、鲁迅在文艺问题

上的重要论述。对马克思主义文艺理论在中国的传播起到了积极作用，同时翻译了《安娜·卡列尼娜》、《生活与美学》等名著。1944 年担任延安大学校长。解放战争时期，担任中共晋察冀中央局宣传部部长。1948 年 5 月改任中共中央华北局宣传部部长。1949 年 7 月，被选为中华全国文学艺术联合会副主席。9月出席中国人民政治协商会议第一届全体会议。中华人民共和国成立后，历任政务院文化部副部长，中共中央宣传部副部长，中国社会科学院副院长兼研究生院院长，中国作家协会主席，中共中央宣传部副部长、顾问。中国社会科学院顾问，中国作协顾问，中国科学院哲学社会科学部委员，国务院科学规划委员会委员，国务院学位委员会副主任委员，政协全国委员会文化组组长，中国民间文艺研究会主席、名誉主席，全国美学学会名誉会长，《中国大百科全书》总编辑委员会副主任兼《中国文学》卷主编，《中国新文学大系》总顾问等职。被选为中共第八届候补中央委员，增选为十一届中央委员，中共第十一届三中全会上被选为中央纪律检查委员会常委，中共十二大上被选为中央顾问委员会委员。并被选为第一至第六届全国政协常委，第一、二、三届全国人大代表等。"文化大革命"中被指控为"文艺黑线"代表，受到批判和迫害。后中共中央予以彻底平反。1989 年 7 月 31 日因病在北京逝世。主要著作收入《周扬文集》五卷本。

周保中　（1902—1964）

白族。原名奚李元，字绍黄，云南大

理人。1915 年入大理省立中学读书。1917 年 2 月到云南陆军第 1 师教导营当兵。1923 年春，入云南陆军讲武学校学习。1925 年 3 月到国民革命军第二军任工兵营长。1926 年升任国民革命军第六军第 18 师副师长兼第 52 团团长。参加了北伐战争和讨伐夏斗寅、杨森叛乱的战斗。1927 年加入中国共产党。1928 年底赴苏联，先后入莫斯科中国劳动者共产主义大学和列宁学院学习。1931 年"九一八"事变后，任中共满洲省委委员兼军委书记，领导创建抗日武装。曾任抗日救国军前方总指挥部参谋长、总参谋长，率救国军和农民抗日武装攻克安图、敦化、宁安等县城。1934 年 2 月，任宁安反日同盟军办事处主任、中共同盟军党委书记兼军委主席。1935 年初，创建领导东北反日联合军第五军，任军长。1936 年任东北抗日联军第五军军长。1937 年 10 月，任东北抗日联军第二路军总指挥。团结各路抗日武装，长期坚持艰苦的抗日游击战争。在抗联部队遭受严重挫折，与中共中央失去联络的情况下，率部到苏联远东边疆地区进行整训，任野营训练总部第 88 独立步兵旅旅长。抗日战争胜利后，历任东北人民自卫军总司令兼政委、中共中央东北局委员、东北人民自治军副司令员、东北民主联军副司令员兼东满军区司令员、吉林省人民政府主席、东北军区副司令员兼吉林军区司令员等职，战斗到整个东北地区解放。1950 年起，任云南省军政委员会副主任、云南省人民政府副主席、中共云南省委委员、统战部部长、云南省民族委员会主任、西南军政委员会政法委员会主任兼民政部部长。是第一、二届国防委员会委员。1956 年当选中共第八届中央候补中央委员。1959 年当选第三届全国政协常委。1964 年 2 月 22 日在北京病逝。

周春富　（1927—1958）

空军战斗英雄。河北昌黎人。1949 年参加中国人民解放军。1952 年入航空学校学习。1958 年 8 月 14 日，在福建平潭岛上空与国民党空军的战斗中，单机闯入十倍于己的机群，击落敌机两架、击伤一架，自己壮烈牺牲。根据他生前的申请，部队党委追认他为中国共产党党员。空军领导机关为他记特等功，并授予空军一级战斗英雄称号。

周恩来　（1898—1976）

字翔宇，曾用名飞飞，伍豪等。原籍浙江绍兴，生于江苏淮安。1917 年于天津南开学校毕业后，赴日本留学，1919 年回国，参加五四运动，成为天津学生界主要领导人。同年考入南开学校大学班，发起组织觉悟社，从事反帝反封建的革命活动。1920 年 11 月赴法国勤工俭学。1921 年在巴黎参加共产主义小组。同年加入中国共产党。1922 年发起组织旅欧中国少年共产党，任宣传委员。后任中国社会主义青年团旅欧支部书记，并担任中共旅欧支部领导人。1924 年秋回国，任中共广东区委员会委员长，两广区委常委兼军事部长、黄埔军校政治部主任。1925 年参加领导两次东征，先后兼任国民革命军第一军政治部主任和第一师党代表、东征军总政治部主任、东江各属行政委员。1926年赴上海,任中共中央组织部秘书兼中央军委委员。1927年3月领导上海工人第三次武装起义。5月当选中共第五届中央委员、中央政治局委员。后兼任中央军事部长。7月12日,中共中央因总书记陈独秀在国共合作中继续实行右倾投降主义而进行改组,他任中央政治局临时常委。1927年8月1日同贺龙、叶挺、朱德、刘伯承等一起在南昌领导武装起义,起义中任中共前敌委员会书记。1928年7月在中共六届一中全会上当选为中央政治局常委。后在上海坚持党的地下工作,任中央组织部部长、中央军委书记,其大部分时间实际上是中共中央的主要主持人。1931年12月进入江西中央革命根据地,先后任中共苏区中央局书记、中国工农红军总政治委员兼第一方面军总政治委员、中央革命军事委员会副主席、中华苏维埃共和国中央执行委员会主席团成员。1933年春和朱德一起领导、指挥红军粉碎了国民党军对中央革命根据地进行的第四次"围剿"。1934年10月参加并领导中央红军长征。1935年1月,在遵义会议上支持毛泽东的正确主张,会后参加中共中央三人军事小组,并继续担任中央革命军事委员会副主席,协助毛泽东指挥红军继续长征。1936年12月西安事变发生后,他率领中共代表到西安,迫使蒋介石接受"停止内战,一致抗日"的主张,实现了西安事变的和平解决,促使团结抗日局面在中国出现。1937年2月至9月,作为中共首席代表同国民党就停止内战、一致抗日进行了

六次谈判,促进了抗日民族统一战线的形成,并代表中共长期在国民党统治区南京、武汉、重庆做统一战线工作,先后任中共长江局委员兼宣传部长和军事部长、副书记、南方局书记,并任国民政府军委会政治部副部长。1945年6月,在中共七届一中全会上当选为中共第七届中央委员、中央政治局委员、书记处书记,并继续任中央军委副主席。抗日战争胜利后,陪同毛泽东在重庆与蒋介石谈判。《双十协定》签订后,率中共代表团留在重庆、南京同国民党继续谈判。1946年11月,为抗议国民党反动派严重破坏和平谈判的罪行从南京回到延安,作为中央军委副主席兼代总参谋长,协助毛泽东组织和指挥解放战争,同时指导国民党统治区的革命运动。1949年负责筹备中国人民政治协商会议和建国工作。中华人民共和国成立后,他一直担任政府总理,兼任过外交部部长,还先后担任中共中央军委副主席、政协第一届全国委员会副主席、政协第二、三届全国委员会主席等。1956年9月在党的八届一中全会上当选为中央政治局常务委员会委员、中央委员会副主席。"文化大革命"前我国发展国民经济的几个五年计划都是他主持制定和组织实施的。在统一战线、知识分子和科学文化各个工作方面都发挥了重大作用。他参与制定和亲自执行了一系列重大外交决策。从1953年底开始,他代表中国政府出访许多国家,多次倡导以和平共处五项原则处理国与国的关系。1955年他参加日内瓦会议,为解决印度支那问题作出了

努力。1955 年参加在印度尼西亚万隆举行的第一次亚非会议,高举反帝旗帜,提倡求同存异,协商一致,为会议的成功作出了贡献。"文化大革命"开始以后,他同林彪、江青反革命集团篡党夺权的阴谋破坏活动进行了各种形式的斗争。1969 年 4 月,在党的九届一中全会上当选为中央政治局常务委员会委员。1973年 8 月,在党的十届一中全会上当选为中央委员会副主席。他在非常困难的处境中,以非凡的工作才能始终为党和国家勤奋工作,尽量减少因"文化大革命"动乱带来的各种损失,为保护党内外干部,为争取全国工农业生产的正常进行,作了坚持不懈的努力。在建立中美、中日之间正式外交关系的过程中,作出了卓越的贡献。1975 年 1 月,他在第四届全国人民代表大会第一次会议上作政治工作报告,提出我国要在本世纪内实现工业、农业、国防和科学技术四个现代化的宏伟目标。1976 年 1 月 8 日,病逝于北京,受到全国人民的深切悼念,被称为"人民的好总理"。他一生留下了许多重要论著,对于毛泽东思想的形成和发展作出了杰出贡献。主要著作收入《周恩来选集》。

周鲠生　(1889—1971)

国际法学家。曾用名周览,湖南长沙人。1906 年至 1911 留学日本。辛亥革命时加入同盟会,后在汉口办《民国日报》,进行反对袁世凯的宣传。1913 年后,先后留学英国和法国,获巴黎大学法学博士学位。1921 年底回国后,从事国际法学和外交史的研究及文化教育工作。历任上海商务印书馆编辑所法制经济部主任,北京大学、东南大学和武汉大学政治系教授和系主任。1936 年任武汉大学教务长。1939 年赴美,先后担任出席太平洋学会年会的中国代表和圣弗朗西斯科(旧金山)联合国组织会议的中国代表团顾问。1945 年回国后任武汉大学校长兼政治系教授。中华人民共和国成立后,继续担任武汉大学校长,并任中南军政委员会委员兼文化教育委员会副主任。1950 年起任外交部顾问,后兼任中国人民外交学会副会长。是第一至三届全国人民代表大会代表和第三届全国人民代表大会法案委员会副主任委员。对中国的外交和立法工作作出了贡献。1956 年加入中国共产党。晚年抱病著述,写成《国际法》一书,约 60 万字。1971 年 4 月 20 日因病在北京逝世。其他著作有《国际法大纲》、《近代欧洲外交史》、《不平等条约十讲》等。

周谷城　(1898—1996)

历史学家、社会活动家。湖南益阳人。幼年入"族学"读书。1917 年中学毕业后,考入北京高等师范学院英文系。1921 年毕业后,任省立长沙第一师范学校英文教员。在 1924 年开始的大革命时期,任湖南省农民协会顾问,省农民运动讲习所教师,全国农民协会筹备会秘书,参加农民运动。1927 年大革命失败后,到上海为商务印书馆《东方杂志》、《教育杂志》等刊物撰稿、译书,并在暨南大学及其他私立大学兼课。1930 年加入中国国民党临时行动委员会。同年秋,任广州中山大学教授兼社会系主任。

1942 年秋起,任复旦大学教授长达半个多世纪。其间担任过复旦大学历史系主任、教务长。中华人民共和国成立后,历任上海市人民政府委员,上海市人大常委会副主任兼教育科学文化卫生委员会主任。"文化大革命"中遭受迫害。1980年增补为第五届全国政协常务委员会委员。1983 年当选第六届全国人大常务委员会副委员长。1988 年当选第七届全国人大常务委员会副委员长。他是中国农工民主党的卓越领导人,历任上海市委员会主任委员,中央委员会委员,中央委员会主席团委员,中央委员会副主席、主席、名誉主席。曾任中华炎黄文化研究会首任会长,中华诗词学会会长,中国太平洋历史学会会长。1996 年 11 月10 日因病在上海逝世。著有《中国社会之变化》、《中国政治史》、《中国通史》、《世界通史》等著作。

周建人 (1888—1984)

字松寿,又字乔峰,浙江绍兴人。鲁迅的胞弟。辛亥革命前后,在绍兴先后任小学、中学、女子师范学校教员。1920年在北京大学攻读哲学,1921 年 10 月离开北京到上海商务印书馆任编辑,还在《东方杂志》《妇女杂志》《自然杂志》任编辑。1923 年经沈雁冰介绍与瞿秋白相识,从此与瞿秋白、杨之华成为莫逆之交,曾应瞿之邀,在上海大学讲授进化论,并先后在神州女学、上海暨南大学和安徽大学任教,应松江女子中学校长侯绍裘邀请,经常去该校讲演。"四一二反革命政变"后,他同情并倾向于中国共产党领导的人民革命。经常为鲁迅主编的

《语丝》杂志写稿,常为鲁迅与共产党人的交往担任通信联络并做掩护工作。1932 年参与中国民权保障同盟的筹建工作,被推举为调查员后,积极调查和揭露国民党反动派迫害"政治犯"的罪行。抗日战争时期,拥护中国共产党关于抗日民族统一战线的主张,反对国民党顽固派消极抗日、积极反共的政策。与留在上海的爱国知识分子秘密组织马列主义读书会,在贫病交加中坚决拒绝为汉奸报刊写文章。抗日战争胜利后,积极参与爱国民主运动。在生活书店、新知识书店任编辑时,经常在进步刊物上发表文章,抨击国民党当局卖国、独裁、内战政策。1945 年 12 月 30 日与马叙伦等在上海发起成立中国民主促进会。1946年 5 月被选为上海人民团体联合会理事,积极参加反独裁、反内战斗争。1948年 4 月加入中国共产党。同年秋根据党的指示,从上海辗转到达当时中共中央所在地河北省平山县。北平解放后,任华北人民政府教育部教科书编审委员会副主任。1949 年 9 月作为民主促进会正式代表参加中国人民政治协商会议第一届全体会议。新中国成立后,历任中央人民政府出版总署副署长,高等教育部副部长,浙江省人民政府副主席,浙江省省长。是中共第九、十、十一届中央委员,第一、二届全国人大常委会委员,第三、四、五届全国人大常委会副委员长,第二、三、四届全国政协常务委员,民进第四、五届中央委员会副主席、代主席,第六、七届中央委员会主席。1950 年参加中国民主同盟后,曾任民盟中央委员、

常务委员。1984 年 7 月 29 日因病在北京逝世。

周立波　（1908—1979）

原名周绍仪，字凤翔，又名周奉悟，湖南益阳人。出生于私塾教师之家。1924 年秋考入长沙省立第一中学，在师长王季范、徐特立的影响下，追求进步，喜爱新文学。大革命失败后，辍学回县在高小任教。1928 年春随周起应（周扬）到上海，后考入江湾劳动大学经济系学习，参加革命互济会活动。1930 年春因散发传单被校方开除。不久返乡，开始从事文学写作和翻译。1931 年"九一八事变"后，到上海神州国光社当校对员。1932 年"一·二八事件"后，因参加工人罢工被捕入狱。1934 年 7 月被释放出狱。后在上海参加中国左翼作家联盟。1935 年 1 月加入中国共产党。负责编辑"左联"秘密会刊，任中共"左联"党团成员，并任《时事新报》副刊《每周文学》编辑。也积极从事左翼文艺运动，翻译了《被开垦的处女地》、《秘密的中国》，译著近百万字。1937 年抗战爆发后，赴华北抗日前线八路军前方总部和晋察冀边区参加抗日工作，任战地记者，写了许多报告文学与散文集。1938 年冬到湖南沅陵参与地下党领导工作，并参加编辑《抗战日报》。1939 年 5 月被周恩来调到桂林，任《救亡日报》编辑，并任中华全国文艺界抗战协会桂林分会筹备委员。同年 12 月到达延安，任鲁迅艺术文学院编译处处长兼文学系教员，被选为陕甘宁边区文化界救亡协会执行委员、中华全国文艺界抗敌协会延安分会理事。

1942 年参加延安文艺座谈会。1944 年任《解放日报》副刊部副部长并主编文艺副刊，同年冬任八路军南下第一支队司令部秘书，随军南征。1945 年日本投降后，任中原军区《七七日报》、《中原日报》社副社长。1946 年后被调往东北，先后任中共区委宣传委员，淞江省委宣传处处长等职，参加土地改革运动，并编《淞江农民报》。1947 年开始创作《暴风骤雨》。1948 年调任东北文协《文学战线》主编。1949 年 7 月被选为全国文联和全国文协委员。中华人民共和国成立后，历任沈阳鲁迅艺术学院研究室主任，政务院文化部编审处负责人，湖南省文联主席兼中共党组书记等职。被选为第一、二、三届全国人大代表，第五届全国政协委员，被连续选为全国文联委员和全国作协理事，并兼《人民文学》编委和《湖南文学》主编。他的长篇小说《暴风骤雨》和参与编剧拍摄的《解放了的中国》影片先后获得斯大林文学奖金，《湘江之夜》获得全国短篇小说一等奖。1979 年 9 月 25 日因病在北京逝世。著有《周立波短篇小说集》、《周立波散文集》、《周立波选集》、《周立波文集》等著作。

周培源　（1902—1993）

江苏宜兴人。1924 年毕业于清华学校（今清华大学），后出国留学。1926 年获美国芝加哥大学学士和硕士学位，1928 年获美国加利福尼亚理工学院博士学位和最高荣誉奖。随后在德国莱比锡大学和瑞士苏黎世高等工业学校做研究工作。1929 年回国后，历任清华大学、西南联合大学教授。1936年赴美国普林斯顿高等学术研究院,在爱因斯坦指导下,从事广义相对论引力论和宇宙论的研究。1943年后,在美国从事流体力学湍流理论的研究及战时科学研究。其间,被选为国际理论与应用力学协会理事。1947年4月回国。1949年5月后,相继任清华大学教务长、校务委员会副主任,北京大学教授、教务长、副校长、校长,中国科学院副院长、主席团成员、学部委员,中国科协书记处书记、副主席、代主席、主席,世界科学技术工作者协会副主席,中国物理学会理事长、名誉理事长,中国力学学会名誉理事长,中国国际科技促进会会长。并历任中国人民外交学会副会长,中波友好协会会长,中国人民争取和平与裁军协会会长,九三学社中央副主席、主席,第一、二、三、四届全国人大代表,第五届全国人大常委,第三、四届全国政协常委,第五、六、七届全国政协副主席。1959年加入中国共产党。1980年获美国普林斯顿大学名誉法学博士学位。1982年获国家自然科学奖。1980年和1985年两次获美国加利福尼亚理工学院"具有卓越贡献的校长"奖。是享誉中外的科学家,是我国理论物理与力学的重要创始人之一。早年师从海森保、泡利、爱因斯坦等当代物理学大师。从20世纪20年代开始,在长达七十年的岁月中,一直从事物理学基础理论中难度最大的两个方面——爱因斯坦广义相对论引力论和流体力学中的湍流理论的科学研究,并取得了举世瞩目的成就,不愧为我国的科学巨匠、一

代宗师。1993年11月24日因病于北京逝世。

周小舟 (1912—1966)

原名周怀求,字元诚,湖南湘潭人。1927年加入中国共产主义青年团,后投身于学生爱国运动。1935年加入中国共产党。曾是北平民族武装自卫会负责人之一,参与北平学生运动的领导工作,为"一二·九"运动作出了重要贡献。1936年—1938年,先后在中共北方局联络部、中共中央军委工作。1938年秋任冀中区党委常委、宣传部长。以后的七年间一直战斗在冀中平原、太行山麓的抗日战场上。1944年秋调往华北工作,历任易县县委书记兼支队政委、冀察地委书记兼分区政委、北平市委常委、宣传部长、华北局宣传部副部长,在土地改革、支援解放战争、支援全国胜利等方面,做了大量的工作。中华人民共和国成立后,先后担任中共湖南省委宣传部长、湘西区党委书记、湖南省委第一书记兼湖南军区政治委员、中南军区党委常委。1958年5月当选中共第八届候补中央委员。在1958年的大炼钢铁和公社化运动中,保留自己对"一大二公"的看法。在省委会议上,曾主张公社"力图搞得小一些"。后与省委书记等决定停止土法炼钢。为反浮夸风和共产风于1959年4月间,亲自到湘西考察一个月。庐山会议期间,向毛泽东等中央首长如实反映湖南情况,支持和建议彭德怀给毛泽东写意见书,后被打成所谓的"彭德怀、黄克诚、张闻天、周小舟反党集团"的成员,被划为右派和反党分子,1959年8

月 17 日受到"撤销中共湖南省委第一书记职务,保留省委委员,以观后效"的处分。1959 年 9 月下旬,被派往浏阳大瑶公社当副书记,接受改造。1962 年 4 月,调往广州,任中国科学院中南分院副院长。"文化大革命"中遭受迫害。1966 年 12 月 26 日于广州逝世。

周信芳 （1895—1975）

京剧演员。字士楚,艺名麒麟童,浙江慈溪人。先辈皆为仕宦。其父是票友,后正式搭班演出,工青衣。他 6 岁随父旅居杭州,开始学戏。7 岁登台演出。1906 年赴汉口演出,取艺名七龄童。后流动演出于安徽芜湖及沪宁一带。1907 年至上海,用麒麟童为艺名。1908 年在北京喜连成科班搭班,与梅兰芳等同台演出,工老生。1912 年返回上海,在新新舞台等剧场与谭鑫培等同台演出,深受熏陶,演技渐趋成熟。1915 年进上海丹桂第一台演出,直至 1923 年,后期兼任后台管事。在欧阳予倩、王鸿寿、汪笑侬等人的影响下,开始自编新戏《英雄血泪图》。并赴北京演出,将代表作《萧何月下追韩信》介绍给北方观众,其演技得到北京同行的称赞。1924 年回上海,对京剧进行了一些改革的尝试,不仅做功愈佳,有些戏还灌制唱片,广为流传。1927 年参加南国社,与田汉等颇多交往,曾参加话剧《雷雨》(饰周朴园)的演出,艺术眼界逐渐开阔,以"麒派"享誉国内。1937 年组织移风社,在上海卡尔登大戏院连续演出四年之久。抗日战争时期,在上海积极投身各项救亡活动,负责京剧界的宣传和动员工作。并开始与中共地下组织有了联系。1944 年接办黄金大戏院,成为戏剧演出的经营者。抗日战争胜利后,先后参加了反"艺员登记"、抗捐抗税等爱国民主运动,并拒绝赴电台演出"戡乱"节目。1948 年初,闭门研究戏剧理论和古典戏曲。中华人民共和国成立后,历任中国戏曲研究院副院长,华东戏曲研究院院长,上海京剧院院长,中国戏剧家协会副主席,上海文学艺术界联合会副主席,中国戏剧家协会上海分会主席。1953 年冬,赴朝鲜慰问志愿军,任副总团长。1955 年文化部举行梅兰芳、周信芳舞台生活 50 年纪念活动。1959 年加入中国共产党。1961 年文化部为他举行舞台生活 60 年纪念活动,并为他颁发奖状。是第一至三届全国人大代表。1975 年 3 月 8 日逝世。拍摄成电影的有《宋士杰》和《周信芳舞台艺术》;代表剧目有《四进士》、《徐策跑城》、《清风亭》等;论著汇编为《周信芳戏剧散论》。常演剧目编为《周信芳演出剧本选集》、《周信芳演出剧本新编》出版。

周至柔 （1899—1986）

原名周百福,浙江临海人。1919 年入保定陆军军官学校第八期步兵科学习,1922 年毕业。1924 年到广州参加孙中山领导的革命军队,加入中国国民党。1925 年投入陈诚部,2 月参加讨伐军阀陈炯明的第一次东征。回师广州后任黄埔军校军事教官。1926 年秋参加北伐战争,任国民革命军第二十一师第六十三补充团勤务官。1927 年任第二十一师的团长。1928 年任南系国民党军事委员会军政处处长。1930 年任陈诚部第十一师参谋长、第三十三旅旅长。1931年起先后任第十八军第十四师副师长、师长，第十八军副军长，率部参加对红军的第三、四次"围剿"作战。1933年3月所部在草台岗遭受红军沉重打击，离职赴欧美考察空军教育。1934年回国后，任国民党军中央航空学校教育长。1936年任军事委员会航空委员会主任，主持制定空军发展计划。1937年抗战爆发后，任国民革命军空军前敌司令部指挥官，指挥中国空军参加对日作战。1943年11月任蒋介石顾问出席开罗会议。1945年被选为中国国民党中央执行委员。抗战胜利后，1946年6月航空委员会改称中国空军总司令部，任总司令。指挥空军追随蒋介石积极打内战。1949年新中国成立前夕逃往台湾。1950年至1962年先后任台湾国民党军参谋总长兼空军总司令，国民党中央委员会常务委员，国防会议秘书长、台湾省"政府主席"兼台湾"绥靖公署主任"，"总统府"参军长，"国家安全会议国家建设计划委员会主任委员"，"国家建设研究委员会主任委员"等职。1986年8月在台北病逝。

朱　德 （1886—1976）

原名代珍，字玉阶，四川仪陇人。1909年考入云南陆军讲武堂，同年加入同盟会，积极从事推翻清王朝封建专制统治的斗争。1911年参加云南武装起义。1915年底参加护国战争，任滇军步兵团团长。1917年参加护法战争，任靖国军第二军第13旅旅长。1921年任云南陆军宪兵司令部司令官。1922年1月任云南省警务处处长兼省会警察厅厅长。从1917年至1922年，在十月社会主义革命和五四运动的影响下，逐渐接受马克思主义。1922年9月赴德国留学，11月在柏林加入中国共产党。1925年转赴苏联学习军事。1926年7月回国，为配合北伐军进军，受党委派到四川军队中工作，曾任国民革命军第二十军党代表。1927年初在南昌创办国民革命军第三军军官教育团，任团长。为党培养了一批军事骨干。8月参加领导南昌起义，任起义军第九军副军长。1928年1月率起义军余部举行湘南暴动，建立工农民主政权，任工农革命军第一师师长，扩大了工农武装力量。4月率部上井冈山，同毛泽东领导的秋收起义部队会师，成立工农革命军第四军，任军长。为创建和发展人民军队作出了卓越贡献。1929年与毛泽东率领红四军主力进军赣南和闽西，为建立中央革命根据地奠定了基础。1930年6月，任中国工农红军第一军团总指挥。8月，任中国工农红军第一方面军总司令，随即改任中国工农红军总司令。9月，在中国共产党六届三中全会上，当选为候补中央委员。同年11月至1931年9月，与毛泽东一起指挥红军战胜了国民党军队第一、二、三次"围剿"。1931年11月任中华苏维埃共和国临时中央政府革命军事委员会主席。1932年至1933年3月与周恩来一起指挥红军粉碎了国民党军队的第四次"围剿"。1934年1月在中共六届五中全会上当选为中央政治局委员。10月参加长征。1935年1月，出席遵义会议,坚决支持以毛泽东为代表的正确主张。6 月,红一方面军与红四方面军在四川懋功会师,他遵照党的指示,负责指挥红一、四方面军混合改编为左路军北上。途中,与反对北上方针的张国焘分裂党和红军的活动进行了坚决的斗争。1936 年 7 月红四方面军与红二方面军会合后,他和贺龙、任弼时共同坚持党中央的北上决策,阻止张国焘退却主义的南下川康计划,促成了红军第一、二、四三个方面军在陕北的胜利会师,维护了党和红军的统一和团结。1937 年抗日战争爆发后,中国工农红军改编为国民革命军第八路军,他任总指挥。不久,第八路军改为第十八集团军、任总司令。1938 年 3 月,任第二战区东路军总指挥。1939 年 3 月,任第二战区副司令长官。他坚持党的抗日民族统一战线政策,率领和指挥八路军深入华北敌后,开展游击战争,建立和扩大了许多抗日根据地。1940 年 5 月从前线返回延安。同年冬,提出“南泥湾政策”,开展大生产运动。1945 年 4 月在中共第七次全国代表大会上作《论解放区战场》的军事报告。6 月,在中共七届一中全会上当选为中央政治局委员、中央书记处书记、中央军委副主席。在 1946 年 6 月开始的解放战争中,任中国人民解放军总司令。1947 年 3 月遵照党中央决定,与刘少奇等组成中央工作委员会,前往华北工作。10 月至 11 月,亲临晋察冀前线,参加指挥清风店战役、石家庄战役。1948 年 9 月至 1949 年 1 月,协助毛泽东组织和指挥了辽沈、平津、淮海三大战役。1949

年 4 月与毛泽东联名发布解放军向全国进军命令。中华人民共和国成立后,任中国人民解放军总司令、中央人民政府副主席、人民革命军事委员会副主席。1949 年 11 月至 1955 年 5 月,任中共中央纪律检查委员会书记。1954 年 9 月参加全国第一届人民代表大会,当选为中华人民共和国副主席,并被任命为国防委员会副主席。后又任中共中央军委副主席。在第二、三、四届全国人大会议上均当选为常务委员会委员长。1955 年被授予中华人民共和国元帅军衔。在中共八届一中全会上被选为中央政治局常委、中共中央副主席。在中共九届一中全会和十届一中全会上分别当选为中央政治局委员和政治局常委。作为建国后中国共产党、中华人民共和国和中国人民解放军的主要领导人,参加制定党的方针、路线、政策,为社会主义建设和国防建设倾注了大量心血,为中华人民共和国在 20 世纪内全面实现工业、农业、国防和科学技术现代化作了不懈的努力。“文化大革命”中与林彪、江青反革命集团进行了不懈的斗争。1976 年 7 月 6 日因病在北京逝世。其主要著作收入《朱德选集》。

朱　洗　(1900—1962)

实验生物学家。原名朱玉文,浙江临海人。1920 年赴法国勤工俭学,1930 年获博士学位。1932 年回国后,先后任广州中山大学、北平中法大学教授。抗日战争时期,在上海创办私立生物学研究所。抗日战争胜利后,曾兼任台湾大学教授。中华人民共和国成立后,任中科院实验研究所所长。1956 年当选中国科学院生物学部委员。主要研究方向是动物生殖细胞的成熟、受精、分裂，并取得显著成就。著有《现代生物学丛书》，与人合译《动物学》等。

朱光潜 （1897—1986）

安徽桐城人。1922 年毕业于香港大学。1925 年出国留学，就读于英国爱丁堡大学、伦敦大学，法国巴黎大学和斯特拉斯堡大学，先后获得硕士和博士学位。1933 年回国，先后在北京大学、四川大学、武汉大学任教，并曾任四川大学文学院院长，武汉大学教务长，北京大学文学院代理院长。还曾主编商务印书馆的《文学杂志》。中华人民共和国成立后，一直在北京大学执教，历任第二、三、四、五届全国政协委员，民盟第三、四届中央委员，中国美学会会长，中国外国文学学会常务理事，中国社会科学院学部委员等职。他是我国著名的美学家、文艺理论家和教育家，早年曾著有《悲剧心理学》《文艺心理学》《谈美》《变态心理学派别》《诗论》《谈文学》《克罗齐哲学述评》，建国后著有《美学批判论文集》《西方美学史》《谈美书简》《美学拾穗集》等。他精通英、德、法、俄语，翻译了大量西方美学名著，包括柏拉图的《文艺对话集》，莱辛的《拉奥孔》，爱克曼的《歌德谈话录》，黑格尔的《美学》，维柯的《新科学》等。1986 年 3 月 6 日因病在北京逝世。

朱良才 （1900—1989）

湖南汝城人。早年曾在本村当过两年小学教员。1925 年被选为农协委员。1927 年大革命失败后，参与组织秘密农会。同年 10 月加入中国共产党。1928 年 1 月参加湘南起义，并参与组织资兴县农民暴动。随即在工农革命军第一师任秘书。到井冈山后编入中国工农革命军（后改名为中国工农红军）第四军，任第十二师三十六团连党代表。后任军部秘书，中共永兴县烟岗区区委书记，红三十一团一营一连党代表、营部书记、二连政委，参加了井冈山第一、二、三次反“围剿”战争。曾在黄洋界保卫战中，率第一连坚守阵地，击退国民党一个团的进攻。后任第三纵队七支队政委。1930 年任红三军九师政委。1932 年任红五军团十五军政委。1933 年任红十四师政委，同年获二等红星奖章。1934 年任红三十四师政治部主任。参加过中央根据地的历次反“围剿”战争。长征中曾任中央革命军事委员会总卫生部政委兼政治部主任和野战医院政委。1935 年 6 月红一、四方面军在懋功会合后，调任红四方面军教导团团长兼政委。1937 年任红三十军政治部副主任兼组织部部长，援西军政治部、组织部部长。抗日战争爆发后，任八路军驻兰州办事处秘书长。1938 年入延安中共中央党校学习，同年秋任晋察冀军区第三军分区政委兼政治部主任。1939 年秋任晋察冀军区政治部副主任，1944 年任主任，并兼任过中共北岳区委副书记。参与领导巩固和发展晋察冀抗日根据地的斗争。抗日战争胜利后，任晋察冀军区干部学校副校长兼政委。1948 年任华北军政学副政委兼政治部主任。中华人民共和国成立后，任华北军区政治部主任兼华北军政大学政委。1954年任华北军区副政委兼政治部主任。1955年至1958年任北京军区政委。1955年被授予上将军衔。1962年被增选为中共中央监察委员会委员。是第二至五届全国人大常委。1988年7月被授予一级红星功勋荣誉章。1989年2月22日因病在北京逝世。

朱学范　（1905—1996）

中国工会运动的开拓者之一。上海人。早年就读于上海圣芳济书院。1923年从上海法学院毕业后赴美国，入哈佛大学学习。1925年回国后，曾参加五卅运动。1927年3月参加上海工人第三次武装起义，任邮局工人纠察队小队长。1928年任上海邮务工会执行委员，全国邮务总工会常务委员，上海市总工会主席。参与组织中国劳动协会，任常务理事。1936年起，曾八次以中国劳方代表身份出席国际劳工大会，争取国际工人援华抗战。1938年与陕甘宁边区总工会等共同发起组织中国人民抗战总会筹备会。1939年起任中国劳动协会理事长。1944年当选国际劳工局理事院理事。1945年当选国际工会联合会理事，世界工会联合会副主席。1948年参与组织中国国民党革命委员会，任中央常委兼组织委员会主任委员。后进入解放区，当选中华全国总工会副主席。中华人民共和国成立后，历任邮电部部长，第七、八、九届全国总工会副主席，中国国际交流协会副会长，中国红十字总会名誉会长。是第五、六、七届全国人大常务委员会副委员长，第二、三、四届全国政协常务委员会委员，中国国民党革命委员会第五、六届中央副主席、第七届中央主席兼中央监察委员会主席、第八届中央名誉主席。1996年1月7日因病在北京逝世。著作有《国际劳工组织与援华运动》。

朱蕴山　（1887—1981）

字锡蕃，又名朱汶山，安徽六安人。早年曾考中秀才，后考入安徽巡警学堂。1908年加入中国同盟会。1911年参加辛亥革命，任皖中招抚使兼青年军皖中总队长。1914年回乡创办山王河高等小学。1916年参与筹建芜湖工读学校、职业学校，任常务董事。1918年在六安筹建甲种农业学校和女子学校。1921年春到安庆任《平议报》主笔。1923年春去上海拜会孙中山，赞成改组国民党。1924年冬赴天津、北京，参加国民会议促进运动。1925年夏赴上海会见陈独秀，随后返回安徽开展地方国民党左派组织工作。1925年11月以特约代表的身份赴广州出席国民党二大，不久加入中国共产党。1926年1月任国民党安徽省党部筹备委员会召集人，主持成立国民党安徽省党部，任驻会常务委员，参与领导安徽地区的国民革命运动。1927年3月公开通电反对蒋介石制造安庆事件。大革命失败后参加八一南昌起义，任国民党革命委员会委员。同年冬参与谭平山等发起组织的中国国民党临时行动委员会，任中央干事，并参与组织护党大同盟，反对国民党新军阀。1930年后同中国国民党临时行动委员会脱离关系。1931年"九一八"事变后，主张抗日反蒋，参与组织革命军人抗日联合会，任组织部长。1933年冬参加十九路军反蒋的福建人民政府活动，失败后参与发起组织中华民族同盟，主持华北民族革命同盟工作，积极推动和支持冯玉祥、吉鸿昌等领导的察绥民众抗日同盟军的斗争。1936年接受中国共产党委托三去太原与阎锡山密谈，促其停止内战共同抗日。抗日战争时期，先后任国民党安徽省民众总动员委员会组织部长，第五战区党政委员会副主任等职。从事国民党上层人物的统战活动，参与组织三民主义同志联合会筹备会。1944年秋加入中国民主同盟，被选为中央常委，并任国内关系委员会主任，积极从事国统区抗日民主运动。1945年10月被选为三民主义同志联合会中央干事会常务干事。1947年秘密赴香港，1948年1月参与发起成立中国国民党革命委员会，被选为中央常委，兼代政治委员会主席。5月响应中国共产党号召参加新政协筹备工作，后秘密赴东北解放区。1949年9月出席中国人民政治协商会议第一届全体会议，被选为全国政协委员。中华人民共和国成立后，历任政务院人民监察委员会委员，中国国民党革命委员会中央常委兼组织部长，第五届全国政协副主席，第五届全国人大常委会副委员长等职。是历届全国人大代表，第四届全国人大常委、第二至第五届全国政协常委等。1979年10月被选为民革第五届中央委员会主席。1981年4月30日因病在北京逝世。

朱之悌　（1929—2005）

林木遗传育种学家。湖南长沙人。

1950年考入武汉大学园艺系，入学两个月后转到北京农业大学森林系学习。1954年北京林业学院毕业后留校任教。1956年2月加入中国共产党。1957年赴苏联留学，入莫斯科林业学院师从A.C.雅勃那可夫院士学习林木遗传育种学。1961年获生物学副博士学位后回国。在北京林业学院编写林木教材、辅导研究生、开展科学研究工作，至"文化大革命"终止。1979年改革开放后：①主持编写了林木遗传育种教学大纲，消除"米丘林学派"的错误影响。②主持全国"数量遗传学在林木遗传育种中应用"主讲教师培训班，推动了林木数量遗传的启蒙与传播。③主编全国林业院校统编教材《林木遗传学基础》。④参与国家林业科技、教育以及产业发展重大方针、策略制定等工作。20世纪80年代初，国家科技攻关计划启动，他开展了毛白杨短周期工业用材新品种选育研究。长期坚持在山东、河北的科研基地蹲点，经过二十年的努力，创造性地完成毛白杨基因资源收集与保存研究，成功培育出一系列毛白杨雄株行道树和短周期胶合板材、建筑材料新品种。将分步培养的组培思路巧妙地运用于大田育苗之中，研究出毛白杨多圃配套系列育苗新技术，攻克了毛白杨无性繁殖材料幼化及大规模扩繁技术难题；采用染色体部分替换和染色体加倍等技术，培育出可五年采伐的短周期、速生、优质三倍体毛白杨新品种等。并创造了同一树种研究连续三次荣获国家科学技术进步奖二等奖的奇迹。他深知为社会主义中国的建设服务,才是科学研究的目的,提出"南按北毛、黄河纸业"的产业化构想。1999年当选中国工程院院士。2000年开始奔波于各企业纸浆林基地之间,组织成立了"百万吨三倍体毛白杨纸浆林产业化协作组",协助有关部门进行"林纸结合"的产业化攻关。历任北京林业大学助教、讲师、副教授、教授,林木遗传育种教研室主任,毛白杨研究所所长。曾担任林业部科学技术委员会委员、中国林学会林木育种分会副主任、《林业科学》编辑委员会委员等职。2005年1月22日因病在北京逝世。他是中国林木遗传育种学科的开创者之一,发表论文、著作70余篇(部),为中国的林业建设和林业教育事业作出了杰出的贡献。

竺可桢 （1890—1974）

气象学家、地理学家。字藕舫,浙江上虞人。1910年赴美国留学。1913年毕业于伊利诺伊大学农学院,后入哈佛大学研究院地学系研究气象学。1918年获博士学位后回国。先后担任武昌高等师范学校、东南大学教授,中央大学教授兼地学系主任,浙江大学校长,民国政府中央研究院评议员、院士兼气象研究所所长。20年代开创中国气象教育事业,创建了气象研究所并组建早期的中国气象观测网,开展物候观测、高空探测及天气预报等业务。在台风、中国季风及大气环流、气候区划、物候、气候变迁等研究方面都作出了开拓性的贡献。中华人民共和国成立后,先后任中国科学院副院长,中华全国科学技术协会副主席,中国科学院生物学、地学部主任,中国科学院综合考察委员会主任,自然科学史委员会主任。1955年当选中国科学院学部委员。1962年加入中国共产党。是第一至三届全国人大常务委员。他主持并参加中国黄河中游水土保持、西部南水北调、华南热带生物、云南热带资源等综合考察,作出了重大贡献。1974年2月7日在北京逝世。著有《中国气象概论》、《物候学》、《我国五千年气候变迁的初步研究》、《中国的亚热带》等。

庄长恭 （1894—1962）

有机化学家。字丕可,福建泉州人。1921年毕业于美国芝加哥大学,1924年获博士学位。回国后即任东北大学教授,兼化学系主任和中国文化教育基金会研究教授。1931年"九一八"事变东北沦陷后,赴德国格丁根大学及慕尼黑大学研究有机化学。回国后,历任中央大学理学院院长和中央研究院化学研究所所长,还当选为中央研究院学术评议会评议员。抗日战争初期,在北平研究院药物研究所坚持研究工作,后去昆明继续从事研究工作。1948年任台湾大学校长,年底辞职返回大陆。中华人民共和国成立后,任中国科学院有机化学研究所所长。1955年当选中国科学院学部委员,出任中国科学院化学研究所筹建委员会主任委员。他对有机合成,特别是甾族化合物的合成,以及天然有机化合物的结构研究作出了卓越的贡献,在国际有机化学界享有声誉。1962年2月15日因病在上海逝世。

庄希泉 （1888—1988）

福建安溪人。早年就读于厦门东亚

书院和前清人举办的学馆。18 岁到上海经商。1911 年辛亥革命后,受上海军政府委托组织南洋募饷队急赴南洋筹款,不久加入同盟会。1912 年任中华实业银行南洋分行协理。1916 年在新加坡创办中华国贸公司。1917 年创办南洋女校,探索"教育救国"的道路。1921 年被殖民当局驱逐回国,在厦门创办厦南女子师范学校。1925 年加入国民党,任福建省临时党部执行委员。不久被日本领事馆押往台湾监禁。1934 年夏在菲律宾创办《前驱日报》。1938 年至1941 年在香港主持福建救亡同志会,救济难民,创办建光学校、立华女中,并协助台湾革命同盟出版《战时日本》杂志。1942 年至 1945 年在桂林、重庆组织闽台协会、闽台建设协进会,变卖香港全部家产资助革命活动。抗日战争胜利后,返香港、新加坡经营进步电影和出口贸易。1947 年加入中国民主同盟,任香港工商委员会委员,积极协助中共做海外侨胞统战工作。1949 年受中共委托专程飞往新加坡,邀请陈嘉庚回国参加中国人民政治协商会议。中华人民共和国成立后,任中央人民政府华侨事务委员会副主任。1951 年兼中央侨委生产救济司司长、难侨处理委员会主任等职。1956 年起被选为中华全国侨联副主席、代理主席,第三、四、五届全国人大常委。1978 年后历任第五、六届全国政协副主席,第二届全国侨联主席,第三届全国侨联名誉主席,并兼任华侨大学董事长和中国华侨历史学会会长、名誉会长等职。1982 年以 95 岁高龄加入中国共产党,实现了多年的夙愿。他是著名的华侨领袖和新中国华侨事务工作主要领导人之一。1988 年 5 月 14 日因病在北京逝世。

邹　鲁（1885—1954）

原名澄生,字海滨,笔名亚苏,广东大埔人,1905 年加入中国同盟会。1911 年在广州办《可报》宣传革命;4 月参加广州起义,失败后赴香港。辛亥革命爆发后,与姚雨平等在广州组织北伐军,任兵站总监。1912 年临时政府成立后,回广州任官银钱局总办。1913 年当选为国会众议院议员。二次革命失败后出走日本,入早稻田大学。1914 年加入中华革命党,任《民国》杂志编辑。1917 年参加护法运动,被孙中山委为潮梅总司令。1922 年 5 月后历任广东省财政厅厅长、广东高等师范学校校长。1924 年 1 月,当选为中国国民党第一届中央执行委员、中执委常务委员兼青年部部长;6月,任国立广东大学校长;11 月,与谢持等人在北京西山碧云寺召开国民党一届四中全会,是"西山会议派"的主要领袖之一。1927 年任国民政府委员、国民党中央特别委员会委员。1931 年后,曾被连续选为国民党第四届、第五届中央执行委员。1932 年 2 月任国立中山大学校长。抗战爆发后,历任国民党国防最高委员会常务委员、国民党六届中央执行委员和常委。抗战胜利后,1946 年 11 月当选为制宪国民大会代表。历任国民政府委员、监察院监察委员、国民党非常委员会委员。1949 年去台湾,任国民党评议委员,"总统府"资政,"监察院"监察委员等职。1954 年 2 月 13 日在台湾病逝。

著有《中国国民党史稿》、《三月二十九日革命史》、《中国国民党史略》、《中国革命史》、《澄庐诗集》、《澄庐文集》等。

邹承鲁　（1923—2006）

生物化学家。江苏无锡人。生在山东青岛，父亲是铁路职员，其工作性质使全家经常搬迁。小学期间在沈阳度过，1931年"九一八"事变后到武汉读中学。1938年到重庆，进入迁至此的天津南开中学高中部学习。1941年毕业后，考入西南联大化学系学习。1946年赴英国留学，入剑桥大学学习。随基林教授从事呼吸链还原酶研究，最早在国际上用蛋白水解酶部分水解方法研究蛋白质结构与功能的关系，论文在英国《自然》杂志发表。1951年获生物化学博士学位后回国，在中国科学院上海生理生化研究所从事酶的研究工作，历任研究员、酶学研究室主任。1958年参与发起人工合成胰岛素工作，负责胰岛素A、B链的拆合，为中国科学家最早完成人工合成胰岛素作出了重大贡献。1965年最早系统地提出了酶学的可逆与不可逆抑制统一的动力学理论，并提出不可逆抑制反应速度常数的测定方法。该成果获国家自然科学奖二等奖。1970年调到北京解决夫妻两地分居的困难，开始在中国科学院生物物理研究所工作，历任研究员、副所长。"文化大革命"结束恢复工作后，他发现甘油醛—3—磷酸脱氢酶在活性部位能形成荧光衍生物，论文在英国《自然》杂志发表，并获中国科学院科学技术进步奖一等奖和国家自然科学奖三等奖。1978年胰岛素人工合成工作集体获国家自然科学奖一等奖。1983年他于20世纪60年代建立的蛋白质必需基团的化学修饰和活性丧失的定量关系公式和作图法，被称为"邹式公式"和"邹式作图法"的研究成果，获国家自然科学奖一等奖。1980年当选中国科学院生物学部委员。1981—1982年任美国哈佛大学访问教授。1986年至1990年间应邀分期任美国国立健康研究所高级研究员。1989年获陈嘉庚生命科学奖。1992年当选第三世界科学院院士，获第三世界科学院生物学奖。1995年作为人工合成胰岛素的后续研究成果，获国家自然科学奖二等奖。还获得香港何梁何利基金"科学与技术成就奖"。是全国政协第五至七届委员、第八届常务委员。曾担任生物大分子国家重点实验室主任、国务院学位委员会委员、中国科学院生物学部主任、《中国科学》和《科学通报》副主编等职。2006年11月23日因病在北京逝世。他是近代中国生物化学的奠基人之一，共发表学术论文209篇。